311-1
5

SENTIDO Y FORMA
DEL
QUIJOTE

JOAQUIN CASALDUERO

Sentido y forma

del

QUIJOTE

.(1605-1615)

INSULA - MADRID

1975

Primera edición: 1949
Segunda edición: 1966
Tercera edición: 1970
Cuarta edición: 1975

Depósito legal: M. 32.728.—1975   I. S. B. N.: 84-7185-014-1

Printed in Spain. Impreso en España por ARTES GRÁFICAS BENZAL - Virtudes, 7 - MADRID-3

El autor desea expresar su gratitud a la John Simon Guggenheim Memorial Foundation por la beca que hizo posible la segunda parte de este estudio, en 1944-45.

También quisiera expresar su reconocimiento a la Morgan Library, de Nueva York, que le acogió tan amablemente, permitiéndole el uso de la edición príncipe del *Quijote* de 1615.

INDICE

I

SENTIDO Y FORMA DEL «QUIJOTE»

1605

LA SEGUNDA PARTE

LA TERCERA PARTE

LA CUARTA PARTE

II

SENTIDO Y FORMA DEL «QUIJOTE»

1615

LA COMPOSICIÓN DEL «QUIJOTE» DE 1615

EL HOMBRE EN LA SOCIEDAD

REFLEJO DE LAS ESENCIAS PURAS EN LA SOCIEDAD

NUEVA CREACIÓN DE MITOS: EXPERIENCIA DEL MUNDO

PRIMER DESENLACE DEL DESTINO DE DON QUIJOTE

16

Siguiendo voy a una estrella
que desde lejos descubro...
....
¡Oh clara y luciente estrella,
en cuya lumbre me apuro!

CERVANTES

El que ha de caminar toda la vida,
hasta el paradero de la muerte.

CERVANTES

SENTIDO Y FORMA DEL «QUIJOTE»

I

1605

LA COMPOSICION DEL «QUIJOTE» DE 1605

DISPOSICION DE LA MATERIA NOVELESCA

Lo importante en el *Quijote* no es que Cervantes se disculpe de estar escribiendo esto o aquello, o de haberlo escrito, sino que sintiera la necesidad de incluirlo en ese conjunto, y que sintiera el ritmo de su imaginación moverse en la dirección en que se mueve y con el aire y el tono en que lo hace.

Cervantes ha sido quien ha definido con más exactitud la composición barroca: «Orden desordenada..., de manera que el arte, imitando a la Naturaleza, parece que allí la vence» (cap. L). El arte barroco cubre su orden estricto con un desorden que imita a la Naturaleza, y así la vence. Ante la obra barroca, la mirada se siente deslumbradoramente desorientada por el desorden; pero la sensibilidad y la inteligencia encuentran siempre el orden que el artista victorioso exige e impone para hacerlo florecer desordenadamente.

La novela apareció en 1605, dividida en cuatro partes, y esta división se mantuvo hasta que en 1615 publicó Cervantes su otro *Quijote*. Forman la primera parte los capítulos I-VIII; la segunda va del IX al XIV; la tercera abarca los capítulos XV al XXVII, y, por último, la cuarta la constituyen los capítulos XXVIII al LII. Es decir, que los cincuenta y dos capítulos de 1605 se presentan en grupos de ocho, seis, trece y veinticinco, observándose inmediatamente que la última parte, por sí sola, comprende casi tantos capítulos como las tres primeras. Los primeros ocho capítulos cuentan la primera salida de Don Quijote y el comienzo de la segunda con la aventura de los molinos y el principio de la aventura del vizcaíno. Los seis siguientes nos dan el final de la aventura del vizcaíno y la *Historia de Marcela y Grisóstomo*. Los trece capítulos de la tercera parte presentan el episodio de los yangüeses, la estancia del Caballero y del Escudero en la venta, la aventura de los rebaños, la del cuerpo muerto, la de los batanes, el yelmo de Mambrino, los galeotes, estancia en Sierra Morena y la historia de Cardenio. En los dos últimos capítulos de esta parte—XXVI y XXVII—vuelven a aparecer el Cura y el Barbero con el propósito de tornar a Don Quijote a su pueblo. Notemos en seguida que estos dos capítulos son los centrales de la novela, el eje que une los primeros veinticinco capítulos a los veinticinco últimos, que forman la cuarta parte, en donde todos los elementos de la novela alcanzan su plena realización.

El eje mecánico del *Quijote* está en el centro de la novela, como en toda composición renacentista. En el Renacimiento, el eje mecánico o material de la composición coincide con el orgánico o espiritual. El centro del lienzo es siempre el centro del cuadro. No en el Barroco, donde la función del eje mecánico consiste en marcar el desplazamiento del eje orgánico. Con la reaparición del Cura y el Barbero, en los capítulos XXVI y XXVII, comienza la conclusión de la novela. Pero ambos personajes no pueden ser el eje espiritual de la obra, la cual ha alcanzado el punto de máxima tensión algunos capítulos antes: en los capítulos XVIII a XXII, donde se cuentan las cinco aventuras del mundo moderno.

Cervantes, como su época, ni supeditaba su imaginación a cierta lógica ni pensaba en ordenar la narración y el acontecer lógicamente. La disposición renacentista de los materiales le parecía extremadamente pobre y rígida. El Barroco quiere sustituir la claridad por la luz y el color; exige la flexibilidad, los contrastes violentos que hagan resaltar la riqueza de tonos; opone a la sencillez la exuberancia. En lugar del movimiento pausado y claramente escandido, que se acompasa con el andar del hombre, un ritmo cuya periodicidad se mida con la marcha de los astros. *Las cuatro partes son cuatro escalones de una cascada.* Recuérdese lo que dice Cardenio: «Cuando traen las desgracias la corriente de las estrellas, como vienen de alto abajo, despeñándose con furor y con violencia, no hay fuerza en la Tierra que las detenga ni industria humana que prevenirlas pueda» (cap. XXV).

La tercera parte, con sus trece capítulos, contrabalancea los catorce capítulos de las dos primeras partes. Y la novela establece el equilibrio entre una mitad y otra, contrapesando, como he dicho antes, los veintisiete capítulos de las tres primeras partes con los veinticinco de la cuarta. La materia novelesca se dispone según un principio de *correspondencia*. Dice Cervantes por boca del Canónigo, al hablar de los libros de caballerías: «No he visto ningún libro de caballerías que haga un cuerpo de fábula entero con todos sus miembros, de manera que el medio corresponda al principio y el fin al principio y al medio» (cap. XLVII).

COMPOSICION CIRCULAR

La complicada trabazón de los distintos elementos de la novela hace resaltar más la sencillez con que está concebida. El argumento no es otra cosa que la salida del Hidalgo de su casa, su busca de aventuras y la vuelta. Este movimiento circular se repite en la segunda salida. El esquema de la primera salida es: 1), salida de la casa; 2), venta y una aventura; 3), vuelta y dos aventuras. En la segunda salida, el movimiento ternario se transforma en su correspondiente quinario, dándonos este esquema: 1), salida, aventuras y episodios; 2), venta; 3), aventuras y episodios; 4), venta; 5), vuelta, una aventura y un episodio.

Cervantes se sirvió de la forma circular para su argumento, porque tenía que expresar la idea del Destino. Pero era un destino histórico, el destino de una cultura que quiere mantener vivo el pasado. Pasado que el novelista ama, pero cuyo amor es fecundo porque lo ve, aunque con nostalgia, irremediablemente muerto, y por eso podrá entregarse sin reservas a salvar el presente. En la primera salida tenemos el destino de Don Quijote en su totalidad y de una manera esquemática y esencial. En la segunda salida se presenta la complejidad de este destino. La primera salida está concebida en función de la segunda; está dando la nota fundamental, generadora, y presenta la acción en su totalidad. Este procedimiento es frecuente en el Barroco.

La determinante de la novela es el contraste entre la condición, ocupación y medio social de un hidalgo de la Mancha y el «más extraño pensamiento» que se le podía ocurrir: hacerse caballero andante, resucitar la Edad Media. Este extraño pensamiento se ha originado leyendo libros de caballerías. Bien asentado el punto de arranque de la narración, presenta de una manera esquemática y esencial la acción, con una introducción sabiamente graduada de los personajes principales que en ella intervienen: Ama y Sobrina, que abren y cierran la novela, que son el férreo encuadramiento social de Don Quijote; el Cura y el Barbero, que llevan el hilo de toda la discusión literaria; luego, Dulcinea, y, por último, Sancho.

Una de las maneras como se podía expresar este contraste era la parodia, la cual complica la acción, pues la proyecta en dos direcciones distintas. De un lado, hay que tener siempre presente que Don Quijote es un hidalgo; del otro, es preciso no olvidar que todos sus actos son una alusión. La parodia, además de satisfacer las ansias barrocas de complicación, permite dar un gran relieve al contraste, llegando hasta la deformación grotesca, consiguiendo el brusco desplazamiento de lo patético a lo burlesco, haciendo a veces que la burla apague la emoción, o que ésta aflore entre las volutas del humor, o bien que emoción y burla entrelacen sus espirales.

La parodia pone ese doble fondo a la acción. Al mismo tiempo, la acción está cargada de antitéticas sugestiones: sociedad y espíritu, ser y parecer, idealismo y realismo, poesía y prosa. Antítesis que no se enfrentan como en la *Disputa* gótica, sino que se enlazan apasionadamente en el diálogo barroco.

El Cervantes católico, católico de su época, es claro, de la Contrarreforma, no expresa la lucha entre el alma y el cuerpo, entre la virtud y el vicio. Su sentir religioso adopta la forma moderna de un sentimiento histórico-cultural. Ve el mundo como una oposición entre la fe del pasado y la voluntad del presente, entre el caballero andante y el caballero de su época, y llega a reducir los amplios círculos de su emoción a los límites de su propia vida, de su personal experiencia, en la cual Lepanto se alza como una columna miliar que separa dos épocas: el Renacimiento, cuya última savia ha recogido, cuyos últimos rayos de luz han dorado su juventud y en el

24

cual no sólo se siente enclavado, sino que lo recuerda idealizado con todo el prestigio de los años de ilusión y de esperanza, con la visión primigenia de una mirada joven y poética, con toda la nostalgia de lo definitivamente pasado, y el Barroco, en que su ilusión poética se ha transformado en experiencia moral, su juventud en madurez, la España de Lepanto en la de la Armada, su heroísmo en cotidianos menesteres. El paso de una época a otra se hace en Argel, en el cautiverio. A Argel llega un héroe, y de ella sale un recaudador de contribuciones. Los rayos de la amplia confrontación histórico-cultural de dos edades los concentra Cervantes en su propia vida. La polaridad entre el ser y el parecer, el caballero y el burgués, el ideal y la realidad, el espíritu y la sociedad, es sentida intensamente a través de su experiencia personal y se transforma en materia poética en la *Historia del Ingenioso Hidalgo Don Quijote de la Mancha*.

El tema principal queda expuesto con precisión y claridad en la primera salida. En la segunda se desarrolla el tema en todo su frondoso claroscuro, y aparece la melodía secundaria: la del amor, que comienza en cuanto ha quedado terminada la exposición del primer tema; esto es, en la segunda parte: *Historia de Marcela*. En la segunda parte se dice la frase amorosa, que empieza en el majestuoso andante del *Discurso de la Edad de Oro*, todo él con un fondo histórico-literario; reaparece brevemente en el tema caballeresco, e inmediatamente se oyen los acordes del amor. En la parte tercera y comienzo de la cuarta las dos melodías se enlazan; transponiéndolas de clave, se las hace pasar de la Historia al momento actual—aventuras, Cardenio y Dorotea, Discurso de las Armas y las Letras, Cautivo y Oidor—; vuelven a desenlazarse—Celoso, Disciplinantes—, y queda otra vez sólo el tema principal para terminar la novela.

Hay que tener en cuenta, además, que el tema principal está íntimamente ligado al problema literario de la diferencia entre Historia y Novela. La vida del Hidalgo cambia de rumbo y desemboca en la de Don Quijote, no porque leyera libros de caballerías, sino porque los leía como si fueran historia.

El contenido del *Quijote* de 1605 se puede resumir así: 1.º Tema principal: aventuras caballerescas. 2.º Acompañamiento: episodios amorosos. 3.º Fondo: escrutinios y diálogos de materia literaria. En los tres temas, el conflicto incesante nace de la confrontación del pasado con el presente.

LA COMPOSICION DE LA PRIMERA PARTE

Al estudiar el *Quijote*, lo primero que observamos es la imposibilidad de separar los tres temas de la novela, pues están tan coherentemente unidos, que no se puede tratar uno de ellos sin tratar al mismo tiempo de los otros dos. No sólo la continuidad de la acción, sino la articulación temática organiza las partes en un todo único.

Sobria, enérgica y brevemente pintado el protagonista y su medio, con la voluntad barroca de caracterización, introduce inmediatamente Cervantes el tema literario: 1.º, para motivar la conducta del Hidalgo: creía que los libros de caballerías eran historias verdaderas; de aquí que diera en hacerse caballero andante; 2.º, para presentar al Cura y al Barbero, cuya función será siempre el examen de lo que es una novela y contrastar ésta con la realidad; y, por último, 3.º, para subrayar la imaginación como punto de arranque a la vez de la acción y de la creación literaria (con su calidad diferente), pues si no se hubiera hecho caballero andante, el Hidalgo hubiera escrito el final de la aventura de don Belianís; y, efectivamente, al terminar la novela, Don Quijote imagina la aventura del lago. Recuérdese que esta aventura se cuenta cuando se vuelve a plantear el problema literario al final de la parte cuarta. El tema literario aparece de nuevo al final de la primera salida (cap. VI y comienzos del VII) como examen de los géneros novelescos desvitalizados—libros de caballerías y novela pastoril—, y que, por tanto, tenían que dar lugar a una nueva forma novelesca, que, alejada del mundo gótico y renacentista, fuera capaz de expresar el alma moderna: el conflicto entre el pasado y el presente, el destino del individuo y su oposición al medio social circundante.

Encuadradas en el tema literario—punto de arranque del destino de Don Quijote, necesidad de la creación de un nuevo género novelesco—tenemos las tres primeras aventuras del Hidalgo. El paladín de Dulcinea—belleza y virtud—va a dar a una venta—Castillo—, y allí se encuentra con unas prostitutas y un pícaro. Inmediatamente comienzan las aventuras: lucha con los arrieros; al salir de la venta, la liberación de Andrés y, por fin, su relación con los mercaderes. Don Quijote va de la victoria sobre los arrieros a la derrota por la caída de *Rocinante*, que los mercaderes aprovechan, pasando por la victoria ideal en su socorro a Andrés.

Las tres aventuras hacen surgir el conflicto esencial de Don Quijote: su choque con la realidad, la dualidad del mundo—ideal, social—y las dos perspectivas que esa dualidad crea: la grotesca y la patética. Marcan también la dirección del caballero, de una victoria circunstancial a una derrota necesaria. En la primera y la tercera aventuras, el ventero y los mercaderes se dan cuenta de la locura de Don Quijote y le siguen el humor, dando lugar a lo grotesco de los acontecimientos. Esta burla nimba el patetismo de la segunda aventura, la de Haldudo y Andrés, en la cual se establece la relación entre la Justicia y los medios necesarios para ejecutarla. Desde el Romanticismo, esta aventura es el primer momento de plena melancolía y tristeza en la novela; pero al hombre barroco le suscitaba la risa, ya que el acento no está en la desgracia de Andrés, sino en la insensatez de Don·Quijote.

Al terminar la tercera aventura, Don Quijote, apaleado y maltrecho, hace la afirmación de su personalidad: «Yo sé quién soy... Y sé que puedo ser no sólo los que he dicho, sino todos los doce pares de Francia, y aun todos los nueve de la Fama...» En el momento en que Hamlet duda, cuando se están buscando nuevas bases a la personalidad humana, cuando todo se desmorona y el hombre de lo único que es capaz es de sentirse sobrecogido y desconcertado ante el misterio del ser, Don Quijote no titubea en hacer un acto de voluntad y de fe. Para su alma católica, la persona es algo claro y evidente. Alrededor del «Yo sé quién soy», una rueda de sombras —Valdovinos, Abindarráez, el Marqués de Mantua, Rodrigo de Narváez—giran en torbellino y no permiten que el Hidalgo oiga su propio nombre. Don Quijote mantiene el diálogo más dramático, el eterno, el único diálogo: el monólogo en el que convoca a las sombras legendarias y poéticas.

«Yendo, pues, caminando nuestro flamante aventurero, iba hablando consigo mesmo.» Con un monólogo comienza la primera salida, el monólogo en el cual Don Quijote se dispara hacia el futuro lejano, «los venideros tiempos», entregando su presente, su destino

27

en potencia, totalmente a la Historia. Como puede contemplar la trayectoria de su vida en la perfección de lo realizado; como está completamente seguro de la dirección de su impulso, no le conmueve la realización, el curso que ha de seguir, el desarrollo. Su certidumbre interior le pone ante los ojos la «dichosa edad y siglos dichosos» en que saldrán a luz sus famosas hazañas. Compárese con el primer monólogo de Hamlet:

> O, that this too too solid flesh would melt,
> Thaw, and resolve itself into a dew!

Don Quijote está seguro de su vocación y, por tanto, de la necesidad apremiante de su salida al mundo. El escrutinio de la librería del Hidalgo termina (cap. VII) al oírse las voces de Don Quijote, el cual se halla metido en otra aventura *(cuarta* y última de la primera salida): la de los caballeros aventureros y cortesanos. Esta aventura cierra el tema de la personalidad, que había comenzado al quedar tendido en el suelo por la caída de *Rocinante* (cap. V); el tema reaparece en la cuarta parte. Es la única aventura que tiene lugar estando Don Quijote dormido, y debe relacionarse con la soñada aventura de la parte cuarta—que tiene lugar en el segundo escrutinio—, pues, terminada esta aventura, es cuando la sobrina le dice que un encantador ha hecho desaparecer libros y aposento. Entonces es cuando Cervantes muestra todo el sentido de la primera salida, ya que este Frestón—dice Don Quijote—es un sabio que le tiene ojeriza, porque sabe que le ha de vencer (alusión a la próxima aventura de sueños), «y por esto procura hacerme todos los sinsabores que puede; y *mándole yo que mal podrá él contradecir ni evitar lo que por el Cielo está ordenado*» (cap. VII).

Ahora ya puede empezar la segunda salida, y, efectivamente, hace su aparición Sancho con el asno. No hay transición de ninguna clase. La segunda salida está completamente unida a la primera; la rapidez en alejarse del lugar es lo que las separa.

Don Quijote va a tener, a partir de este momento, alguien que le acompañe. Para llegar a esta pareja, el autor ha necesitado siete capítulos. Quiere que la figura del nuevo caballero andante se apodere de la imaginación del lector, de manera que su trazado no se deforme con la suma tan poderosa de Sancho, ya que precisamente las líneas de uno deben realzar las del otro y, al mismo tiempo, fundirse en un todo único. De aquí que se nos haga ver inmediatamente cuál va a ser su función respectiva, de la cual surge el conjunto grotesco y cómico.

Sancho, tácita o explícitamente, de modo voluntario o sin darse cuenta, sigue a su señor; esto es, le remeda. Es la mejor figura de gracioso que ha creado el Barroco español. Los dos tiempos de la burla, cuando se acoge al mundo ideal como si fuera real y al subrayar el choque de ambos, muestran su identidad con el caballero, pero también su diferencia, tan importante de grado, por cuyo medio se consigue esa espléndida armonía.

Cervantes necesitaba dejar establecida rápidamente la conexión entre ambas formas, y en seguida refuerza el sentido del mundo de Don Quijote (molinos). Durante toda la primera salida, la realidad ha sido transformada por el caballero, y esa metamorfosis se hace acción en la venta, uniendo en una recapitulación los diversos elementos que la componen (final del segundo capítulo). Gracias al escudero penetramos en el proceso dialéctico de la transformación: los cinco momentos de la aventura de los molinos. Pero el comienzo de la aventura del vizcaíno (frailes benitos) ofrece la unidad de las dos figuras, su enlace patético-burlesco. La Gracia y la Melancolía ni se oponen ni se complementan: forman la unidad moderna. Con la misma realidad se hace brotar la burla o el dolor, la tragedia moderna, la tragicomedia.

LA COMPOSICION DE LA SEGUNDA PARTE

La historia de Don Quijote es un acontecimiento actual (ahora), ocupando el primer plano (aquí) y llenándolo todo él. En la segunda salida se retira la acción a un término más alejado, el histórico; invención de Cide Hamete Benengeli. Proyectada en esa perspectiva, la parodia se hace mayor, las figuras tienen un tamaño menor, su número puede aumentar, la acción puede complicarse para adquirir toda resonancia.

El cambio de tiempo, este trasladar la acción de un primer plano a un plano intermedio (se retrocederá al último plano solamente al final de la novela, en busca de los versos grotescos que juntamente con los del principio sirven de marco a la obra), lo señala Cervantes con el paso de la primera parte a la segunda, acentuándolo intencionadamente al interrumpir la aventura del vizcaíno, dejando a ambos contendientes con las espadas en alto, los cuales, al ser continuada la narración, recobran el movimiento. Esta parodia de la técnica de los libros de caballerías se refuerza al situarse el novelista en la realidad (Alcaná de Toledo) para presentarnos su historia ya escrita y hacernos ver a los personajes como figuras de imaginación, mostrándonoslas en un grabado. Todo ello se aúna para desplazar violentamente la narración, dándole la profundidad de perspectiva que conviene al tema, el cual ya no es la presentación del Destino en su totalidad, sino el desarrollo del Destino en su complejidad, haciendo resaltar la confrontación de dos edades: el próximo pasado (Gótico y Renacimiento) y el presente (Barroco). Esta confrontación de dos edades, como ya he indicado antes, es el íntimo conflicto de Cervantes, su vital experiencia, el punto de arranque de su creación, la cual se origina al trasladar esa experiencia personal a los amplios límites de lo general.

Se siente el pasado como tal, como concluso e irremediablemente situado en la zona de lo perfecto; se le ve idealizado, expresando este sentimiento con el tema de la Edad de Oro. Edad feliz, en que reina la inocencia, y que Cervantes contempla desde el punto de vista del amor, para poder introducir la segunda melodía de su novela.

En la primera parte, Don Quijote sólo nos habla de una manera general de deshacer agravios y enderezar entuertos. Pero el pícaro ventero (la sociedad) nos cuenta cómo anduvo por varias tierras «recuestando muchas viudas, deshaciendo algunas doncellas». La segunda parte, al ir a marcar el cambio de movimiento, anuncia irónicamente (cap. IX) el tema de la Edad de Oro; ironía que quiere dejar establecida la calidad poética del tema. En el mismo capítulo IX termina la aventura del vizcaíno: Don Quijote, victorioso, devuelve la libertad a la dama cautiva.

El libertador de la dama ya se puede encontrar con el tema de su discurso: unos cabreros, la noche serena, unas bellotas. En la Edad de Oro, «las doncellas y la honestidad andaban, como tengo dicho, por dondequiera, solas y señeras, sin temor que la ajena desenvoltura y lascivo intento las menoscabasen, y su perdición nacía de su gusto y propia voluntad. Y agora, en estos nuestros detesta-

30

bles siglos, no está segura ninguna, aunque la oculte y cierre otro nuevo laberinto como el de Creta; porque allí, por los resquicios o por el aire, con el celo de la maldita solicitud, se les entra la amorosa pestilencia y les hace dar con todo su recogimiento al traste. Para cuya seguridad, andando más los tiempos y creciendo más la malicia, se instituyó la orden de los caballeros andantes, para defender las doncellas, amparar las viudas y socorrer a los huérfanos y a los menesterosos». En la Edad de Oro, la virtud estaba segura, la perdición de las doncellas nacía de su «propia voluntad»; en la edad actual «no está segura ninguna». Este discurso expone la teoría que se presentará viva en la *Historia de Marcela* y la *Historia de Cardenio y Dorotea*. Para proteger a Dorotea—época actual—es para lo que se creó la caballería andante. Ya veremos en qué consiste el moderno laberinto; ya veremos cómo éste no basta para librar a la mujer del «celo de la maldita solicitud». Marcela se basta a sí misma; Don Quijote es mero oyente y espectador de su historia.

La narración de la *Historia de Marcela*, narración de amor idealizado, sirve de fondo y de contraste a la *Historia de Cardenio y Dorotea*. Por eso queda exenta en la segunda parte, de manera que el pasado pueda ser contemplado como tal pasado y el amor ideal quede alejado de la realidad. Apenas oye Don Quijote lo sucedido al amante de Marcela, cuando aparece como enamorado: «Todo lo más de la noche se le pasó en memorias de la señora Dulcinea, a imitación de los amantes de Marcela.»

El tema caballeresco y el literario se presentan fuertemente unidos entre sí, y unidos a la vez al tema amoroso. En cuanto el cabrero termina de narrar el episodio pastoril, un personaje observa la diferente función de la mujer en la novela de caballerías. Esta discusión ha sido precedida de otra en la que se confrontan los dos estilos de vida gótica—caballeresco, religioso—como antecedente necesario *del Discurso de las Armas y las Letras*.

Pero el problema literario se hace más complejo en esta segunda parte, porque junto a los libros de caballerías—género totalmente muerto y cuya existencia, aparte el valor formal, se prestaba únicamente a la parodia—se encuentran las novelas pastoriles—relación humana del hombre y la mujer, estudio de los sentimientos, medio social-cortesano—, cuyo contenido conservaba todavía un

31

valor, siempre que no se le hiciera permanecer estancado y que se fuera capaz de darle la forma que el medio social-urbano actual exigía para expresar la nueva relación humana. Además, hay el problema del estilo. Para Cervantes, como para su época, el estilo medieval era algo primitivo, rudo y falto de primor.

La *Historia de Marcela* es una novela pastoril, y su contenido sentimental se manifiesta en la forma de una *Cuestión de amor*, claramente enunciada. Y el discurso de Marcela va todo él encaminado a examinar si el objeto hermoso y digno de ser amado debe corresponder al amor que inspira. La conclusión platónico-renacentista es la gratuidad del amor: el objeto hermoso debe ser amado por su misma hermosura, y no debe esperarse ninguna correspondencia.

La forma es, sin embargo, completamente barroca, y, por tanto, también el contenido. Cervantes insiste en que el estilo de vida pastoril es un estilo de vida culto, que ha nacido del humanismo. Grisóstomo es un estudiante-poeta de Salamanca. Marcela—huérfana que queda bajo el amparo de su tío, sacerdote, preocupado en casarla sin forzar su voluntad—es una muchacha rica. Todos los enamorados son «ricos mancebos». Estos jóvenes selectos tienen la necesidad de dar a su vida sentimental esa forma idealizada del ropaje y escenarios pastoriles. Constrastando con ellos están los verdaderos pastores, los cabreros. Un cabrero da a conocer la «cuestión»; pero la novela no se cuenta como una discusión de la «cuestión», sino como un acontecimiento extraordinario, digno de ser sabido. Al mismo cabrero no se le permite deslizar su narración en un estilo cortesano hasta que se ha hecho notar claramente la diferencia entre el habla popular, el habla de los pastores *(cris, estil, sarna)* y la locución literaria. Por último, se excita la curiosidad del lector: se llena la novela de color y movimiento, en oposición a la claridad lineal y estética de la pastoril-renacentista. No es lo menos importante observar que a Marcela se le hace irrumpir en la escena, colocándola en un pedestal—la peña—, por encima de todos los que forman el fúnebre cortejo, y con un fondo montuoso y arbolado. Desde esa arquitectura peñascosa y con proporciones gigantescas, en pie, pronuncia Marcela su discurso. En el Renacimiento hubiera hablado sentada a la orilla de un manso río, al mismo nivel de sus oyentes, y sus palabras hubieran sido una invitación al diálogo. La actitud y el discurso de Marcela—quien, «sin querer oír respuesta alguna, volvió las espaldas y se entró por lo más cerrado de un monte»—tiene, por el contrario, un aire cesáreo, el aire colosal de la barroca monarquía absoluta, llenando el espacio de una pavorosa admiración. No es Dios que se ha hecho hombre, es un hombre que cree sinceramente ser el único representante de Dios en la Tierra, que se cree Vicediós. Cervantes hace sobresalir la distinta disposición de la escena y las dimensiones colosales. Por último, detrás del acontecimiento vemos a todo un pueblo que va de sorpresa en sorpresa, atraído por los sucesos extraordinarios que ha presenciado. La novela ya no es una discusión, un diálogo, en que todos los personajes, en un tranquilo reposo, van buscando las características diferenciadoras de un sentimiento, sino una acción que conduce tensamente la vida de unos individuos y la atención de todo un pueblo, cuya vida psíquica y sentimental ha sido conmovida hasta sus raíces más profundas por el extraño acontecer. La necesidad de expresar ese mundo nuevo impone la nueva forma.

Don Quijote ha pronunciado el discurso de la Edad de Oro, ha hecho entrar su corazón en el coro de enamorados, no permite que nadie vaya en pos de Marcela, y al irse él mismo tras ella, también deslumbrado, el Destino impide que la encuentre, dirigiéndole hacia la historia actual de Cardenio y Dorotea.

Don Quijote no ha tenido aventuras caballerescas; pero como en la primera salida se alude a la de Puerto Lápice y a la de los molinos, las dos primeras de la segunda salida, ahora se anuncian dos de la tercera parte: la del yelmo de Mambrino (cap. XXI) y la de los ejércitos (cap. XVIII). Se notará que tanto ahora como antes se alude a las aventuras precisamente en el orden inverso de como aparecen, para huir hasta en los detalles de una simetría de posición.

LA COMPOSICION DE LA TERCERA PARTE

El amor idealizado renacentista de la *Historia de Marcela* queda exento en la segunda parte; pero en seguida se presenta su deformación burlesca en las andanzas de *Rocinante* y las jacas galicianas, episodio con el cual comienza la tercera parte. Los alborozos inusitados de *Rocinante* conducen la historia al mundo de la realidad (presente), al mundo de la Naturaleza y de los instintos, que era

3

aristocráticamente ignorado por la pastoril, y preparan la parodia del amor caballeresco, que tiene lugar en cuanto Don Quijote, golpeado y maltrecho, entra en la venta.

Es la venta de Palomeque, su mujer y su hija, y la moza Maritornes. La mujer y la hija cuidan al caballero; Maritornes hace lo mismo con Sancho. Cervantes dispone la cantidad de luz de la escena. Apenas entra en el cuarto, la luz lejana de un tembloroso candil; en cambio, por el techo agrietado se filtran las estrellas. Los dolores físicos no impiden que la presencia de una mujer haga que el alma de Don Quijote se vuelva hacia el amor. Mientras el sueño amoroso eleva el mundo de los sentidos hasta el plano más alto del ideal, al lado del caballero está el arriero sintiéndose comido por los deseos de la carne, y Sancho, beato y pacífico, duerme. No es Sancho el que se opone a Don Quijote. El amor puro del caballero encuentra su contrario en el amor lascivo del arriero. Sancho, obsesionado por el poder, está igualmente separado de uno y otro amor. Maritornes es la Venus barroca del desengaño. Si de un lado el Barroco se hunde gozosa y trágicamente en los sentidos, hasta llegar a las fronteras del sentimentalismo y la sensibilidad desbordada, que será la característica del Rococó, de otro los ideales de pureza de la Contrarreforma exigen esta visión amargamente grotesca de la belleza corpórea. Tras el momento de pasión soñada y pura de Don Quijote, viene un movimiento en *crescendo*, todo él lleno de golpes, que termina en pianísimo, para volver a tomar un ritmo acelerado (cap. XVII) y concluir con los efectos bufonescos del bálsamo en Sancho y con su manteamiento.

La parodia del amor caballeresco está separada y unida al mismo tiempo al amor idealizado del Renacimiento y al amor actual, cuya plenitud de realización va a tener lugar en la misma venta en la parte cuarta: esa venta que en la parte tercera Don Quijote comienza por creer que es castillo, para terminar sabiendo que es venta, y que en la parte cuarta empezará por reconocerla como tal y acabará transformándola en castillo.

El encadenamiento temático es esencial en el arte barroco, no sólo como guión, sino también, y principalmente, como creador de la unidad de la composición y, por tanto, del goce estético. La prueba (si hiciera falta) de que el encadenamiento temático es un recurso del arte narrativo de Cervantes la tenemos cuando Cardenio va a

34

contar su historia. Cervantes quiere enlazar su manera de narrar con la de Sancho, preparando así la escena Princesa Micomicona-Visita a Dulcinea. Cardenio promete contar lo que le ha sucedido, pero ruega que no se le interrumpa, porque en el momento que lo hagan dejará de hablar. Parecida condición es la que impuso Sancho para decir su cuento de las cabras, y Don Quijote no deja de relacionarlo: «Estas razones del Roto trujeron a la memoria a Don Quijote el cuento que le había contado su escudero cuando no acertó el número de las cabras que habían pasado el río, y se quedó la historia pendiente» (cap. XXIV). Lo cual, además, ya advierte al lector del gran peligro de que Cardenio cese de contar su historia, lo que efectivamente sucede.

Al salir de la venta tenemos, en apretado haz, todas las aventuras de Don Quijote: aventura de los rebaños (cap. XVIII), del cuerpo muerto (cap. XIX), de los batanes (cap. XX), del yelmo (capítulo XXI) y, por fin, la de los galeotes (cap. XXII). En estas cinco aventuras, el mundo quijotesco muestra su textura ideal y subjetiva: desde esas nubes de polvo, que apenas si sirven para otra cosa que para ocultar a los ojos de Sancho las huestes caballerescas del pasado, hasta ese puro juego verbal de la aventura de los galeotes. La realidad ya no interviene; desde luego que no, mostrando una serie de formas que sirvan de punto de arranque a la fantasía. Polvo, luces, ruidos, reflejos, palabras: eso es todo lo que entrega la realidad a los sentidos. Sancho vive de lleno la aventura hasta el momento del desenlace, porque, no pudiendo actuar una experiencia inmediata, depende por completo de la interpretación que Don Quijote da a los fenómenos. Antes que Sancho vea los rebaños, ya ha hecho desfilar Don Quijote sinnúmero de caballeros. El temor le sobrecoge hasta que Don Quijote dispersa el cortejo fúnebre. No se mueve del lado de su amo, de miedo de morir en la aventura de los batanes. Cuando llega la de la bacía, sus sentidos le permiten afirmar únicamente que él sólo ve una cosa que relumbra. Y es el mismo Sancho—en tal confusión le ha puesto Don Quijote—quien ayuda a liberar a los condenados a galeras.

En la aventura de los rebaños se despide melancólicamente el mundo moderno del mundo épico antiguo y medieval. Mundo visto y sentido desde España. En el tono de la evocación está la melancolía. Esta aventura va a dar a la del cuerpo muerto—el caballero que no ha muerto en la guerra, sino que murió de unas calenturas pestilentes—, la cual prepara la atmósfera en negro del temor, dejando al individuo solo consigo mismo, creando su mundo, viviendo, no de la realidad circundante, sino de su propio anhelo interior (batanes).

En la aventura de la bacía, Sancho acepta la diferencia entre el ser y el parecer, y pone de relieve el aspecto cómico que ofrecen los idealistas al moverse entre las apariencias. Pero inmediatamente Sancho entra en un mundo ideal, en el cual Dulcinea hace el papel de infanta, y como tal la considera Don Quijote. Sancho, en cambio, se olvida de que está casado, y a él, que subraya con tanta sorna que el almete parecía bacía, le vemos pasearse hecho todo un conde con todo un *barbero* detrás, pues ciertamente le hará más falta quien le afeite a menudo que no quien cuide de su caballo.

Caballero y escudero pasan siempre cautelosos del ser al parecer, para ir a enredarse en el sentido de las palabras cuando dan con los galeotes. Subjetivismo del mundo. Palabras, palabras y palabras, que no tienen otro sentido que aquel que les da el individuo. Estas cinco aventuras sitúan al hombre en el mundo moderno por él mismo creado y le ponen en la gran aventura del seiscientos: la busca de la esencia de las cosas.

Las cinco aventuras de la tercera parte, que arrancan de meras alusiones a la realidad—polvo, luces, ruidos, reflejos, palabras—, están en perfecta correspondencia con las cinco—arrieros, Andrés, mercaderes, molinos, vizcaíno—de las dos primeras partes, que surgen al encontrarse con el mundo de las formas. El caballero de la figura grotesca se ha transformado en el de la *Triste Figura*, apelativo que encuentra Sancho precisamente al terminar la aventura del cuerpo muerto e ir a empezar la de los batanes, y que, como es natural, cree desprovista de todo sentido simbólico, pues piensa que o «ya el cansancio deste combate, o ya la falta de las muelas y dientes» son la causa de la mala figura de Don Quijote. Pero éste se apresura a responderle, y le explica el sentido. Con estas cinco aventuras nos encontramos en el centro de la novela, donde la obra alcanza el punto de máxima tensión. Al introducirse a Don Quijote en el mundo actual, en el cual las aventuras paródicas caballerescas terminan—«una aventura que, sin artificio alguno, verdaderamente lo parecía»—y en donde Don Quijote se ha puesto totalmente en contacto con el mundo del seiscientos, Cervantes se dedica a un estudio de su época y de la forma novelesca que le conviene.

Caballero y escudero penetran en Sierra Morena, y reaparece el acorde de la Edad de Oro con la *Historia de Cardenio*. Al amor idealizado de una edad ideal oponía Don Quijote en su discurso el amor en el presente real. A la *Historia de Marcela* (pastoril) opone Cervantes las vidas de Cardenio y Dorotea, las dos íntimamente ligadas, pero siguiendo direcciones distintas. Ambas están inscritas en la actualidad como tal y en un medio social-urbano. La *Historia de Cardenio*, sin embargo, es un estudio de ambiente novelesco y de tenebrosidades psicológicas, y por eso queda incluida en la tercera parte. En cambio, la *Historia de Dorotea* estudia la relación del hombre y la mujer en el presente.

El cabrero de la *Historia de Marcela* está sirviendo de contraste a los *pastores* de la pastoril y, además, cuenta lo acontecido como un hecho extraordinario. El cabrero de la *Historia de Cardenio* tiene como función el facilitar el paso de un episodio a otro; pero no cuenta lo que ha sucedido al protagonista, sino que refuerza la nota de asombro y de interés ante su comportamiento, cuyos motivos ignora. Ambos cabreros unen las dos historias al *Discurso de la Edad de Oro*. La *Historia de Cardenio* la cuenta el mismo protagonista, y hay que distinguir el relato que él hace del ambiente en que nos lo presenta Cervantes. El ambiente—sierra escarpada, maleta, mula, aspecto desastrado, ataques de locura—traduce plástica y novelescamente el dramatismo del suceso y el estado de ánimo del individuo. El relato de Cardenio nos pone en conocimiento de los acontecimientos: una serie de obstáculos sociales que dan lugar a una acción puramente interior. De dudas, indecisiones, desorientación está hecha la historia de Cardenio. Cardenio revela una refinada sensibilidad para plantearse problemas que no son de un orden teórico o académico, sino morales, y que hacen entrar en juego constantemente la voluntad. Cardenio nos lleva de una situación complicada a otra más compleja, enredándose él mismo en la madeja que él mismo enmaraña. Esta peligrosa exploración del mundo interior—igualmente alejada de la acción externa de los libros de caballerías y de la discusión de la novela pastoril, aunque de ésta derive—nos hace penetrar en la novela moderna. Luscinda, con su sufrimiento moral, encarna la mujer de la Contrarreforma: extremadamente ho-

37

nesta y bella, tiene que salvar su honestidad en el mundo, no en una academia ni en un convento. Tiene que llevar su corazón enamorado y virtuoso al matrimonio, sometiéndose a la autoridad paterna; tiene que casarse con el hombre que le ha elegido el Destino, y la Iglesia se encargará de santificar la unión, para que los hombres crezcan y se multipliquen y canten en coro que circunde la Tierra la gloria de Dios en las alturas.

La narración bipartita de Cardenio (caps. XXIV y XXVII) encuadra la penitencia de Don Quijote, quien, como al oír la historia de Marcela se puso a soñar en su amor, ahora tiene necesidad de llorar los desdenes de Dulcinea. No era posible que uno de los mitos más cargados de sentido del Barroco no nos transportara a la soledad del héroe. Don Quijote se queda solo en el yermo del desdén. Su soledad espiritual está hecha de quejas y versos, de lágrimas y suspiros. A las peñas y árboles montaraces entrega la pena que su «asendereado corazón padece.» Un corazón atormentado por un amor imposible en un ámbito solitario. Y si la Marcela renacentista encontraba las palabras más elocuentes para defender la gratuidad del amor, el Don Quijote barroco mostrará todo su orgullo y superioridad al proclamar la gratuidad del sufrimiento y de la penitencia. E inmediatamente hace bien patente el subjetivismo del mundo cuando le confiesa a Sancho: «Eso que a ti te parece bacía de barbero me parece a mí el yelmo de Mambrino, y a otro le parecerá otra cosa», con lo cual puede introducirnos en toda la trágica escisión del alma moderna. Por única vez, antes de quedar en soledad, nos hace sentir Cervantes la calidad terrena del origen de Dulcinea, subrayada especialmente por Sancho: «¡Ta, ta!—dijo Sancho—. ¿Que la hija de Lorenzo Corchuelo es la señora Dulcinea del Toboso, llamada por otro nombre Aldonza Lorenzo?» (cap. XXV). Unas líneas le bastan para hacernos entrever una tímida, dolorosa, alegre historia interior de amor, en que se llega a los más hondos sentimientos humanos, precisamente por ser toda ella una pura creación cerebral (1). En su época, el rasgo altamente burlesco de en-

_____

(1) La interpretación del *Quijote* por Unamuno desplaza por completo este momento, como toda la novela, de su medio barroco. En cambio, hay pocos monumentos literarios que hayan tenido la suerte de verse reflejados en otra época—la impresionista—, como lo ha sido el *Quijote* en la lírica confesión de Unamuno, *Vida de Don Quijote y Sancho, según Miguel de Cervantes.*

38

contrar el origen de la idea platónica en un refrán debió de causar gran risa.

Entonces es cuando el mismo Don Quijote revela doblemente la contextura ideal de Dulcinea, la necesidad de crear uno mismo su ideal para poder verdaderamente poseerlo; la exigencia de los sueños, del íntimo impulso, de proyectarse hacia el exterior. No sólo los móviles elevados son la creación del propio individuo; también lo son aquellos que encadenan el alma a los sentidos. La misma raíz ideal tiene el arte idealista que el realista. Así, antes de decirnos que las Filis son la encarnación de los sueños de los poetas, la forma de sus más interiores anhelos, nos cuenta la anécdota de la viuda que se enamoró de un mozo motilón. Ese mozo tiene exactamente la misma función que Dulcinea; en lo que difieren es en los valores que satisfacen. Dulcinea es la estrella; a la vez, guía e inspiradora: da forma a los sueños, y es sueño ella misma; es la meta que nunca alcanzará Don Quijote, y, al mismo tiempo, camino. El mozo motilón, igualmente, acalla los deseos de la carne y los despierta. Dos zonas pulcramente delimitadas, pero teniendo ambas su origen en los anhelos del *yo:* anhelos de incesante lucha por librarse de lo material, o anhelos de encontrar a la materia toda su gozosa densidad.

El tema literario atraviesa toda esta parte. En el capítulo XVI se habla de la exactitud de Cide Hamete Benengeli; esto es, se plantea el problema de la elaboración que tiene que sufrir la realidad —la experiencia moral y sentimental—para transformarse en obra de arte. El principio que regirá la selección y ordenación de los materiales ya no se inspirará en un orden de jerarquía, sino en el valor de su significación, tanto desde el punto de vista del conjunto como del detalle, de la acción como del carácter, pues en el capítulo XX advierte que no todo lo que sucede es digno de contarse. Mientras el arte y el mundo clásico se basan en una ordenación estática de lo bello y lo no bello, lo noble y lo no noble. Cervantes, como todos sus contemporáneos, sabe que el arte y el mundo moderno—cristiano—buscan expresar el alma, la personalidad. En lugar de crear bellas actitudes como la estatuaria griega, o trazar el límite de una pasión como la tragedia, el arte moderno, desde el románico hasta hoy, es la lírica revelación de un destino cuya expresión no se realiza únicamente en bellos o nobles momentos, sino en momentos llenos de sentido, aquellos que Don Quijote cree que son los dignos de ser contados. Lo importante en la aventura de la noche oscura (batanes) no eran los ruidos, sino la reacción que estos ruidos producen: encienden el ánimo del caballero en deseos de superación de sí mismo; en el escudero dan lugar exclusivamente a una actividad fisiológica. Importa poco que sean batanes los que causan el ruido; lo esencial es que cada uno se ha proyectado según su destino lo exigía. Para unos, Dulcinea; para otros, la ínsula.

Por último, al tema literario se alude en cuanto se presentan el Cura y el Barbero en el capítulo XXVI, recordando la función de ambos personajes en la primera parte y preparando su actuación en la cuarta.

En la tercera parte vemos, pues, que el tema caballeresco se presenta encuadrado entre la parodia del amor pastoril y del amor en los libros de caballerías y la *Historia de Cardenio,* la cual sirve a su vez de marco a la gratuidad de la penitencia. La relación de la segunda y de la tercera parte se presenta así: tema amoroso, contraste entre el mundo del Renacimiento y el del Barroco; el tema literario, tanto en una parte como en otra, no se ofrece como una discusión, sino como una realización y una diferenciación del ideal de dos épocas: Gótico y Renacimiento, de un lado; y del otro, Barroco. En el tema caballeresco vemos cómo las tinieblas del mundo barroco se oponen a la luz de oro del mundo renacentista; y de la misma manera que los trece capítulos de la tercera parte contrapesan los catorce de las dos primeras, así las *cinco* verdaderas aventuras del mundo subjetivo moderno en busca de lo esencial contrabalancean las *cinco* aventuras de la primera y segunda parte: parodias caballerescas.

LA COMPOSICION DE LA CUARTA PARTE

La *Historia de Cardenio* oponía el mundo novelesco barroco al renacentista idealizado; pero el *Discurso de la Edad de Oro* estudiaba el contraste entre una edad pasada ideal y una presente desde el punto de vista de la virginidad. En la Edad de Oro, la mujer, viviendo libremente, salva su honor; y si lo pierde, es por su propia voluntad. Marcela era igualmente libre, y su virginidad no ha corrido peligro de ninguna clase. En la edad presente—decía Don

Quijote—no hay mujer que pueda defenderse del hombre, aunque se encierre en un laberinto. Dorotea, efectivamente, vive encerrada en un laberinto moral—hacendosa y casta, no tenía relación con ningún hombre—, que sirvió de bien poco, pues un joven logró penetrar en él y seducirla. Dorotea nos cuenta el discurso que le hizo a don Fernando y el que se hizo a sí misma mientras estaba en sus brazos. La aventura está situada en un medio real y, lo que es mucho más importante, está construida con una psicología real. Existe el amor puro y su nacimiento repentino e imprevisto; pero ahora lo que le interesa a Cervantes es el estudio de la lujuria en el hombre, y cómo la mujer la canaliza, conduce y transforma en materia social. Lo que se propone Cervantes no es declarar que la mujer está acechada continuamente por el deseo sexual del hombre, sino aceptar la realidad de ese deseo como base de la relación entre hombre y mujer. Si no existiera esa atracción sexual, no existiría el matrimonio. La Iglesia tiene que santificarlo, haciéndolo que conduzca al hombre a Dios, que la materia soporte al espíritu. La mujer tiene que sufrir por el deseo que ella misma despierta y ha de transformar ese sufrimiento en impulso social, que atraiga al hombre a un fin más alto que el meramente sexual: el social y religioso del matrimonio. La mujer crea al hombre, y en él, el objeto de su dolor o de su alegría. Para despertar su instinto sexual basta su presencia; aún menos: la idea de su existencia; para despertar su instinto social tiene que lanzarse activamente tras el hombre, conquistarlo con cualidades más altas que la hermosura: con la virtud. Dorotea nos dice, con toda precisión, que su caída se debió a motivos puramente sociales. Hubiera podido pedir auxilio; no lo hizo porque temió que nadie creería en su inocencia; además, pensó que no sería la primera vez que la hermosura igualaba la condición social de los amantes. Apenas se entrega, cuando comienza a sentir lo momentáneo del amor lascivo, y entonces decide reconquistar a don Fernando. Dorotea tiene que cesar en su papel pasivo de mera presencia y actitud defensiva para, sintiéndose mujer y sufriendo, entrar activamente en la vida; para conquistar con la voluntad y retener al hombre, que el deseo sexual lleva a la deriva de lo femenino.

La narración de Dorotea coloca el *Quijote* en una zona social y actual, pero esto se lleva a cabo según la técnica barroca, que consiste en sublimar la realidad, transformándola en materia artística, para que así pueda percibirse mejor su verdadero sentido. Dorotea, para salvar a Don Quijote, se presta a representar el papel de Princesa Micomicona, con lo cual, primero, se cierra el tema de la Edad de Oro, al hacer que Don Quijote intervenga como caballero andante para favorecer a una mujer desvalida; segundo, se transforma la realidad—la Historia en Arte—, preparando el tema literario de esta parte cuarta, y tercero, se simboliza en Don Quijote el esfuerzo moral necesario para pasar del plano de la lascivia al social del matrimonio.

El tema literario, como en la primera parte, sirve de encuadramiento a los acontecimientos. La primera salida *terminaba* con el escrutinio de la biblioteca; ahora se *empieza* con el escrutinio (capítulo XXXII). No se trata de examinar la literatura del pasado, sino la del presente. No se examinan estantes, sino una maleta de viaje. No se habla de libros impresos, sino manuscritos. Con el tema de Historia y Novela, enlaza el presente escrutinio al anterior, pero no de una manera indirecta, sino haciendo ver las distintas actitudes morales de los diferentes lectores; mostrando cómo el Arte, la Novela, es más real que la Vida, que la Historia; cómo la realidad no tiene sentido hasta que el poeta le da forma. Y para dramatizar la diferente calidad de estas dos realidades, los personajes del *Quijote* se ponen a leer una novela. El Cura mandaba quemar los libros en el otro escrutinio, pero en éste es él mismo el que ávidamente se entrega a la lectura de una novela todavía no impresa: *El curioso impertinente.*

El escritor antiguo y el medieval expresan siempre el alma de la comunidad, encarnan su *ethos;* su obra, por tanto, es siempre comprendida por su público. El escritor moderno, teniendo que expresar su alma singular y única, vive constantemente atormentado por la dificultad, que él sabe casi insuperable, de ser comprendido. Por eso, paradójicamente, piensa sin cesar en el público. Ese público necesario para que su obra viva y a quien el poeta le entrega un mundo hermético. Por eso el Canónigo, que ha escrito más de cien hojas de una novela, dice en el capítulo XLVIII que la ha dado a leer a hombres que gustaban de esta lectura, y no sólo a los doctos, también a los ignorantes; quiere saber la opinión de todos: el melancólico, el risueño, el simple y el discreto, de quienes habla Cervantes en su Prólogo.

Cardenio ha leído el comienzo del manuscrito, y le parece bien; lo mismo piensa el Cura. Es el momento más tembloroso de la vida de Cervantes, de la vida de un escritor. No basta con estar seguro del valor de lo que se ha escrito. ¿Encontrará lectores? Una mujer—a la mujer le están dedicadas las novelas—lo decide: la encantadora Dorotea, quien no tiene el ánimo tan sosegado que pueda dormir, y así cree que será mejor «entretener el tiempo oyendo algún cuento». Todos se hallaban presentes a la lectura, menos Don Quijote. El Caballero se ha recogido con sus sueños, y no volverá a reaparecer hasta que *El curioso impertinente* esté a punto de terminarse.

En los capítulos XXXIII, XXXIV y XXXV se lee la novela moderna, la novela del hombre fáustico, del hombre atormentado por «un deseo tan extraño y tan fuera del uso común de otros, que yo me maravillo de mí mismo, y me culpo y me riño a solas, y procuro callarlo y encubrirlo de mis propios pensamientos». Anselmo desea probar si su mujer, Camila, es esencialmente buena y perfecta. Lo que intenta Anselmo, como le dice su amigo Lotario, es una cosa dificultosa, y además *nueva*, porque no la intenta ni por Dios, ni por el mundo, ni por ambos. Pero Anselmo se siente devorado por la curiosidad moderna, por la gratuidad del acto, por el deseo de saber por saber, por un espíritu satánico, que le hace vivir una vida trágica, atormentándose a sí mismo, cuando todo el mundo—amor, amistad, posición social, riquezas—le sonríe para que sea feliz. Se hace desgraciado a sí mismo y a los que más ama: a su mujer, a su mejor amigo.

En el capítulo XXXII el Cura alude al tema que se ha de tratar en el diálogo con el Canónigo (capítulos XLVII, XLVIII, XLIX y L), con quien se cierra el tema literario. Al salir todos de la venta, y mientras se despiden, se habla de la literatura actual, es decir, que no se citan libros de caballerías o pastoriles, sino las novelas ejemplares: *El curioso impertinente* y *Rinconete*, asegurándonos que, siendo ambas de un mismo autor, también la última sería buena. Ahora ya puede empezar el importantísimo diálogo con el Canónigo, cuyo interés ya no reside en la censura de los libros de caballerías y en que sean tomados como Historia, aunque esto, que continúa la unidad temática, da ocasión a que Don Quijote invente la aventura del Caballero del Lago, en la cual se encuentra una descripción única de arquitectura y de motivos decorativos barrocos. Don Quijote nos da a conocer también el secreto de la composición barroca: «orden desordenada». Lo importante del diálogo es que Cervantes establece la unión del Barroco con el Gótico, y examina todos los elementos formales de éste que son aprovechables y pueden y deben ser salvados. Opone «la escritura desatada destos libros» a la rigidez formal clásica y renacentista. El Barroco, apoderándose de la flexibilidad formal gótica, puede volver a abarcar el mundo todo en su compleja variedad. Los párrafos finales del capítulo XLVII son el manifiesto del Barroco, el programa literario que nos permite comprender, por lo que respecta a la forma, desde el *Quijote* de 1605 hasta el *Persiles*, pasando por las *Novelas ejemplares* y el *Quijote* de 1615.

La lectura de *El curioso impertinente* había sido interrumpida por la aventura de los cueros de vino (cap. XXXV), en la cual Don Quijote mata al gigante de la lascivia, liberando de esta manera a la Princesa—Dorotea—; llega Don Fernando con Luscinda, y así la historia actual de Cardenio y Dorotea encuentra su desenlace. Estamos siempre en la venta—que Don Quijote transforma en castillo para que sea la digna morada del tesoro de hermosura que contiene—, presenciando el realizarse del Destino y descubriendo los secretos de la personalidad humana, cuando llega el Cautivo vestido de azul con su compañera la bella Zoraida. Don Quijote pronuncia el Discurso de las Armas y las Letras, y Cervantes nos indica que hay que relacionarlo con el Discurso de la Edad de Oro. Y de la misma manera que dramatizó el Discurso de la Edad de Oro en las historias del amor, dramatiza ahora el nuevo Discurso en las historias del Cautivo (armas) y del Oidor (letras). Dramatización que Cervantes señala por boca de Don Quijote en cuanto llega a la venta el Oidor: «No hay estrechez ni incomodidad en el mundo que no dé lugar a las armas y las letras, y más si las armas y las letras traen por guía y adalid la fermosura» (cap. XLII).

Las armas y las letras son hermanas, aunque guardando entre ellas la debida jerarquía que da la preeminencia a las armas sobre las letras. La historia del Cautivo es la autobiografía espiritual de Cervantes. Si Don Quijote es la figura nostálgica del heroísmo pretérito, el heroísmo que soñó Cervantes, el Cautivo es la figura del heroísmo presente, heroísmo que vivió Cervantes, cuya existencia

44

en el alma del novelista permitió que su nostalgia adoptara una forma irónica, libertándole de caer en un amargo pesimismo. Para Cervantes, el mundo no es solamente añoranza de los tiempos de Aquiles y el Cid, de los tiempos del Gran Capitán; él ha vivido la última gran epopeya, la de Lepanto. Esta forma de heroísmo ya no puede ser comprendida ni sentida; pero la incomprensión apenas si velará su alma con una ligera nube de tristeza, porque Cervantes logra salvar incólume la fe en sí mismo, la fe en su voluntad, en su esfuerzo, que las contrariedades y fracasos depuran en lugar de aniquilar. El Cautivo dice: «Jamás me desamparó la esperanza de tener libertad, y cuando en lo que fabricaba, pensaba y ponía por obra no correspondía el suceso a la intención, luego, sin abandonarme, fingía y buscaba otra esperanza que me sustentase, aunque fuese débil y flaca» (cap. XL). No importaría que desconociéramos la biografía de Cervantes; su vida ilustre, con esta confesión del Cautivo, hubiera tenido siempre una espléndida claridad. Cervantes no desprecia los tiempos modernos, su época, y por eso ve lo grotesco de un pasado resurrecto. Necesita enfrentar a Don Quijote con el Cautivo; necesita crear el *Quijote* para liberarse de su nostalgia y poder descubrir el nuevo heroísmo de la Contrarreforma, que le llevará a crear las *Novelas ejemplares,* el *Quijote* de 1615 y el *Persiles.*

Zoraida es al Cautivo lo que Dulcinea a Don Quijote; pero si ésta es la mujer gótica deificada, transformada en idea platónica, Zoraida representa la experiencia del cautiverio, la bella experiencia moral. El mundo católico, como el protestante, va a tener por base únicamente la moral; pero si los protestantes hacen de la moral una bella experiencia interior, que conduce al severo imperativo categórico, el Cervantes católico le otorga la espléndida forma de Zoraida, cuya belleza va proclamando el dogma de la Inmaculada Concepción. Y los azules del Cautivo entonan, con el rutilante colorido de Murillo y de Rubens, el canto a la Virgen, la brillante trompetería del *Lela Marien,* que «quiere decir Nuestra Señora la Virgen María».

Si el Cautivo tiene su historia de amor, el Oidor tiene también la suya en su hija Clara. La historia de Clara es la de un amor inocente, y su función en la novela consiste en depurar todo el amor humano. El amor de Dorotea, el de Luscinda, el de Zoraida, llevan demasiados elementos extraños. Sus penas han destilado una gota de amargura—de experiencia—en su corazón. Ya han gustado a lo que sabe la vida. La inocencia de Clara purifica esa noche cargada de experiencia humana, y así, en la llanura amplia de la Mancha, los ensueños de Don Quijote pueden elevarse hasta su Dulcinea. Don Quijote aparece enamorado en cada momento—Marcela, Cardenio, Clara—con el tono correspondiente a la escena de que forma parte.

La acción de las «semidoncellas» (la ironía está en el *semi)* conduce la novela a la zona grotesca, y una serie de incidentes preparan el desenlace, reteniéndolo, en un *crescendo* tumultuoso que va a hacer resaltar el *lento* marchar de los bueyes y el diálogo con el Canónigo, para dar lugar a otro brillante movimiento, seguido de otro movimiento pausado, esta vez brevísimo, que prepara el gran coral final de la aldea en domingo y el último acorde de Sancho y su mujer (época actual), en contraste con el pasado de las hazañas de Don Quijote.

Terminado el diálogo sobre la novela y el teatro—*reprise* del tema literario—, todavía se detiene el desenlace con la historia del Cabrero celoso y la aventura de los Disciplinantes. El tema literario adquiere un inmenso volumen en el diálogo final; con este volumen hace juego la historia del Cabrero, que es una *reprise,* una recapitulación del tema amoroso, como la aventura de los Disciplinantes es una *reprise* del tema caballeresco.

Vemos entonces que el tema del amor da lugar a una máxima complicación, en la cual se dramatiza la realización del Destino, el secreto de la personalidad, y además la solución del conflicto amoroso en el presente, ofreciéndose ésta enlazada al tema de las Armas y las Letras. A su vez, el amor de Clara sirve de fondo al puro soñar de Don Quijote, y mientras se busca la solución al conflicto por él planteado, una serie de incidentes, cuyo tumulto y complicación hacen juego con los del amor, traen otra vez al primer plano a Don Quijote y el tema caballeresco. El tono burlesco con que reaparece el tema lo transpone a la misma clave de la primera parte y está en contraste con el tono apasionado del tema del amor. Ambos temas, por último, se desenlazan. El Barroco gusta de estas *reprises* para sus desenlaces arquitectónico-musicales, y con ellas prepara el último acorde de su cascada final.

RECAPITULACION

El trazado de la novela queda delineado con toda claridad, y puede recapitularse su contenido fácilmente:

FORMA:

> *Composición circular; composición en cascada; cuatro partes; dos salidas; dos ventas; tres «reprises».*

CONTENIDO: Tres temas:

> *Caballeresco:* Doce aventuras, que se corresponden en dos grupos de cinco y las dos aventuras de sueños.

> *Amoroso:* Dos discursos, de los cuales dependen todas las historias.

> *Literario:* Se presenta unido a los otros dos temas en la segunda y la tercera parte; sirve de encuadramiento a las otras dos.

Si vemos el trazado de la novela, no sólo podemos gozar de ésta en toda su inteligente claridad, sino que descubrimos su verdadero núcleo: la polaridad (en los tres temas) entre el pasado y el presente; y la exacta relación de Don Quijote y Sancho, los cuales ni se oponen ni se complementan, sino que representan dos valores distintos del mismo mundo ideal: Dulcinea, la Insula. El principio expuesto por Don Quijote—«orden desordenada»—nos permite captar la forma de la composición y su sentido. Cervantes, también por medio de su personaje, nos declara cómo compone: contrapone y compara; y por boca del Canónigo, cómo dispone la materia novelesca en un juego de correspondencias.

LA PRIMERA PARTE

LA CONDICION Y EJERCICIO DEL HIDALGO
DON QUIJOTE DE LA MANCHA. LA LECTURA

CERVANTES comienza a contar. Su estilo narrativo presenta con una gran soltura de ritmo hablado y una gran seguridad la figura de un hidalgo. La naturalidad oral va acompañada de una precisión alejada del detalle analítico. Cervantes no quiere descomponer su figura en todos sus pormenores, sino componerla, caracterizándola dentro de lo general. El lector se apodera inmediatamente de un tipo. Este tipo es un «hidalgo de los de...». Su casa la forman un ama de más de cuarenta años, una sobrina de menos de veinte y un mozo de campo y plaza. La edad del hidalgo, exactamente la de Cervantes. Su apariencia física, presentada de una manera general; sus hábitos y ejercicios. El nombre queda en duda: Quijada, Quesada, Quejana. Terminando Cervantes su narración como la había empezado: «En un lugar de la Mancha, de cuyo nombre no quiero acordarme...» «Pero esto [el nombre del hidalgo] importa poco a nuestro cuento...» La intención del novelista es poner a su narración un fondo paródico —contraste de libro de caballerías que se mantiene constante en toda la obra—. La precisión del lugar y del nombre del héroe de los libros de caballerías se contrapone paródicamente a ese desentenderse del novelista; se debe comparar también la juventud necesaria del caballero andante a la edad del Hidalgo: frisaba en los cincuenta años.

Ocupaba sus ocios en la lectura de libros de caballerías, dejándose seducir por el estilo: «La razón de la sinrazón que a mi razón se hace...» «Los altos cielos que de vuestra divinidad divinamente... os hacen merecedora del merecimiento que merece...» El estilo le eleva al plano del heroísmo donde se mueve don Belianís de Grecia, quien en el soneto que le dedica a Don Quijote dice: «Rompí, corté, abollé...», pero tantas heridas desconcertaban al Hidalgo. El Hidalgo lee, y el estilo despierta en él la vocación de escritor.

Después de la lectura viene el comentario y la discusión. Sus interlocutores son el cura y el barbero del lugar. Se trata de decidir entre Palmerín de Inglaterra o Amadís de Gaula; el Barbero ha elegido al Caballero del Febo, en primer lugar; el segundo se lo otorga a Don Galaor.

Estas ociosas lecturas le trastornaron la cabeza, pues llegó a creer que todas esas invenciones (Cervantes dice «soñadas invenciones», como después dirá de la pastoril—*Coloquio de los perros*—«cosas soñadas») eran verdad. Acaban de aparecer Don Belianís, Palmerín, Amadís, el Caballero del Febo, Don Galaor; ahora surgen más figuras literarias para abrumar con su tamaño a las figuras históricas. Poesía e Historia contrapuestas y comparadas, pero ambas dando forma a un pasado heroico. La vocación literaria del Hidalgo, nacida por el influjo de las soñadas invenciones; ese amor a las letras, que le hubiera llevado a terminar el libro de las aventuras de Don Belianís, tiene que ceder el paso a otra llamada espiritual más apremiante. En lugar de vivir una acción prodigiosa en la zona de la imaginación, quiere vivirla en la realidad. Se le ocurre el «extraño pensamiento» de hacerse caballero andante, quiere así aumentar su honra y servir al Estado. Deja la pluma y el papel por la lanza y el camino. Historia y Poesía, realidad de la realidad y realidad de la imaginación. Con la novela pastoril—*Historia de Marcela*—hará Cervantes lo mismo: trasladar el mundo de la imaginación idealizada al de la imaginación de la realidad. Este ha sido el gran hallazgo de Cervantes entre 1585 y 1600. No es que quiera sustituir el mundo imaginado por el mundo real; la necesidad de esta sustitución no será sentida hasta el siglo XIX. Cervantes llega a esta disparidad al confrontar el pasado con el presente. El mundo imaginario del pasado no tiene vitalidad en el presente; no por ser imaginario, sino por ser pasado. El presente necesita otra forma imaginaria, la realidad del presente tiene que ser captada con otra forma de imaginación Cervantes llega a esa nueva imaginación—*Novelas ejemplares*,

50

Persiles—cuando ha dado forma a su conflicto, cuando ha visto lo grotesco y lo cómico de la resurrección de esa imaginación muerta.

INVENCION Y OBSERVACION

El siglo XIX, al creer que Cervantes proponía en el *Quijote* una visión realista del mundo, se sentía desconcertado ante la visión de las *Novelas ejemplares* y del *Persiles*. Pensaba que Cervantes caía en los mismos defectos que había censurado, y necesariamente buscaba en esas obras notas realistas, y sólo cuando creía encontrarlas podía hallar una justificación al novelista. Así, mientras valoraba el *Quijote*, en donde creía encontrar su propio tema—sustitución del mundo inventado por el mundo observado—, tenía que menospreciar el resto de la obra cervantina. Menosprecio que era lógico y obligado. Pero el siglo XIX cometía un error. Cervantes daba forma a su mundo, no al mundo por venir. Lo que ocurre es que en las *Novelas* y el *Persiles*, Cervantes se refiere exclusivamente a su época, crea una belleza totalmente siglo XVII, una de las formas particulares de la Belleza; en cambio, en el *Quijote* descubre el presente. Todas las épocas han creado su estilo propio, su belleza particular, han dado forma a su mundo lo mismo antes que después del *Quijote*. A partir del *Quijote*, sin embargo, todas las épocas han tomado posesión del presente con una conciencia histórica. Su personalidad ha surgido con conciencia del pasado, en lucha con él. Conflicto patético, tragicómico, común a todo el mundo moderno y sacado a luz en el *Quijote*. Todo poeta moderno, al crear su mundo, al crear sus «Novelas ejemplares» y su «Persiles», ha tenido que vivir la dualidad del *Quijote:* el pasado enfrentándose con el presente. Cervantes nunca habla de observación; de lo que se muestra orgulloso es de su capacidad de inventor.

En la primera parte del primer capítulo, el novelista inventa al hidalgo del siglo XVI y nos dice cómo va a parar en la locura. En cuanto pone al loco delante del lector, lo califica: «Imaginábase el pobre...», dedicando la última parte del capítulo a los preparativos para la acción: armas y nombres. Termina con una recapitulación: «Limpias, pues, sus armas, hecho el morrión celada, puesto nombre a su rocín y confirmándose a sí mismo», para presentar a Dulcinea del Toboso, con la cual se introduce el doble plano por el cual ha de discurrir toda la obra: «Yo, señora, soy el gigante Caraculiambro, señor de la ínsula Malindrania, a quien venció en singular batalla el jamás como se debe alabado càballero Don Quijote de la Mancha, el cual me mandó que me presentase ante la vuestra merced para que la vuestra grandeza disponga de mí a su talante—¡Oh, cómo se holgó nuestro buen caballero cuando hubo hecho este discurso, y más cuando halló a quien dar nombre de su dama!—..Y fue, a lo que se cree, que en un lugar cerca del suyo había una moza labradora de muy buen parecer, de quien él un tiempo anduvo enamorado, aunque, según se entiende, ella jamás lo supo ni se dio cata dello. Llamábase Aldonza Lorenzo, y a ésta pareció ser bien darle título de señora de sus pensamientos.»

El estilo de Don Quijote y el de Cervantes. La naturalidad y llaneza de la escritura de Cervantes tienen una función exclusivamente literaria: crear un desnivel que da lugar a la parodia, pero notemos en seguida que el mundo cervantino surge de la confrontación de distintos mundos. Hay algo más que una burla. El estilo de Don Quijote tiene una voz, un gesto que pone ante los ojos del lector un paisaje histórico, y esa imagen permanece. El estilo de Cervantes —«y fue, a lo que se cree, que en un lugar...»—tiene un *tempo* de presente en conflicto con el ritmo anterior.

Dulcinea es la idea pura; a esta idea se llega partiendo de la realidad, pero no es la realidad observable, es la realidad del refranero. Aldonza Lorenzo es la heroína del folklore, que tanto ha contribuido también a formar a Sancho: «Aldonza, con perdón», «Aldonza sois, sin vergüenza», «Moza por moza, buena es Aldonza», «A falta de moza, buena es Aldonza». Dulcinea no existe, pero Aldonza es una abstracción. En el siglo XVII, esta relación Dulcinea-Aldonza debió de ser uno de los rasgos burlescos que más excitarían a risa. Con esta burla se presentaba también la índole platónica de Dulcinea en su manera más popular: lo que no existe en la realidad; y aun, quizá, se aludía a la nota de generalidad. Acaso una de estas Aldonzas llegue hasta el *Buscón*.

El ama y la sobrina, el cura y el barbero son las figuras que acompañan al Hidalgo, aquéllas en relación con la casa, éstas en relación con los libros de caballerías. Las armas y el caballo, luego la dama. El Hidalgo, antes de dedicarse a la acción, ha vivido entregado a la tarea de buscar nombres.

El Hidalgo y su mundo han sido presentados con una extraña concisión. Los rasgos, apoyados siempre en lo general, han buscado la nota significativa, y así ha podido disponer Cervantes de la introducción con una gran brevedad novelesca y narrativa. El segundo capítulo trata de la primera salida del Hidalgo. Don Quijote sale al mundo sabiendo que su presencia apremia. Agrupa los males que va a combatir en ese número de cinco que con el de cuatro es tan característico de la época: agravios, tuertos, sinrazones, abusos y deudas. Don Quijote sale de su casa de madrugada y solo; no había comunicado a nadie su propósito, nadie le vio salir. Cervantes indica inmediatamente el tema que será el núcleo de esta primera salida: Don Quijote tiene que ser armado caballero, desarrollando el procedimiento apuntado en el primer capítulo.

Don Quijote sale en la oscuridad de un día caluroso del mes de julio—julio para que sea caluroso, caluroso para que sirva de contraste a la alegría primaveral del mundo tal como lo concibe literariamente Don Quijote—. El primer soliloquio del Caballero, cuando ya vamos con él acompañándole, tiene un valor paródico; pero de la burla de la parodia emana una suave poesía. Y así será siempre. Hay que sonreír, hay que reír, se irrumpe en carcajadas: la burla es el acompañamiento de una melodía patética y grotesca, de una melodía llena de ensueño, de sentido religioso, de sentido humano, de amor, de dolor, de poesía.

Una madrugada calurosa, las absurdas armas, *Rocinante*, la mal compuesta celada, la puerta falsa de un corral, y en seguida los venideros tiempos, los famosos hechos, el sabio que ha de contarlos, el rubicundo Apolo, la ancha y espaciosa tierra, las doradas hebras de los hermosos cabellos, los pequeños y pintados pajarillos, las arpadas lenguas, la dulce•y meliflua armonía, la rosada aurora, la blanda cama del celoso marido, las puertas y balcones del manchego horizonte, el famoso caballero Don Quijote de la Mancha, las ociosas plumas, el famoso caballo *Rocinante*, el antiguo y conocido campo de Montiel: «Y era la verdad que por él caminaba. Y añadió diciendo.» La melodía sigue: Dichosa edad y siglo dichoso aquél, famosas hazañas mías, bronces, mármoles, tablas, futuro, oh tú, sabio encantador, peregrina historia, *Rocinante* compañero eterno mío en todos mis caminos y carreras. «Luego volvía diciendo, como si verdaderamente fuese enamorado.» ¡Oh princesa Dulcinea, cautivo corazón, despedirme y reprocharme con riguroso afincamiento, corazón que tantas cuitas por vuestro corazón padece. «Con éstos iba ensartando otros disparates, todos al modo de los que sus libros le habían enseñado.» ¡Con cuánta cantidad de futuro, con qué inmensidad de ilusión se lanza el Caballero al mundo, a la vida! ¡Con qué sonriente ironía se contempla desde los cincuenta años de edad esa ilusión de juventud! ¡Qué atractivamente conmovedora aparece la burlesca madurez del Hidalgo! No son sólo las hazañas caballerescas las que han perturbado a Don Quijote, es el estilo del Gótico el que se ha apoderado de su corazón: lenguaje y manera de vida. Cervantes insiste en la causa de la fascinación de Don Quijote.

ENLACE TEMATICO

Antes de entrar en las aventuras de la primera salida, introduce el novelista las primeras aventuras de la segunda—«la de Puerto Lápice», «la de los molinos de viento», por este orden, que es el inverso con que se presentan—, el tema del comienzo de la segunda parte—«lo que he hallado escrito en los anales de la Mancha»—y el origen de la acción que en ella tiene lugar: «mirando a todas partes por ver si descubriría algún castillo o alguna majada de pastores donde recogerse y donde pudiese remediar su mucha necesidad». Este enlace temático es constante y muy característico del Barroco. Cervantes, de esta manera, en el mismo comienzo del segundo capítulo, prepara al lector para que se disponga a leer una larga narración.

El primer día no le ocurrió nada, y al buscar un castillo o una majada, con lo que dio el Hidalgo fue con una venta. Esta polaridad castillo-majada es completamente quijotesca; el novelista no explorará todas las dimensiones de su creación hasta dejar bien asentado y firme el esquema del destino del protagonista: esa transformación que siempre sufre la realidad al ser proyectada en el mundo de la imaginación, en este caso una imaginación desvirtualizada. Don Quijote no puede encontrarse con un castillo, porque ya no hay castillos; lo que se encuentra en el camino son ventas, en las cuales la imaginación del caminante puede descubrir la esencia del mundo.

54

La llegada de Don Quijote a la venta en su primera salida se describe así: *a)* «vio, no lejos del camino por donde iba, una venta, que fue como si viera una estrella que no a los portales, sino a los alcázares de su redención le encaminaba. Diose priesa a caminar, y llegó a ella a tiempo que anochecía. Estaban acaso a la puerta dos mujeres mozas, destas que llaman del partido». 1.º «Fuese llegando a la venta que a él le parecía castillo, y a poco trecho della detuvo las riendas a *Rocinante,* esperando que algún enano se pusiese entre las almenas...» 2.º «Pero como vio que se tardaban y que *Rocinante* se daba priesa por llegar a la caballeriza, se llegó a la puerta de la venta, y vio a las dos distraídas mozas que allí estaban...» 3.º «En esto sucedió acaso que un porquero... tocó un cuerno... y al instante se le representó a Don Quijote lo que deseaba, que era que algún enano hacía señal de su venida; y así, con extraño contento, llegó a la venta y a las damas.»

La estrella del párrafo *a)* tiene un valor metafórico. No sirve de punto de referencia para indicarnos una dada dimensión; lo que hace es lanzarnos a la lejanía, abrir una perspectiva que, dirigiéndonos al infinito, nos entregue de una vez y en toda su intensidad el significado de la venta: como la estrella para los Reyes Magos, así la venta para Don Quijote. Se nos da la acción en su totalidad: «*Llegó* a ella a tiempo que anochecía. Estaban acaso a la puerta *dos* mujeres *mozas,* destas que llaman *del partido.*» (Este presentar la acción en su totalidad es sumamente importante, y luego hemos de volver sobre el mismo punto.) Los «*fuese llegando...* detuvo las riendas... *esperando*», «*se llegó... y vio*», «un porquero tocó un cuerno... Don Quijote *llegó* a la *venta* y a las *damas*», no tienen como cometido hacernos recorrer la distancia entre la venta y Don Quijote desde el momento que éste la vio, sino transmitirnos la significación y el valor espiritual que tiene la venta para el Caballero andante. Utiliza la perspectiva en el mismo sentido metafórico que había utilizado la estrella. No se nos da una dimensión, una cantidad. Lo que nos entrega Cervantes es la calidad emocional con que la distancia es recorrida, cómo lo que «espera» pone a lo que «vio» un fondo de horizontes lejanos. El trecho que ha de caminar Don Quijote no es una cantidad fija que marca la proporción entre dos puntos: es un espacio que separa y une, y en el cual se viven los momentos más intensos de la primera ilusión. Se están transformando ante nuestros ojos la venta en castillo, las mozas en damas, el porquero en enano. El corazón de Don Quijote está haciendo infinito ese espacio finito y limitado, ese instante fatal del encuentro primero y deseado. Calidad trágica y amorosa del momento, al cual la huida de las mozas le da un acento patético, cómico y, por tanto, conmovedor.

Don Quijote con las mozas, Don Quijote con el ventero, desarman al Caballero (romance viejo de Lanzarote, que se repite en el capítulo XIII); cena, castrador de puercos, «con lo cual acabó de confirmar Don Quijote que estaba en algún famoso castillo, y que le servían con música, y que el abadejo eran truchas; el pan, candeal; y las rameras, damas; y el ventero, castellano del castillo». En el episodio de la venta se nos ofrece en acción la metamorfosis de la realidad, metamorfosis que se nos da en compendio—reunión barroca de la serie—al final del capítulo segundo, recapitulación semejante a la del primer capítulo. No se pasa al capítulo siguiente sin recordar—en posición paralela al comienzo—que Don Quijote ha de ser armado caballero.

El don que pide Don Quijote, la vela de las armas y la primera aventura, el ser armado caballero, constituyen la materia del tercer capítulo. La acción tiene ya un fuerte reborde grotesco. El Hidalgo ha transformado la realidad. Al llegar a la venta, el nivel inferior de la realidad se hace patente: rameras, porquero, castrador de puercos, ventero pícaro. Al salir al mundo, esto es lo primero que encuentra Don Quijote. Si Cervantes no penetró en el mundo picaresco, de génesis tan lejana y que ya había alcanzado la forma que le dio Mateo Alemán, se debe a que no aisló nunca la naturaleza instintiva y elemental, sino que la puso siempre en relación con la voluntad para el bien, que es precisamente lo que excluye el autor de novelas picarescas.

El asombro de la naturaleza brutal ante la voluntad de belleza y justicia es tan grande como la incomprensión de la voluntad para el bien respecto a la naturaleza. De la inocencia de Rinconete y Cortadillo lo primero que sabremos es que no comprenden el lenguaje de la gente maleante; Cipión y Berganza se asombran ante la existencia del mal y no pueden comprender a la hechicera. Esta relación de la naturaleza elemental con la voluntad para el bien hace que la maldad humana aparezca siempre como algo menor (otra diferencia con la picaresca), es decir, como algo que puede ser dominado. La teoría es ésta: el mal existe, pero el hombre con la gracia divina puede vencerlo. Por inmenso que sea el mal, y es inmenso como la desdicha, los sufrimientos y el dolor, es infinitamente menor a la gracia divina, a la ayuda de Dios. Es la teoría cristiana, que en el Barroco tiene un último florecer.

LA FIGURA GROTESCA DEL IDEAL ANTE LA REALIDAD PICARESCA

De aquí que el voluminoso ventero, más que malo, parezca malicioso, y que todo su cuerpo rezume socarronería. La biografía del ventero, descrita de una manera muy esquemática, nos presenta a un pícaro completo. La descripción nos da el envés de la vida del caballero andante, y de aquí su ironía: «Haciendo muchos tuertos, recuestando muchas viudas, deshaciendo algunas doncellas y engañando a algunos pupilos, y, finalmente, dándose a conocer por cuantas audiencias y tribunales hay casi en toda España.» Estas frases suenan en nuestros oídos cuando aún estamos oyendo: «Los agravios que pensaba deshacer, tuertos que enderezar, sinrazones que enmendar, y abusos que mejorar, y deudas que satisfacer.» La variación burlesca se repetirá: su origen reside en la parodia, y el teatro no se cansará en emplear este remedo.

Advirtamos que de esta burla nada comprende la inocente seriedad del Caballero, y notemos todavía la calidad diferente de la burla de 1605 de la que hallaremos constantemente en 1615. El ventero se burla porque se somete a la voluntad de Don Quijote, es un expediente para salvar la situación en que se encuentra y en la cual el mismo Don Quijote le ha puesto. No le engaña; lo que hace es penetrar conscientemente en el engaño del Caballero; en 1615, por el contrario, se dispondrá la burla para que en ella entre Don Quijote.

La novela de 1605 tiene una luz deslumbrante; hay momentos en que se llena de un rico colorido, realzado por notas orientales; pero esta luz y colorido sólo sirven de contraste al color predominante de la obra, que es el negro. La oscuridad se adensa al llegar a la aventura de los batanes, otras veces se toca de estrellas o de luna llena. La luz de la luna siluetea las cosas y las figuras, borra todo detalle y destaca el conjunto, subrayando lo grotesco. Cervantes goza con esa visión barroca de lo grotesco, tiene placer en presentar a Don Quijote armado, su placer aumenta al desarmarle, y en la vela de las armas es grande el gusto con que le contempla, haciendo que la venta se llene de espectadores. «Contó el ventero a todos cuantos estaban en la venta la locura de su huésped... Admiráronse de tan extraño género de locura y fuéronselo a mirar.» La venta, que parecía vacía, se llena con este objeto. Al velar las armas, tiene lugar la primera aventura. «No me desfallezca en este primero trance vuestro favor y amparo», dice Don Quijote, elevando su corazón hasta Dulcinea; y al entrar el segundo arriero, vuelve a repetir: «Ahora es tiempo que vuelvas los ojos de tu grandeza a este tu cautivo caballero, que tamaña aventura está atendiendo.»

Cervantes tiene tal necesidad de liberarse de la ilusión de su mundo de juventud, tiene tal necesidad de crear, que destruye sin compasión. La vela de las armas, ese momento tan lleno de espíritu religioso caballeresco en que la vida medieval se dedica activamente a Dios, ha perdido su sentido, se ha vaciado de significado; y Cervantes, ungido por su nueva fe, por su nueva religiosidad de la Contrarreforma, destruye despiadadamente el mundo feudal. El arriero, sin el menor respeto, sin prestar la menor atención al Caballero, sin la menor sorpresa por lo que está presenciando (lo cual muestra la falta de sentido de lo que está sucediendo, a la vez que la grosería de quien lo contempla), arroja las armas al suelo. El mundo de Don Quijote, al encontrarse con la realidad, ha dado lugar a la risa (mozas) y a la burla (ventero). O no saben a qué alude Don Quijote o, si lo saben, se burlan. En el corral de la venta, Don Quijote no despierta ni atención ni curiosidad. El gesto de los arrieros, por eso, se produce con la mayor naturalidad. Ni risa, ni burla, ni provocación, ni siquiera fijarse en la presencia del Caballero. Ante Don Quijote cabía la risa, cabía la burla, cabía la ignorancia; el siglo XIX mostrará que también cabe la compasión, piadosa primero, melancólica después; a esta compasión no se llega sin transformar el sentido y la forma de la obra.

Las piedras de los arrieros iban a cambiar la marcha de la lucha, cuando interviene el ventero, quien creía que la vela de las armas como burla ya había durado bastante, dando el triunfo a Don Quijote, y se pasa a armarle caballero. Don Quijote, sin embargo, con su valor infundió temeroso respeto a todos los que habían presenciado la escena. Se dispone la ceremonia de armarle caballero, y la venta vuelve a quedar con el ventero y las dos mozas. Todo el coro que ha tomado parte en el bullicio de la aventura de los arrieros ha desaparecido. Don Quijote está de nuevo de rodillas, como al comienzo del capítulo, cuando pidió el don; el ventero, con sus ojos puestos en el libro donde asentaba la paja y la cebada, mueve los labios como si dijera una oración; una de aquellas damas le ciñó la espada, la otra le calzó la espuela. El movimiento grotesco se desenvuelve en un mágico silencio; con la farsa se capta la densidad del rito, y en lugar de la risa que hubiera podido estallar, brota una frase que tiene la gentileza del lirio: «Dios haga a vuestra merced muy venturoso caballero y le dé ventura en lides.» Dulcinea; y al entrar el segundo arriero, vuelve a repetir: «Ahora es tiempo que vuelvas los ojos de tu grandeza a este tu cautivo caballero, que tamaña aventura está atendiendo.»
terio que todo lo envuelve y que va a dar a esas cosas «tan extrañas, agradeciéndole la merced de haberle armado caballero», que dijo Don Quijote al ventero y que el novelista no puede «acertar a referirlas». Este fluir de la burla al misterio tampoco se dará en 1615.

La farsa paródica ha dominado en todo el capítulo, desde que Don Quijote se hinca de rodillas en la caballeriza para pedir un don hasta que, hincado de rodillas de nuevo, es armado caballero por el ventero, quien murmura sus oraciones leyendo en el libro donde anota la paja y la cebada. De una postura a otra se pasa por el sosiego, quietud y alboroto de la vela de las armas, escena que, iluminada por la luz de la luna, se dibuja fuertemente. Entre estas dos actitudes tiene lugar la primera aventura del Caballero. En esa noche de la venta, armonizando Cervantes con su especial maestría el alboroto y el silencio, disponiendo con su gran capacidad creadora el juego de contrastes, consigue reducir el mundo medieval a un conjunto burlesco. La fe particular—la fe del caballero andante—aparece con toda su falta de sentido al poner en relación una serie de gestos, de actitudes, de pensamientos y sentimientos con un medio que no es el que les conviene. De esta fe particular arranca toda la burla, la broma, la gran risa; sin embargo, la fe en general, de la cual salen las distintas formas de fe de las diferentes épocas históricas, está siempre presente, manteniendo con su acendrada dirección la escena en un alto nivel poético. De un lado, la fe con su densidad dominadora; de otro, una forma muerta; además, la relación de las dos.

JUSTICIA Y BELLEZA

En Don Quijote actúa inmediatamente la fuerza mágica de la ceremonia. Al verse armado caballero, su ánimo se dilata y llena de contento. Pero, siguiendo los consejos del ventero, decide volver a su casa para buscar todo lo que le faltaba, especialmente un escudero, y pensó en «un labrador vecino suyo, que era pobre y con hijos, pero muy a propósito para el oficio escuderil de la caballería». Con esta frase irónica, dentro siempre de la nota generalizadora de la época, se presenta completa la figura de Sancho (capítulo IV). De camino a su aldea tiene lugar la segunda aventura. Don Quijote actúa de juez: «Según es de valeroso y de buen juez», dice el muchacho. La víctima es Andrés; quien comete la injusticia es Juan Haldudo. Don Quijote ha proclamado su fallo y ha pronunciado sentencia; ésta se cumplirá dentro del sistema medieval de la palabra y el juramento. Como ese sistema ya no rige y como Haldudo no es caballero, la intervención de Don Quijote no tiene otro resultado que la antítesis expuesta por Cervantes: «El (Andrés) se partió llorando y su amo (Haldudo) se quedó riendo.» Debilidad y fuerza, lágrimas y risa, que son la forma de la justicia moderna. Esta forma hay que verla en relación con la figura de Don Quijote, con su idea del mundo. Esta visión impasible de la realidad hace resaltar el contorno grotesco del Caballero, lo burlesco de su victoria: «Y desta manera deshizo el agravio el valeroso Don Quijote», al cual le parecía «que había dado felicísimo y alto *principio* a sus caballerías».

Antes de ser armado caballero, Don Quijote se enfrenta con la realidad baja y soez: la primera aventura, la aventura con los arrieros. La segunda aventura, con la cual da principio a sus caballerías, es la aventura por la justicia, y en seguida pasa a la tercera aventura, la de la belleza. Apenas divisó Don Quijote a los mercaderes, «cuando se imaginó ser cosa de nueva aventura; y, por imitar en todo cuanto a él le parecía posible los pasos que había leído en sus libros, le pareció venir allí de molde uno que pensaba hacer». Don Quijote quiere que se proclame que no hay «doncella más hermosa que la emperatriz de la Mancha, la sin par Dulcinea del Toboso». Los mercaderes se dan cuenta de que tienen que habérselas con un loco, se burlan del Caballero, y con su broma, Cervantes pone de manifiesto a la vez el choque de lo general y lo particular (belleza ideal no vista y belleza del retrato que demandan) y la relación de los dos tipos de hombre: el que se mueve en la zona de la contemplación y aquel que necesita apoyarse en la realidad. En busca de la justicia ha bastado la palabra, haciéndose así patente la necesidad de las armas para dar a la justicia una forma particular; en cambio, al proclamar la belleza es cuando las armas intervienen, pero inútilmente, porque en el mundo de la contemplación la fuerza no puede actuar. No se trataba de proclamar la justicie e intuirla, sino de hacer justicia, para lo cual la fuerza es necesaria. Por el contrario, en toda realización de la belleza es necesario siempre ser capaz de intuir en lo particular lo general; para esa intuición la fuerza es ineficaz. *Rocinante* tropieza, y van al suelo caballo y Caballero. Como en la aventura de Andrés, la antítesis es el desenlace: «Un mozo de mulas..., oyendo decir al pobre caído tantas arrogancias», comenzó a apalearle.

DON QUIJOTE, CAIDO

Son las tres primeras aventuras de la primera salida: realidad, justicia y belleza. Un choque debido a las circunstancias; una necesidad fatal; una imitación, no de la Naturaleza, sino de los libros: éste es el mundo de Don Quijote. Tal como se presentan las figuras, así se presenta el mundo: de una manera total, pero esquemática. La estructura de la primera salida es clarísima, y queda manifiesta su función en la novela, su relación con la segunda salida, en la cual se desarrolla este esquema. La claridad fue oscurecida en esa época, incapaz de captar la forma de la obra. La primera salida nos da, en su esencia total, el mundo de Don Quijote, su novela.

Don Quijote queda tendido en el suelo sin poder menearse. Apaleado y maltrecho, es dichoso en su desgracia, propia de caballeros andantes. Cervantes insiste en que no podía levantarse ni moverse. Pero el ánimo de Don Quijote se eleva hasta el origen de su vida. Una rueda de sombras, de figuras poéticas arrancadas a la mitología cristiana, esto es, al acervo histórico legendario, comienzan a hacerse presentes, a girar en torno al nombre del hidalgo, señor Quijana. Estas presencias surgen de dos posturas. Al estar tendido en el suelo, su mente, coincidiendo con su cuerpo, se adapta a Valdovinos, «cuando Carloto le dejó herido en la montiña»; conducido por su vecino Pedro Alonso, sobre el borrico y dando suspiros, «se acordó del moro Abindarráez». En el Barroco sucede, quizá también en otras épocas, que de una dada representación se derive un estado dramático o una situación moral, y a la inversa: tal circunstancia espiritual o física hace actual una representación poética. No es que a Don Quijote le haya acontecido algo semejante a Valdovinos o al moro, sino que se encuentra en una situación física parecida a la de ellos; de aquí también que se pueda trasladar de una figura a otra, las cuales nada tienen de común entre sí.

Al quitarle el polvo del rostro, le reconoce su vecino; pero este polvo del camino es el polvo de la leyenda y de la Historia: es la esencia de Don Quijote. Por eso, cuando el labrador le dice: «Yo no soy... ni vuestra merced es...», da su famosa respuesta: «Yo sé quién soy, y sé que puedo ser...» Es el momento en que Hamlet duda, cuando se están buscando nuevas bases a la personalidad humana; cuando todo se desmorona y el hombre de lo único que es capaz es de sentirse sobrecogido y desconcertado ante el misterio del ser. Don Quijote no titubea en hacer un acto de voluntad y fe. Para su alma católica, la persona es algo claro y evidente. El grito gótico y agudo que sale de su verticalidad quiere sostener con todo su ímpetu e impulso la cúpula barroca, pero es inútil; el tenso equilibrio que el Gótico sostiene con la fe, el Barroco lo mantendrá con la razón apasionada. Mientras Shakespeare nos introduce en el mundo moderno de la perplejidad y de lo problemático; mientras hace que nos hundamos en la incertidumbre del Destino humano, Cervantes quiere que nos sonriamos de una seguridad que ya no tiene validez; pero sin dudar un momento sustituirá la fe gótica y su heroísmo con la fe y el heroísmo de la Contrarreforma. Toda su obra, a partir de 1605, consistirá en crear otro nuevo mundo inconmovible.

EL QUINTETO DE PERSONAJES

En el mismo capítulo V se sigue la marcha hacia el lugar, y llegaron a la hora que anochecía. Pero el labrador, movido de compasión, no quiso entrar en la aldea, y aguardó a que fuera de noche. Al llamar a la casa dice: «Abran vuestras mercedes al señor Valdovinos y al señor marqués de Mantua, que viene malferido, y al señor moro Abindarráez, que trae cautivo al valeroso Rodrigo de Narváez, alcaide de Antequera.» Como se ve, repite lo dicho por el Caballero; se recordará que el ventero había hecho lo mismo, aunque disparatando voluntariamente. Este procedimiento cómico paródico, que consiste en remedar—a veces con la acción o el gesto—a otro personaje, llega a alcanzar un alto valor poético en la aventura de los batanes.

Don Quijote salió de su casa lleno de ilusión y en la oscuridad de la madrugada; vuelve de noche, caído, pero con la misma ilusión. En la casa reina el alboroto de la desgracia. El Ama habla a gritos, se dirige al cura Pero Pérez; la Sobrina habla con maese Nicolás, el Barbero. Ama y Sobrina nos retrotraen al primer capítulo, a la vida del Hidalgo en un lugar de la Mancha, leyendo sus libros de caballerías y diciendo «que quería hacerse caballero andante e irse a buscar las aventuras por esos mundos», o, después de una lectura seguida de «dos días con sus noches», arrojar el libro y poner mano a la espada. La Sobrina describe la batalla que tenía lugar entre las cuatro paredes del cuarto, descripción que introduce temáticamente la cuarta y última aventura de la primera salida. Don Quijote no quiere recibir las muestras de cariño con que es acogido ni responder a las numerosas preguntas que le hacen. Don Quijote quiere comer y, sobre todo, dormir. Mientras duerme va a llevarse a cabo el gran escrutinio de la librería. El Ama y la Sobrina, con su vejez y su juventud, con sus voces y aspavientos; el Cura y el Barbero, con su interés por los libros de caballerías, son las cuatro figuras que cierran el círculo de la primera salida del Hidalgo. Don Quijote ha modulado su melodía en tres momentos: 1.º, salida; 2.º, venta y aventuras; 3.º, retorno. Es el protagonista la figura del quinteto a quien se le confía el desarrollo de la acción. Las otras cuatro están sirviendo de sostén, de acompañamiento; agrupadas de dos en dos, apoyan al Hidalgo en su medio social, en su vida espiritual. El papel del Ama y de la Sobrina tiene un gran realce, pero es muy breve; en cambio, corre a cargo de la otra pareja, especialmente del Cura, el tema literario, muy importante.

CERVANTES Y LA LITERATURA DEL GOTICO Y LA DEL RENACIMIENTO

De vuelta Don Quijote a su casa, terminada la primera salida, Cervantes tiene necesidad de enfrentarse con la literatura que le precede. No se trata, como en el «Canto de Calíope» (La Galatea), de una de esas enumeraciones de autores contemporáneos, de celebrar en un elogio literario una reunión social. El «Canto de Calíope» tiene una función procesional, de suntuoso ornato, que adquiere un relampagueo de vida cuando el escritor encuentra su propio nombre que iba buscando, o bien la lista se hace inacabable, sirviendo de cauce al desdén al no verse llamado. En el Quijote, el donoso y grande escrutinio que hicieron el Cura y el Barbero en la librería del Hidalgo (cap. VI), es una toma de posición, una delimitación consciente y necesaria para situarse, para situar su obra presente y por venir. Lo que importa no son los escritores, sino lo escrito. El tema literario figuraba en el primer capítulo, al comienzo de la primera salida, referido al protagonista, y lo volvemos a encontrar al final—encuadrando así la acción—en relación con el poeta.

Cervantes se desdobla: de un lado, el creador, el autor de La Galatea, de quien dice el Cura: «Muchos años ha que es grande amigo mío ese Cervantes»; de otro lado, el crítico, su meditación constante acerca de su profesión de escritor, tanto desde un punto de vista espiritual como de un punto de vista técnico. Realización consciente de la obra que se da en todo creador, pero que en Cervantes es un elemento formativo de su genio; de aquí su índole irónica: este hacer dándose cuenta de que está haciendo. Manera de ser que en el mismo grado que le aleja de la lírica y del arte dramático tenía que conducirle a la novela. Es de notar que en el *Quijote* (lo mismo sucede en otras obras) no se leen unos versos o se cuenta una historia sin que inmediatamente se pronuncie un juicio, el cual es algo más que una fórmula de cortesía; es una necesidad espiritual del escritor de enfrentarse con su mundo, de enfrentarse críticamente con esa realización literaria que es la exigencia esencial de Cervantes. En esto reside el valor estético del escrutinio. No es un capítulo de historia de la literatura, es un capítulo para la historia de la literatura.

La disposición del aposento de la librería es verdaderamente esquemática y, al mismo tiempo, confusa. Esta confusión material se contrapone a la organización mental, la cual es clarísima: prosa y poesía. En la prosa, agrupados los libros que tratan del ciclo de Amadís y los que se refieren a las «cosas de Francia»; en la poesía se pone, de un lado, la pastoril, y de otro, el verso heroico. Unos libros van al fuego; otros esperan sentencia; los menos se salvan. Pero no es esta fatal gradación lo que nos importa, sino seguir el rápido trazo con el que Cervantes da forma al mundo literario. El valor de haber inventado un género literario, o de ser el primero en introducirlo en España, o de haberlo transmitido a otros poetas de genio; el artificio, el estilo pulido y claro, que, además, está en relación con el que habla, justifica una obra; la hacen deleznable las endiabladas y revueltas razones, el ser disparatada y arrogante, la dureza y sequedad del estilo, la pasión excesiva, las aventuras impertinentes. Se censura ser largo en las églogas. A las antologías se las culpa de su origen: la selección. Se anima Cervantes al hablar de Juan de Martorell, cuyo *Tirante el Blanco* hubiera podido ser el *Quijote* del siglo XV; pero nunca se ha creado una obra antes que sonara su hora. Ariosto, «el cristiano poeta», es la gran figura que ilumina el mundo del *Quijote;* a esta admiración unirá después la de Tasso. Hablando del *Orlando,* indica la imposibilidad de traducir el verso, y se sobrentiende su idea de que lo que no tiene valor en una lengua vulgar puede merecerlo si se trata de una lengua sabia; por eso se alaba la traducción de Ovidio por Barahona de Soto. No tiene más remedio que censurar la magia en la *Diana.* Si se exceptúa la alusión a los versos de arte mayor de esa novela y a lo disparatado de *Los diez libros de Fortuna y Amor,* las obras poéticas son condenadas sin presentar razones, que tam-

5

poco se manifiestan al alabarlas. El encomio, sin embargo, está pronunciado con tal entusiasmo—«la de Gil Polo se guarde como si fuera del mismo Apolo», «guárdese como joya preciosa», «lloráralas yo si tal libro hubiera mandado quemar»—, que se impone inmediatamente, porque en su sinceridad no hay un voluntario abandono. Cervantes está siempre vigilante. Al llegar al verso heroico, se deja arrastrar por su altura, pero no sin hacer una restricción: «Son los mejores que, en verso heroico, *en lengua castellana* están escritos.» No quiere compararlos con las obras de Grecia o Roma.

Los dos tipos de novela—libros de caballerías, novela pastoril—que Cervantes ha de destruir si quiere crear su mundo quedan expuestos en lo que tienen de desvitalizado. Nótese que casi todas las alabanzas son de un orden histórico. La actitud de Cervantes hacia el mundo gótico es la que, en general, tiene el Barroco: se acepta y se admira; se considera, no obstante, que el Renacimiento marca un gran progreso por lo que respecta al estilo y al decoro. Antes de empezar la novela, ya se ha censurado *La Celestina* por demasiado humana; Don Quijote dirá en el capítulo XXIII: «Las coplas de los pasados caballeros tienen más de espíritu que de primor.» La censura máxima, que ya se ofrecía en el primer capítulo a la burla, es para esta falta de primor, para el estilo. Cervantes se siente tanto más alejado de la acción heroica del Gótico cuanto que todo su afán es expresar el alma heroica de su época. De ahí que considere la acción gótica disparatada y pueril, desplazada de la realidad; esto es, la realidad moral y estética del Barroco. Esta actitud respecto a la acción de los libros de caballerías es la que le lleva a su reserva ante la pastoril, cuyo estilo admira—prosa de Montemayor, verso de Gil Polo o de Gálvez de Montalvo—, pero sintiendo la acción insoportable. Tiene que censurar la escena de la sabia Felicia y del agua encantada, ya que lo que Montemayor hace para representar el mundo de las pasiones, él lo hará como expresión simbólica del mundo moral. En el escrutinio no se extiende más sobre lo pastoril, pues el *Discurso de la Edad de Oro*, con los episodios que de él dependen—*Historia de Marcela* e *Historia de Cardenio y Dorotea*—, le permitirá exponer indirectamente, pero con toda claridad, la desvirtualización del mundo de pastores y pastoras.

Se hace durar el escrutinio un momento en el capítulo VII, para pasar en seguida a la aventura soñada de Don Quijote. Antes de estudiarla, conviene advertir que Cervantes ya indica (cap. IX) que entre las obras citadas hay algunas muy modernas. «Por otra parte, me parecía que, pues entre sus libros se habían hallado tan modernos como *Desengaño de celos* (1586) y *Ninfas y pastores de Henares* (1587), que también su historia (la de Don Quijote) debía de ser moderna.» Desde el primer momento sabemos que el Hidalgo es la forma de una vivencia de Cervantes. Las dos obras citadas no son las más modernas; *El pastor de Iberia* se publicó en 1591. Claro que Cervantes no busca ninguna precisión cronológica; pero ahora sabemos que si entre 1591-1600 el Hidalgo estaba en sus cincuenta, tenía que haber nacido entre 1540-50. Nada más lejano del espíritu de Cervantes y de su época, creo yo, que el pensar que sintiera la necesidad de imaginar el año del nacimiento de Don Quijote; pero fatalmente, sin precisar nada, o, mejor, con la precisión del Barroco, tenía que hacer coincidir exactamente la época del protagonista con la de su creador.

El escrutinio se suspende porque Don Quijote se halla metido en otra aventura: la cuarta y última de la primera salida. Es una aventura soñada. Se trata de un torneo entre caballeros aventureros y cortesanos. Acude el Cura a las voces de Don Quijote, y éste protesta contra su intervención, que hace que el triunfo se decida a favor de los caballeros cortesanos. Los cortesanos figurarán frecuentemente en la novela de 1615; en 1605, por el contrario, vuelven a aparecer solo una vez. Come de nuevo Don Quijote y se dispone a dormir; mientras duerme, muran su biblioteca, y al despertarse, lo primero que hace es acudir a sus libros, no encontrando ni la habitación. La primera salida se dirige directamente a este aposento tapiado. Todo el movimiento de la acción, todo el impulso del novelista es terminar con el mundo gótico-renacentista—libros de caballerías, novela pastoril—, librarse del pasado para poder entrar en la realidad moral de su época. Don Quijote se queda sin libros y sin biblioteca. Al despertarse, lo primero que hace es volver a su mundo de sombras; pero la orden del Cura y la diligencia de Ama y Sobrina—o el juicio literario y la presión social circundante—le sitúan en la rea-

67

lidad. Don Quijote, a partir de este momento, tiene que poner el mundo antiguo resucitado frente a frente al mundo moderno. La segunda salida explora este mundo. El esquema de la primera se expande en esa confrontación de la segunda.

Es completamente imposible saber lo que Cervantes quiso hacer. La crítica del siglo XIX, con gran audacia, pero mal equipada estética y espiritualmente, decidió que Cervantes no sabía lo que quería hacer. A mí no me preocupa saber lo que quiso hacer, sino ver lo que hizo, realización en la cual no puedo por menos de encontrar un testimonio de su intención. En la cuarta parte aparece un caballero cortesano, don Fernando; tiene lugar la otra aventura de sueños (cueros de vino), y en ella Don Quijote mata a un gigante. La Sobrina le dice al Caballero que el aposento lo ha hecho desaparecer un encantador. Don Quijote sabe quién es: Frestón, «un sabio encantador, grande enemigo mío, que me tiene ojeriza porque sabe por sus artes y letras que tengo de venir, andando los tiempos, a pelear en singular batalla con un caballero a quien él favorece, y le tengo de vencer, sin que él lo pueda estorbar, y por esto procura hacerme todos los sinsabores que puede; y mándole yo que mal podrá él contradecir ni evitar lo que por el Cielo está ordenado». La crítica del siglo XIX no ha podido superar el desorden de la superficie de la novela, y no ha tenido más remedio que ver en ella un conjunto de aventuras y episodios inconexos. Nosotros podemos y debemos ver la coherencia de la obra y llamar la atención acerca de la relación formal y de sentido que se puede establecer, sin dejar de ser discretos, entre los distintos elementos; podemos hacer entrar todo el desorden, según lo exige Cervantes, en el cauce del orden.

Dentro de la agrupación de la materia en cuatro partes, ritmo orgánico que abarca el desarrollo y la composición de la Naturaleza—cuatro estaciones, cuatro elementos, cuatro edades del hombre—y que se opone al ritmo trimembre escolástico-medieval de carácter intelectual, corre un ritmo formado por cinco elementos, el cual se apoya estructuralmente en un ritmo dual: dos salidas, dos ventas (la segunda, en dos tiempos), dos ideales: Dulcinea, la ínsula; dos escrutinios, dos discursos; la acción encauzada en dos grupos: aventuras, episodios; la aventura se divide a veces en

68

dos partes: frailes benitos, vizcaíno; al episodio puede acontecerle lo mismo: Cardenio, Dorotea; Oidor, Clara. Este ritmo dual tan patente es recogido en el último episodio, la *Historia del Cabrero*, y en la aventura final de los Disciplinantes. La agrupación de los personajes se somete a este ritmo: Ama-Sobrina, Cura-Barbero, Don Quijote-Sancho, las parejas amorosas, las dos mozas del partido, dos frailes benitos, los dos hermanos (Cautivo y Oidor); también *Rocinante* y el rucio. Se lee *El curioso impertinente*, se cita el título *Rinconete y Cortadillo;* obsérvese el cambio de volumen (larga lectura, sólo el título) tan característico del Barroco, y cómo haciendo juego con el título vuelve a aparecer la novela leída en su título.

Si se analiza la frase de Cervantes, se ve que está construida igualmente con estos ritmos de cuatro, de cinco y de dos. El ritmo de cinco libera la composición barroca de todo vasallaje a la naturaleza cósmica, mientras que el ritmo dual mantiene la vida dentro de la polaridad cristiana que impera tan dramáticamente en el Barroco. Que el creador mueva la acción de esta manera por un acto consciente o llevado de su impulso vital, es algo que aquí no tenemos que decidir. Nos basta con encontrarlo así en la obra—y volverlo a encontrar en las *Novelas ejemplares* y en el *Persiles*—para poder, sin caer en ninguna arbitrariedad, dejar establecida la relación entre la aventura soñada de la primera parte y la aventura soñada de la cuarta. Para la mente del siglo XIX, la novela parecía confusa. Hoy vemos que hay dos aventuras soñadas—una al final del primer escrutinio y otra al final del segundo—, y nos limitamos a señalar su existencia, a describir su posición y a establecer su relación: ser soñadas.

SANCHO Y LA INSULA. RELACION DE CABALLERO Y ESCUDERO

La segunda salida se dispone exactamente como la primera: «Sin despedirse Panza de sus hijos y mujer ni Don Quijote de su Ama y Sobrina, una noche se salieron del lugar sin que persona los viese.» La segunda está completamente unida a la primera:

«Acertó Don Quijote a tomar la misma derrota y camino que él había tomado en su primer viaje.» Así se ve cómo la primera va a llenarse de todo el movimiento, color y variedad de la vida. La rapidez en alejarse de la aldea es lo que las separa: «Caminaron tanto, que al amanecer se tuvieron por seguros de que no les hallarían aunque los buscasen.»

En el mismo capítulo VII queda establecida la relación entre Sancho y Don Quijote. Ni se oponen uno a otro ni se complementan. Don Quijote no representa el ideal en oposición a la realidad representada por Sancho ni como complemento a ella. La melodía de Don Quijote es la misma que la de Sancho, pero transportada de clave y confiada a un instrumento de otro tono y color (lo mismo ocurre con las parejas Ama-Sobrina, Cura-Barbero). El efecto grotesco y patético que Cervantes consigue siempre con Don Quijote se transforma en puramente cómico con Sancho. Lo grotesco y patético de Don Quijote surge del contorno de su figura al chocar el mundo de lo absoluto e ideal con lo relativo y la realidad. El efecto cómico de Sancho se logra tratando el mundo absoluto e ideal como si fuera relativo y real. Para Don Quijote, Dulcinea; para Sancho, la ínsula. Son exactamente lo mismo: dos creaciones de Don Quijote, debidas, por tanto, a la misma voluntad de estilo; son dos metas ideales. La belleza (virtud) y la justicia ideales y el poder ideal. Don Quijote se da cuenta de la índole de Dulcinea, pero Sancho no percibe la índole de la ínsula, y de aquí deriva su comicidad: toma posesión del mundo ideal como si fuera real.

Sancho le dice a Don Quijote: «De esa manera, si yo fuese rey por algún milagro de los que vuestra merced dice, por lo menos, Juana Gutiérrez, mi oíslo, vendría a ser reina, y mis hijos infantes. —Pues ¿quién lo duda?—respondió Don Quijote. —Yo lo dudo—replicó Sancho Panza—, porque tengo para mí que, aunque lloviese Dios reinos sobre la Tierra, ninguno asentaría bien sobre la cabeza de María Gutiérrez. Sepa, señor, que no vale dos maravedís para reina; condesa le caerá mejor, y aun Dios y ayuda. —Encomiéndalo tú a Dios, Sancho, que Él dará lo que más le convenga; pero no apoques tu ánimo... —No haré, señor mío—respondió Sancho—, y más teniendo tan principal amo en vuestra merced, que me sabrá dar todo aquello que me esté bien y yo pueda llevar.» La generosidad de Don Quijote ofreciendo reinos, la naturalidad con que se mueve en esa zona ideal («Pues ¿quién lo duda?»), no suscitan la risa. La risa comienza al empezar a hablar Sancho («De esa manera»); aumenta al replicar, y cuando le creemos enfrente de Don Quijote como símbolo del sentido común («Yo lo dudo»), convirtiéndose en plena carcajada al observar que Sancho lo único que rechaza es la magnitud de la transformación, no la índole de la misma («Condesa le caerá mejor»); Don Quijote domina en el acto esa hilaridad, libertando con su fe el ideal de todo encadenamiento relativo y realista.

La figura del escudero hubiera sido un elemento de confusión al presentar el destino de don Quijote (primera salida), pues es sólo su acompañamiento. Sancho hace que se resuelva en risa el patetismo grotesco del Caballero. De aquí que aparezca en la segunda salida, cuando el destino quijotesco se ofrece en todo su volumen y profundidad; cuando Don Quijote puede encauzar el bullicio burlesco en un sentimiento de suprema humildad, de verdadero espíritu religioso. Queda Sancho incluido en la primera parte, para dejar así claramente establecida su función en la novela, la misma razón por la cual se incluye también la aventura de los molinos.

En la primera salida hemos visto el núcleo esencial del mundo de Don Quijote: transformación de la realidad por el hombre. En la estancia en la venta se nos ofrece en acción esta metamorfosis, la cual se nos da en compendio (reunión barroca de la serie) al final del capítulo II: acabó de confirmar Don Quijote que la venta era castillo; los silbatos, música; el abadejo, truchas; el pan, candeal; las rameras, damas, y el ventero, castellano del castillo. La aventura de los molinos (cap. VIII) nos hace penetrar en esa transformación, mostrándonos el proceso de los cinco momentos de su *tempo:* 1.º Don Quijote transforma la realidad (molinos-gigantes). 2.º Sancho trata de imponer una visión objetiva (molinos-molinos). 3.º Don Quijote se introduce en esa realidad subjetivizada (molinos-gigantes-Don Quijote). 4.º Sancho reafirma su visión objetiva con la experiencia (molinos-Don Quijote-molinos). 5.º Ni sabía antes Sancho que los molinos eran gigantes ni sabe ahora que los gigantes son molinos. La experiencia no sirve de prueba en el mundo del espíritu (gigantes-molinos).

Esta aventura está separada de la siguiente por un diálogo, el cual, a su vez, está dividido en dos por las horas de descanso de la noche. En el diálogo aflora de nuevo la simplicidad de Sancho, esa simplicidad casi religiosa que le lleva a seguir ingenuamente, que le permite creer. Don Quijote puede reír de tanta inocencia elemental. Ni hay sarcasmo ni ironía en su risa. Es la acogida que un alma buena y superior hace a un alma gemela, pero incapaz de escalar a su altura. Cervantes incorpora a Don Quijote todo el sentido cristiano de los libros de caballerías. El caballero andante del Gótico es un Cristo; sus hazañas resultan grotescamente pueriles en el Barroco; pero su espíritu, su anhelo, su consumirse tras un ideal, su aspiración heroica, son semejantes a los sentimientos de la época de Cervantes. Todo el problema reside en darse cuenta de cómo esa vida espiritual encarnada en franciscanos y dominicos, en los cruzados y las órdenes militares, con su fondo de conventos, catedrales y castillos; con su horizonte lejano de Tierra Santa—concretización de la distancia infinita—, se transvasa a la Contrarreforma, al Oratorio, a los humanistas y jesuitas, llenos de la sabiduría de Grecia y Roma, viendo surgir ese imponente e inmenso edificio de la Razón—crítica, matemática, ciencias de la Naturaleza, astronomía—, queriendo desconcretizar la lejanía de Tierra Santa y revelar todo su sentido espiritual.

Don Quijote encuentra la paz imitando—imitación en el sentido aristotélico y cristiano—sus libros de caballerías, y en las mismas horas de la noche Sancho encuentra la felicidad en el olvido, pacífico olvido producido por la comida y, sobre todo, el vino; dos maneras de aislarse, de recogerse y reconcentrarse: la contemplación y el dormir.

Después de este diálogo y esta noche de paz, entramos en la aventura del vizcaíno (en dos partes: frailes benitos, combate con el vizcaíno), cuyo comienzo nos da el desenlace cómico del patético desastre de los molinos, porque Sancho, a pesar de advertir a Don Quijote de que son frailes benitos y de que va a ocurrir lo mismo que con los molinos, al ver que el resultado es distinto (triunfo de Don Quijote), desoye sus propios consejos, y entonces es vapuleado. Sancho no puede aprehender la realidad, pues, obediente a su ideal de poder, la interpreta por el fracaso o el éxito, sin tener en cuenta su significado.

Caballero y Escudero ni se oponen entre sí ni se complementan uno a otro. Son de la misma índole, con una diferencia de proporción. El espíritu cómico se encuentra también en la relación de estas proporciones diversas, las cuales se traducen plásticamente.

LA SEGUNDA PARTE

E<small>L</small> capítulo VIII termina diciendo que la continuación de la historia «se contará en la segunda parte»; el capítulo IX comienza: «Dejamos en la primera parte desta historia al valeroso vizcaíno y al famoso Don Quijote con las espadas altas y desnudas.» Al referirse a la historia en arábigo, cuenta que «estaba en el primer cartapacio pintada muy al natural la batalla de Don Quijote con el vizcaíno»; y reanuda así su relato: «En fin: su segunda parte, siguiendo la traducción, comenzaba desta manera.» Como se ve, la división en partes organiza inmediatamente la materia novelesca, dispone un marco y crea un núcleo; también acentúa el ritmo de la acción. Esta primera pausa produce la impresión de que Cervantes la maneja de una manera teatral; parece que corresponde a la división entre el primer acto y el segundo. Lo mecánico de la división ironiza el procedimiento de crear la suspensión, ironía que se subraya al presentarse el mismo autor en ese estado de interés: «Porque el gusto de haber leído tan poco se volvía en disgusto, de pensar el mal camino que se ofrecía para hallar *lo mucho que, a mi parecer, faltaba* de tan sabroso cuento»; y más tarde: «Cuando yo oí decir Dulcinea del Toboso, quedé atónito y suspenso.» Cervantes sabe que va a escribir una larga novela y que va a parodiar la técnica de los libros de caballerías; pero aprovecha la parodia para que el lector se sitúe conscientemente en ese momento necesario del ritmo de la acción, pasando así, por medio de la ironía, de la técnica literaria particular (y, por tanto, capaz de ser parodiada) a un recurso general y necesario. Esta reflexión, que es un procedimiento frecuentemente empleado en la época barroca, crea esa situación tan moderna del plano irónico, que sirve para que el lector se sienta ante la obra de arte como tal obra de arte. El autor se hace presente como en el Gótico, o en el Renacimiento, o en el Romanticismo; pero es claro, en cada época con una intención distinta.

El autor se hace presente; él nos cuenta su desazón y su estado de ánimo. Dejamos de vivir con el protagonista y entramos en el mundo del escritor; casi se diría que estamos en el escenario en el momento de preparar la escena. Esa llamada a la realidad, ese hacernos presenciar los preparativos de la producción, no tiene una función realista, sino exclusivamente de arte. Alcaná de Toledo, muchacho de los cartapacios, sedero, morisco aljamiado, el claustro de la iglesia mayor, dos arrobas de pasas y dos fanegas de trigo, el mes y medio que dura la traducción en la casa de Cervantes, todo ello es una realidad literaria en fuerte contraste con el mundo de la imaginación. La ironía da lugar a que se invente, siguiendo la tradición, un autor, esta vez arábigo. La antigüedad y rareza en que se apoyan los libros de caballerías, y que han de ser enormemente parodiadas al final de la novela, ahora se utilizan como un punto intermedio entre el comienzo, aún tan próximo, y el final, todavía tan lejano. Se vuelve a insistir en que la historia de Don Quijote es moderna para reforzar más la parodia final y destacar la obra como algo terminado y colocado en la zona del arte: colocado en el manuscrito de Cide Hamete Benengeli, en el cual vemos a Don Quijote y a *Rocinante*, a Sancho y el asno, al Vizcaíno, todos ellos apresados e inmóviles en los trazos de un dibujo.

Observemos todavía lo enraizado que está Cervantes en la cultura. Al disponer la parodia de los libros de caballería, el novelista nos transmite esa emoción tan histórica y humanística de la búsqueda de un manuscrito y todos los elementos que forman la gran aventura: «el cielo, el caso y la fortuna.»

LA VIRGINIDAD, SIGNO DE LA VIRTUD

La interpenetración de los tres mundos—narración, realidad, cartapacios—, sostenida constantemente por la ironía, forma el enlace entre la primera y la segunda parte, volviéndonos a encontrar con Don Quijote y con el final victorioso de su aventura. Antes ha recordado la configuración espiritual del Caballero: el trabajo y ejercicio de las armas, el desfacer agravios, el socorrer viudas y el amparar doncellas, introduciendo el tema que ha de servir de base a las historias de amor en cuanto Don Quijote pronuncie el *Discurso de la Edad de Oro.* «Amparar doncellas, de aquellas que andaban con sus azotes y palafrenes, y con toda su virginidad a cuestas, de monte en monte y de valle en valle, que si no era algún follón, o algún villano de hacha y capellina, o algún descomunal gigante las forzaba, doncella hubo en los pasados tiempos que, al cabo de ochenta años, que en todos ellos no durmió un día debajo de tejado, se fue entera a la sepultura, como la madre que la había parido.» La virginidad, esto es, la virtud, es el tema de todos los episodios, es la base melódica del tema del amor: amor para el matrimonio. Las *Novelas ejemplares* y el *Persiles* darán a la virtud el inmenso volumen que la elevará hasta el heroísmo: «viva virtud heroica.» El tema se introduce irónicamente, en armonía con todo el capítulo, lo cual no debe impedir que advirtamos su índole espiritual. El desdén—tan semejante en tono a *El celoso extremeño* y en alguna frase idéntico—se debe precisamente a su necesidad de crear la forma de ese sentido de la libertad, y la virtud como algo espiritual, como la conjunción de la voluntad y la gracia.

PREPARACION TEMATICA

Después de haber tratado irónicamente el recurso necesario de la suspensión y de haber reanudado la historia, pasamos al capítulo X: un delicioso diálogo, escrito con la gran maestría de Cervantes, en el cual se aleja todavía al lector de lo que ha de constituir la materia de la segunda parte, haciendo surgir una serie de motivos que van a desarrollarse en la tercera. El epígrafe del capítulo X en la edición príncipe dice así: «De lo que más le avino a Don Quijote con el Vizcaíno, y del peligro en que se vio con una turba de yangüeses.» Epígrafe que no corresponde a la materia del capítulo, y que por eso la Academia, en 1780, lo cambió por el que leemos hoy: «De todos los graciosos razonamientos que pasaron entre Don Quijote y Sancho Panza, su escudero.» Este error quizá es testimonio de cómo iba componiendo Cervantes su obra, de una primera forma posible; pero no queremos entrar en un terreno hipotético.

En la primera parte, antes de contar las aventuras de la primera salida—arrieros, Andrés, mercaderes, aventura soñada—, cita las dos primeras aventuras de la segunda salida: Puerto Lápice (frailes benitos, Vizcaíno) y molinos de viento, en este orden, que es el inverso del orden con que tienen lugar. Ahora, en el capítulo X, dialogando Don Quijote y Sancho, después de dar por terminada la aventura del Vizcaíno (Sancho, «viendo, pues, ya acabada la pendencia...», y «sin despedirse ni hablar [Don Quijote] más con las del coche, se entró por un bosque que allí junto estaba»), hablan de la Santa Hermandad, del bálsamo de Fierabrás; hace Don Quijote su juramento, dice que quitará una celada a algún caballero, imitando lo que pasó sobre el yelmo de Mambrino, y, por fin, cuando Sancho le advierte que esos caminos sólo son transitados por arrieros y carreteros, «que no sólo no traen celadas, pero que quizá no las han oído nombrar en todos los días de su vida», Don Quijote le responde que se engaña y que no han de tardar en ver «más armados que los que vinieron sobre Albraca a la conquista de Angélica la Bella».

Ignoramos e ignoraremos siempre cuál fue la intención de Cervantes; pero nosotros no nos referimos a su intención; lo único que hacemos es observar que el bálsamo de Fierabrás dará lugar al gran movimiento cómico de la venta en la tercera parte, donde ya hay un cuadrillero, y que en esa parte nos encontraremos la aventura de los ejércitos y la del yelmo, y que, por último, al dar con los galeotes, se habla de la Santa Hermandad de nuevo, la cual volverá a aparecer en su oficio, como indica Sancho, en la cuarta parte. Parece, pues, discreto observar que este procedimiento es la ampliación del que habíamos notado en la primera salida, y, sin tener en cuenta para nada la intención de Cervantes, debemos notar que la función de este procedimiento es la de preparar temáticamente la tercera parte, ya que no hay duda que, fuere la intención de Cervantes la que fuere, todo lector, al leer en la tercera parte lo del bálsamo, etc., tiene que recordar el diálogo de este capítulo. Es necesario tratar de encontrar un sentido a este hecho y ver en él uno de los elementos de la forma de la novela: la preparación temática.

En este diálogo entre Don Quijote y Sancho, como ocurrió ya en el primero, se logra una densidad humana que limita con lo religioso. El humor fluye abundante, desde la primera palabra a la última; pero mana muy contenido, en contraste con la ironía del capítulo precedente. El mundo de lo absoluto y el de lo relativo son abarcados íntegramente y sin ninguna segunda intención. Esta sinceridad de primer plano, esta confiada entrega a la palabra, la singularidad de propósito, que hace que la mirada esté continuamente fija en el blanco, es lo que hermana a Caballero y Escudero en un lazo casi religioso: «Y sacando, en esto, lo que dijo que traía, comieron los dos en buena paz y compañía.» Dentro de la constante del humor y de la hermandad, Cervantes cambia el *tempo* del diálogo, haciendo que Don Quijote hable, primero, complacido en su victoria, y después, airado al contemplar el estado de sus armas. Y mientras van surgiendo los temas que han de desarrollarse en la tercera parte, Sancho no sólo hace reaparecer la ínsula, sino que señala lo estrecho de su ideal, que únicamente el deseo con que marcha tras él hace grande. Sancho está dispuesto a dejar la ínsula a cambio de la receta del bálsamo, con la cual ve en seguida la posibilidad de enriquecerse rápidamente. Lo que salva a toda la Humanidad, aunque no la libre del castigo, que corre vorazmente tras un deseo mezquino, es el impulso de Sancho, quien alcanzará la receta y sentirá sus consecuencias. Sancho no mira ni a derecha ni a izquierda, ni arriba ni abajo; sus ojos están clavados en la satisfacción de su deseo: poder-riqueza. Un deseo tan entrañablemente sentido tiene que tener una justificación noble; puede ser un valor inferior, pero, al fin y al cabo, es un valor. Si Don Quijote deja la comodidad de la casa por los riesgos del camino para merecer a Dulcinea, Sancho hace lo mismo para conseguir su ínsula (sumamente transformado, quizá debamos sentir en los dolores de Sancho el tema del mercader).

Sancho es tratado con ternura por Don Quijote; pero a veces con cierta conmiseración, e incluso desdén, porque todo cuanto toca lo rebaja. Su poder-riqueza son las dos dimensiones con que aprehende la ínsula, que hay que relacionar con la justicia-belleza de Don Quijote, que es cómo el Caballero aprehende a Dulcinea. El mundo de los sentidos, que Don Quijote depura hasta conseguir elevarlo a la belleza mental de Dulcinea, Sancho lo convierte en esa receta cuyas cualidades purgativas no son beneficiosas a los no armados caballeros, y la justicia la deja reducida a la Santa Hermandad, a una forma particular (y práctica) del ideal, ideal que fue realizado cuando Don Quijote socorrió al pobre muchacho desvalido.

DON QUIJOTE IMPROVISA SU PRIMER DISCURSO. LA EDAD DE ORO

El sentimiento religioso sirve de cauce al diálogo hasta después de haber llegado a la choza de los cabreros (cap. XI), y encuentra su mejor expresión en una frase del Evangelio: «Con todo eso, te has de sentar, porque a quien se humilla, Dios le ensalza.» Toda la escena respira paz y sencillez. Es por la noche; un caldero en el fuego; el agua hirviente; los tasajos de carne llenan el aire con su olor. Todo es apetitoso, especialmente para personas hambrientas y sedientas; los cabreros son amables y ceremoniosos; pero amabilidad, ceremonias, manjares, todo es rústico. La paz y la sencillez son espirituales y físicas. Cervantes quiere que desde el primer momento sintamos la rudeza espiritual y física de ese mundo y lo espiritual de esa rudeza. En ese medio rústico, campesino, rodeado de sombras y de llamas, está Don Quijote victorioso, quien, después de haber comido bien, coge un puñado de bellotas. La contemplación del fruto de las encinas hace surgir el mundo mítico del pasado, en su relación con el presente, pasado y presente unidos en la mente y el corazón del Caballero.

Don Quijote improvisa su *Discurso sobre la Edad de Oro*. Es el tema que ha musitado tantas veces; es el punto de meditación que le ha hecho abandonar su biblioteca y lanzarse al camino. Las ideas de su discurso las ha pensado repetidas veces, incluso algunas frases; pero, en conjunto, su oración es obra del momento. Don Quijote es un gran improvisador: *Historia de la Infanta, Discurso de las Armas y las Letras, Aventura del Caballero del Lago*. Don Quijote sabe que está hablando sobre un tema de academia. Recuerda a sus autores, a quienes por elegancia y deferencia no cita. La materia humanística, llena de nostalgia histórica, adquiere, sin embargo, una gran vibración al referirla al presente a través de su misma vida. Debemos darnos cuenta de la diferencia entre el Romanticismo y el Barroco. El pasado y el presente, la felicidad y el dolor: el romántico no puede ni quiere salir de su vida para dar forma sentimental al tema; en cambio, el barroco objetiva su vida en una forma, y esta forma clásica (pasado y presente visto en el tema de la Edad de Oro) cobra todas las luces, todos los reflejos, todo el movimiento de la propia vida. El romántico reduce el mundo normativo de las formas a su yo; por eso, en la misma medida que las formas se empequeñecen hasta desaparecer, el yo se magnifica hasta erigirse en norma; el barroco vierte su vida en las formas dadas, en lo arquetípico, en las normas; de aquí que éstas continúen teniendo vigencia y que para el impulso vital desbordante haya todavía un cauce, el cual, para contener tanta vida, se ha de reforzar rígidamente. El forcejeo entre vida, sentimiento, sentido y forma es continuo, hasta que en el Romanticismo la forma da de sí, y la vida y el sentimiento lo anegan todo.

El tema de exposición del discurso se ataca con una gran bravura y majestad: la edad de oro y nuestra edad de hierro. Cinco acordes—encinas, fuentes y ríos, abejas, nuestra primera madre (la Tierra)—desarrollan la frase melódica en un movimiento tranquilo, lleno de paz, amistad y concordia. La frase se hace de repente enérgica—«entonces, sí»—para introducir el acorde siguiente: las zagalejas, el cual va a dar al presente: «agora». Es el acorde de la belleza y la inocencia, seguido por el del estilo: sencillez contra artificio. Luego viene el de la verdad sin mezcla de engaño. Inmediatamente aparece el tema de la justicia, que vuelve a dar a un «ahora», desarrollándose en la frase de «la ley del encaje». El discurso termina con un «agora» de indignación—«en estos nuestros detestables siglos»—, introducido por el tema de las zagalejas que se han cambiado en doncellas, como la inocencia se ha hecho honestidad. Para las doncellas del presente se ha instituido la orden de los caballeros andantes, y para las viudas, y los huérfanos, y los menesterosos. Don Quijote concluye dando gracias a los cabreros por el buen acogimiento de que han sido objeto él y Sancho.

Este discurso del entonces y el ahora, en el cual, sobre el plácido fondo nostálgico de un pasado dichoso, se destaca con toda indignación, aunque muy contenida, un presente raro y peregrino, intere-

sado e inseguro, se pronuncia para la cortesía elemental de los cabreros, pastores que han escuchado sin entender, pero deslumbra-
dos y suspensos—primer éxito de la elocuencia—, las palabras de
Don Quijote.

LA FUNCION DEL DISCURSO. PAPEL DOBLE
DE LA RUSTICIDAD

Con este discurso introduce Cervantes el tema amoroso de la
novela, que tratará en la forma de episodios: *Historia de Marcela,
Historia de Cardenio* e *Historia de Dorotea*. El *Discurso de la Edad
de Oro* hay que relacionarlo con el *Discurso de las Armas y las Letras*. Su función estructural consiste en agrupar las historias que
son dramatizaciones de la visión oratoria.

Rústicas cortesías preceden el discurso, y al terminar se canta
un rústico romance. Son los amores de un zagal de la majada; pero
el romance no lo ha compuesto él, sino un tío suyo, beneficiado. El
cabrero, pintándole su amor, demanda a Olalla que le favorezca,
pues ella sabe que su designio es el matrimonio. El romance se anima con el episodio de Teresa del Berrocal, la cual, al reprocharle
las alabanzas a Olalla, da lugar a una lucha. Sancho no permite
que continúen las canciones, y el capítulo termina con la manera
rústica de curarle la oreja a Don Quijote. El tema clásico, el estilo
culto, está circundado de rusticidad. Al situarlo en este medio, tiene
el autor barroco un objetivo doble: hacer sobresalir el tono antiguo,
sometiendo el lugar de la escena a un proceso de actualización. Contraste de un alto valor secentista, no sólo hay un estilo elevado y
otro rústico, sino que para el primero se sirve de la prosa, y para
el último, de la prosa y del verso. Además, y ésta es otra de las capacidades del Barroco, al motivo se le hace extraordinariamente fecundo, porque este círculo de cabreros que ha rodeado el discurso
va a continuar sirviendo para realzar el tema de la Edad de Oro tal
como lo ha tratado Don Quijote, uniéndose así estrechamente el
tema con el escenario. Las doncellas de los siglos dorados nada tenían que temer en su *libertad;* en el presente no hay *encierro* que
las proteja.

LA PASTORIL

Cervantes tiene que crear el heroísmo moderno, y para aprehenderlo necesita un medio imaginario moderno también; de aquí su posición frente a los libros de caballerías. Este heroísmo, luchando como el heroísmo gótico, como todo heroísmo, por la justicia y la belleza (Virtud), va a desplazarse del mundo exterior al mundo interior. En el Gótico, la lucha con el dragón nos sirve para salir fuera de la conciencia, para que veamos con los ojos corporales la lucha con el mal; en el Barroco, esa lucha servirá para hacernos penetrar en la conciencia, para interiorizarnos. Lo mismo le ocurre a Cervantes con la virtud, con la honestidad; su esfuerzo consiste en intuir su espiritualidad, en dar forma a esta cualidad del alma. Como la lascivia es algo inherente al hombre, así también la virtud, que se da sólo en la libertad. No una libertad física, y todavía menos política, sino una libertad trascendente. Por eso Cervantes tiene que revisar el género pastoril.

El concepto antiguo de virtud le parece demasiado materializado, y el mundo del amor idealizado pastoril es para él algo académico e irreal. Cervantes goza con el sentido humanista de la pastoril; pero el autor barroco no puede imitar a los antiguos, tiene que competir con ellos, tiene que crear un ideal vivo; esto es, siempre presente.

Los cabreros, que han estado rodeando a Don Quijote mientras pronunciaba su discurso, van ahora a penetrar en el mundo pastoril. Si antes daban resalto a lo antiguo, ahora harán sobresalir lo literario. Pastores cabreros y pastores pastoriles.

Sancho, que no quería que se continuara con las canciones porque le llamaba el sueño y porque los pastores no pueden pasarse la noche en músicas, ya que tienen que madrugar para su trabajo, en el momento en que iba a echarse es sorprendido por otro mozo que venía de la aldea con el bastimento y, además, con noticias (capítulo XII).

El romance de Olalla, cantado por el pastor, pero compuesto por su tío, nos sitúa en el mundo amoroso de los pastores de la realidad (contraste con el estilo del discurso, contraste con la pastoril), los cuales hasta pueden saber leer y escribir y tocar un instrumento popular, pero no son poetas. La poesía popular es obra de poetas,

83

que podrán quedar en el anonimato; son hombres de letras los que escriben este género de poesía. Los folkloristas deberían tener en cuenta la opinión de Cervantes, quien, al señalar la diferencia entre las figuras literarias y los cabreros, parece considerar especialmente importante el que éstos no sean capaces de hacer versos. Así, hasta el amor de los pastores de la realidad tiene que llegar a nosotros a través de una forma literaria. El cabrero que ha traído las vituallas cuenta también unos amores, los de Marcela: «Aquella que se anda en *hábito* de pastora por esos andurriales.» La primera parte de la *Historia de Marcela* es una narración, y Cervantes le da la forma tradicional de la narración breve: una noticia, una novedad. «¿Sabéis lo que pasa en el lugar, compañeros?» «¿Cómo lo podemos saber?», respondió uno de ellos. Se da la noticia: la muerte del «pastor estudiante» Grisóstomo, y se presenta a la protagonista nombrándola y caracterizándola en el papel con que ha de figurar en la historia. Se dispone la única acción que va a tener lugar: el entierro de Grisóstomo. Dicha la noticia, se cambia de narrador, para que Don Quijote pueda demostrar su interés y dar lugar a que el relato comience, interrumpiéndolo varias veces, primero, porque Don Quijote no podía sufrir «el trocar de los vocablos del cabrero». El propósito de Cervantes es evidente. Antes de permitir al cabrero que cuente su historia en estilo literario, le hace tropezar en el habla popular, que es la que le corresponde, para dejar a la pastoril encerrada en el ámbito de las letras. Las otras intervenciones del Caballero caracterizan la narración desde un punto de vista técnico: el cuento es bueno y ha sido contado con gracia; el oírlo produce gusto. Se ha de comparar esta caracterización con la que se hace de *El curioso impertinente* y, sobre todo, con la *Historia del Cautivo*.

El cabrero cuenta brevemente una historia pastoril, y en su relato vuelve a ser evidente el propósito de Cervantes. Se muestra el envés de una novela pastoril; se nos hace ver la experiencia espiritual que sirve de fundamento al género renacentista. La juventud selecta del Renacimiento ha expresado su vida sentimental en esta forma humanística de la égloga. Los jóvenes cultos, universitarios, sabios y leídos, músicos y poetas, hijodalgos ricos; Marcela, de buena familia también, rica, huérfana y hermosísima, al hablarle su tío de casamiento, se excusa diciendo «que, por ser tan mucha-

cha, no se sentía hábil para poder llevar la carga del matrimonio».
Marcela no cree que haya sonado la hora del matrimonio, pero está
en la edad en que florece la vida de los sentimientos y necesita abandonar el recato de la casa, mostrándose en público y buscando con
las otras muchachas del lugar, en la libertad del campo, el encanto
del sentimiento. A Marcela, en ese estado de espíritu, la califica el
cabrero de «melindrosa». Su hermosura inspira amor a cuantos ricos mancebos la contemplan, entregándose todos al sentimiento, todos al campo. Marcela vive en tanta libertad una vida honesta. Pasa
sus días en conversación y compañía de los pastores estudiantes,
a quienes trata cortés y amablemente, pero sin permitir que le de-
claren su amor, aun siendo con la intención del matrimonio. Tenemos todo el plano pastoril, pero Cervantes se cuida de dejar al descubierto la zona real, para que quede bien claro que se trata de un
género literario cuyo estilo considera superior al de los libros de caballerías, cuya forma, sin embargo, no le satisface, pues no representa la relación natural entre hombre y mujer, y, por tanto, nada
se dice de las luchas porque hay que pasar para vencer el mundo
de las pasiones. Tampoco acepta la exclusión del medio social. En
la pastoril tenemos el respeto del hombre a la mujer como algo dado,
cuando para Cervantes y su época es precisamente un esfuerzo heroico, una maravilla.

Sólo la mujer libre puede ser honesta, pero con libertad muy distinta de la de los campos; la mujer (y el hombre) necesitan la libertad para elegir entre el bien y el mal, para ejercitar la voluntad. El
Barroco tiene que transformar la idealización en ideal. A la bella
libertad campestre y cortés, la libertad muy otramente bella del me-
són. Toda la decoración cambia: el mundo imaginario antiguo, el
campo-jardín de égloga, es sustituido por el mundo imaginario moderno: la ciudad. Al transformarse esa belleza idealizada y externa
en la belleza ideal interior, Cervantes, como su época, transforma
la academia en vida; vida, es claro, muy dentro de las formas.

ENTIERRO DE GRISOSTOMO

El cabrero resume el conflicto de la *Historia de Marcela* en una
«cuestión de amor»: «Su afabilidad y hermosura atraen los corazones de los que la tratan a servirla y a amarla; pero su desdén y

desengaño los conduce a términos de desesperarse, y así, no saben qué decirle, sino llamarla a voces cruel y desagradecida.» Pero el relato comenzaba con la muerte de Grisóstomo. Cervantes inventará una escena sumamente burlesca y pictórica para tratar la muerte literaria de amor *(Quijote,* 1615); ahora lo que quiere es presentarnos el desdén en toda su fuerza trágica, llevando al suicidio. Hay que interpretar la muerte de Grisóstomo como la muerte de un desesperado, la muerte de un suicida. Su entierro no tiene nada de la pagana belleza renacentista; no hay nada de la belleza helénica de un *Amor dormido.* «Como si fuera moro—declara el cabrero—; también mandó otras cosas [para su entierro], tales que los abades del pueblo dicen que no se han de cumplir, ni es bien que se cumplan, porque parecen de gentiles.» Grisóstomo muere fuera del seno de la Iglesia. La académica «cuestión» se transforma en un vendaval de pasión que cruza toda la novela: No es un estudio del sentimiento lo que interesa, sino mostrar el sufrir de un corazón torturado, y los bosques se llenan de sombras de amantes, que hacen de la Tierra un valle de lágrimas de amor. Detrás del acontecimiento vemos a todo un pueblo que va de sorpresa en sorpresa, atraído por los sucesos que ha presenciado. Marcela se ha impuesto al interés de la gente. «Todos los que la conocemos *estamos esperando* en qué ha de parar su altivez y quién ha de ser el dichoso que ha de venir a domeñar condición tan terrible y gozar de hermosura tan extremada.»

El relato termina volviendo a la herida de Don Quijote y al sueño de Sancho. Caballero y escudero aguardan la acción de la historia en la forma que impone la época; Sancho, durmiendo como escudero, como hombre que está rendido; Don Quijote, «como enamorado desfavorecido», pasó la noche, a imitación de los amantes de Marcela, pensando en Dulcinea.

Los cabreros que rodean el *Discurso de la Edad de Oro* sirven de contraste para destacar la índole literaria de la novela pastoril. Con su relato, Cervantes ha mostrado la diferencia entre el concepto renacentista de la narración breve—noticia digna de ser sabida—y el concepto barroco: un hecho extraordinario, una confesión; como diríamos hoy, una experiencia vital. La narración comienza agolpando, en el primer término todo el interés dramático, y luego se cuenta todo lo acaecido. Una vez acabada la historia,

86

se desarrollan sus elementos; el primero, la marcha fúnebre (cap. XIII). De los ocho cabreros—además de los seis originales, el mozo del rabel y el que trajo los víveres—que ha reunido Cervantes según la acción lo requería, destaca el grupo que sirve de núcleo: los seis primeros. De estos seis, cinco despertaron a Don Quijote, y todos juntos con Sancho se dirigieron al entierro. Se anda un cuarto de legua y encuentran un grupo de «hasta seis pastores, vestidos con pellicos negros y coronadas las cabezas con guirnaldas de ciprés y de amarga adelfa». Con ellos venían dos caballeros con tres criados.

Pocas veces se extienden los comentaristas del *Quijote* a hacer una observación literaria o estética, y cuando lo hacen es una lástima no poder coincidir con ellos. Rodríguez Marín (ed. 1927, I, 365): «En otro lugar de este capítulo: *bajaron hasta veinte pastores...*» Y nota Cejador: «Muy gráfico, pues no parece sino que se van contando, por indicar *hasta* el término de la serie.» «A veces, expresamente contando», continúa Rodríguez Marín. Calderón, en la jornada segunda de *El maestro de danzar:* «... con quebradillo / entrar ahora en el paseo / uno, dos, tres, cuatro, cinco / señalados y a concierto». En realidad, yo no veo la relación entre el ejemplo de Calderón y el de Cervantes. Pero si llamo la atención sobre este detalle es porque el texto se interpreta mal, llevando a una visión errónea. El hasta no indica el término de la serie, sino el número aproximado de los que forman el grupo de pastores: unos seis pastores, es decir, un grupo de bastante bulto, más dos caballeros y tres mozos. En la aventura del cuerpo muerto (capítulo XIX) «descubrieron hasta veinte encamisados»; en la aventura de los galeotes (cap. XXII) «venían hasta doce hombres a pie». Como en estas aventuras, en la procesión fúnebre no hay nada en serie; el ritmo es otro. Primero: «Y no hubieron andado un cuarto de legua, cuando al cruzar de una senda vieron venir hacia ellos hasta seis pastores, vestidos con pellicos negros y coronadas las cabezas con guirnaldas de ciprés y de amarga adelfa. Traía cada uno un grueso bastón de acebo en la mano. Venían con ellos, asimesmo, dos gentiles hombres de a caballo, muy bien aderezados de camino, con otros tres mozos de a pie que los acompañaban. En llegándose a juntar, se saludaron..., y comenzaron a caminar todos juntos.» A este grupo único de unos *seis, dos* y *tres* se une el grupo de

Don Quijote. Luego: «En estas pláticas iban, cuando vieron que, por la quiebra que dos altas montañas hacían, bajaban hasta veinte pastores, todos con pellicos de negra lana vestidos y coronados con guirnaldas, que, a lo que después pareció, eran cuál de tejo y cuál de ciprés. Entre seis dellos traían unas andas, cubiertas de mucha diversidad de flores y de ramos.» No es un desfile, son dos grupos funerales: negro, tejo, adelfa, ciprés. Entre estos dos grupos ornamentales, cuya composición se indica sin numerarla, al principio y al final del capítulo, discurre pausada, serenamente, un diálogo.

LA MUJER EN EL GOTICO Y EN EL RENACIMIENTO. LA MUJER DEL BARROCO

Don Quijote y el caballero llamado Vivaldo hablan. Cervantes, en la *Historia de Marcela*, está tratando también el tema literario; lo trata indirectamente, incorporando en la disposición de la acción y en el relato sus ideas y su actitud respecto a la pastoril. Los libros de caballerías y la novela pastoril son los dos estilos novelescos que Cervantes discute y que forman el tema literario del *Quijote*. En el diálogo de los dos caballeros, ambos temas vuelven a unirse como en los escrutinios, y el novelista los utiliza para presentar la diferencia entre las varias concepciones de la mujer: la de los libros de caballerías y la pastoril (mujeres del pasado) y la mujer del Barroco, que Cervantes contribuye a crear.

El asombro de Vivaldo da lugar a que Don Quijote hable de la caballería andante, se relaciona al caballero con el religioso, preparando el tema de las armas y las letras, y en seguida se habla de la dama. La mujer, en el Gótico, o es un ser deificado o sirve únicamente para satisfacción de los sentidos; es la salvación o la perdición del hombre. Esa antítesis gótica desaparece en la renacentista Marcela, en la mujer de la novela pastoril, cuya historia estamos oyendo. Marcela es una mujer idealizada, pero es la compañera del hombre, causante de una felicidad o de un dolor estrictamente humanos. Dulcinea no es como Marcela; se asemeja a la mujer gótica; por eso conviene notar la diferencia esencial entre el Gótico y el Barroco. Dulcinea, la mujer del Barroco, no es un ser deificado, sino una idea, en la cual «se vienen a hacer verdaderos todos los imposibles y quiméricos atributos de belleza que los poetas dan a sus

88

damas». Esta mujer-quimera hará posible la creación de la Gitanilla y de Sigismunda y de todos los seres femeninos que encarnan el ideal de la honestidad en un cuerpo bello.

Yendo al entierro de un suicida, cuya canción desesperada oiremos inmediatamente, cuando vamos a ver a Marcela, contemplamos la esencia que es la mujer del Barroco, introducida por «un gran suspiro» de Don Quijote.

EL HOMBRE MUERTO Y LA POESIA VIVA

Don Quijote, con su acompañamiento de cabreros, ha comenzado la marcha; en el mismo comienzo ingresa en el tema funeral. Tiene lugar el diálogo, y al terminar aparece toda la pompa fúnebre rodeando las andas. «Aquellos que allí vienen son los que traen el cuerpo de Grisóstomo.» Las andas se acercan, con un *crescendo* de timbal sordo, hasta dejar el cuerpo en primer plano. «Cubierto de flores un cuerpo muerto», un cuerpo sin alma. Es el cuerpo de un hombre de treinta años, de rostro hermoso, de disposición gallarda. Entre las flores, libros y papeles, abiertos y cerrados, este cuerpo es el centro de atención; al diálogo le sucede «un maravilloso silencio», que se rompe sólo para decir las alabanzas del muerto. El panegírico desarrolla toda la majestad de la marcha en un movimiento lento que escande su amplitud con una gran claridad rítmica. «Ese cuerpo... Ese es el cuerpo de Grisóstomo, que *fue:* 1) único en el ingenio; 2) solo en la cortesía; 3) extremo en la gentileza; 4) fénix en la amistad; 5) magnífico sin tasa; 6) grave sin presunción; 7) alegre sin bajeza, y, finalmente, *primero* en todo lo que *es* ser bueno, y *sin segundo* en todo lo que *fue* ser desdichado.» Esta frase, en la que el verbo sostiene siete predicados, los cuatro primeros seguidos de la preposición con el sustantivo declarativo y los tres últimos seguidos de la preposición restrictiva, frase que se cierra con una división bimembre, nos pinta a Grisóstomo ya muerto: *fue.* A los siete predicados siguen siete verbos en dos grupos, uno de dos y otro de cinco: «Quiso bien, fue aborrecido; adoró, fue desdeñado; rogó a una fiera, importunó a un mármol, corrió tras el viento, dio voces a la soledad, sirvió a la ingratitud.» La pareja de verbos reduplica la antítesis trágica —quiso-aborrecido, adoró-desdeñado—, y los cinco siguientes hacen resaltar el objeto de la acción en un *crescendo* desesperado: rogó, importunó, corrió, dio, sirvió-fiera, mármol, viento, soledad, ingratitud. El ser y su acción. La poesía de Grisóstomo—la forma de su amor—se consumiría al ser enterrado su cuerpo si Vivaldo no salvara del fuego la *Canción desesperada* (cap. XIV).

Constituyen la *Canción* ocho estancias de dieciséis endecasílabos, y el envío, de cinco versos. La rima es A B.C A B C C D E E D F F G H H-G; el penúltimo verso rima con las sílabas cuarta y quinta del último. Con la excepción de las estancias segunda y cuarta, hay siempre una pausa en el verso once. El envío rima como los cinco últimos versos de cada estancia (FFGHH-G) AABCC-B; la rima interior tiene lugar en las sílabas sexta y séptima. Algunas rimas son vulgares (pecho-despecho, vivo-avivo); no sólo se encuentran formas verbales en la rima, sino unas muy próximas a otras (haga-hagas); pero el verso está bien acentuado, y ciertos períodos son de un movimiento rítmico muy acertado; por ejemplo, los comienzos de la estancia segunda y de la octava. Usa la palabra cruel como disílaba.

Hay el verso homenaje a Garcilaso; pero el sentimiento tumultuoso de la poesía la acerca más a fray Luis de León o a Herrera, aunque no tiene ni el movimiento musical de inmensidad del primero ni la brillantez rítmica y metafórica plasticidad del segundo.

La desesperación («...nunca alcanza / mi vista a ver en sombra a la esperanza, / ni yo, desesperado, la procuro»), que lleva a la muerte («Ponedme un hierro en estas manos», «Dame, desdén, una torcida soga», «Y con... un duro lazo, / acelerando el miserable plazo, / ofreceré a los vientos, cuerpo y alma»), crea un vendaval de dolor, cuyas ráfagas conmoverían románticamente, si el afán de composición rítmica e imaginativa no estuviera manteniendo constantemente la pasión dentro de una medida, dentro de un mundo formal.

La intimidad romántica es, en el Barroco, un deseo de hablar:

> Y al par de mi deseo, que se esfuerza
> a decir mi dolor y tus hazañas,

para contar, más que el propio dolor, la crueldad (la hazaña) de la amada. El tema de la poesía no es la desesperación del poeta, sino el declarar la fuerza del áspero rigor de la amante:

90

> Ya que quieres, crüel, que se publique
> de lengua en lengua y de una en otra gente
> del áspero rigor tuyo la fuerza...

Para publicar ese desdén acude el poeta al infierno, y entonces su lira encuentra notas que, hechas sentimiento, se oirán en el Romanticismo: el acento de una espantable voz, y mezclados con él, «por mayor tormento, / pedazos de las míseras entrañas». Así, la armonía se transforma en ruido que sale de lo hondo del pecho: «Escucha, pues, y presta atento oído, / no al concertado son, sino al ruido / que [sale] de lo hondo de mi pecho.»

El mundo se llena de fieras y monstruos en un paisaje de desolación, donde los protagonistas son los celos y el desdén, la ausencia y las sospechas, sin dejar lugar a la esperanza. La estancia quinta la ocupa el movimiento interrogativo y exclamativo de la conmoción que lleva a buscar la muerte. «Yo muero, en fin»; y muere pertinaz, sin querer negar el bien del amor y la hermosura de la amada, a la cual ruega que no se entristezca con su muerte, para cuyas exequias invoca a las figuras míticas del dolor interminable, que, acompañadas por mil monstruos, cantarán «en voz baja» canciones tristes, doloridas.

EL PAISAJE DE LA «CANCION DESESPERADA». LA FIGURA HUMANA DE MARCELA SE CONVIERTE EN UNA FIGURA COLOSAL

La *Canción desesperada* es la música, el servicio, la marcha, el ritmo de este funeral, donde los negros están decorados de ciprés y adelfas, de libros y papeles. El risueño, humano, virgiliano jardín de la pastoril renacentista se convierte en el paisaje medieval de riscos y desiertos, de cuevas y selvas donde el sol no penetra. El paisaje montañoso, posesión del diablo, propicio para la tentación y el tormento del hombre. Pero el Barroco aprovecha ese paisaje medieval para escenario, en el que el hombre es el principal protagonista. Lo demoníaco de la Naturaleza es la inmensa caja de resonancia para el gesto imperial. El paisaje de la *Canción* está fuera de la poesía haciendo un todo con ella, no dentro, como en el Romanticismo.

El hombre del Renacimiento era un hombre geográfico; el hombre del Barroco es un hombre cósmico, astronómico; necesita las montañas inaccesibles, las estrellas innumerables. En la Edad Media, el espacio es siempre intrincado y estrecho; en el Barroco, el espacio es igualmente misterioso; pero ahora el misterio se expresa por medio de la amplitud. El hombre barroco somete el imponente horror de la Naturaleza medieval al dominio del hombre, un hombre que tiene que ser inmenso para hacer de sus jardines bosques espesos, para hacer de sus fuentes rocas, para hacer cúpulas-firmamentos. El hombre barroco se abre camino por la encrucijada medieval y lo derriba todo, hasta dejar sólo una inmensa peña. Cervantes necesita la peña monumental para *podium* de la dramática aparición de una visión maravillosa. Improvisamente se presenta Marcela en la cima de una peña, a cuyos pies se cava la sepultura del dolor desesperado. Es una gran sepultura barroca, coronada con esa figura de la hermosura impasible. Sobre el dolor del corazón humano se yergue esa belleza cuya contemplación lleva a la muerte.

Cervantes quiere que nos demos cuenta de esta monumentalidad imperial, escenario de esa acción simbólica. Dice Ambrosio: «¿Vienes... a ver desde esa altura, como otro despiadado Nero, el incendio de su abrasada Roma, o a pisar arrogante este desdichado cadáver, como la ingrata hija al de su padre Tarquino?» La conjunción de la Edad Media cristiana con la Roma antigua es una de las características esenciales de la visión del mundo en el Barroco y, es claro, de su concepto del hombre.

La *Historia de Marcela* comenzaba con una noticia, que amontonaba al principio de la narración todo el suspenso de una acción concluida. Empezaba con el trágico desenlace para reclamar de una vez toda la atención. Esto debía producir un relato estático; de la narración, sin embargo, se pasa a la acción y se deja, exento, como verdadero desenlace, el discurso de Marcela. Con el complicado arte de su época, Cervantes puede separar el desenlace dramático del desenlace moral, lo cual le permite crear un nuevo dinamismo entre estos dos polos y hacer que todo el tumulto del interés producido por la curiosidad se resuelva en una tensa atención que ilumina el alma.

La «cuestión de amor» renacentista ha sido tratada voluntariamente con este barroquismo, con este espíritu de su época, para mostrar cómo la novela pastoril pertenecía al pasado. Marcela vuelve en su discurso a la «cuestión» infundiéndole el espíritu de la Contrarreforma, que informa el concepto de belleza durante todo el Barroco: «La hermosura en la mujer *honesta...* La honra y las virtudes son adorno del alma, sin las cuales el cuerpo, aunque lo sea, *no debe* parecer hermoso. Pues si la honestidad es una de las virtudes que al cuerpo y al alma más adornan y hermosean, ¿por qué la ha de perder la que es amada por hermosa...? Yo nací libre...» Marcela defiende la gratuidad del amor, el objeto hermoso debe ser amado por su misma hermosura, sin esperar correspondencia. La pastora desaparece al terminar su discurso, y si no quiere oír ninguna respuesta, Don Quijote no permite que nadie la siga, aunque al terminar el entierro él mismo se marcha tras ella. Aquí termina la segunda parte.

LA TERCERA PARTE

LA PUREZA EN EL BARROCO. PARODIA DEL RENACIMIENTO

Don Quijote no puede encontrar a Marcela (cap. XV), el destino le aleja de la pastoril y le dirige al presente. La pureza en la pastoril o bien es algo dado o bien algo que no debe ser tenido en cuenta. La novela pastoril excluye el dolor de la carne, el tormento sexual, y la atracción y el deseo quedan al margen del mundo de pastores. Se puede suponer que la vida de los instintos sostiene los diálogos, canciones y fiestas pastoriles, y que no se habla de las exigencias del sexo por la misma razón que no se habla de otras mil cosas comunes. Siendo la vida de la pastoril una selección, se le puede muy bien conceder que excluyera el amor sexual.

El punto de vista del Barroco es otro. El héroe no es concebido eliminando sentimientos, pasiones e instintos, sino incluyendo. El Barroco puede imaginar la pureza dada, el estado de gracia e inocencia; pero junto a esa esbeltez y blancura juvenil, el Barroco ve la pureza como algo que se consigue en lucha continua. La honestidad puede ser un don, pero también puede ser el resultado de un esfuerzo incesante, de una lucha sin tregua: el hombre ligado íntimamente a la Naturaleza, el hombre que es Naturaleza, y que tiene que dominarla, vencerla. Por eso el Barroco, con todos sus ideales de pureza y de decoro, se deleita en lo sensual de una manera grotesca y también horrenda. No tiene que pasar inadvertido, por último, que en la renuncia puede encontrar y encuentra el Barroco no sólo los valores espirituales y morales, sino calidades muy próximas a la voluptuosidad.

El Barroco, pues, concibe la pureza dramáticamente, y de la misma manera concibe la libertad. El privilegio del hombre cristiano es ser libre; es decir, poder salvarse y condenarse. Este privilegio—la libertad—es la tragedia del hombre. La libertad es la gloria o el terror del hombre. Cervantes y su época mostrarán que no se puede escapar de la libertad, que no se puede encerrar al hombre—*El celoso extremeño*, *La vida es sueño*—; mostrarán que la libertad es el destino del hombre: *Persiles*. El hombre nace libre, *es* libre, como dice Marcela; pero lo que no se ve en Marcela, en la pastoril, en el Renacimiento, es la índole trágica de una cualidad inalienable.

Al no encontrar a Marcela, Don Quijote y Sancho van a dar con el paisaje renacentista, con el mundo que le corresponde: «un prado lleno de fresca yerba, junto al cual corría un arroyo apacible y fresco; tanto, que convidó, y forzó, a pasar allí las horas de la siesta, que rigurosamente comenzaba ya a entrar». Cervantes dispone ese paisaje renacentista para que se venga abajo rápidamente el mundo de la égloga. *Rocinante*, dejado en libertad, porque de su manera de ser no había que temer nada, al ver unas jacas, «le vino en deseo de refocilarse con las señoras facas, y saliendo, así como las olió, de su natural paso y costumbre, sin pedir licencia a su dueño, tomó un trotico algo picadillo y se fue a comunicar su necesidad con ellas; mas ellas, que, a lo que pareció, debían de tener más gana de pacer que de al, recibiéronle con las herraduras y con los dientes». Así se conduce *Rocinante*, a pesar de ser «tan manso y tan poco rijoso». Esta escena burlesca es la expresión del regocijo que le producía a Cervantes la pureza de la pastoril. En ella vemos la actuación de lo animal en el hombre, de los instintos de la baja naturaleza.

Sancho, por haber dado libertad a quien no pudo tenerla, por haber confiado en la naturaleza—naturaleza e instintos que tienen que estar sojuzgados, dominados, y en quienes no se puede confiar. No es el hombre el que tiene que ser encadenado; el hombre libre con su voluntad debe encadenar los instintos—, Sancho es apaleado, y con él Don Quijote.

96

El episodio de *Rocinante* y las jacas es una deformación burlesca de la pastoril y prepara la parodia del amor caballeresco, que tiene lugar en cuanto Don Quijote, golpeado y maltrecho, entra en la venta. El tumulto extraordinariamente burlesco de la acción se resuelve en el delicioso humorismo del diálogo. Don Quijote está a los pies de *Rocinante* (y la agrupación ya es graciosa), Sancho está tendido en el suelo. Hay una pausa. Poco a poco se van arrancando del dolor. Don Quijote deja manar su religioso consuelo. Sancho lo primero que hace es aludir al bálsamo; con sus quejas, con sus réplicas, da al mundo de Don Quijote un fondo de gravedad, de realidad, en el cual no hay ningún resentimiento, y que o hace surgir el humor o lo redobla. En una adecuación perfecta con todo el espíritu de diálogo, Don Quijote dice esta frase: «Me acuerdo haber leído que aquel buen viejo Sileno, ayo y pedagogo del alegre dios de la risa...»

La tercera parte va a situarnos en el mundo moderno, el mundo nocturno de la intuición de las esencias, cuando Don Quijote se transforma en el *Caballero de la Triste Figura*, pero están en el umbral de ese abismo la burla y la risa. El diálogo termina volviéndose a aludir a la penitencia de Amadís.

La burla y la risa van rodando en un estruendoso *crescendo* lleno de acción en la noche de aquelarre de la venta (caps. XVI y XVII). Cuatro momentos concentran este dinamismo: visita de Maritornes, bálsamo de Don Quijote, bálsamo de Sancho, manteamiento. Hay una gran movilidad, interrumpida por momentos de máximo reposo. Todo el alboroto, el bullicio, la algazara conducen la risa al punto más alto, cuando, en un perfecto ritmo cómico, se cae en una calma desconcertante, que introduce un breve descanso, el cual rápidamente vuelve a hacer estallar la risa. Este contrapunto lo subraya Cervantes: «Llegó el cuadrillero, y como los halló hablando en tan sosegada conversación, quedó suspenso.» Los personajes pasan continuamente de una posición a otra. La oscuridad completa recibe a veces luz suficiente para que las sombras hagan más aspavientos, y por fin se sale al sol y al aire libre, encomendando a Sancho el número final, haciendo que la venta se llene de gente, de toda la compañía cómica. En la acrobacia final, a cargo de Sancho, Don Quijote, al margen de la acción, con sus miradas, su sorpresa, sus palabras, su ira, tiene un gran papel. En la visita de Maritornes, por el contrario, es Sancho el que redobla la acción cómica, alargándola; lo mismo ocurre con el bálsamo, sólo que aquí la acción queda dividida muy claramente en dos, y, por último, igual acontece con la acción de irse sin pagar, que prepara el desenlace.

Cervantes acude a todos los recursos de lo grotesco para crear a Maritornes, y armoniza esta figura del amor carnal con el lugar de la escena—aposento, cama—y con la acción. Esta visión horrible se debe a la teoría expuesta por Marcela. El cuerpo sin la honra y las virtudes, que son el adorno del alma, aunque sea hermoso no debe parecerlo. Y como no debe parecer hermoso, el Barroco lo hace grotescamente repugnante. Ahora se comprenderá la complacencia de ese trastrueque de valores, tan característico de la época. Las superficies que están invitando al tacto con su suavidad y morbidez se convierten al tocarlas en ásperas y groseras. Los sentidos son engañados y engañan; por eso se podrá llegar naturalmente a la imagen de que la Hermosura se transforma en la Muerte en los brazos del amado. Lo opuesto es igualmente verdad. Al que está muy próximo a la contemplación pura de la belleza del alma, el cuerpo, por feo que aparezca, no consigue ocultar la hermosura. Así nos explicamos la fealdad seductora de Isabela, enferma, o de Sigismunda, envenenada. Ambas han caído bajo el influjo de las pasiones—venganza, envidia, celos, todo ese pus de la carne—, pero la corrupción del cuerpo ahuyenta a los amantes falsos—aquellos que no pasaron de la hermosura corporal—, y atrae más vivamente a los amantes verdaderos. Y al enamorarse de la virtud, el cuerpo resplandece en su verdadera belleza deslumbrante: desenlace de *La española inglesa* y del *Persiles*.

Maritornes es hermosa, pero con una hermosura sensual que sólo puede satisfacer los bajos instintos. Con una hermosura que muestra toda su repugnante fealdad y grosería. A pesar de su ruindad, de su bajeza, como ser humano que es, pueden brotar de su alma sentimientos como el de la caridad. De la misma manera que la cultura antigua concibió de una raíz única dos Venus, la cultura cristiana le ha dado a la caridad también dos faces: la iluminada con la luz de la gracia y la que florece en medio de las ruinas humanas.

Maritornes, que marcha en la oscuridad como ciega para satisfacer al arriero, al aire libre siente piedad por Sancho.

Si ha quedado bastante clara la forma del episodio de la venta, su sentido no puede menos de aparecer evidente. Cervantes une la parodia del amor pastoril a la parodia del amor caballeresco, e inventa una variación del amor natural. Antes, el amor natural le ha servido para crear esa imagen de *Rocinante* y las jacas: amor natural igual a amor animal. Amor natural y animal, que es una exigencia de la carne aun en el ser más dado a la tranquilidad y la calma, inclinación natural que, por tanto, hay que combatir denodadamente si se quiere llegar a la pureza. La confianza va a dar a las estacas. Ahora, amor natural igual a amor bajo. Movimiento de los instintos que conduce a la riña. Ajeno a la elevación paródica de Don Quijote y a la baja realidad del arriero, Sancho recibe todos los golpes que le corresponden, porque el cristianismo concibe la virtud de una manera activa. No es por no tomar parte por lo que el hombre puede llevar una vida pura. La pureza es algo que el hombre consigue con su voluntad, con su esfuerzo, con su lucha continua.

La posición de Sancho es todavía importante porque nos muestra su relación con Don Quijote. De la misma manera que el Barbero ni se opone al Cura ni le complementa, ocurriendo lo mismo con la Sobrina respecto al Ama, Don Quijote y Sancho ni se oponen el uno al otro ni se complementan. Son dos elementos de un mismo origen, con una diferencia de grado de cuya unión surge una unidad. En este episodio se ve claramente que quien se opone a Don Quijote es el arriero. Mientras las estrellas se filtran por el techo hay dos amores en vela: uno, todo anhelo espiritual; otro, todo deseo de la carne; alejado de ambos, Sancho duerme. La quietud de la noche, la contemplación de la mujer, dirigieron el ánimo del Caballero al amor, a pesar de todos los golpes recibidos; al arriero le dirigieron al amor sus ardientes deseos; pero Sancho duerme, también prefiere dormir a oír historias. Lo que mueve a Sancho es otro afán de posesión: Sancho está despierto sólo para el poder. Don Quijote se encuentra al velar sus armas con arrieros y en su segunda salida otra vez los arrieros están enfrente de él: es el primer contacto con la realidad. No se buscan, pero se encuentran. Con las armas se impide dar de beber a las bestias, con sus sueños de pureza se interpone también en el camino de lo bajo y vil.

En los tres primeros capítulos de la parte tercera se ha tratado el tema del amor referido a la historia—amor pastoril y amor caballeresco—y a la metafísica: amor casto y amor deshonesto. La imagen y la acción burlescas han sido entrecortadas por diálogos llenos de serenidad y sosiego, en los cuales Don Quijote intenta infundir en el ánimo de Sancho el espíritu de resignación y conformidad. El hombre que no se resigna ante la injusticia o la virtud profanada o la belleza ofendida sabe que ha de aceptar el dolor. Si a Sancho la justicia, la virtud o la belleza no le hacen perder la calma, no comprende que la recompensa de esa acción sea el dolor, y lo que le intranquiliza es ver que a él le toca parte en el dolor, habiendo querido mantenerse al margen de ese mundo.

Después del manteamiento termina el capítulo XVII, y el siguiente da comienzo con un diálogo, en el cual vuelve a abordarse el tema; pero esta vez Sancho está a punto de perder la paciencia. El escudero cree que lo mejor sería desistir en la empresa. Su deseo de la ínsula no es todavía lo suficientemente fuerte para poder competir con la realidad de la siega. Ha presenciado la aventura de los molinos de viento y la de los frailes benitos y el vizcaíno. Ha salido de su asombro ante lo insensato sólo para recibir golpes. Ante sus ojos, que luchaban por cerrarse, ha sido evocado el mundo antiguo y se ha hecho brotar la inmensa cantidad de tragedia que cabe en el pequeño corazón humano, sin lograr interesarle. Después, *Rocinante* le quita el descanso; la venta se cierra en el silencio de la noche para que ocurran mil hechos inauditos, cuyo sentido llega hasta él en forma de golpes. Luego el bálsamo, por fin el manteamiento, que Don Quijote contempla sin poder moverse. Este dolor, en el plato de una balanza, y en el otro, la aldea, la siega, la hacienda. El equilibrio no se mantendría más tiempo si Don Quijote no estuviera a su vera instándole a tener paciencia. «Si no, dime: ¿qué mayor contento puede haber en el mundo, o qué gusto puede igualarse al de vencer una batalla y al triunfar de su enemigo? Ninguno, sin duda alguna.» Para lograr este contento se hace fulgurar la espada épica, la espada hecha con «tal maestría», que contra ella nada pueden los encantamientos. El historicismo idealista del siglo XIX todavía se sentirá impulsado a forjar la espada victoriosa. Cervantes burlescamente se eleva hasta el plano de la fe para transformar la espada guerrera en la espada espiritual, para poder transformar al «caballero de la Ardiente Espada» en el *Caballero de la Triste Figura*.

LA AVENTURA DE LOS REBAÑOS: POLVO

El tema de la espada nos introduce en las cinco aventuras de la tercera parte, que se suceden unas a otras sin pausa. Forman el núcleo de la novela, son la revelación del mundo moderno. Polvo, luces, ruidos, reflejos, palabras, son las apariencias que ocultan las sustancias.

En la aventura de los rebaños, el desfile galopante de emblemas y escudos, toda la caballería heroica, doblemente imaginaria, sombra de sombras, envuelta en la nube de polvo de la leyenda, se hace y deshace, surge un momento, ante la evocación apasionada de la imaginación ardiente del Hidalgo. En el tono de la evocación está la melancolía con que la imaginación de Cervantes hace desfilar por última vez los escuadrones galopantes de caballeros, pueblos y naciones, todos con sus atributos tipificadores. Esta cabalgata puede surgir melancólicamente en el Barroco y en la Mancha, porque junto al tono con que se da forma a las nubes de polvo se nos entrega el motivo burlesco de los nombres. La tristeza moderna tiene que ir siempre acompañada de una sonrisa, que se convierte en carcajada cuando el dolor atenaza más fuertemente el corazón.

«Vio Don Quijote que por el camino que iban venía hacia ellos una grande y espesa polvareda; y en viéndola», comienza la aventura. La variedad del tipo de aventuras es extraordinaria. Diversidad que se anega totalmente en la unidad; hasta tal punto la imaginación de Cervantes es portentosa. Junto a las tres aventuras de la primera parte, cada una de un tipo y origen diferentes, tenemos la de los molinos gigantes y después la del vizcaíno, en dos partes. Esta última es una aventura-historia, de una historia incipiente. En cambio, la de la nube de polvo nos presenta una historia completa. Alifanfarón, el pagano, y Pentapolín, el cristiano, se van a dar una gran batalla, porque el cristiano no quiere entregar su hija al mahometano hasta que éste abandone la ley de su falso profeta. La aventura de la espesa polvareda es una aventura-historia, que nos sorprende con su inesperado desenlace. El interés se mantiene constantemente apegado a la acción; el movimiento dramático con su ritmo quebrado—aquí, allí; éste, aquél—lo subraya la atención de Sancho, que ha sido captada desde el primer momento por la imaginación del poeta, por la palabra de Don Quijote, hasta que llega el desenlace.

Característica de las aventuras de la tercera parte es este desenlace sorprendente, presentado en diversas formas, y la actitud de Sancho, que vive la acción activamente hasta chocar con el final. La polvareda «toda es cuajada de un copiosísimo ejército que de diversas e innumerables gentes por allí viene marchando», dice Don Quijote; y en seguida interviene Sancho: «A esa cuenta, dos deben de ser—dijo Sancho—, porque desta contraria parte se levanta asimesmo otra semejante polvareda.» Una polvareda enfrente de otra polvareda: éste es el origen del conflicto. Detrás de la polvareda hay un ejército; mejor, la polvareda está cuajada de un copiosísimo ejército; y al lado, la realidad verdadera: dos grandes manadas de ovejas y de carneros. Para el lector no hay sorpresa en el desenlace; el interés está puesto en la manera como se dirigen al desenlace (quiérase o no se quiera, hemos de pensar siempre que el desenlace, el final, es la muerte, y en la muerte no hay nada sorprendente; el interés reside en cómo se llega a ese final conocido, en cómo se vive).

Fijémonos ahora en la representación barroca, que está encuadrada entre la claridad lineal seleccionadora del Renacimiento y la claridad de línea reiterada del Rococó. El Barroco nos llena los ojos con un gran volumen. El volumen de forma imaginaria está en movimiento, «venía hacia ellos»; el avanzar del volumen caracteriza la acción dramática. La polvareda iba hacia ellos, lo mismo que el Destino avanza implacable y velozmente. De un lado, algo inmenso que avanza—eternidad, o destino, o muerte, o fatalidad; algo que se impone misteriosamente—; de otro, el hombre que lo ve venir —lo temporal y finito—. Obsérvese el trueque de dimensiones según la distancia, el dramatismo de ese cambio.

Volumen, dinamismo, conversión, la relación constante entre dos valores—lo eterno y lo temporal, el infinito y lo finito, el destino y el libre arbitrio—formando la unidad del Barroco. La claridad estática del Renacimiento todavía trabaja con grandes dimensiones; la claridad racionalista rococó trabaja con lo diminuto; en una y otra época, las medidas no sirven de contraste, sino de escala, de comparación. En el Renacimiento sirve de escala la nobleza, la belleza del hombre, y se hace que esta nobleza sea la protagonista; en el Rococó sirve de norma la razón generalizadora, y es ella la protagonista. Las dos épocas nos invitan a la medida; con una escala o con otra nos invitan a medir. Se acentúa de diferente manera, ofrecen distintas calidades; pero ambas épocas valoran la serenidad, la precisión, la exactitud, el reposo, lo sensual limitado. En ambas épocas el espacio es aclarador, ordenador; está en función de la perspectiva.

En el Barroco, el espacio une; la perspectiva no crea la unidad delimitando, sino uniendo; no separa una dimensión de otra, sino que une ambas dimensiones, creando así una unidad orgánica, una forma que surge del choque violento de dos valores diferentes. Esa unidad es una revelación; ese trueque de dimensiones es una conversión. Se ve venir, y hay que ser capaz de valorar el tiempo; a eso se debe el «si tan largo me lo fías» de Don Juan. En la época barroca, el dramatismo de la acción da lugar a la confusión, al desorden, al tumulto. El hombre está atento a la peripecia, está sometido al conflicto. Pero el orden brilla luminoso.

Polvaredas cuajadas de ejércitos; polvaredas levantadas por ovejas y carneros. La visión posible nos lleva a la acción; la realidad verdadera nos aguarda para el desenlace. La agitación crea el tumulto. Librémonos de esa agitación, y veremos cómo Don Quijote presenta a ambos protagonistas: al emperador Alifanfarón y al rey de los garamantas, Pentapolín; después expone el conflicto. Este es el primer plano. Inmediatamente vamos a un montículo para abarcar más espacio; desde allí vemos a tres caballeros de un ejército: Laurcalco, Micocolembo y Brandabarbarán de Boliche, y a tres del otro: Timonel de Carcajona, Pierres Papin y Espartafilardo del Bosque. Esta enumeración multiplica las dos figuras de los protagonistas. Haciendo juego con la exposición, interviene Cervantes: «Y desta manera fue nombrando muchos caballeros del uno y del otro escuadrón, que él imaginaba, y a todos les dio sus a mas, colores, empresas y motes *de improviso.*»

De los seis guerreros pasamos a los veinticuatro pueblos, doce en un escuadrón: los que viven a la orilla del Xanto, los que pueblan los campos masílicos, los habitantes de la Arabia Félix, los de la ribera del Termodonte, los de las orillas del Pactolo, los númidas, los persas, los medos, los árabes, los citas y los etíopes. Y doce en el otro: los del Betis, los del Tajo, los del Genil, los que habitan los campos tartesios, los jerezanos, los manchegos, los vascos, los de las orillas del Pisuerga, los de la ribera del Guadiana, los que habitan los Pirineos, los habitantes de los Apeninos y los demás pobladores de Europa. «¡Válame Dios—interviene Cervantes—, y cuántas provincias dijo, cuántas naciones nombró, dándole a cada una, con *maravillosa presteza*, los atributos que le pertenecían!...»

Creo que para todo lector no hay orden en esta aventura. Todos sentimos la confusión, el desorden, el tumulto, la masa de los escuadrones, que es precisamente el efecto que quiere producir Cervantes: el de grande y espesa polvareda que avanza; la masa gris que se viene encima con sus diferentes densidades. El lector se siente cogido en esos borbollones de los «muchos» y las «cuántas»; pero el orden de la composición debe también señalarse. De dos pasamos a seis; de seis, a veinticuatro; no sólo es el aumento del número lo que produce el *crescendo,* sino el pasar de las figuras de los caballeros a las de los pueblos. Tanto las unidades individuales como las genéricas son núcleos perfectamente delimitados; pero los atributos tipificadores crean una especie de conjunto de enorme volumen. Ya he notado que las dos intervenciones de Cervantes hacen juego con la exposición del tema, dejando la agrupación dividida en cuatro partes: 1.ª, A), Alifanfarón, y B), Pentapolín; 2.ª, tres caballeros de un escuadrón y tres del otro; 3.ª, doce pueblos de un ejército y doce del otro; 4.ª, los dos protagonistas, para terminar, en el orden B, A (dice Don Quijote): «Ea, caballeros; los que seguís y militáis debajo de las banderas del valeroso emperador Pentapolín del Arremangado Brazo, seguidme todos; veréis cuán fácilmente le doy venganza de su enemigo Alifanfarón de la Trapobana.»

La confusión y el desorden son enormes; la burla, también; también la aceleración del ritmo, reflejo del «improviso» y la «maravillosa presteza». Manteniendo el equilibrio de esa enormidad el orden perfecto, y dentro de la burla desbordante todo el pasado cristiano reducido a la forma de su sentido: los pueblos antiguos yendo a dar al pueblo árabe, para imponer la voluntad mahometana; contra esa avalancha de las gentes del Mediterráneo, los pueblos de España que llevan tras sí a Italia y los demás pueblos de Europa.

Como ocurre en las cinco aventuras de la tercera parte, Sancho vive también la aventura en diferentes momentos, que iremos describiendo. En la de los rebaños, Sancho depende de Don Quijote hasta el momento que oye los balidos; entonces la aventura se desarrolla en los cinco momentos estudiados al hablar de la de los molinos. Ejércitos, rebaños, acción, rebaños, ejércitos; todavía se vuelve al tema del bálsamo, y el capítulo va a terminar como empezó: con la desesperación de Sancho y su propósito de abandonar al Caballero. Otra vez Don Quijote se apiada de la miseria de su escudero, y el diálogo recobra esa serenidad impregnada de sentimiento religioso, mientras la acción se apoya en el motivo burlesco de las muelas.

El humor llena el diálogo con el cual comienza el capítulo XIX, pues Sancho trata de encontrar la causa de todas las desgracias que han padecido, y la encuentra en no haber cumplido Don Quijote el juramento que hizo después de la aventura del vizcaíno (cap. X). Don Quijote le da la razón. La broma es grande, si se piensa que el Caballero ha faltado a lo «de no comer pan a manteles ni con la reina folgar» cuando estuvo en la venta. Es claro: Clemencín, pensando por su cuenta y no por la de Don Quijote, no puede dar con la ocasión en que se incumplió el juramento, y la admiración (!) de Rodríguez Marín por Cervantes le hace afirmar: «Tiene razón [Clemencín] que le sobra; pero así pensaba Cervantes en estas menudencias cuando escribía su libro como en las nubes de antaño.» Primero, no son menudencias, pues de ello depende que tenga sentido el diálogo. Sancho, además, sigue fiel a sí mismo, según la función que le corresponde. A pesar de saber muy bien que habían estado en una venta y que no habían comido precisamente pan a manteles y que no eran reinas con las que se folgaba, y de que había sido manteado ıeal y verdaderamente, Sancho puede salir con lo del juramento incumplido; pero también sabía que no eran descomunales gigantes, sino frailes benitos, y, sin embargo, desvalijó a uno de ellos, y esto le costó ser apaleado, lo cual tiene más gracia si se relaciona, como debe relacionarse, con la aventura de los molinos. Es la peculiar y cómica sandez de Sancho. Los ejemplos que ilustran esta función son numerosísimos. Para Don Quijote, no hay duda que se trataba de una noche pasada en un castillo en lances de amor. Segundo, cuando no se entiende algo, lo cual, por desgracia, tiene que ocurrir frecuentemente, lo malo no es equivocarse; un pequeño acierto compensa muchos errores; lo verdaderamente irritante es el mal gusto con que se adopta una actitud de superioridad y, lo que es peor, de familiaridad con Cervantes.

LA AVENTURA DEL CUERPO MUERTO: LUCES

«En estas y otras pláticas les tomó la noche en mitad del camino...; les sucedió una aventura que, sin artificio alguno, verdaderamente lo parecía. Y fue que la noche cerró con alguna escuridad... Yendo, pues, desta manera, la noche escura..., vieron que por el mesmo camino que iban venía hacia ellos gran multitud de lumbres, que no parecían sino estrellas que se movían.» La aventura de la polvareda ha tenido lugar por la tarde; inmediatamente le sigue la de las lumbres. «Les tomó la noche», «La noche cerró con alguna escuridad», «La noche escura», esta oscuridad para que se llene de puntos luminosos. Las luces en la noche crean la aventura, «que, sin artificio alguno, verdaderamente lo parecía». El hombre se enfrenta con la aventura con asombro, espanto y temor: «Pasmóse Sancho en viéndolas, y Don Quijote no las tuvo todas consigo; tiró el uno del cabestro de su asno y el otro de las riendas a su rocino, y estuvieron quedos...»

La aventura de los mercaderes (cap. IV) se comienza así: «Descubrió Don Quijote un gran tropel de gente»; y la del Vizcaíno (capítulo VIII): «Estando en estas razones, asomaron por el camino dos frailes.» En cambio, en la de las lumbres se sigue el mismo procedimiento que en la de la polvareda, también usado en el entierro de Grisóstomo: «Venía hacia ellos», «Venían hacia ellos», y ahora completa Cervantes el sentido dramático de la perspectiva engañosa de su época, que tan profundamente conmovía a sus contemporáneos (Góngora, Quevedo, Lope y Calderón): «Vieron que las lumbres se iban acercando a ellos, y mientras más se llegaban, mayores parecían.» La burla no debe ser un obstáculo para que sintamos ese amenazador agrandamiento que, en relación con la distancia y su situación en el espacio y en el tiempo, se abalanza sobre el hombre. Las lejanas estrellas movibles llegan a convertirse en hachas encendidas; esa transformación fatal y acelerada es la causa dinámica del miedo de Sancho, el cual se pasma y tiembla y da

106

diente con diente, y aumenta su batir y dentellear, hasta que da al
través con todo su esfuerzo. A Don Quijote se le erizan los cabellos,
pero su ánimo no sucumbe; al contrario, en movimiento inverso al
de Sancho, a medida que las luces se acercan y aumenta su tamaño, cuanto más próximo está el peligro, su valor se impone con
más firmeza. El tiempo que han tardado las luces en recorrer la distancia que las separaba del Caballero y del Escudero es el tiempo en
que ellos han vivido la aventura: Sancho, hundiéndose en el temor;
Don Quijote, enardeciéndose en el peligro.

Sancho Panza se ha interesado en la polvareda hasta que ha
oído los balidos; ahora no es interés lo que siente; ahora penetra
en la aventura; muy a su pesar la vive. No tiene más remedio que
admirar la acometividad de su señor. «Sin duda, este mi amo es tan
valiente y esforzado como él dice.» Sancho esta vez coge los despo-
jos de la batalla, porque Don Quijote ha salido victorioso. En la
oscuridad de la noche ha vencido a muchos: es la aventura del
cuerpo muerto. Don Quijote triunfa cuando llevan a enterrar a un
caballero que no murió por la espada, sino de unas calenturas pestilentes. Los caballeros ya mueren así. «¿Y quién le mató?», preguntó Don Quijote. «Dios, por medio de unas calenturas pestilentes
que le dieron», respondió el Bachiller. Los caballeros ya no mueren en el campo de batalla, sino en la cama. Antes, los ejércitos se
convirtieron en mansos rebaños de ovejas y carneros; una nube de
polvo oculta esa transformación, como en la épica antigua cela a
los dioses. En las horas primeras de esa noche terrible nada oculta
nada; hasta el Caballero se ha acercado otro caballero de camino hacia la sepultura, de cuya muerte no hay por qué vengarle, pues que
le mató Dios.

Podemos ver toda la trayectoria de la cultura moderna, que va
desde ese momento—en que la épica ha desaparecido y Dios mata
por medio de unas calenturas—hasta el momento en que el hombre
morirá sólo de calenturas, sin tener para nada en cuenta a Dios.

EL CABALLERO DE LA TRISTE FIGURA

Don Quijote de la Mancha, el caballero victorioso, recibe ahora,
en la aventura macabra, su apelativo: el *Caballero de la Triste Fi-*

gura. Don Quijote pregunta a Sancho qué le ha movido a llamarle, más entonces que nunca, el *Caballero de la Triste Figura*. «Yo se lo diré—respondió Sancho—: porque le he estado mirando un rato a la luz de aquella hacha que lleva aquel malandante, y verdaderamente tiene vuestra merced la más mala figura, de poco acá, que jamás he visto; y débelo de haber causado o ya el cansancio deste combate, o ya la falta de muelas y dientes.» Sancho, como se ve, cree que el apelativo está desprovisto de todo sentido simbólico; pero Don Quijote se apresura a responderle: «No es eso, sino que al sabio a cuyo cargo debe de estar el escribir la historia de mis hazañas le habrá parecido que será bien que yo tome algún nombre apelativo, como lo tomaban todos los caballeros pasados: cuál se llamaba el de la *Ardiente Espada*...» Este apelativo que se ha encontrado a la luz rojiza del hacha, la cual ha contorneado en la oscuridad de la noche esa figura triste, es un apelativo burlesco, pero da la tónica a la tercera parte, y de una manera burlesca, como ocurre con toda la novela, nos hace penetrar decididamente en el mundo moderno.

El novelista ha preparado en el capítulo XVIII la introducción del apelativo, recurriendo al encadenamiento temático, lo cual le permite seguir utilizando el tema de las alforjas; se las quitaron a Sancho al salir de la venta sin que él lo notara; las echa a faltar después de la aventura de los rebaños, con desesperación suya y aun de Don Quijote, y si ahora desvalija una acémila, es para rehacerse del bien perdido. Gracias a las provisiones de los clérigos, pudieron satisfacer el hambre, pero no aplacar la sed, pues ni tenían vino ni agua. «Acosados de la sed—dijo Sancho—, viendo que el prado donde estaban estaba colmado de verde y menuda yerba», lo que se dirá en el siguiente capítulo. Es en el XX donde se cuenta la aventura de los batanes.

LA NOCHE OSCURA: RUIDO

A pie, seguidos de *Rocinante* y el asno, comenzaron a caminar a tiento. La noche es tan oscura, que no podían ver nada; pero de pronto oyeron ruido de agua. Ruido grande, como si fuera producido por el caer del agua desde una gran altura. Cervantes lo indica: «Llegó a sus oídos un grande ruido de agua, como que de algunos

108

grandes y levantados riscos se despeñaba.» El ruido del agua les alegró, pero este contento vino a estorbarlo otro estruendo: «Oyeron que daban unos golpes a compás, con un cierto crujir de hierros y cadenas.» Estaban en un bosque de árboles altos, y las hojas, movidas por el blando viento, «hacían un temeroso y manso ruido».

El mundo era una espesa nube de polvo en la aventura de los rebaños; en la aventura del cuerpo muerto, el mundo era luces en la oscuridad. La nube iba acercándose acompañada del golopar de los ejércitos; las luces movibles, al aproximarse, dejaban de ser los puntos luminosos de la lejanía, para transformarse en hachones encendidos. En el bosque, la oscuridad rodea a los hombres; el mundo es noche tenebrosa, en la cual el hombre anda a tientas. El bosque está lleno de oscuridad, y en esa oscuridad están dos hombres, que se mueven con paso de ciego. Ya nada avanza sobre los hombres; se encuentran encerrados entre unos muros impalpables hechos de tinieblas. La oscuridad conduce al máximo encierro: a lo inmóvil. Todo el dinamismo, la acción, el movimiento de la aventura, se concentra y reconcentra. Penetramos en el interior, en la aventura interior. La oscuridad no tiene ahora un valor pictórico; es un fondo musical sobre el cual se destaca la melodía formada por tres temas: el estruendo del agua, el rítmico golpear de hierros y cadenas y el manso y temeroso susurrar de las hojas. El mundo plástico y luminoso va a dar a esa gran sinfonía de la soledad.

Es claro que no estamos en el Romanticismo. Lo que en esa época hubiera sido expresión de un estado de alma, en el Barroco es el mundo externo: tres ruidos que son signos. Y el agua, los hierros y cadenas, las hojas componen en la oscuridad el escenario donde se encuentran Don Quijote y Sancho. Se confía la creación de este medio a los elementos auditivos para expresar la calidad de la acción, logrando al mismo tiempo darle una rara inmaterialidad, que la hace semejante (si saben verse todas las diferencias) a alguna fantasía de Shakespeare; por ejemplo, *A Midsummer Night's Dream*. Para dar más relieve a la ligereza e inmaterialidad de la aventura, se contrasta con la intervención de Sancho—cuento y acción inmediata—, en la cual se consigue la inmovilidad total y el temor máximo.

Cuando Sancho, muy silenciosamente, consigue atar las patas de *Rocinante* (y hoy podemos ver un divertido juego entre ese silencioso atar y el silencioso desatarse la correa, y el volver a atar el cinturón y a desatar las patas), estamos en el nudo de la aventura. Sancho no ha vivido las dos primeras aventuras (molinos, vizcaíno); él es un intermediario entre el lector y Don Quijote; pero, a partir de los rebaños, el escudero vive íntimamente la acción de su amo, está unido estrechamente a él; en la aventura de los batanes, esta unión llega a tomar una forma física. Todo el tiempo Sancho ruega, pide, suplica que Don Quijote no se aparte de su lado, hasta que, por fin, pasa la noche abrazado al Caballero. La manera de vivir Sancho la aventura es teniendo miedo, temor que va cada vez en aumento. La osadía queda para Don Quijote, pero toda acción valerosa es un osar y temer; todo héroe siente por un momento temblar su brazo. Ese temor que envuelve al corazón intrépido está representado en la figura de Sancho anudada a su señor.

Cervantes ha dispuesto el escenario, que aparece claramente en la recapitulación: «La soledad, el sitio, la escuridad, el ruido del agua, con el susurro de las hojas, *todo* causaba horror y espanto.» En este escenario Don Quijote monta a caballo, embraza la rodela y habla. Su peroración vuelve al tema de la Edad de Oro. La majestuosa nostalgia con que empezaba el discurso ha sido reemplazada por un tono de gran decisión y energía, que, sereno al comienzo, adquiere en seguida un gran ímpetu. La evocación del pasado se sustituye con la presencia del presente, contenido todo él en el «yo»: «Yo nací», «Yo soy», «Yo soy, digo otra vez.» A este yo, encarnación de la voluntad, le pertenece el futuro, futuro que será un pasado resurrecto. Entre este pasado—oro—y su resurrección está el presente de hierro en que el yo se mueve: «Bien notas, escudero fiel y leal, las tinieblas desta noche, su extraño silencio, el sordo y confuso estruendo destos árboles, el temeroso ruido de aquella agua en cuya busca venimos, que parece que se despeña y derrumba desde los altos montes de la luna, y aquel incesable golpear que nos hiere y lastima los oídos; las cuales cosas, *todas* juntas y *cada una* por sí, son bastantes a infundir miedo, temor y espanto en el pecho del mesmo Marte.» En este paisaje moderno de la oscuridad silenciosa se apoya Don Quijote. Cada obstáculo, todo peligro es un incentivo más a su valor. La aventura no tiene ningún prestigio antiguo. En el bosque se concentra todo el mundo mágico del miedo. No es esto o aquello lo que infunde pavor, es todo; es, en la oscuridad, ese silencio sobre el cual se teje la melodía formada por los tres temas con su ritmo alucinante y enloquecedor.

La aventura es algo psíquico. Es Don Quijote y es Sancho quienes crean, con los elementos que los rodean, ese mundo de terror y espanto. Por eso, al parlamento del Caballero contesta Sancho asustado y lleno de miedo. Propone que se alejen, puesto que nadie los ve, y así, nadie podrá notarlos de cobardes; habla, suplicante: «Yo salí de mi tierra y dejé mis hijos y mujer por venir a servir a vuestra merced, creyendo valer más y no menos; pero como la cudicia rompe el saco, a mí me ha rasgado mis esperanzas, pues cuando más vivas las tenía de alcanzar aquella negra y malhadada ínsula que tantas veces vuestra merced me ha prometido, veo que, en pago y trueco della, me quiere ahora dejar en un lugar tan apartado del trato humano. Por un solo Dios, señor mío, que non se me faga tal desaguisado.» A estos dos parlamentos sigue un rápido diálogo, y como Don Quijote no se ha dejado conmover por las lágrimas de Sancho, éste no tiene más remedio que atar las patas de *Rocinante* y abrazarse a su señor.

Para calmar la impaciencia del Caballero cuenta Sancho un cuento desesperante. Por la manera de contarlo hace perder la paciencia. El pastor se llamaba Lope Ruiz, y este Lope Ruiz se enamoró de la pastora Torralba; la pastora Torralba era hija de un ganadero rico, y este ganadero rico... Es desesperante, también, porque es un cuento sin fin: el pescador pasó una cabra, volvió, y pasó otra; tornó a volver, y tornó a pasar otra, y otra, y otra. Vemos cómo Cervantes introduce el tema literario: manera popular y clase de cuento. Este propósito es esencial; advertimos en seguida cómo se subraya la impaciencia, la espera, la inquietud; y es necesario observar que si para un lector moderno, viviendo con Don Quijote el tormento de la espera, estas horas que preceden al amanecer están llenas de un lírico dramatismo, Cervantes le da al motivo un gran aire burlesco, humor que aumenta extraordinariamente cuando Sancho siente la necesidad de desatacarse los calzones. Cervantes goza con la situación que ha encontrado, y tanto en la descripción de Sancho y de Don Quijote como en el diálogo, el novelista escribe de una manera genial. Cervantes, con gran seriedad humorística, discute lo que ha podido causar la situación de Sancho. «Quizá el frío de la mañana—dice—, o, más probablemente, el que hubiera comido algunas cosas lenitivas»; pero calla la mejor razón, la razón evidente: el miedo. Inmóviles en la noche oscura, Caballero y Escudero se proyectan según su destino lo exige. Se enciende el ánimo de Don Quijote en deseos de superación de sí mismo; la poquedad de Sancho se expresa en su actividad fisiológica. Como Don Quijote ha creado a Dulcinea y la ínsula, así también está creando esta aventura, en la cual cada uno se comporta como debe: para Don Quijote, todo el valor; para Sancho, todo el miedo.

El Barroco trabaja con los valores, con los ideales, con las sustancias; por eso no hay nada despiadado en poner al lado de tanta valentía tanto temor. Se trata precisamente de descubrir el valor y el miedo esenciales, de intuirlos en su totalidad. Con la burla se pasa de una sustancia a otra y se muestra su raíz única y su unidad. El hombre valiente es el hombre que domina y supera el miedo. En el siglo XIX no se comprendió esta actitud del Barroco, pues el romántico se burla despiadadamente al no poder alcanzar la belleza, la justicia, la nobleza absoluta, y el naturalista llevará su heroísmo hasta mostrar sin compasión que lo absoluto no existe, y así, no verá belleza sin fealdad, valentía sin temor, justicia sin claudicaciones. De aquí que la desesperación y el desconsuelo del siglo XIX no existan en el Barroco. Ni Cervantes niega el valor ni se burla de él, como tampoco afirma el miedo; lo único que hace es verlos idealmente. Pero la Historia no puede interrumpir su marcha, y si Cervantes es un hombre moderno (esto quiere decir únicamente que no es antiguo o medieval), como lo es la época en que vivió, se debe a que con una vitalidad preparada por el Renacimiento replantea los problemas metafísicos y los siente filosófica y estéticamente de una manera nueva. Lo relativo, el hombre, es el tema central del mundo moderno, que sin burla de ninguna clase y con un máximo dolor ha suplantado los valores absolutos. Este desarrollo de la Historia nos parece hoy inevitable, y quizá lo haya sido; pero no hay que confundir un momento con otro; una cosa es estudiar una época y otra cosa distinta estudiar las consecuencias que esa época ha tenido, consecuencias de las que no es necesariamente responsable. Un riesgo también grande es ver lo que una época tiene que destruir y no relacionar esa destrucción con lo que tiene que crear.

Cervantes ha conseguido colocar en esa oscuridad llena de ruidos a Don Quijote, físicamente inmóvil, rodeando la inquietud del

Caballero del cerco estrecho formado por el cuento y el temor. Cervantes ha inventado una actitud y una situación sumamente burlescas, que en sus manos parecen de una fecundidad inagotable. El momento central de la aventura es este en que se encuentran los personajes, e inmediatamente comienza el desenlace. Amanece en un bosque de castaños, «que hacen la sombra muy escura»; la luz comienza a libertar las cosas de las tinieblas, y Sancho se ata los calzones y desata las patas de *Rocinante*. Vuelve a despedirse Don Quijote; llora de nuevo su escudero. Cervantes da muy bien el entumecimiento del caballo y el librarse de las ligaduras; sigue una marcha precavida, subrayando Sancho la cautela: «No se le quitaba Sancho del lado, el cual alargaba cuanto podía el cuello y la vista por entre las piernas de *Rocinante*, por ver si vería ya lo que tan suspenso le tenía.» Con tanta precaución, alargando Sancho el cuello y la vista, llegan al espectáculo del estruendo.

De una manera muy típica de Cervantes, quien maneja maravillosamente acciones de un ritmo distinto, pudiendo concentrar múltiples significados en un todo armónico, y dentro de la unidad de tono, que a veces se adensa extraordinariamente, hace surgir nuevos valores, que se complementan y contrastan con gran valentía, se opone a toda la acción burlesca la actitud burlesca también, pero captada con una gran ternura y simpatía, de Don Quijote, avergonzado: «Cuando Don Quijote vio lo que era, enmudeció y pasmóse de arriba abajo. Miróle Sancho, y vio que tenía la cabeza inclinada sobre el pecho, con muestras de estar corrido.» Esta situación, dolorosamente ridícula, se convierte en risa al ver Don Quijote los esfuerzos que hacía Sancho para contenerse, y cuando Sancho ve la melancolía resuelta en risa, estalla en carcajadas. Cervantes logra un magnífico efecto musical con el procedimiento, empleado por él tantas veces y tan común en el teatro, de la imitación que del señor hace el criado; la ambición, la elegancia, el contenido espiritual del parlamento del Caballero al comenzar la aventura adquiere en labios de Sancho una estruendosa sonoridad, que acaba con los golpes que le da Don Quijote.

Sigue un diálogo que muestra la esencia de la aventura: la voluntad de vivirla. «Venid acá, señor alegre. ¿Paréceos a vos que si como éstos fueron mazos de batán fueran otra peligrosa aventura, *no había yo mostrado el ánimo* que convenía para emprendella y acaballa?» Siempre de una manera burlesca se suceden una serie de temas serios o cómicos, para terminar con ese tono de recogimiento religioso que hemos observado frecuentemente: «Desta manera—replicó Don Quijote—vivirás sobre la haz de la Tierra, porque después de a los padres, a los amos se ha de respetar como si lo fuesen.»

La aventura de los batanes, el clímax del *Quijote* de 1605, es una muestra espléndida de arte barroco. El contraste entre la intención del novelista y su manera de expresarla; la presentación irónica del mundo moderno; el fondo de alegría que tiene la visión melancólica; la busca de lo absoluto enraizado en lo relativo, se ha de unir a esa abundancia conducida con tanta ligereza, a esa densidad que se resuelve en tanta finura, a esa riqueza pictórico-musical. El artista de esa época es de una elegancia comparable sólo a la vitalidad. Ocurre con frecuencia, sin embargo, que el artista barroco no puede mantener el equilibrio entre elegancia y vida. Cervantes es uno de los que lo consiguen, y su aventura de los batanes no es el ejemplo único, pero sí una realización magistral.

La forma de la aventura ya la hemos visto: disposición del medio; parlamentos de Don Quijote y Sancho; núcleo y desenlace a la vez de la aventura y de la situación. El sentido es que la aventura la crea el hombre y cómo para vivirla basta ir en busca de aventuras. En la noche de los batanes sorprendemos ese momento de la historia moderna en que todavía se consigue mantener el equilibrio entre la intención y la acción, entre lo interno y lo externo, que a partir del Barroco quedarán separados. Cervantes, acaso porque le tocó vivir su época en zona católica, penetra en el mundo moderno de una manera burlesca. Visión burlesca completamente posible, puesto que Cervantes la tuvo. Otros dan realidad a la visión trágica.

LA AVENTURA DEL YELMO: REFLEJOS

La oscuridad desaparece en los grises de un día lluvioso (capítulo XXI), y los ruidos se convierten en relumbres. La aventura del yelmo de Mambrino, a diferencia de las tres anteriores, es de una gran rapidez. En cuanto Don Quijote ve venir al barbero—«*Hacia nosotros viene uno* que trae en su cabeza puesto el yelmo de Mambrino»—, le ataca, y el barbero se deja caer del asno, echándose a correr. En el suelo queda la bacía, de la cual se apodera Don Quijote. La aventura consiste en la relación entre los sentidos y la distancia. Primera nota (el novelista habla): «De allí a poco, descubrió Don Quijote un hombre a caballo, que traía en la cabeza *una cosa que relumbraba* como si fuera de oro.» Segunda nota (habla Don Quijote): «Dime: ¿no ves aquel caballero que hacia nosotros viene, sobre un caballo rucio rodado, que trae puesto en la cabeza *un yelmo de oro?*» El «a caballo» se ha transformado en «sobre un caballo»; la «cosa que relumbra» se convierte en «un yelmo de oro». A Don Quijote le contesta Sancho (tercera nota): «Lo que yo veo y columbro no es sino un hombre sobre un asno, pardo como el mío, que trae sobre la cabeza *una cosa que relumbra.*» En seguida cuenta Cervantes quién es el hombre que viene a caballo y qué es lo que relumbra. Ataca Don Quijote, y, al ver de cerca lo que relumbra, dice Sancho: «¡Por Dios!, que *la bacía es buena...*» Dice Don Quijote, sin prestar atención a Sancho: «Sin duda que el pagano a cuya medida se forjó primero esta famosa *celada...*» Ríe Sancho, y le pregunta Don Quijote el motivo de su risa. «Ríome de considerar la gran cabeza que tenía el pagano dueño deste *almete,* que no semeja sino una *bacía* de barbero pintiparada.» Dice Don Quijote que alguien, sin saber el valor del yelmo, al verlo de oro, fundió la mitad, «y de la otra mitad hizo esta que parece bacía de barbero, como tú dices».

Lo que relumbra ha sido inmediatamente yelmo; pero al irse acercando se ha convertido en bacía; conserva para Don Quijote su realidad de yelmo; es, luego, un yelmo que parece bacía. Las tres aventuras anteriores—nubes, luces, ruidos—han tenido una densidad extraordinaria, y se ha tardado largo rato hasta llegar a dar con las causas de esas sensaciones. Ahora, junto a la rapidez, tenemos la cautela, por motivos diferentes, con que el hombre se aproxima a la realidad. Don Quijote, partiendo de algo que relumbraba, se ha apoderado de un yelmo; pero al probárselo, al observar su forma, va acercándose a la bacía. Sancho, de lo que relumbraba, da en la bacía; pero, recordando los golpes recibidos al reírse de los batanes, va acercándose al yelmo. Si antes la aventura descubría el temor y la osadía, el ánimo que crea la aventura, ahora, por el mismo medio, nos adentramos en la cautela moderna, ese mundo moderno que los sentidos crean en la relación de objeto-sujeto y que excluye toda afirmación absoluta.

He hecho ya notar la densidad que Cervantes da a las nubes, la conversión de los puntos luminosos en hachas encendidas, la sinfonía que crea con el agua, los hierros golpeando a compás y las hojas, sinfonía del terror de la soledad. En la aventura de la bacía, lo que se propone el novelista es lograr el movimiento de los reflejos, y lo consigue por medio de la rapidez y por el juego de esas palabras que se convierten en vibración: relumbra, yelmo, bacía, celada, almete, bacía. El novelista ha conseguido crear ese mundo de relumbres, puesto que recibimos esa sensación; pero no es una sensación que algún lector moderno puede captar, sino que es una sensación que un autor barroco quería producir. La voluntad de Cervantes es manifiesta, si tenemos en cuenta la visión pictórica de su época, que se encuentra en todos los escritores—poetas, dramaturgos, novelistas—; la estructuración de la cosa con sus reflejos puede verse en cualquier lienzo, escultura o fachada del Barroco; es imposible que Cervantes, partiendo de «una cosa que relumbra», creara ese efecto de reflejos con un fondo gris, sin darse cuenta de lo que estaba haciendo, tanto más cuanto que en la aventura del cuerpo muerto ha dado un efecto de perspectiva que nos encontramos también frecuentemente en la época. El virtuosismo de Cervantes llega a suprimir el sol; de un lado, para mantenerse en la tónica nocturna de las cinco aventuras; pero, de otro, para gozar de esa armonía de reflejos luminosos en un medio gris. El mundo barroco tiene una visión pictórico-musical y una capacidad extraordinaria en el goce de las calidades. En un poema, en una comedia, en la prosa del Barroco, debemos estar siempre prontos a esa percepción de calidades si queremos gozar plenamente de una obra.

Sancho quisiera llevarse la cabalgadura del vencido, o, por lo menos, cambiarla por la suya, y como Don Quijote no se lo permite, se contenta con trocar los aparejos. Entonces es cuando Cervantes escribe la frase que ha sido comentada de muy diversos modos: «Sancho hizo *mutatio caparum*.» Se ha visto en ella alguna alusión, e incluso se ha considerado irrespetuosa para la Iglesia. Lo que hoy acaso fuera una falta de respeto, en la época de Cervantes no lo era. Todo el mundo sabe que en la sociedad democrática actual no pasarían por decorosas mil cosas aceptadas como ta-

116

les en la sociedad aristocrática de entonces. La vitalidad eclesiástica de la Contrarreforma no tenía por qué temer esas burlas. Lo importante creo que es darse cuenta de que la acción de cambiar es la que hace pensar en la ceremonia cardenalicia. Para mí, eso es todo. Lo mismo ocurre con la mitología: a veces, una actitud, una situación, se refieren a un mito, sin que la alusión vaya más allá de un paralelo físico.

Hecho el trueque de aparejos, Sancho le propone a Don Quijote que entre al servicio de un rey o emperador, y el Hidalgo inventa la aventura de un caballero andante. Esta narración hace juego con la aventura del lago (cap. L); ambas son una improvisación, y se diferencian de lo contado en la aventura de los rebaños en que se presentan como puramente imaginarias.

Esta breve narración nos muestra la función de una «novela ejemplar» en la vida. La historia del hijo del rey, cuyo reino «no debe de estar en el mapa», es una aventura posible, en la cual un caballero consigue, por su valor, casarse con una infanta y llegar a ser rey. Cervantes permite que Don Quijote invente brillantemente una aventura caballeresca completamente inverosímil en su época, y, por tanto, ridícula. Los reinos de su época son reinos morales; las hazañas heroicas consisten en luchar con las pasiones; a Dulcinea no hay que darle la figura de una infanta, sino la de la castidad. Con otras palabras: hay que inventar las *Novelas ejemplares,* donde de una manera afirmativa o negativa se presenta al hombre luchando consigo mismo para alcanzar la virtud, obteniendo así el reino de la felicidad. Cervantes verá a Dulcinea en las damas españolas; propondrá a los jóvenes caballeros las nuevas hazañas, o bien verá el mal en la forma de la gente maleante, no en la de gigantes y monstruos. La hazaña moderna se mantendrá en la zona novelesca, pero situada en el medio social actual.

Don Quijote ha inventado su deliciosa aventura caballeresca, y Cervantes inmediatamente crea la parodia al llevarla, en el diálogo entre Caballero y Escudero, a la realidad social. Se habla de los nobles y de sus costumbres. Sancho se olvida de que está casado. Disparatadamente discurren amo y criado, quienes, mirando al pasado, son incapaces de ver su incongruencia con el presente. El regocijo es grande, aprovechando Cervantes tanta burla para terminar la aventura del yelmo, pues Sancho, que se reía de que su señor tomara una bacía por una celada, se imagina a sí mismo hecho todo un conde, con todo un *barbero* por caballerizo, pues, ciertamente, le hará más falta quien le afeite a menudo que no quien cuide de su caballo.

Obsérvese cómo Cervantes dispone sus materiales. La lucha por la bacía tenía lugar en la realidad; el conde Sancho, con su barbero-caballerizo, es una representación de la imaginación; entre ambos momentos ha tenido lugar la narración de Don Quijote, ocupando el puesto central, como lo ocupaba también en la aventura de los batanes el cuento de las cabras dicho por Sancho: dos maneras distintas de contar. La de Sancho hay que compararla con la de los cabreros del *Discurso de la Edad de Oro:* cuentan lo que saben; ambos modos hay que contraponerlos al de Don Quijote, quien inventa como inventará Dorotea; además de la invención, hay que notar el estilo y la forma como se cuenta.

GALEOTES: PALABRAS

La quinta y última aventura de esta serie es la de los galeotes. Nada interrumpe la aventura, la cual llena todo el capítulo XXII. Ven en el camino un grupo de unos doce hombres, encadenados uno a otro y con esposas en las manos; inmediatamente dice Sancho que es una cadena de galeotes, añadiendo: «Gente forzada del rey.» Polvo, luces, ruido, relumbres; ahora también, en cuanto Sancho ha dicho *forzada,* surge la aventura, la cual consiste en la palabra. No sólo las sensaciones soportan un significado múltiple, sino la palabra, el único medio que el hombre tiene para poner las cosas en claro, para introducir el orden en el caos, para entenderse unos a otros.

El hombre barroco, tan próximo al movimiento filológico del Renacimiento, sintió vivamente la maravilla de la palabra; origen único del orden y la claridad, fuente de toda confusión. Nada tiene de extraño que Cervantes haya dispuesto el desarrollo de la aventura de la palabra dentro del tema de la justicia. Junto a los filólogos, los letrados son los encargados de interpretar la palabra que crea el poeta. Si el filólogo se mueve en la Historia, al letrado le está reservada la vida. La vida, que es de Dios y la manejan los hombres. La justicia en los dos planos: el divino y el humano; y entre estos dos planos, el problema de la libertad. La voluntad del hombre nacido libre frente a frente a la ley absoluta, y la voluntad del hombre socialmente libre frente a frente a la ley social. «Van de por fuerza, y no de su voluntad», dice Don Quijote de los galeotes. «La justicia, que es el mesmo rey, no hace fuerza..., sino que los castiga», contesta Sancho.

Cervantes se sitúa en este juego verbal: «por enamorado», «por cantor», «por faltarme diez ducados», «por haber sido corredor de oreja», «porque me burlé», y este juego verbal es la sordina irónica que se pone a la visión picaresca de la vida. La conducta reducida a palabras. Del grupo de galeotes, seis cuentan su vida, confiesan su culpa. La viveza del diálogo, la intervención de diferentes interlocutores, da una gran rapidez y movimiento a estos pequeños cuadros del mundo. Al llegar al último, el juego verbal termina, para adentrarnos en el peligro aún mayor del sentido de los nombres: «Váyase poco a poco y no andemos ahora a deslindar nombres y sobrenombres.» Es Ginés de Pasamonte el que ha hablado, y en él se concentra todo el mundo picaresco; pero Cervantes, como es natural, no confunde este género literario con la realidad. Además de los libros de caballerías y de las novelas pastoriles, tenía que tratar de la picaresca, del *Lazarillo de Tormes* y de «todos cuantos de aquel género se han escrito o escribieren». Los libros de caballerías y las novelas pastoriles eran «cosas soñadas», mal escritos los primeros, bien escritas las últimas. El género picaresco «trata verdades, y... son verdades tan lindas y donosas, que no pueden haber mentiras que se le igualen». La otra característica es ser una novela autobiográfica.

Las cortas vidas de esos galeotes van a dar a la larga vida de Ginés, el hombre bizco, de edad de treinta años, el que tenía más delitos que todos los otros juntos. Cervantes llena su vida con la descripción de sus prisiones, sin decir nada de sus culpas.

La palabra y sus sentidos, la libertad humana y la ley, la justicia social y la justicia divina, lo relativo y lo absoluto. Don Quijote advierte que recibe la pena de sus culpas contra su voluntad, que la Justicia ha podido equivocarse, y se siente «forzado» a dar a los forzados la libertad; no puede admitir que se haga esclavos a los que Dios hizo libres. La conducta de Don Quijote, contemplada desde la zona de lo relativo; la zona no de la verdad, sino de las verdades, recibe el calificativo de «donosa majadería», que le aplica el comisario. Y si se pasa de la teoría a la práctica, la consecuencia es ser apedreado por los mismos a quienes se ha querido libertar. Don Quijote yace en el suelo y es golpeado por Don Juan. Don Quijote, el protector de las doncellas, es vapuleado por el hombre que vive entregado a la vida, por el burlador, incapaz de traspasar los límites de lo relativo y lo temporal.

Para mí no hay duda que Cervantes entresacó de los galeotes la figura del burlador de una manera intencionada. Esta certeza no puede ser demostrada; tampoco necesita serlo. Basta con que observemos que los dos mitos que ha creado la cultura española se presentan unidos en la aventura de los galeotes. Don Quijote ha resucitado la caballería andante para hacer justicia, para proteger a las doncellas. En su primera salida, lo primero que le presenta la realidad social son unas rameras; su última aventura es la de los galeotes: virtud y justicia. Y en la última aventura es el burlador el que se encarga de golpearle, quedando así bien unidos los dos temas.

Si Don Quijote, contemplando la vida temporal, se apiada de toda la pequeñez humana, Sancho se deja arrastrar por la compasión. Socorre al viejo alcahuete, ganado por sus lágrimas; ayudó a Ginés a que se soltara las cadenas. Es su manera de vivir la aventura. Su compasión, sin embargo, no impide que se entristezca por lo que está pasando. Sancho sabe lo que forzados significa; pero todo delincuente mueve a piedad, la cual, no obstante, de nada sirve ante la Justicia, especialmente cuando ésta se presenta bajo la forma de la Santa Hermandad. Quiere huir; antes de hacerlo, tiene que sufrir las pedradas que ha provocado Don Quijote.

El grupo queda solo. «El jumento, cabizbajo y pensativo...; *Rocinante*, tendido junto a su amo...; Sancho, en pelota y temeroso de la Santa Hermandad; Don Quijote, mohinísimo de verse tan malparado por los mismos a quienes tanto bien había hecho.» La nota religiosa desaparece en este dolor, siempre contenido y limitado, al cual la agrupación de las figuras le quita toda amargura y lo deja envuelto en una suave melancolía grotesca.

Hemos pasado de las nubes de polvo a las palabras, por las luces, los ruidos y los relumbres. Las cinco aventuras de la tercera parte están en perfecta armonía con las cinco de la primera. Estas se presentaban más espaciadas; aparte de que se dividían en un grupo de tres y otro de dos—arrieros, Andrés, mercaderes, en la primera salida; molinos, vizcaíno, en la segunda—; las últimas aventuras se ofrecen estrechamente unidas las unas a las otras, se suceden sin pausa. Se hace que la noche de los batanes sea el clímax. La aventura de los rebaños tiene lugar muy avanzada la mañana o en la tarde; la del cuerpo muerto, a comienzos de la noche; la del yelmo, muy temprano por la mañana, y la de los galeotes, en la misma mañana, a eso de las diez. Como se ve, transcurren en menos de veinticuatro horas, lo cual no es un signo cronológico, sino una necesidad de concentración. De aquí que no haya ninguna precipitación. Hay que descartar la unidad temporal; lo importante es esa luz tardía y temprana que circunda la oscuridad de la noche. La ligazón de las aventuras lo que hace es concentrar la intensidad dramática, marcando el punto culminante de la novela.

EL TEMA DEL PRESENTE DEL DISCURSO DE LA EDAD DE ORO: CARDENIO

Las cinco aventuras verdaderas de Don Quijote han utilizado como elemento formador el tiempo. Emoción temporal constante; por eso van a dar a los galeotes, a la vida en su estricta temporalidad, en su culpa. Salimos de esa corriente temporal, de ese fluir lírico-dramático, y entramos en el capítulo siguiente (XXIII), que es una pausa. El epígrafe anticipa lo que ha de acontecer a Don Quijote en Sierra Morena: «Una de las más raras aventuras.» Siguiendo el consejo de Sancho, se internan en la sierra. Los coge la noche; mientras duermen, Ginés de Pasamonte hurta el rucio; al despertar con la aurora, Sancho echa de menos el asno, y se lamenta; pero se consuela con la promesa de Don Quijote de darle tres por uno. Así, puede comer tranquilo. Entre tanto, ha encontrado el Caballero un bulto; el Escudero acude a ver qué es aquello, y descubren un cojín y una maleta, podridos y deshechos.

En esta escena no hemos de querer encontrar ningún valor del naturalismo positivista; no hay ninguna adecuación al medio. Cervantes trabaja en la diferenciación de calidades, esto es, de valores. La maleta podrida contiene ropa fina y limpia; además, oro; además, un librillo de prosa y verso. *Porque* la maleta ha quedado *largo* tiempo a la intemperie, está podrida; *como signo* de quién es su propietario, encierra oro, y la ropa aparece blanca y limpia; para *introducirnos* en la historia tiene un librillo. Sabemos, pues, que el héroe de la historia pasó por allí hace tiempo, que es un hombre principal, y la prosa y verso del librito muestran que «es algún desdeñado amante». Don Quijote deduce «por el soneto y carta, por el dinero en oro y por las tan buenas camisas, que debía de ser algún principal enamorado». Y puede añadir: «A quien desdenes y malos tratamientos de su dama debían de haber conducido a algún desesperado término.» Antes de hablar del contenido, ha alabado al autor como poeta. Sancho se asombra de los conocimientos literarios de su señor, dándole ocasión a que declare que es poeta, como lo fueron los más de los caballeros andantes, y a que emita un juicio sobre la poesía del Gótico: «Verdad es que las coplas de los pasados caballeros tienen más de espíritu que de primor.»

El oro sirve para recompensar a Sancho de sus muchos trabajos. Este don conserva toda su fuerza mágica, pero situada en el mundo moderno; por eso se presenta de una manera verosímil, aunque novelesca, lo cual exige que se plantee el problema práctico, moral, de quedarse con lo ajeno. Don Quijote expone la teoría, que Sancho somete a la realidad: «Y así, fuera mejor, sin hacer esta inútil diligencia (la de buscar al dueño del oro), poseerlo yo con buena fe hasta que por otra vía curiosa y diligente pareciera su verdadero señor; y quizá fuera a tiempo que lo hubiera gastado, y entonces el rey me hacía franco.»

Si hablan del posible deber de entregar el dinero es porque han visto pasar rápidamente por la cima de una montañuela a un hombre que sospechan que sea su dueño. La sospecha se confirma al hallar una mula muerta «y medio comida de perros y picada de grajos». Las pinturas, tan de la época, de la maleta y la mula están indicando la calidad del personaje y el tiempo que lleva en la sierra; todo el tiempo necesario para que la maleta se pudriera y la mula se convirtiera en una carroña.

Entre las dos pinturas, la aparición fugaz del personaje. Pasa saltando veloz por la cumbre de la montaña. Destocado y descalzo; las piernas, al descubierto; unos calzones hechos pedazos; la barba, negra y espesa; los cabellos, muchos y revueltos. No solamente se presenta al personaje por un procedimiento muy parecido al que empleara el Romanticismo, sino que se le pinta de una manera que la época romántica puede hacer suya. La manera del Barroco, sin embargo, parecerá semejante a la del Romanticismo sólo a aquellos que hayan tenido un contacto superficial y confuso con ambas épocas.

· La primera aparición del héroe romántico suele ser, o muy breve—Don Alvaro—u ocultándose—el Trovador—, y viene precedida de una presentación. Su presencia aumenta el interés de la palabra narrativa, al mismo tiempo que le da una profundidad lírica. El estado físico es signo de su manera de ser esencial. La aparición del héroe barroco tiene una función dramática y su estado físico es un contraste—«considerándolo como le habíamos visto la vez primera (dice el cabrero) y cual le veíamos entonces»—que revela hasta dónde puede conducir la pasión: la apariencia externa y degradante refleja el trastorno espiritual. Si la maleta y la mula permiten al novelista, como lo exige su época, trazar dos pinturas en que se ponen de relieve las distintas calidades de la materia, con el personaje crea una figura de gran riqueza pictórica. El vestido roto, además de su color pictórico, recoge la luz que, siempre caracterizando, se muestra también en el rostro «tostado del sol».

Lo notado por Don Quijote lo completa el cabrero, quien en su relato no sólo da cuenta del proceder del joven—ataques de locura—, sino que introduce otra figura: el fementido Fernando, de cuyo nombre nos enteramos antes de conocer el del protagonista. Por fin, éste llega al primer plano, hablando con una voz que corresponde a su estado: desentonada y bronca. Y Cervantes crea en este momento, como después lo harán todos los grandes novelistas, una de esas escenas llenas de misterio, que, traspasando todos los límites del ritmo y de la acción lógicos, están cargadas de contenido poético. Es la escena entre «el Roto de la Mala Figura» y el *Caballero de la Triste Figura*, entre dos figuras de vida moderna, vida desastrada y triste. El cabrero que ha dado cuenta de las andanzas del joven en la sierra está uniendo esta historia a la de Marcela y nos remonta al *Discurso de la Edad de Oro*.

·· Al agradecimiento corresponde Don Quijote con su deseo de ayudarle a salir de la situación en que se encuentra y con el de saber su historia (cap. XXIV). Estas fórmulas de cortesía, que la pastoril popularizó tanto, tienen en el Barroco junto a su contenido social un sentimiento religioso. Inmediatamente se dispone la escena para contar la historia, y el silencio que rodea todos los movimientos no deja de recordar la presentación de los personajes en el patio de Monipódio *(Rinconete)*. Antes de contar la historia, el narrador exige que no se le interrumpa, pues en el momento en que lo hagan acabará el relato. Don Quijote piensa que condición parecida puso Sancho para contar su cuento la noche de los batanes, y así no sólo tenemos una continuidad temática, sino que prevemos que la historia ha de quedar pendiente. Obsérvese, además, que así se utiliza un desenlace para pasar de una zona a otra—de la historia de Cardenio a la locura de Don Quijote—. También se expresa el poder encantatorio del ritmo, que al ser interrumpido cesa en su efecto mágico.

Con el ritmo de cinco miembros, que, junto al de cuatro, es tan característico del Barroco, se comienza la narración: nombre, patria, linaje, padres y desventura. En desventura, grande; de padres ricos y linaje noble, andaluz, el joven se llama Cardenio. Se enamoró de Luscinda; el día que iba a rogar a su padre que la pidiera, se decide que entre al servicio del duque Ricardo. Don Fernando, hijo segundo del duque, ha deshonrado a una labradora y desea alejarse de su lugar por algún tiempo, yendo con Cardenio a la ciudad de éste; Don Fernando conoce a Luscinda y se enamora. Aquí termina el relato, pues al decir que Luscinda quería leer un libro de caballerías, Don Quijote rompe el silencio prometido y se entabla una discusión que termina en lucha, porque a Cardenio le ha dado el ataque de locura. Si antes hemos recordado a *Rinconete*, en la descripción del ataque debemos recordar *El celoso extremeño*. Sancho, caritativo, dio de comer a Cardenio y, valeroso, acude a la defensa de su señor cuando le ataca el loco de amor.

Al comienzo y al final de la narración se habla de Luscinda—joven hermosa y discreta, noble y rica—; se le reprocha su falta de firmeza. Ha sido un amor comenzado en la infancia, y al ir creciendo los amantes, como los padres creyeran tener que negar al muchacho la entrada en la casa, se impone el recuerdo de Tisbe. Para mostrarle a Don Fernando su amada, Cardenio acude al mismo recurso que el negro de *El celoso* cuando enseña Loaysa a las esclavas: la luz

124

de una vela. Este procedimiento quizá apunta a la sensualidad de los ojos. La aproximación e interferencia entre los sentimientos de amor y de amistad, tan llena de peligros como rica en posibilidades de orden moral y psicológico, se exponía en los tiempos pasados en toda su esencialidad artística.

Después de presentar a Luscinda y su amor, se pasa a la separación, indicándose muy brevemente los efectos que produce en los amantes: aumenta el deseo; la palabra hablada es sustituida por la escrita. El desenlace a tal estado puede ser el matrimonio; pero al dirigirse Cardenio al padre de ella, el amor queda inmediatamente inscrito en la sociedad; la sociedad se afirma cuando habla con su propio padre. Antes que pueda pronunciar una palabra, su padre —con «razones de padre consejero»— le persuade a que entre al servicio del duque Ricardo. Primero, por el sentimiento de decoro y honestidad se separan los amantes; luego, el porvenir social de Cardenio se interpone entre ellos. El joven adapta su amor a su nueva situación y parte. El duque Ricardo le recibe muy bien, lo que causa la envidia de los otros criados de la casa. El amor deja de ser el sentimiento actuante, estudiándose la condición moral del hombre en su relación social.

Con Don Fernando se introduce el tema de la lascivia, situado en un alto plano social. La sinceridad, la obediencia de Cardenio se truecan en el engaño y lo tortuoso de Don Fernando. Hay que comparar la actitud de Cardenio respecto a su padre y la de Don Fernando; tiene que relacionarse también la dirección que da el amor y el impulso que produce el deseo, la sumisión que impone el primero y la doblez que exige el segundo. Por último, si el amor a Luscinda se ha presentado en un medio social (relación con el padre), cuando se separan los amantes se hace que este sentimiento entre en la zona de las confidencias y se enlaza la amistad con el amor: Cardenio habla a Don Fernando de Luscinda porque se cree obligado a corresponder a su confianza.

En este relato el amor queda incluido en lo social, a diferencia de la historia de Marcela y la pastoril, y junto al amor asoma la lascivia, de la que tampoco tratan los pastores. Hay que subrayar que Don Fernando es un noble para hacer notar que no es crítica de las costumbres; otras veces sí ha censurado a la nobleza («unos pequeños que son hijos de grandes»). El amor lascivo es un deseo natural; por tanto, bajo: animales, gente plebeya; pero no se puede prescindir de él como si no existiera, que es lo que hace la pastoril. La lascivia está de continuo presente en el Renacimiento; sin embargo, su presencia no enturbia la claridad siempre igual de su mundo idealizado. El Barroco cree que no basta con ignorarla o con darle un rango trágico y destructor. Hay otra posibilidad: la de aceptarla dominándola, dirigiéndola. La lascivia, la naturaleza en general, tienen que someterse a la ley, al arte, a la Iglesia. El Renacimiento inventa un hombre idealizado; inventa seleccionando, excluyendo. El Barroco crea su hombre ideal incluyendo todo, quiere que su mundo abarque lo noble o innoble, la naturaleza y el espíritu. Por eso la figura lasciva es noble, para indicar la alta potencia del deseo. En el desenlace se verá también que la nobleza consiste en vencerse a sí mismo.

El relato de Cardenio se interrumpe precisamente con la nota de lascivia. Cardenio cree que una reina vivía amancebada, Don Quijote no puede admitir, *por principio*, que una alta princesa se rebaje al amancebamiento. La lascivia da lugar a la lucha.

LA VIA AFECTIVA PARA LLEGAR A LA VERDAD

Después de dejar a todos golpeados y rendidos, Cardenio «se fue con gentil sosiego»; cambio de ritmo en la acción, que tiene toda la gracia de una mudanza de paso de baile. Y así puede empezar el capítulo XXV, que es un diálogo platónico, el cual no transcurre en un plano intelectual en el que lentamente se va avanzando hasta llegar a la contemplación pura de la verdad, sino en la zona vital de la conducta. Sancho es el interlocutor, pero no es él quien responde; él pregunta. Don Quijote quiere estar consigo mismo, en la soledad de su silencio. Sancho no puede soportar este aislamiento, tiene que interrumpirlo, pide permiso para hablar y hace una pregunta: «¿Qué le iba a vuestra merced en volver tanto por aquella reina Maginrasa (Madásima), o como se llame? O ¿qué hacía al caso que aquel Abad (Elisabat) fuese su amigo o no?» (El trueque de sonidos y el cambio de acento es cómico, pero aún es más cómica la alusión a que da lugar el nombre de Elisabat, preparando así el cuento que

126

más tarde dirá Don Quijote.) Contra cualquier persona y en cualquier circunstancia se debe volver por la honra.

Si se quiere aprehender la emoción, la tónica de este capítulo, tan características del Barroco, creo que se debe sentir la conjunción del diálogo griego con el diálogo gótico. El dramático juego de ideas, que discurre en un plano serenamente igual e irónico, se hace un choque de conductas. La ironía, que en Platón va trasladando al hombre de un error a otro error menor, hasta dejarle colocado en la verdad, en Cervantes sirve para mostrar las actitudes posibles ante la vida y la relación que estas actitudes crean con respecto a la vida. Platón consigue suave y persuasivamente que el hombre descubra la verdad; el diálogo no termina con una victoria del maestro sobre el discípulo, sino con la victoria de la verdad sobre el error. Don Quijote también convence, pero como se trata de los valores de la conducta, se ve cómo en ésta no se puede penetrar por vía intelectual. Cuando Sancho afirma: «Digo que en todo tiene vuestra merced razón, y que soy un asno», vemos que ha comprendido muy bien, pero que Don Quijote no ha logrado conmoverle.

Precisamente esta falta de conmoción nos revela el sentido que Don Quijote infunde a la materia clásica que está tratando. Don Quijote habla primero de la imitación, después de la cualidad ideal de las criaturas de imaginación. Ambos temas sirven de marco a la necesidad de penitencia. Nos dice que, así como el pintor, para llegar a ser famoso en su arte, imita a los pintores excelentes, el hombre que quiere ser prudente y sufrido deberá imitar a Ulises, y, si quiere ser hijo piadoso y capitán valiente y entendido, imitará a Eneas. Tanto Homero como Virgilio han dejado retratos vivos de ejemplos de virtudes. Se abarca la doctrina clásica en sus dos direcciones—la perfección técnica y espiritual, el oficio y la conducta—, y se nos hace ver cómo el tipo, precisamente por serlo, es un retrato vivo. En seguida pensamos en las *Novelas ejemplares* y en el *Persiles;* pero captaremos la teoría de Cervantes, que es la de su época, en mi opinión, únicamente si nos damos cuenta que la relación de hombre-tipo no debe ser la de copia-modelo. El hombre antiguo tenía en Ulises o Eneas un ejemplo que seguir en las distintas circunstancias de la vida, lo mismo que al escribir podemos guiarnos por el paradigma de la gramática o por la frase de un ilustre escritor. Esta imitación clásica ha sido profundamente transformada por

127

el Cristianismo, y la Contrarreforma vuelve a incorporarse las teorías greco-latinas dándoles un sentido cristiano. La imitación cristiana es una comunión, un continuo hacer carne y sangre de la palabra. La bella externalidad clásica es sustituida por la interioridad cristiana, y para gozar del Barroco se han de sentir las dos direcciones de esta intimidad: la protestante y la católica.

La relación con el modelo ha cambiado; además estos modelos no son suficientes. Junto a la prudente sabiduría (Ulises), tenemos el valor (Eneas en lugar de Aquiles, para unir a la valentía la piedad); con estos dos paradigmas se abraza todo el mundo antiguo. El cristiano dará unidad a estas virtudes coronándolas con el amor puro: la figura del caballero andante, Amadís.

LA PENITENCIA Y SU PAISAJE: LA SOLEDAD

Al terminar con este tema, Don Quijote expone la necesidad del sufrimiento, la gratuidad de la penitencia, que hay que relacionar con la gratuidad del amor que ha expuesto Marcela. Don Quijote es interrumpido por Sancho, quien no puede llevar con calma que su amo persista en llamar yelmo a la bacía de barbero. «Todas las cosas de los caballeros andantes parecen quimeras... y no porque sea ello ansí», contesta Don Quijote, dejando en claro la encrucijada del mundo moderno, pues añade: «Eso que a ti te parece bacía de barbero me parece a mí el yelmo de Mambrino, y a otro le parecerá otra cosa.» Esta multiplicidad nueva será la causa del dolor moderno. Y en seguida sitúa en su paisaje «la pena que mi asendereado corazón padece». La nota predominante en este paisaje apacible formado por un prado verde y vicioso, muchos árboles silvestres, algunas plantas y flores, un manso arroyuelo, es «una alta montaña, que casi como un peñón tajado, estaba *sola* entre otras muchas que la rodeaban». Es un paisaje para un anacoreta de amor. Al pie de la alta montaña, el corazón dolorido hará penitencia por todos los amantes. Su sufrimiento recogerá los mil sufrires diferentes, de los cuales Cardenio es un ejemplo. En la aspereza se lamentará de luenga ausencia e imaginados celos.

Sancho cree que la falta de causa particular para este lamento hace que la penitencia pueda ser fingida. Sancho no comprende que

128

basta la existencia posible del desdén para que el dolor no pueda ser de burlas.

La relación de Don Quijote con Marcela es fortuita, su relación con Cardenio es necesaria. Alguien le conduce a Marcela, y el Destino le separa de ella; el encuentro con Cardenio ha sido obra del Destino. Todo el misterio del saludo reside en ese encuentro de lo general poético con lo particular histórico. Cardenio es la encarnación de lo posible. Así Don Quijote escribe su carta a Dulcinea en el mismo librillo en que Cardenio había escrito la suya. La carta de Cardenio, apoyándose en tres fuertes antítesis, expresaba un dolor mortalmente humano: descubre que es mujer la que creía ángel. La carta de Don Quijote se eleva hasta la excelsitud de la amada, implorando ayuda para continuar viviendo—sin su piedad sólo existe la muerte—. Sancho, que no había dicho nada del estilo actual de la primera carta, alaba el estilo arcaico de la de Don Quijote. Esta diferencia de estilos se refuerza todavía con la cédula de pollinos.

Don Quijote no saldrá de la soledad si Dulcinea no se apiada; de aquí la razón de la carta que va a llevar Sancho. Antes de escribirla tiene que decirle quién es. El Caballero diserta sobre la cualidad de su dama. Dulcinea arranca de Aldonza. Sancho nos explica quién es Aldonza, nos da el punto de partida: la realidad. De aquí se eleva Don Quijote hasta Dulcinea, hasta el ideal. Sancho *conoce* a Aldonza, pero no comprende la relación Aldonza-Dulcinea. Entonces declara Don Quijote la función de la realidad, que consiste en satisfacer los deseos del hombre; a unos los retiene, hundiéndolos en los sentidos, a otros los incita a traspasar los límites que los aprisionan. Es más, este contacto con la realidad no es obligatorio. Las damas de los poetas no lo fueron de carne y hueso, son nombres. En el primer capítulo ya se había citado a Aldonza. Con esta relación Aldonza-Dulcinea me parece que sorprendemos una de las maneras esenciales del proceso de la creación barroca, que es sumamente complicado. Dulcinea no existe, pero Aldonza es una abstracción sacada del refranero.

El modelo a quien imitar es el caballero del amor puro; la amada tiene que ser una Helena y Lucrecia juntamente. Helena en hermosura, en honestidad Lucrecia. Las dos cualidades con que Don Quijote adorna a Aldonza Lorenzo.

9

Don Quijote queda en el laberinto de la selva, y Sancho va en busca de lo que no existe. Sancho se aleja cuando su amo empieza a dar volteretas en el aire.

Por un momento, duda Don Quijote si seguir en su penitencia a Roldán o a Amadís (cap. XXVI), y al decidirse por el último, pinta Cervantes la soledad amorosa como en el *Persiles* pintaba la soledad del alma perdida o la de la prudente sabiduría. La figura rodeada de soledad. Una vez más podemos observar la diferencia entre el Barroco y el siglo XIX. El siglo pasado, desde el Romanticismo hasta el Impresionismo, acude a la soledad con desesperación, con orgullo o resignadamente para hacerse fuerte en ese postrer reducto y poder sostener desde ahí su duelo con el mundo. El hombre se siente herido en su inteligencia, en sus sentimientos, en su sensibilidad, y se separa con su mirada, con su gesto, con su queja, del resto de los hombres; se queda solo. Se convertirá en león o en una débil criatura, pero siempre su rugido o su sollozo se extienden en una inmensidad vacía. En la sociedad, en la gran urbe, este aislamiento produce un desconsuelo alucinante. De tanta desolación nada sabe el Barroco. Con la penitencia de Don Quijote tenemos una de las maneras como esa época sentía la soledad. Don Quijote reza, se entretiene paseando y escribiendo versos. Su soledad es una plenitud, una espiritual concentración. El hombre se siente más unido que nunca a su eternidad. Lo que diferencia una época de otra es que en el Barroco esta soledad arde en esperanza. Incluso la. picaresca y el desengaño podrán por eso tener una gran brillantez o una gran elegancia.

REAPARICION DEL CURA Y DEL BARBERO.
SEGUNDA NARRACION DE CARDENIO

Mientras tanto Sancho se encamina al Toboso y llega a la venta de Maritornes. Tiene hambre, pero el recuerdo del manteamiento le hace dudar si entrar a comer o no. De esta indecisión le sacan el Cura y el Barbero, que han dejado el lugar para ir en busca del Caballero andante. Al reaparecer estos dos personajes, Cervantes recuerda inmediatamente su función en la novela: «los que hicieron el escrutinio y auto general de los libros.»

130

La soledad de Don Quijote está presentada irónicamente, y la ironía se convierte en un gran pasaje cómico cuando, por primera vez, Sancho tiene la ocasión de dar a conocer su vida. La narración de Sancho depende de la historia de la infanta que le contó Don Quijote en el capítulo XXI, incitado precisamente por su escudero. Y de la misma manera que al cuento de las cabras, contado por Sancho, seguía la historia de la infanta, inventada y contada por Don Quijote, ahora se hace que Sancho dé noticia de la carta a Dulcinea, que olvidó de llevar consigo. Sus cómicos disparates hay que relacionarlos con la historia que va a inventar Dorotea y con la que él mismo tendrá que inventar para explicar su visita a Dulcinea. Cervantes no sólo ofrece distintos estilos de escritura, sino también de diálogo y de narración. Es uno de sus propósitos evidentes. Sin embargo, lo que importa es que la diversidad no sirve únicamente para acumular tipos diferentes de expresión; esa riqueza se utiliza de manera muy intencionada para obtener contrastes que producen efectos líricos o cómicos o dramáticos o que refuerzan el valor propio de cada estilo.

La historia de Dorotea la bosqueja el Cura: una doncella que acude a Don Quijote en busca de protección. Este primer trazado no se modificará en lo esencial; pero se cambiará tanto en las circunstancias secundarias, que el relato final quedará muy lejos de lo imaginado. Veamos o no en la readaptación un propósito en el novelista de mostrar las diferentes fases de la creación literaria, lo cierto es que este proceso nos lo encontramos en la novela, y el lector discreto debe tenerlo en cuenta. La readaptación, es claro, está dispuesta según la función de las otras figuras en relación con Don Quijote.

El Barbero aprueba la invención del Cura (cap. XXVII), y la ventera viste a éste de doncella, y arreglan unas barbas para aquél. Se ponen en camino. El Cura comienza a dudar que convenga a su dignidad el ir de esa manera y le ruega a su compañero que cambien los papeles: él hará de escudero y el otro de doncella. Los ve Sancho, estalla en risa; el Barbero acepta el trueque propuesto, y al mudar de trajes deciden no vestirse hasta ver a Don Quijote. Sancho les va contando lo sucedido en la sierra, y así se enteran de la existencia de Cardenio. En lugar de ir todos juntos al encuentro del Hidalgo, piensan que es mejor que se adelante Sancho para decirle que ya está de vuelta del Toboso y que trae de palabra el ruego de Dulcinea de que vaya pronto a verla. Esta última idea se le ocurre al mismo Sancho, con lo cual parece que no será necesario poner en práctica lo trazado por el Cura. El lector, de esta manera, olvida la estratagema del sacerdote y, en cuanto se despide Sancho, puede entregarse sin reservas a los acontecimientos por venir.

La vuelta de Cardenio a la narración tiene lugar de manera muy diferente a como apareció la primera vez. Ya no es el loco que se encuentra con un loco, sino el hombre dolorido que no puede ocultar su padecer. Cervantes, ahora, introduce al personaje según los procedimientos novelescos corrientes. Cardenio canta, su voz atrae la atención del Cura. Inmediatamente se observa que la voz y los versos no son de los que suelen oírse por esos lugares, apropiados para rústicos y no para discretos cortesanos. Terminadas las canciones—un ovillejo y un soneto—se ponen en busca del cantor, y éste, al verlos, no se sobresalta. Cervantes compone la figura del dolor como más tarde pintará en Don Fernando la de la perplejidad: Cardenio «estuvo quedo, con la cabeza inclinada sobre el pecho, a guisa de hombre pensativo, sin alzar los ojos a mirarlos más de la vez primera, cuando de improviso llegaron.»

Como es natural, al describir la novela y destacar ciertas partes se corre el riesgo de darles una importancia excesiva; el mismo peligro corre el actor o el músico. La interpretación se ve siempre expuesta a estas contingencias. Sin embargo, me parece que la desventaja de subrayar demasiado está más que compensada si aprehendemos en toda su fuerza las dos actitudes diferentes de los dos momentos del relato.

Cardenio se admira de encontrar a tales personas en semejante paraje, y su admiración aumenta al saberles al tanto de su historia; así puede reanudarla en el punto en que la dejó interrumpida. Don Fernando había visto a Luscinda, el verla da lugar a su pasión; la reina Madásima estaba amancebada con Elisabat. Cardenio no puede librarse de la red de la lascivia en que se ve cogido. Lascivia que termina con el amor y acaba con la amistad.

Al empezar el relato de nuevo, aparece inmediatamente Luscinda como la figura de la discreción. Si su belleza seducía, su discreción acaba de conquistar los corazones. Don Fernando, al leer un billete de la doncella, se decide a la traición: «este billete fue el que le puso en deseo de destruirme». Las cualidades físicas y espirituales—inteligencia, prudencia, capacidad de escribir una frase bien equilibrada y enérgicamente decidida—dan lugar al amor y también a la lascivia. Debemos notar toda la diferencia con las Maritornes y las Argüellos, cuyas cualidades exclusivamente físicas, y por eso tan repugnantemente deformadas, sólo incitan el deseo carnal. Bajo deseo de la bajeza humana, por eso arrieros: símbolo de la bajeza de todos los hombres. Don Fernando es un noble. El noble que se deja dominar por la carne es un arriero, y la atracción sexual para quien tiene ojos para la belleza verdadera se presenta siempre en la forma de Maritornes. Pero el amor humano tiene y debe tener como uno de sus elementos formativos la lascivia. El amor humano no es el amor platónico ni el místico. Hacia Dios, hacia la idea, el anhelo del hombre se eleva por la escala difícil de la perfección, llegando a lo alto sólo cuando ha vencido la gravedad de la carne, cuando se han roto las cadenas de los sentidos, purificándolos. La selección e idealización renacentista le parecen al Barroco completamente inadecuadas. El Barroco quiere junto a las sustancias los fenómenos, quiere abarcar la idea y la realidad; quiere el hombre completo, eterno y temporal. La tragedia es inmensa, pero tanto más valiosa es la victoria; triunfo digno de héroes, esto es, de hombres, del hombre heroico que concibe el Barroco y que no es ni un Aquiles-Eneas ni un Ulises, sino un nuevo Amadís: un Persiles.

Don Fernando, arrastrado por la lascivia, cae en los abismos de la traición, la crueldad, la venganza y la mentira. Aleja arteramente a Cardenio de su lado, y le pide al padre de Luscinda a su hija por esposa. Llega al matrimonio guiado únicamente por el deseo, el mismo que le condujo al cuarto de una labradora para deshonrarla y engañarla.

Cardenio va a contar la escena de la boda bellamente dramática, pero antes se detiene en relatar las consecuencias de las maquinaciones de Don Fernando. Primero, la escena de la despedida. Luscinda no sospecha nada del joven noble (quien ha dicho que iba a pedirla a su padre para Cardenio); piensa, pues, que ésta es la separación que va a preceder a la unión tan deseada; sin embargo, sus ojos se llenan de lágrimas. Este dolor hace que la reunión de los amantes sea completamente distinta de como solía ser: siempre alegre y regocijada, sin mezcla de penas ni temores; escenas a la reja, en que con la mano de la amada en los labios no se cansaban los amantes de cantar mutuamente sus alabanzas; luego venía el hablar de los vecinos y de los conocidos, y el tiempo pasaba diciéndose niñerías. Esta vida plena, feliz, hecha de nada, acaba en lágrimas, vertidas sin razón ni motivo aparente. Son lágrimas del instinto femenino.

Después, Cardenio cuenta su vida en la separación, reduciéndola al conflicto de su condición: no obedecer, obedecer. Como amante, al ver que el alejamiento de Luscinda, en lugar de ser una cosa de días iba a prolongarse largo tiempo, pensó en no obedecer la orden de Don Fernando; pero, como buen criado, obedeció. Un día recibe carta de Luscinda que le llena de sobresalto, pues estando juntos, en la misma ciudad, con todas las facilidades para mandar un recado, debido, quizá, al capricho del momento, pocas veces le enviaba misivas, y si ahora, ausente, se decidía a escribirle, debía de moverla causa muy especial y urgente. El sobresalto, como la rapidez del correo, están expresando el dramatismo de la noticia; Cardenio, empero, dice una frase que para algunos no tiene sentido y que para mí hay que interpretarla como acabo de hacer: «Abríla (la carta) temeroso y con sobresalto, creyendo que cosa grande debía de ser la que la había movido a escribirme estando ausente, pues presente pocas veces lo hacía.»

En la carta le cuenta que Don Fernando la ha pedido, pero no para Cardenio, sino para sí, y termina: «A Dios plega que ésta llegue a vuestras manos antes que la mía se vea en condición de juntarse con la de quien tan mal sabe guardar la fe que promete.» Cardenio llega rápidamente a la ciudad, a tiempo para verla en vestido de boda antes de la ceremonia. Se hablan, Luscinda da forma a los causantes de tanto dolor: «Don Fernando, el traidor, y mi padre, el codicioso» (codicia, otra forma de la lascivia), que ya están esperando en la sala. Luscinda dice que la boda no tendrá lugar, porque si no la impiden sus palabras, se matará.

Cardenio entra en la casa, se esconde tras un tapiz. El novio y el padre están aguardando; la novia, acompañada de su madre y de dos doncellas, llega vestida de encarnado y de blanco, reluciente de padrería, con sus hermosos cabellos rubios. El cura de la parroquia viene, el acto comienza. El tiempo que transcurre es brevísimo, pero la inquietud, las dudas, la perturbación, el sobresalto de Cardenio hacen que parezca muy largo. No obstante, la contestación a la pre-

134

gunta de ritual va precedida de un largo silencio, que se resuelve en un «Sí, quiero», seguido momentos después del desmayo de la desposada. Su madre le desabrocha el pecho y encuentra un papel cerrado, que Don Fernando como marido coge y lee. La respuesta inesperada de Luscinda hunde a Cardenio en la desesperación, pero declara que le sobró el entendimiento que después le faltó, y así pudo salir de su escondite tan inadvertido como había entrado. Al pensar en Luscinda, cree «que poco amor, poco juicio, mucha ambición y deseos de grandeza hicieron que se olvidase de las palabras con que me había engañado, entretenido y sustentado en mis firmes esperanzas y honestos deseos». Acaba su relato contando cómo salió de la ciudad y se fue a la sierra, y el género de vida que lleva.

La enamorada Luscinda no deja la ciudad por el campo, y Cardenio no se dirige a la sierra atraído por la pastoril, sino arrastrado por la desesperación. El paisaje selvático es el lugar conveniente para su desgracia. Tres veces se separa de Luscinda: por las exigencias del decoro, por las necesidades de su posición social y por el engaño de una persona en quien creía poder confiar. El respeto a la amada le hace aceptar la primera, la obediencia a su padre y lo razonable de su decisión hacen que se someta a la segunda. Ambas separaciones contrarían sus sentimientos, pero las dos veces una ley superior se impone. En la casa del duque Ricardo descubre la selva de la vida social, con sus celos y envidias, teniendo pronto la experiencia de que hay amistades cuyo favor exige claudicaciones. Su lealtad y rectitud de conciencia no le ponen en estados en los cuales basta con sacrificarse, sino que le conducen a conflictos que él no ha provocado y de los cuales no puede escapar pasivamente. Por último, la falta de experiencia hace que se enrede en el mundo de los sentimientos y que no sepa cómo actuar en casos en que la amistad y la confianza entran en juego. El doblegarse de Cardenio y su falta de decisión—que la novela del siglo XIX analizará con tanto detalle y finura—hemos de considerarlos en su relación con el medio social. El amor no es una flor que nace en el campo, en la libertad; Cervantes hace florecer el amor en la sociedad y lo rodea de asechanzas y límites. Cardenio no ha nacido únicamente para estar a la reja de la amada. La Tierra no es el Paraíso. Cervantes le podría conducir a un final trágico, pero se apiada, porque cree que tampoco es la Tierra un infierno. Lo que

135

nos muestra las indecisiones de Cardenio, a mi entender, son los obstáculos que presenta la sociedad, los cuales, a veces, darán lugar a la decisión; pero esto no interesa ahora al novelista. De aquí el desenlace. Esta opinión se confirma si situamos, como debemos hacerlo, las indecisiones de Cardenio dentro de su novela. El protagonista se enreda en mil problemas, de los cuales parece que hubiera podido salir fácilmente por medio de un acto de voluntad. Debemos admirar esa *capacidad* para no desenredarse, que da tanto resalto a la calidad de la red, y, al mismo tiempo, observar que el padre de Luscinda, que no quería prometer su hija a Cardenio sin que fuera pedida con todas las formalidades, se la concede a Fernando sin que exija ninguna; la misma Luscinda apenas acaba de afirmar que no consentirá casarse con Don Fernando cuando pronuncia el sí; y Don Fernando, a quien no podemos mirar como un libertino, se deja arrastrar por los sentidos. La fuerza social y la fuerza de las tentaciones, la voluntad débil. El hombre tiene que proponerse ser un héroe precisamente porque no lo es; y la mayoría de los hombres nunca llegarán a serlo. Hace falta crear una voluntad inquebrantable para los elegidos, para que ellos se puedan oponer a la naturaleza humana. Sin esa voluntad no se es héroe, no se es elegido. Hacia la naturaleza humana, débil primero, diabólica siempre, debemos sentir compasión, piedad, benevolencia, y, antes de condenarla irremisiblemente, acercarnos a ella con comprensión y paciencia, inmensa paciencia.

Frente al mundo selecto de Marcela surge el mundo social y natural de Luscinda. La desesperación hará que Grisóstomo se suicide; en medio de la desgracia y de la miseria cabe aún la esperanza; los sucesos mostrarán que Cardenio ha hecho bien en continuar viviendo. Es imposible explicarnos por qué caminos de dolor se llega a la felicidad—secreto de Dios—; tampoco podemos explicarnos siempre cómo actúa la naturaleza humana: instintos, codicia, traición; el repertorio es sumamente extenso, y, sin embargo, no logrará iluminarla por entero; quedará siempre una zona misteriosamente secreta.

El Cura se dispone a consolar a Cardenio cuando de nuevo una voz llegó a sus oídos, y la tercera parte termina. Empezó con la lascivia—jacas, Maritornes, o, si se quiere, *Rocinante*, arriero—y termina con la lascivia. Baja—animal—y plebeya primero, dando lugar sólo a golpes y risas; después, entre gente noble y de consideración, dando lugar al dolor, formando el tejido de la vida. Este marco encuadra las cinco aventuras de Don Quijote; la lascivia final sirve de marco, a su vez, a la gratuidad de la penitencia, y así como ésta se equilibra con la gratuidad del amor, la lascivia del mundo real, del presente, se opone a la pureza soñada de la pastoril, al oro de la edad dichosa, el hierro negro del presente.

LA CUARTA PARTE

S E dispone Cervantes a empezar la última parte de su obra (capítulo XXVIII), el grandioso epílogo de la novela, el cual no es la conclusión de un desarrollo temporal, sino el final que deja completo el Destino. Hasta ahora ha contado la historia de Marcela y la de Cardenio, cada relato en su lugar correspondiente, según lo exige el ritmo de la composición, y, además, con el valor que le impone su función.

El primer relato queda aislado en la segunda parte, después de haber pronunciado Don Quijote su *Discurso de la Edad de Oro;* el segundo relato está situado al final de la tercera parte, encuadrando la penitencia del Caballero. El discurso y las cinco aventuras dominan cada una de las partes, respectivamente; y de las cinco aventuras, la de la noche oscura es el núcleo cristalizador. En la última parte, los temas episódicos se van a extender y a complicar sobre manera, reservando Cervantes su personaje-guía para completar, para dejar perfectos los diferentes momentos de su obra: cueros de vino, discurso de las armas y las letras, intervención en la lucha de la venta, encantamiento, aventura del Caballero del Lago, relato del cabrero, aventura de los disciplinantes.

Cervantes, al ir a empezar su final, advierte—siempre dentro de la polaridad pasado-presente: *fueron, gozamos*—al lector que va a comenzar un movimiento de complicado desarrollo: «Felicísimos y venturosos fueron los tiempos donde se echó al mundo el audacísimo caballero Don Quijote de la Mancha, pues por haber tenido tan honrosa determinación como fué el querer resucitar y volver al mundo la ya perdida y casi muerta orden de la andante caballería, gozamos ahora en nuestra edad, necesitada de alegres entretenimientos, no sólo de la dulzura de su verdadera historia, sino de los cuentos y episodios della, que, en parte, no son menos agradables y artificiosos y verdaderos que la misma historia.»

Este párrafo separa la tercera parte de la cuarta, la cual comienza exactamente con las mismas palabras que terminaba aquélla: «Y al tiempo que el Cura se prevenía para decirle algunas razones de consuelo (a Cardenio), le suspendió una voz que llegó a sus oídos, que en lastimados acentos oyeron que decía lo que se dirá en la cuarta parte desta narración»; «la cual [la historia], prosiguiendo su rastrillado, torcido y aspado hilo, cuenta que así como el Cura comenzó a prevenirse para consolar a Cardenio, lo impidió una voz que llegó a sus oídos, que, con tristes acentos, decía desta manera». Apenas ha terminado Cardenio su historia de dolor, cuando inmediatamente comienza otro lamento. No hay lugar para el consuelo.

FIGURA Y PAISAJE

Sierra Morena no es la abrupta Naturaleza medieval donde habitan el demonio y el anacoreta en una constante refriega de tentaciones, oración y ayuno; es el paisaje imponente que sirve de fondo a la penitencia gratuita y a la voz humana (hombre, sinónimo de dolor). Dos fuertes lamentos: «¡Ay Dios!» «¡Ay desdicha!» El primero, para hacer de la soledad una sepultura del cuerpo; el segundo, para dar al alma la única compañía posible donde poder comunicar con el Cielo. De dudas, quejas, males, está hecha la vida del hombre, y en la Tierra no se encuentra ni consejo, ni alivio, ni remedio.

A estas dos frases, dichas con una gran vibración dramática, pero envueltas en un tono de vencido y resignación profunda, sigue la presentación de la figura en su paisaje: un peñasco, un fresno, un arroyo; la figura es un mozo sentado al pie del árbol. Con el rostro inclinado y que, por tanto, no podía ser visto, se lavaba en el arroyo. Cervantes pinta sirviéndose de dos colores: el blanco—pies, toalla, pierna—y el pardo—capotillo, calzones, polainas y montera—. El blanco tiene dos calidades: en el agua, de cristal; en el aire, de alabastro; y, además, la del tejido. Señala el modelado: «Suspendiólos la blancura y *belleza* de los pies.» En contraste con el blanco está el pardo, el cual califica y contradice: es el color del labriego. Hay que insistir en esta descripción no sólo por su belleza en sí, que es muy de la época, sino porque Cervantes la está utilizando para producir el efecto de admiración y espanto. El blanco y el pardo conducen directamente a un gesto que descubre el rostro de «una hermosura incomparable», y poco a poco comienzan a esparcirse y descogerse los cabellos hasta dejar todo el cuerpo, con la excepción de los pies, envuelto en oro. La sorprendente aparición de la mujer se completa con otra nota de blanco, y Cervantes está trabajando en uno de sus grandes momentos: «Si los pies en el agua habían parecido pedazos de cristal, las manos en los cabellos semejaban pedazos de apretada nieve.» Al lado de la polaridad de los colores—belleza, delicadeza, plebeyez—tenemos la fuerte polaridad hombre-mujer.

Cervantes, sin duda, para sorprender a esta mujer, piensa, más que en Diana, en la Susana bíblica sorprendida por los viejos. Se ve al novelista en toda su gloria al competir con los mil artistas que han tratado el tema tradicional, y ya que Trento veda el desnudo, gozando en vencer los obstáculos y poder crear un maravilloso desnudo con la cascada de oro de su pelo rubio, es claro que Cervantes piensa en la Magdalena; en esa figura del encanto femenino en la penitencia.

En vano intenta huir la muchacha al verse descubierta, pues sus pies descalzos no pueden sufrir las piedras. A pesar del traje plebeyo, el Cura se dirige a ella llamándola señora; tan persuasiva ha sido la blancura contemplada. De nada ha servido el traje de varón; lo que él niega, lo desmienten los cabellos. Son las primeras palabras del Cura. La polaridad queda expresada verbalmente. Lo inútil del disfraz es una idea de Cervantes. (Véanse *Las dos doncellas* y el segundo *Quijote*). No creo que al novelista le interese mucho dar a conocer su opinión sobre el éxito posible de este recurso literario y también social, ni tampoco el censurarlo desde un punto de vista moral, aunque siempre se expresa en los dos sentidos. El tema, en manos de Cervantes, tiene un mayor alcance; lo femenino no puede ocultarse. Elaborada más o menos largamente, según el relato de que forma parte, ésta es la idea básica, y en la narración que se va a contar ahora, fundamental. Señora le ha dicho el Cura, añadiendo luego cortésmente: «Así que, señora mía, o señor mío, lo que vos quisiéredes ser: perded el sobresalto que nuestra vista os ha causado y contadnos vuestra buena o mala suerte, que en *nosotros juntos, o en cada uno,* hallaréis quien os ayude a sentir vuestra desgracia.» Al contestar, la muchacha se sirve de la misma fórmula: «Porque no ande vacilando mi honra en vuestras intenciones, habiéndome ya conocido por mujer y viéndome moza, sola y en este traje, *cosas todas juntas y cada una por sí* que pueden echar por tierra cualquier honesto crédito, os habré de decir lo que quisiera callar, si pudiera.» La fórmula en que lo plural reducido a unidad se equilibra con la variedad episódica nos muestra en la frase el principio general de la composición barroca: el orden desordenado.

HISTORIA DE DOROTEA

Opuesta a la densa levedad de Aldonza-Dulcinea, toda real y toda visión, ha surgido la belleza terrena de Dorotea. Son los dos polos que conducen al Caballero.

Si la muchacha les pareció hermosa, al oírla hablar la califican de discreta y hacen notar su voz suave y, sobre todo, su facilidad de palabra. Trazo este último significativo para su relación con Don Quijote. Y, por fin, empieza a contar su historia. La narra en cuatro partes, con tres incisos de alto valor dramático, que se producen cada vez que pronuncia un nombre: Don Fernando; Dorotea, su nombre; Luscinda. A Cardenio se le muda el color y se altera cuando oye el primer nombre; al pronunciarse el segundo vuelve a sobresaltarse; y al oír el tercero «no hizo otra cosa que encoger los hombros, morderse los labios, enarcar las cejas y dejar de allí a poco caer por sus ojos dos fuentes de lágrimas». Cada interrupción le sirve a Cervantes para incorporar el relato a los oyentes de una manera vital. Cardenio tiene su vida en labios de otro; un paso más, y penetraremos en la zona misteriosa del arte.

El lugar está en Andalucía, y en el lugar hay un Duque con dos hijos: bueno el mayor; el menor, embustero y traidor. Del Duque son vasallos los padres de Dorotea, ricos, pero labradores. Dorotea cree que de su humildad viene su desgracia. Los padres la adoraban.

La figura de Dorotea se destaca sobre el fondo de los quehaceres cotidianos, presentados de una manera esquemáticamente caracterizadora, con un ritmo de cinco—cosecha, molinos, lagares, ganado, colmenas—y otro de cuatro—jornaleros, coser, lectura y música—, que después se ordena en uno de dos: pasado feliz, presente doloroso. Esta actividad es un encierro comparable al de un monasterio. Ya tenemos a la doncella en el laberinto de que había hablado Don Quijote en su *Discurso de la Edad de Oro*, y en el cual no está segura ninguna muchacha: «No está segura ninguna, aunque la oculte y cierre otro nuevo laberinto como el de Creta; porque allí, por los resquicios o por el aire, con el celo de la maldita solicitud, se les entra la amorosa pestilencia y les hace dar con todo su recogimiento al traste», así decía el Caballero. Y Dorotea habla de su vida, tan recatada, «que apenas veían mis ojos más tierra de aquella donde ponían los pies, y, con todo esto, los del amor, los de la ociosidad, por mejor decir, a quien los del lince no pueden igualarse, me vieron, puestos en la solicitud de Don Fernando».

El hijo menor del Duque comienza el asedio amoroso: soborna a los sirvientes de la casa, da fiestas y música, escribe billetes. Dorotea no se ablanda, aunque no deja de halagarle el verse querida por un caballero principal y el leer en sus cartas la alabanza de su belleza Los padres le ponen sobre aviso, y para no dejarlo todo a los consejos, quieren casarla, buscándole un nuevo protector. El recato y el encierro, en lugar de guardar a la mujer, son un incentivo más para el amante, quien siente con estas barreras avivado su deseo. Una noche penetra en la fortaleza y sorprende a la joven labradora, cogida en toda su inexperiencia. La muchacha no sabe sortear la situación en que se encuentra, lo único que puede hacer es decir que no se entregará más que a su esposo. «Si no reparas más que en eso, bellísima Dorotea...—que éste es el nombre desta desdichada—, dijo el desleal caballero.» Don Fernando pone por testigo al Cielo y a la Virgen, pero Dorotea no se persuade tan fácilmente; ella misma es la que se convence. Razona de esta manera: 1.º Por el matrimonio se cambia de clase social. 2.º La hermosura hace posible el matrimonio entre desiguales. 3.º Al desdén de la mujer, el hombre puede responder con la fuerza. 4.º Una vez producido el escándalo, ¿cómo conseguir que crean en su inocencia? Las dos primeras razones son positivas y de un orden general; las dos últimas son negativas y circunstanciadas. Después de este razonamiento es cuando tienen fuerza los juramentos y los testigos, y también la disposición y gentileza del enamorado. Dorotea está en la cama y en los brazos del amante; sin embargo, no es violada, sino que se entrega por voluntad. Todo lector de Cervantes sabe que una de las ideas fundamentales del novelista es que no hay fuerza bastante para violar a una mujer. Cervantes no niega la posibilidad de la violación; lo que hace, como exige su época, es mostrar que el imperio de los sentidos se ejerce en la zona de la voluntad. La fuerza exclusivamente física queda relegada a lo accidental, sin más importancia que la que puede tener cualquier desmán. Dorotea tiene que hablar de la diferencia entre deseo y amor y las distintas conductas a que dan lugar. Este análisis se ha hecho tan frecuentemente, y un cristiano es tan experto en él, que casi la única originalidad que cabe, de no ejercitarse en el individuo, lo que era imposible en el siglo XVII, es la de la expresión. No obstante, conviene subrayar el estado de la muchacha al terminar las horas de amor: «En efecto: él se fue, y yo quedé ni sé si triste o alegre; esto sé bien decir: que quedé confusa y pensativa y casi fuera de mí con el nuevo acaecimiento.» La clara y segura dirección de vida ha sido sustituida por la perplejidad, penetrándose en ese estado que no está formado ni por la tristeza, ni por la alegría, ni por una mezcla de ambas. Un acto, un hecho, un acontecimiento, están desposeídos de tristeza o de alegría, adquiriendo una de ellas a través de la complejidad de la vida, de la personalidad. Dorotea, en esas horas de la noche, ha cerrado en un momento e irremediablemente y de una manera total una vida, empezando en el mismo instante y con los mismos caracteres otra vida nueva; dos vidas que no se separan independientemente, sino que quedan enlazadas en su maravillosa perspectiva de pasado y de futuro en el presente. La vida de Dorotea había podido ser alegre o triste, o alegre unas veces y otras tristes; ahora es una vida perpleja. Dorotea penetra en la realidad de la vida, que es acción, drama.

Don Fernando la visita la noche siguiente para no volver más. Dorotea espera, aguarda, ruega al enamorado que quiera servirse de ella; todo en vano. Entonces empiezan las recriminaciones a la criada que la traicionó; debe disimular su dolor para ocultárselo a sus padres, pero va directamente a la catástrofe. Se entera de que Don Fernando se ha casado con Luscinda, y tiene que abandonar todo decoro: confiarse a un criado, vestirse de varón y lanzarse fuera de su casa en busca del hombre que la engañó.

Dorotea ha llegado a la última parte de la narración, la cual es bastante larga, porque cuenta detalles de la boda que es necesario conocer. Luscinda dio el sí «por no salir de la obediencia de sus padres». Al obediente Cardenio corresponde esta obediente Luscinda; ambos, con su obediencia, han causado su dolor. Junto a este detalle tenemos que ver a Dorotea expuesta a todos los peligros de la libertad. Se escapó de la casa vestida de varón, y le pidió a un antiguo y fiel criado que la acompañara. Fidelidad y antigüedad que no sirven de nada, porque al verse el hombre con la mujer, siente inmediatamente la necesidad de poseerla. Dorotea le mata. Entonces ya no le queda más protección que su disfraz, que le sirve de bien poco, pues el ganadero a cuyo servicio entra adivina su sexo y también la ataca. Dorotea no tiene otro recurso que huir. La muerte del criado—le despeñó por un precipicio—es posible y verosímil, pero novelesca; el novelista quiere poner a la mujer en la realidad de su época; por eso, ante el ganadero no cabe más que la huida y, sobre todo, el rogar al Cielo que tenga clemencia y la ayude a soportar tanta desventura. Dorotea termina su relato como lo había empezado: con suspiros y lágrimas. Ha pasado de la protección externa del laberinto, del encierro en que vivía, a la libertad. Es imposible excluir al hombre, al deseo, al sexo, de la vida. La vida no es una eliminación. El hombre ha causado su dolor, y tras él tiene que ir la mujer. En esta figura se compendian las tres posibles relaciones entre los dos sexos: entregarse, matar, huir.

SITUACION DE DOROTEA. HAY QUE ACEPTAR LA VIDA. VERGÜENZA DEL PECADOR. ESPERANZA

Censuremos a Dorotea, si queremos, por no haber sido una heroína, una mártir, aunque Cervantes nos dirá en *Las dos doncellas* que sólo aquellos que no saben lo que es la lucha están prontos a echar en cara a los otros la falta de valor. Los mojigatos y los hipócritas, los pusilánimes, los que nunca han tenido que habérselas con la tentación y la vida, son los que apuntan con el dedo al caído. Pero, además, no sólo tenemos a Dorotea. ¿Qué hacer con Luscinda y

Cardenio? Obedientes y leales al padre, al señor, al amigo, se han visto arrastrados a la desolación y la desventura. Esta es la trágica concepción cristiana de la vida. El dolor no está reservado para el malo o para el que comete una falta; el bueno debe sufrir también, y, aún más, a veces, lo que triunfa es el mal. Concepción que abarca no sólo al individuo, sino a la familia y al imperio. Santa Teresa clamará ante este reino del mal, y fray Luis de León explicará que Dios en su secreta sabiduría lo permite.

De este vendaval de tribulación no puede salvarse el hombre encerrándose en una fortaleza. La nueva torre de Babel la han construido el celoso extremeño y Basilio, sin que se salvaran Leonora ni Segismundo. Al encierro, al monasterio hay que ir no en busca de protección, sino en pura ofrenda o en arrepentimiento. Tratar de evitar la vida, la naturaleza, es una primera transgresión de la ley. Hay que aceptar el dolor, luchar con él y vencerlo, no poniendo nuestra esperanza en nuestras fuerzas, sino en la bondad del Cielo. Es esta esperanza en la resurrección lo que hace posible que la tragedia cristiana tenga un desenlace feliz. Por eso el horror de la vida, de estas vidas—Cardenio, Luscinda, Dorotea, Don Fernando—, no deja tras sí la estela de la desesperación. Sobre ellas hay un plano de misericordia y clemencia. La vida conserva intacto su dramático misterio, pero la oscuridad tiene como contraste la luz, y el dolor, el gozo. Esa voluntaria sumisión a la ley es lo que salva y lo que da dignidad al estilo. Cardenio y Dorotea han contado sus vidas sin ocultar su dolor; pero ni por un momento han olvidado la majestad de la forma, que es precisamente lo que hace posible que pueda contar tanto dolor.

El capítulo XXIX comienza teniendo todavía la palabra Dorotea, quien nos explica la relación del pecador con el Dios de misericordia. «Aunque sé que el mucho amor que mis padres me tienen me asegura que seré dellos bien recebida, es tanta la vergüenza que me ocupa sólo al pensar que, no como ellos pensaban, tengo de parecer a su presencia, que tengo por mejor desterrarme para siempre de ser vista, que no verles el rostro con pensamientos que ellos miran el mío ajeno de la honestidad que de mí se debían de tener prometida.» Es la vergüenza del pecador, la vergüenza de Adán y Eva. A los siglos posteriores les quedará la tarea de analizar el complejo mecanismo de la conciencia, de la huella que deja la falta, y que el perdón, o no logra nunca borrar, o tiene que esperar a que la propia conciencia absuelva. Las posibilidades del análisis psicológico son muchas, y serán aprovechadas con la mayor finura; el Barroco se mantiene dentro de la claridad esquemática de la enseñanza cristiana. Es necesario hacerlo observar, sin embargo, para dar a la declaración de Dorotea todo su valor de sentido, pues hay que leerla captando la vitalidad que aún tiene en esa época la concepción bíblica a la vez para aprehender los movimientos del alma y la relación entre padres e hijos, vasallos y señores.

Las desgracias de Dorotea han causado admiración y lástima, y el ver que la conocen le causa a ella sorpresa. Es completamente novelesco el encuentro de Cardenio y Dorotea en la sierra escarpada. En donde se encuentran, empero, no es en la sierra, sino en el dolor. El Barroco precisamente va sustituyendo los elementos alegóricos del Gótico por elementos humanos, que aún tienen la forma de los principios generales del arte clásico. El Gótico reduce la naturaleza humana a una abstracción; el Barroco sumerge la abstracción en la Naturaleza. Esta sierra es una herencia medieval; pero el Gótico hubiera insistido en subrayar el sentido alegórico de esa creación mental; en cambio, el Barroco la utiliza como paisaje y hace notar la coincidencia de esa reunión.

Cardenio le cuenta quién es, y ahora le da el verdadero consuelo: «Podemos esperar—dice—que el Cielo nos restituya lo que es nuestro», preparando el desenlace feliz. Como caballero, jura protegerla, y si no puede convencer a Don Fernando del mal que ha hecho, le llevará al terreno de las armas.

DOROTEA-MICOMICONA. SIMPLICIDAD Y LOCURA

La persuaden a que vaya con ellos, y le explican el motivo de encontrarse allí y quién es Don Quijote. Dorotea se ofrece a representar el papel de doncella menesterosa. Así, vemos cómo se va modificando el plan trazado por el Cura, el cual improvisa rápidamente los detalles esenciales de la historia que ha de contar Dorotea: inventa los nombres. Más tarde llega Sancho, y, al admirarse de esta belleza, el Cura le dice que es una princesa que va en busca de su señor. Es la heredera del gran reino Micomicón, y quiere que Don Quijote vengue el agravio que le ha hecho un mal gigante. Dar mico se decía en esa época por engañar a una mujer, no cumpliéndole lo prometido; éste me parece ser el origen del nombre del reino y de la princesa. Se alegra Sancho de la presencia de la princesa Micomicona del reino Micomicón, e inmediatamente se imagina a su amo ganando un imperio y colmándole a él de favores.

La figura de Sancho queda ahora completamente clara, según la concibió la mente de Cervantes. El diálogo de este capítulo hay que relacionarlo con el que tuvo lugar en el capítulo XXVI y, además, con la historia de la infanta (cap. XXI). El Cura se admira de la simplicidad de Sancho «y de ver cuán encajados, tenía en la fantasía los mesmos disparates que su amo». El creador es Don Quijote; la relación entre ambos es la de amo y criado; además de la dependencia, se tiene que señalar la diferencia entre ambos. El uno es loco; el otro, simple. Sancho es capaz de observar la realidad siempre que no le toquen a su ínsula y su provecho; Don Quijote también es cuerdo cuando no se trata de Dulcinea y de sus libros de caballerías. Don Quijote es loco porque en su mundo ideal y absoluto desdeña lo relativo y real; Sancho es simple porque trata lo absoluto e ideal como si fueran algo relativo y real. En esto consiste la diferencia de proporción que hay entre ambos. La locura es grotesca y patética; la simplicidad es cómica. He indicado ya el contraste entre el desenlace de la aventura de los molinos y el desenlace de la de los frailes benitos; el contraste, también, en la transformación de la bacía en yelmo y del caballerizo en barbero.

En esta parte epilogal, Cervantes deja completamente en claro la índole idéntica de ambas figuras y su diferencia de grado, la locura y la simplicidad. Don Quijote no temerá habérselas con un gigante, es su deber; y se expresará con toda la contención del héroe: «Vamos de aquí, en el nombre de Dios, a favorecer esta gran señora (la princesa Micomicona).» Sancho ha dicho, en cambio: «Bien puede vuestra merced, señor, concederle el don que pide, que no es cosa de nada: sólo es matar a un gigantazo.» La expresión es cómica, con la reforzada comicidad del aumentativo después de la doble atenuación («No es cosa de nada», «Sólo es»). Lo grotesco de Don Quijote reside en lo ya señalado y, además, en su situación temporal, que le hace revestir el presente con la forma del pasado; grotesca apariencia que inmediatamente sorprende a todos los que le ven. La creación de Don Quijote y Sancho obedece a esa necesi-

dad de Cervantes de separar su época del Renacimiento y del Gótico, deslindando la zona del ideal de la zona de la realidad, lo cual
le permitirá organizar las *Novelas ejemplares* y crear esa maravillosa armonía que es el *Persiles*.

Dorotea-Micomicona saca a Don Quijote de su penitencia, y al
salir al camino se reúnen con ellos el Cura y Cardenio. Se saludan,
y el Cura dispone la topografía de la nueva aventura. Se llega a Micomicón atravesando el mar, y se tarda unos nueve años. Dorotea
aproxima el reino a su realidad: «No hace dos años que yo partí
dél.» Como se ve, no se busca la exactitud cronológica; la des-
proporción entre una cifra y otra basta para indicar la posición
distinta, mucho más cercana en la vida de Dorotea que en la imaginación del Cura; por eso dice éste: nueve años, «si hay viento prós-
pero, mar tranquilo y sin borrasca»; y rectifica aquélla: dos años,
«y en verdad que nunca tuve buen tiempo». Cada palabra de Dorotea es una alusión a su destino. Dorotea vuelve a vivir su vida en
palabras. Siguiendo la forma del Destino en la objetivación más
general que dispone el Cura, Dorotea tiene que avanzar con gran
pulcritud y cuidado para no anegar tanta bella impersonalidad en
el temblor de su propia voz. Es precisamente el goce del Barroco
acercar lo típico a lo natural, lo general al individuo, y así, hacer
sobresalir la maravilla del límite; el Romanticismo gozará en traspasar el límite, en echar abajo los contornos.

El Cura cuenta cómo es el encontrarse en ese sitio, y dice que
unos galeotes, puestos en libertad por un hombre fuera de juicio o
sin alma, le desvalijaron. Así se marca el comienzo de la recapitulación. Sancho se apresura a declarar (cap. XXX) que ese desalmado
es su amo. La aventura filológica, la aventura de las palabras había
sometido la justicia a la pena que sufrían los criminales—gentes
forzadas—y la había visto en los diferentes aspectos que ofrecían seis
vidas. El ideal de Don Quijote en la fuerte unidad de Dulcinea se
proyecta en dos zonas: justicia, belleza (la belleza contiene la virtud). Estos dos temas, que han sido presentados en toda su rica
variedad en las tres primeras partes de la obra, ahora continúan en-
trelazándose; pero creo que si queremos gozar de la novela plenamente, captando su ritmo, debemos darnos cuenta de cómo aparecen en la parte cuarta con una calidad de epílogo. La aventura de
los galeotes ya no gira alrededor de la interpretación de las pala-

bras, sino de la interpretación de la justicia. Justicia social, justicia aplicada, justicia que lo que tiene en cuenta es el crimen; ese punto de vista es el que expone el Cura. La justicia, para Don Quijote, es exactamente lo contrario: mira las penas que sufre el hombre y no considera sus acciones. Al hombre espiritual sólo le atañe la concepción del caballero andante; la justicia aplicada corresponde a los letrados. Luego se encuentran con Ginés de Pasamonte, recobrando Sancho su rucio.

Dorotea sosiega a Don Quijote, a quien las palabras del Cura y la impertinencia de Sancho habían hecho perder la calma, y el Caballero suplica le diga cuál es su cuita. La muchacha se dispone a inventar la historia de la princesa Micomicona; los que la acompañan se muestran «deseosos de ver cómo fingía su historia». Vacila un momento al empezar, yendo en su ayuda el Cura; pero inmediatamente se hace dueña de sí e improvisa un episodio de libro de caballerías. El rey Tinacrio el *Sabidor* profetiza que su esposa, la reina Jaramilla, morirá antes que él, y que al poco tiempo él también morirá, dejando a su hija, la princesa Micomicona, huérfana de padre y madre. No era tanto la orfandad lo que le preocupaba como el saber que un descomunal gigante, Pandafilando de la Fosca Vista, trataría de quitarle todos sus reinos. Aconseja a su hija, ya que «no había de ser posible (defenderse) de la endiablada fuerza del gigante», que huya, buscando en España la protección de Don Quijote. La princesa Micomicona es, pues, una pobre muchacha desamparada y sola, a quien un gigante le ha quitado todos sus bienes. La profecía del sabio se funda en la sabiduría que da la experiencia, y que llega a convertirse en lugar común: los padres mueren antes que los hijos; orfandad quiere decir quedar sin protección ni amparo. El hijo que no oye o que no puede oír los consejos de ios padres queda desamparado, queda huérfano. El gigante no es tanto un grande de España o un hijo de grande, aunque se puede admitir esta alusión, como el pecado: la soberbia, la lascivia. El gigante de la lascivia acecha al hombre sin voluntad para apoderarse de todos sus bienes. La mejor, la única manera de defenderse contra la lascivia—hombre o mujer—es huyendo. De este esquema sale la historia de la princesa Micomicona, la cual tiene como base una experiencia vital: la de Dorotea; pero esta experiencia, en realidad, no es *una* experiencia, sino *la* experiencia. La relación Dorotea-Micomicona es la relación particular-general. El Barroco se mueve constantemente entre estos dos planos, que consigue unir: en lo particular hemos de ver siempre la realización de lo general —esquema mítico o bíblico—; en lo general hemos de vivir lo personal. Si un barroco habla, por ejemplo, del fuego de Troya, se refiere al fuego de la pasión; si habla de las llamas del corazón, las figura en forma de una Troya ardiendo. La mujer fuerte será Judit, y Judit será una mujer fuerte. Dos niños enamorados, Píramo y Tisbe, y viceversa, etc.

Cardenio y Dorotea, al contar sus vidas, no han precisado nunca el lugar de la historia; Dorotea, al inventar la narración de la princesa Micomicona, habla de Osuna, el pueblo donde nació; pero Osuna se desrealiza para poder figurar en la geografía fantástica donde se encuentra el reino Micomicón y se convierte en puerto de mar. Don Quijote advierte en seguida el error, que el Cura rápidamente subsana. Es claro que no se puede achacar a ignorancia de Dorotea, puesto que es su pueblo. La única explicación que cabe es que Dorotea, al alzar sobre su propia vida la historia fantástica, siente la necesidad de darle realidad enclavándola en su pueblo, e inmediatamente el nombre de éste hace oscilar violentamente el relato, que recobra el equilibrio gracias a la prontitud del Cura.

Dorotea termina ofreciéndose en matrimonio al hombre puro, Don Quijote; poniendo así como desenlace la causa de su dolor y dando lugar a que Sancho intervenga y a que una vez más le castigue su señor, al no ser capaz de reconocer la índole de Dulcinea. Se hacen las paces, y, apartados Caballero y Escudero, comienza Sancho a contar su visita a la dama del Toboso. Sancho también tiene que inventar, y su premiosidad, su lento avance de pregunta en pregunta, contrasta con la graciosa facilidad de Dorotea, cualidad que ya había sido advertida al empezar a contar su historia.

El diálogo entre Caballero y Escudero entra en el capítulo XXXI, y no termina sin antes insistir en la índole ideal de Dulcinea y sin que Sancho observe el sentido religioso de la gratuidad del amor.

RECAPITULACION

La aventura de los galeotes ha sido contada por el Cura, personaje que nada tenía que ver con ella; la reaparición de Ginés era

151

un elemento pintoresco, con una función limitada al argumento, ya que se aprovecha sólo para que Sancho recupere el asno; lo mismo ocurrirá con la llegada de los cuadrilleros. En cambio, la aventura de Andrés es contada por el mismo muchacho, y aunque ya sabíamos que la intervención del Caballero de nada había servido, ahora nos enteramos de la inmensidad de su desgracia: «Me parece que no seré más hombre en toda mi vida»: tal le han dejado los azotes. Con estas dos aventuras, que reaparecen en orden inverso a como acontecieron, termina el tema de la justicia; justicia trascendente referida a su doble particularización: estado y sociedad. Con la nueva entrada de Andrés podemos situar esta aventura en su época y alejarla por completo de la contaminación del siglo XIX. Los acompañantes del Caballero tuvieron «mucha cuenta con no reírse, por no acaballe de correr del todo». El no querer aceptar la realidad y el presente es lo que hace de Don Quijote una figura grotesca, tanto cuando se arma como al encontrarse con las mozas del partido o al enfrentarse con los molinos de viento. No es que haya que excluir el mundo ideal o adoptar una actitud sentimentalmente humanitaria, concepción en absoluto ajena a Cervantes y a su época. El punto de arranque de la creación del novelista es precisamente la necesidad de revelar el ideal que cada realidad lleva consigo y lo grotesco de enfrentarse con la realidad y el presente viviendo ideales bajo una forma anacrónica. La genialidad de Cervantes ha consistido en dominar la inadaptación quijotesca, descubriendo su raíz y consiguiendo un efecto grotesco o cómico. De aquí que Cardenio haya advertido en el capítulo anterior (XXX) que sólo un agudo ingenio y único era el que podía dar con semejante invención.

ESCRUTINIO SEGUNDO: EL LECTOR

La historia de Dorotea ha completado la historia de Cardenio, quedando así ambas unidas y preparadas para el desenlace. Comienza la vuelta de Don Quijote al pueblo de donde salió, mientras el recuerdo de los galeotes y el de Andrés vuelven a hacer presente las aventuras caballerescas, acomodándose a la función epilogal de la cuarta parte. Al entrar toda la comitiva en la venta (cap. XXXII), Cervantes llama a Cardenio zagal, manteniendo así la relación de esa historia amorosa con la pastoril, y retira al Caballero: «A todo esto dormía Don Quijote.»

El tema literario reaparece de nuevo en la forma que tuvo al final de la primera parte; es decir, como un examen de libros. Vuelven a hablar de los libros de caballerías, pero esta vez en relación con el lector. El ventero dice que le gustan por los desafíos y luchas de los caballeros; la ventera, por el sosiego que hay en la casa cuando el marido está divertido en la lectura; Maritornes se siente atraída por los abrazos; a la doncella le conmueven los lamentos. Como se ve, en los libros de caballerías se encuentran aquellos elementos, épico y amoroso, erótico o sentimental, que satisfacen las necesidades espirituales de la época. También apunta Cervantes, con la ventera, otra función que no está reservada a los libros de caballerías, sino que es general a cualquier obra de arte: la de servir de puro entretenimiento, de descanso de los quehaceres y preocupaciones cotidianos, función que tiene en común con otros esparcimientos del ánimo. Se discute la veracidad de esos libros para subrayar la fuerza superior de la poesía sobre la historia. El ventero, sin embargo, no leía como Don Quijote: «No seré yo tan loco que me haga caballero andante, pues bien veo que *ahora* no se usa lo que se usaba en *aquel tiempo,* cuando se dice que andaban por el mundo estos famosos caballeros.» Y el problema reside precisamente aquí. Don Quijote leía bien, leía de la única manera como debe leerse: convirtiendo en vida la lectura y viviéndola. El ventero representa una actitud inferior. Lo que hay que cambiar no es la manera de leer del Caballero, sino la lectura. Se tiene que abandonar el heroísmo del pasado y entregarse al heroísmo del presente.

Este diálogo ha dado ocasión a recordar el fuego del primer escrutinio y a que Sancho, que ha oído parte de la discusión, cavile. Sobre el fondo histórico de la biblioteca del Hidalgo—libros de caballerías, novela pastoril—se destaca ahora una maletilla de viaje, que contiene libros y manuscritos. El Cura, ávido lector, coge uno de los pliegos y lee: *Novela del curioso impertinente.* Ya el título le gusta; Cardenio empieza a leer, y las primeras líneas de la novela se apoderan de su imaginación; el barbero y Sancho quisieran oírla. Dorotea lo decide: sería mejor descansar; pero ella, tan activa, de palabra tan fácil, tan discreta, teme quedarse a solas consigo misma: «No tengo el espíritu tan sosegado que me conceda dormir cuando fuera razón.»

El significado que tiene que el personaje que mandaba quemar los libros sea el mismo que se pone a leer no debe escapar a nadie; hay que subrayar también esa atmósfera llena de anhelo y de curiosidad que es el estado de ánimo propicio para penetrar en la obra de arte; por último, es necesario fijarse en el papel de Dorotea, la mujer—la lectora de novelas—que, perdido el sosiego, quiere encontrarlo en las páginas de un libro, en esa perspectiva fingida que conduce a un mundo real.

La figura de Don Quijote es sustituida por una novela (capítulos XXXIII y XXXIV); el Caballero volverá a reaparecer soñando; sus sueños interrumpen el desenlace de la novela (cap. XXXV). El alejamiento del final ocurre frecuentemente en Cervantes, aunque también puede precipitarlo rápidamente. Ambos procedimientos dan un gran realce a la conclusión. La reaparición del Caballero no hay que verla de un modo mecánico; el lector debe sorprender a Don Quijote en su enlace natural, de un lado, con la novela, y del otro, con los oyentes del relato.

LA LECTURA DE UNA NOVELA MODERNA

El comienzo de *El curioso impertinente* corresponde a la manera como Cervantes empieza sus novelas cortas, muy diferente del modo como empieza obras largas, el *Quijote* o el *Persiles*. Establece un ritmo bimembre, muy sencillo, pero muy poderoso. Para la prosa es tan importante como para el verso arrancar de un cierto ritmo; parece como si el creador estuviera poseído por el ritmo, que puede resolverse en música o danza, poesía o novela o teatro. Es ese ritmo el que se apodera del lector.

Hay un juego de plurales y de singulares; los primeros, para darnos la dualidad en su unidad; los segundos nos muestran la diversificación: vivían, eran, llamados, amigos, solteros, mozos; el singular está representado por los nombres y una vez por el verbo. Anselmo y Lotario; Anselmo era más inclinado al amor; Lotario, a la caza. Para estos dos nombres de varón, un nombre de mujer: Camila; más tarde aparece otro nombre de mujer: Leonela, una criada, un plano distinto al de Camila, y donde puede reflejarse con otras luces la vida de esta mujer noble.

Una mujer y dos hombres: el triángulo del amor adúltero. Se llega a esta forma después de largo forcejeo. La mujer y el amante no tienen líneas de nítido trazado: vibran atormentadas y llenas de angustia. Anselmo, el marido, ofrece siempre un pobre aspecto. Nada se abandona al azar. La pasión puede hacer estallar el amor adúltero; en esta novela, sin embargo, no se trata del amor-pasión, sino de la función del marido en el matrimonio. El marido, como jefe, es el que fabrica el honor o la deshonra. Cervantes está limitando su asunto. Lo que le interesa no es estudiar la pasión que lleva a la tragedia, sino la función del hombre y la mujer en el matrimonio y la relación de esta institución con las otras formas sociales, en este caso la amistad. De la misma manera que la amistad se presenta en el nivel de lo extraordinario, así también el matrimonio aparece transido de espíritu religioso, y Lotario, al citar la Biblia, da a sus palabras una alegría de vida y manantial. Al remontarse hasta el momento en que fue instituido el matrimonio, se eleva ese gran pórtico heroico del sacramento—reafirmado por la Contrarreforma, en oposición al mundo protestante—, que espera a Cardenio y Dorotea para su desenlace.

Antes de entrar en el asunto de la novela—el curioso impertinente—, se habla de la relación entre el matrimonio y la amistad, disponiéndose rápidamente de las modificaciones que debe sufrir la última. Decir rápidamente no implica ligereza o superficialidad; ocurre que este motivo secundario no se desarrolla, se presenta con la concentración que el ritmo de la novela corta exige. El tema principal es el del curioso impertinente, visto no de una manera abstracta—la curiosidad—, sino humana—el curioso—. Este tema tiene dos niveles diferentes: uno, abarcador y amplio; otro, más reducido. El primero será la causa de la tragedia, el gran hallazgo de Cervantes, y, como siempre, el novelista insistirá en la novedad de su invención; el segundo es la ejemplaridad que contiene esa historia: la mujer y el hombre pueden ser virtuosos, sólo la virtud es digna de amor; pero no hay que pedir imposibles ni a la mujer ni al hombre. Recuérdese lo dicho al estudiar a Dorotea; recuérdense las *Novelas ejemplares*.

El novelista crea lo heroico moderno; ese heroísmo debe ser incitación y guía; debe ser blanco para la mirada del hombre, nunca medida. Lotario y Camila eran virtuosos; leal amigo y esposa fiel, hubieran podido y debido vencer las circunstancias en que se encontraban; pero entonces hubieran sido héroes, y no eran más que seres humanos. Lotario y Camila caen en la falta, no se oculta, se les da la máxima pena, pero con toda la dignidad de su rango. Lotario encuentra la muerte en la batalla, luchando nada menos que con los hombres del Gran Capitán; Camila profesa, y al poco tiempo muere en el convento. No estará de más indicar la raíz profundamente cristiana de su pecado: «Pero el provecho que las muchas virtudes de Camila hicieron poniendo silencio en la lengua de Lotario redundó más en daño de los dos, porque *si la lengua callaba, el pensamiento discurría* y tenía lugar de contemplar, parte por parte, todos los extremos de bondad y de hermosura que Camila tenía, bastantes a enamorar una estatua de mármol, no que un corazón de carne» (cap. XXXIII).

Cervantes no sólo contrapone la virtud radiante a la negra lascivia—compárese el *Persiles, La gitanilla, La ilustre fregona*—, sino que trata la lascivia en dos planos diferentes; por ejemplo, *La señora Cornelia,* en donde vemos a la señora Cornelia que ha cometido una falta, pero es la falta base del matrimonio, y a otra Cornelia que es una prostituta. La lascivia, también, en lugar de conducir al matrimonio, puede ser el impulso que arrastra al desorden y a la tragedia; este plano noble se contrasta con el bajo y vil de la satisfacción natural de los sentidos. En *El celoso extremeño* tenemos, al lado de la dama, con su lascivia transparente y cristalina, la espesa lujuria de las criadas; en *El curioso impertinente,* junto a Camila, que ha sido cogida en la red del demonio y la carne, tenemos a la criada Leonela, que sabe pasar las noches mejor que durmiendo, y lo único que le ocurre es que una vez la sorprende la policía descolgándose de una ventana por una sábana. De aquí que cuando Camila, enredada en su falta, tiene que ir de pecado en pecado y debe fingir la virtud, aún puede inspirarse en un noble modelo romano, y da a su farsa—en una bella escena—un aire trágico; Leonela se comporta como una criada y abusa de la situación en que se encuentra su señora; este abuso, esta dependencia, son un reflejo de la baja caída de la mujer noble. La figura del marido, Anselmo, hubiera podido ser únicamente cómica, como la de *El viejo celoso;*

pero ni el celoso extremeño es cómico ni tampoco Anselmo, que paga su falta con una muerte muy parecida a la de aquél: es una forma velada del suicidio. Anselmo va derechamente a la tragedia desde el día que se vio poseído por el pensamiento que le atormentaba; él mismo se considera como un enfermo.

Anselmo declara: «No sé de qué días a esta parte me fatiga y aprieta un deseo tan extraño y tan fuera del uso común de otros, que yo me maravillo de mí mismo, y me culpo y me riño a solas, y procuro callarlo y encubrirlo de mis propios pensamientos.» Lotario insistirá en que Anselmo ha descubierto un nuevo tipo de vida, que no es ni la del religioso, dedicada a Dios, ni la del comerciante, dirigida al mundo, ni la del soldado, que mira a entrambos: «La que tú dices que quieres intentar y poner por obra, ni te ha de alcanzar gloria de Dios, bienes de la fortuna, ni fama con los hombres.» Este deseo nuevo es el tema trágico de la novela. De su pleno bienestar—nobleza y fortuna, amistad, mujer bella, amante y virtuosa—cae en el mayor tormento, y es él mismo el autor de la caída.

Hemos visto la gratuidad del amor y la gratuidad de la penitencia, dos gratuidades del mundo platónico-cristiano que nos elevan a la esencia del sentimiento. Por ambas vías la voluntad va despojándose de todo lo accidental, encontrando la sumisión absoluta, la independencia total. Anselmo descubre una gratuidad más: la moderna, la intelectual; quiere encontrar la verdad por la verdad misma. Es el curioso moderno, que fatalmente tenía que traspasar su actitud de la zona científica a la zona moral. Lotario subraya el racionalismo de Anselmo: «Tienes tú ahora el ingenio como el que siempre tienen los moros..., que se les han de traer ejemplos palpables, fáciles, inteligibles, demostrativos, indubitables, con demostraciones matemáticas que no se pueden negar, como cuando dicen: si de dos partes iguales quitamos partes iguales, las que quedan también son iguales; y cuando esto no entiendan de palabra, como, en efecto, no lo entienden, háseles de mostrar con las manos y ponérselo delante de los ojos.»

Cervantes, para captar este tipo de vida moderna, parte todavía de la religión. Ve su inmensidad, su tormento, la fuerza del deseo que le rige; ve todo lo que hay de mefistofélico en ese tipo fáustico; ve cómo junto a la posesión del mundo por la voluntad (Don Juan)

157

surge la posesión del mundo por la inteligencia. La voluntad para verdaderamente poseer ha de someterse (lo que ignoraba Don Juan); la inteligencia para llegar a poseer la verdad ha de esperar a que se la revelen. Su medio—su método—es la contemplación, no el experimento. Es la verdad científica la que ha creado el mundo moderno; Cervantes ha captado el deseo fatalmente necesario, vital, de hacer entrar la moral en el mundo físico-matemático; pero como Europa exigía en esa época, esta actitud se le aparece como impertinente. Anselmo es tan absurdo como el celoso extremeño; el antihéroe intelectual tiene el mismo fin que el antihéroe de la voluntad: el desmayo-suicidio. Que yo sepa, son las dos figuras antiheroicas que ha creado Cervantes. El celoso extremeño fabrica una casa absurda para guardar a su mujer; Anselmo discurre, fabrica una acción absurda para probar a la suya.

El lector se siente incómodo ante esta novela, sentimiento moderno que el mismo Cervantes da a conocer, pues el Cura dice: «Bien me parece esta novela; pero no me puedo persuadir que esto sea verdad; y si es fingido, fingió mal el autor, porque no se puede imaginar que haya marido tan necio que quiera hacer tan costosa experiencia como Anselmo.» Y el Cura—siempre los críticos—enmienda la plana al novelista; cree que, puesto el caso entre galán y dama, pudiera pasar; pero entre marido y mujer es imposible. Lo que según el Cura «no se puede imaginar» es lo que Cervantes imaginó. El Cura puede imaginar una situación fácil y banal; se equivocaba; su error, sin embargo, es excusable. Está hablando de un manuscrito; está demasiado próximo al creador para poder penetrar con él en la vida. Una cosa es hablar de los géneros históricos y ya juzgados, situados, y otra cosa encontrarse delante de la obra de arte que es vida. Además, el Cura, si se deja llevar por la necedad de su suficiencia, por lo menos ha tenido la perspicacia necesaria para que la novela le pareciera bien. Al lector de hoy le es demasiado fácil admirarse, pues la novela de los siglos XIX y XX se ha sentido fatalmente atraída por el acto gratuito. Sentimos la misma perplejidad, la misma incomodidad ante ese demoníaco anhelo de llegar a la zona de la moral pura que impulsa a la novelística de los últimos cien años. Las diferencias con Cervantes son todas las que tenían que ser, lo cual no impide que con *El curioso impertinente* nos hallemos colocados en la misma dirección.

158

LA SEGUNDA AVENTURA SOÑADA. LA RELACION CON LA PRINCESA MICOMICONA Y «EL CURIOSO»

Después de la bella escena en que Camila (notemos también el delicioso y delicado color de este nombre de abolengo tan antiguo) representa la acción trágica y en la que Anselmo quedó «el hombre más sabrosamente engañado que pudo haber en el mundo», la lectura es interrumpida por Sancho, quien sale del cuarto de Don Quijote gritando que su amo acaba de matar al gigante enemigo de la princesa Micomicona. La novela moderna ha llegado a su clímax y queda suspendida su lectura, alejamiento del desenlace que tiene como función aumentar el interés y que es muy parecido al que se obtiene en la comedia con el segundo entreacto. La novela se interrumpe con la aventura soñada de Don Quijote, la cual mantiene su equilibrio con la otra aventura soñada, que tuvo lugar también cuando se estaba terminando el escrutinio de la librería.

Me parece demasiada casualidad para que semejante colocación sea debida al azar; pero, casualidad o no (para mí no es casualidad), lo único que quiero es advertir esa colocación y hacerla entrar en el ritmo bimembre de la novela: dos salidas, dos ventas, dos discursos, etc., etc.; dos escrutinios, dos aventuras soñadas. En la primera aventura, Don Quijote pelea al lado de los caballeros aventureros contra los cortesanos, y al despertar se encuentra separado de sus libros; en la segunda está inmerso en la vida, es la vida y el dolor presente lo que ha dado motivo a su sueño. En el patio de la venta están leyendo una novela, una ficción, un sueño; en su cuarto, Don Quijote, dormido, está viviendo, soñando su novela. El sueño del Caballero interrumpe el *Curioso*, alejando el desenlace trágico; pero su sueño aproxima y hace posible el desenlace feliz de la historia de la princesa Micomicona. Don Quijote ha matado al gigante de la lascivia. Al horadar los cueros, ha derramado el vino que embriaga. También creo que hay que tener en cuenta la relación vino-sangre, lascivia-purificación. Camila, en su farsa, se había hecho una pequeña herida, de la cual apenas brotaron unas gotas de sangre; pero la venta se llena de vino-sangre, que mana a borbotones de los cueros acuchillados; la venta se llena de su olor y de su rojo báquico, que la fe del Caballero y la simplicidad de Sancho convierten en sangre. El ventero y su gente se desesperan; el Cura y sus compañeros se admiran; Don Quijote, grotesco, con los ojos cerrados, continúa dando mandobles; Sancho está preocupado con hallar la cabeza del gigante. Gran momento de revuelo y de risas, con alusiones sexuales muy fuertes (la cola); se indemnizará a unos, se dará el condado al otro. La quietud, la atención, han sido interrumpidas por esta inmensa burla y esta agitación, que, además de interrumpir, de dar lugar al descanso, de hacer que el interés y la atención se renueven y refresquen, sirven de contraste preparatorio. El sosiego se restablece; cuando el silencio es de nuevo profundo, se reanuda el hilo de la novela: «Sucedió, pues.» Al terminarla se hace una breve crítica, y en seguida (cap. XXXVI) se moviliza la atención para conducirla a la realidad; por el camino viene una rica comitiva: cuatro hombres a caballo con antifaces negros, una dama vestida de blanco, dos mozos de a pie. «¿Vienen muy cerca?», preguntó el Cura. «Tan cerca—respondió el ventero—, que ya llegan.» Dorotea se cubre inmediatamente el rostro, y Cardenio desaparece en el cuarto de Don Quijote.

EL DESENLACE DE LAS HISTORIAS—LA HISTORIA—
DE DOROTEA Y CARDENIO

El Cura se adelanta a preguntar a los criados quiénes son los señores que vienen con ellos, pero no pueden contestarle, porque no lo saben. Lo único que pueden decir es que la dama en hábito de monja, al parecer, va forzada, pues sólo la han visto sollozar, y deducen que quizá no va de su voluntad al convento. La ignorancia de los criados suspende al Cura y a los lectores y los pone en una falsa pista. Dorotea, en cambio, cubierto el rostro, se dirige a la dama; pero el caballero embozado la interrumpe, diciéndole que no recibirá contestación, y, de recibirla, será una mentira. La dama con antifaz no sólo niega el que ella diga mentiras, sino que afirma que se ve en ese estado por ser verdadera. Separado de esta escena por una puerta, Cardenio, al oír a la dama, se admira y dice, gritando: «¿Qué es esto que oigo? ¿Qué voz es esta que ha llegado a mis oídos?» La dama se sobresalta, y con la turbación se termina esta escena de antifaces. La dama pierde el suyo; al caballero se le cae el embozo; Dorotea, al verle, se desmaya, dejando escapar una queja, y el Cura le descubre la cara; Cardenio, al oírla, sale del aposento.

Ya están todos los personajes frente a frente: Luscinda, Don Fernando, Dorotea y Cardenio; Cardenio ha reconocido a Luscinda por la voz; Don Fernando y Dorotea, a pesar de verse y hablarse, no se han reconocido. Se produce este dramático revuelo en medio del silencio. Todos callaban y todos se miraban; la primera en hablar es Luscinda, quien suplica a Don Fernando le devuelva su libertad, ya que «el Cielo, por desusados y a nosotros encubiertos caminos», dice, le ha puesto a su verdadero esposo delante. Don Fernando tenía sujeta a Luscinda; Dorotea, vuelta en sí, ha oído sus breves razones; luego se levanta y se arrodilla a los pies del caballero, empezando a derramar lágrimas y a hablar. No se olvide que las dos parejas se encuentran delante de numerosos espectadores, todos los que han leído la novela de *El curioso impertinente*, más la comitiva de Don Fernando. Desde el momento en que comienza a llorar Dorotea, la escena queda envuelta en lágrimas; después la acompañarán Luscinda y Cardenio; por último, se unirán a ellos todos los circunstantes, menos Don Fernando. La palabra y la acción tienen este fondo, este armónico. Lágrimas «hermosas», «licor amoroso»; los espectadores, al llegar el desenlace, entran a formar parte de la acción, se transforman en el coro, y sus lágrimas son lágrimas de gozo. Hemos de contemplar esta melodía segunda, cómo los rostros cristianos se van bañando de lágrimas y convirtiéndose en paisaje, hasta llegar a expresar la alegría de la Tierra, haciendo del instrumento de dolor la expresión de júbilo íntimo. En el Renacimiento, las lágrimas son signo de dolor, de tristeza; por tanto, de desarmonía y fealdad; el Renacimiento, para llegar a la belleza, a la felicidad, a la armonía, tiene que suprimir el dolor, la causa de la discordia, y entonces ilumina el rostro con la sonrisa, signo de la alegría serena. Para el Barroco no hay necesariamente fealdad en el dolor, en la dramática discordia que es la vida y el ser del hombre; la vida es sufrimiento. El signo del sufrimiento es el mismo que el signo de la vida; vivir es llorar; por eso mismo las lágrimas pueden ser hermosas, porque son un indicio de la lucha heroica que mantiene el hombre, primero; después son la expresión del arrepentimiento. Así, podemos explicarnos esta «conversión» de las lágrimas de signo de dolor en signo de gozo. La felicidad no es un estado terrenal, es un desenlace, es el premio que se obtiene después de haber vivido, después de haber sufrido; la sonrisa, en el Barroco, es un signo de beatitud ultraterrena.

Dorotea habla pausadamente; confía a su estilo, rico en metáforas, con frases intrincadamente encadenadas, en que la antítesis desempeña un gran papel, el poder de persuadir, apelando a la conciencia, la cual, si la muda admiración en Góngora «habla callando», da «voces callando» en mitad de las alegrías. Calderón dirá: «Retórico el silencio.»

El héroe es Don Fernando, que tiene que luchar entre la *razón* y el *apetito*, que tiene que vencerse a sí mismo. El Cura acude en su ayuda: «Cuando se cumplen las fuertes leyes del gusto, como en ello no intervenga el pecado, no debe ser culpado el que las sigue.» Son las fuertes leyes del gusto las que hacen perecer al hombre; pero si éste es capaz de encauzarlas en el matrimonio, encuentra la salvación. Don Fernando explica su vacilación y su caída; la ocasión y la fuerza que le impulsó hacia Dorotea le impelió a abandonarla. Conducido por la lascivia, el hombre es incapaz de detenerse. Tiene que llegar a descubrir el verdadero valor de la mujer. Quizá el Cielo ordena este desorden para que la mujer haga resplandecer sus virtudes, con las cuales pueda no ya seducir al hombre, sino revelarle el objeto digno de amor. La gran victoria del hombre consiste en ser capaz de trasladarse del plano de los sentidos al de la virtud.

Por eso el desenlace se desarrolla con una contención y nobleza apenas agitada por el necesario movimiento dramático, que se resuelve en cortesía y amor. Todos han sufrido: Luscinda, Cardenio, Dorotea; pero el que da un noble ejemplo es el noble Don Fernando. El desenlace es feliz, doblemente feliz; todos consiguen ser dichosos, y, además, tenemos la victoria de Don Fernando, el hombre en general, hombre noble, que tiene que luchar con el apetito para que salga triunfante la razón. (Es claro que se trata de la razón cristiana y no de la razón en sentido racionalista.) Después del desenlace, todavía tienen que contarse lo que les ha sucedido mientras han estado separados, y todavía se subraya la gracia de narradora que posee Dorotea.

MICOMICONA SE HACE DOROTEA, PERO ES
SIEMPRE LA MISMA

Sancho lloró con todos; pero él lloraba de alegría y de tristeza. Veía cómo la princesa Micomicona se transformaba en Dorotea, y va a contárselo a Don Quijote y a saber qué se ha hecho de su condado (cap. XXXVII). Sancho estaba tristísimo al considerar que «la linda princesa Micomicona se le había vuelto en Dorotea y el gigante en Don Fernando». Dorotea, Cardenio y Luscinda se sienten felices, sin poder asegurarse que es realidad tanto bien. Don Fernando daba gracias al «Cielo por la merced recibida y haberle sacado de aquel intrincado laberinto, donde se hallaba tan a pique de perder el crédito y el alma». Todos estaban contentos y gozosos: el Cura, dando parabienes; la gente de la venta, esperando que esta vez no iban a perder nada. La ventura está encuadrada en la tristeza de Sancho; el párrafo termina: «Sólo Sancho, como ya se ha dicho, era el afligido.» Desconsolado, acude a su amo a contarle lo sucedido; Don Quijote no se asombra hasta que le dice que no hay gigante muerto, sino un cuero de vino acuchillado. Don Quijote se dispone a examinar esos sucesos y transformaciones. Mientras se viste, cuenta el Cura a Don Fernando las locuras de Don Quijote y el medio de que se habían valido para sacarle de su penitencia. Don Fernando accede gustoso a que se prosiga lo comenzado, apareciendo Don Quijote pertrechado con todas sus armas como un nuevo Hércules, apoyado en su tronco o lanzón. Su presencia suspende a los que no le conocían. Les asombra su figura, la desigualdad de las armas y, como contraste, lo mesurado de su continente. Don Quijote se dirige a Dorotea para decirle que ya sabe cómo se ha trocado de alta señora en doncella particular. Dorotea le contesta que quien le ha informado no está en lo cierto. «La misma que ayer fui me soy hoy», aunque su desgracia se ha transformado en felicidad, y añade: «Si por vos no fuera, jamás acertara a tener la ventura que tengo.» Dorotea-Micomicona, desgraciada-feliz, ésa es toda la variedad, todo el desorden; el que no puede relacionar un momento con otro, un episodio a otro, se queda con una verdad accidental, y como no puede captar el sentido o la forma, no logra salir del error y la confusión, confusión en la que hace caer a todos los que le escuchan. Don Quijote lo declara: los disparates de Sancho le pusieron «en la mayor confusión». Sí; mientras Don Quijote soñaba se estaba dando una gran batalla, pero en forma moderna. No se luchaba con un gigante, sino con la lascivia y, muy importante, con el orgullo; no se luchaba de una manera física, se luchaba en la conciencia. El Gótico y el Barroco quieren decir lo mismo, se separan por completo en el modo de decirlo. Cervantes contrapone una forma a la otra, tratando la forma gótica de una manera burlesca.

LLEGA EL CAUTIVO. SEGUNDO DISCURSO

La tarde se ha pasado leyendo una novela, y con los sucesos a que ha dado lugar la llegada de Don Fernando se ha hecho de noche. La partida, según decide Dorotea, no tendrá lugar hasta la mañana próxima. Don Quijote está descansando de nuevo, y los demás no pueden pensar en descansar. «Esta noche—propone Don Fernando—la podremos pasar en buena conversación hasta el venidero día.» Don Fernando no sabía que esta noche terrenal en la venta estaba cargada de acontecimientos. Un nuevo pasajero llega, y la venta nocturna se llena de azul. Casaca azul, calzones azules, bonete azul: es el color del cautiverio. También es el color de la pureza y del infinito. Este azul sostenido sirve de acompañamiento al valor pintoresco de un vestido morisco. Cervantes describe al cautivo. Era de talle agraciado y robusto, estaba en sus cuarenta años, de rostro algo moreno, tenía largos bigotes y barba muy bien puesta; «si estuviera bien vestido, le juzgaran por persona de calidad y bien nacida». No hay cuarto para el cautivo; todas las damas y las mujeres rodean a la mora, ofreciéndole compartir con ella su alojamiento; pero como no entiende la lengua, no puede responder; es decir, que se repite la situación de Luscinda con otro significado. El cautivo contesta por ella que es mora, con grandes deseos de ser cristiana y que espera ser bautizada. Esto las consuela; lo que las rinde es la hermosura que muestra la mora al descubrirse, y se llenan de lágrimas de compasión al oír el sentimiento con que la mora renuncia a su nombre antiguo y proclama su nombre nuevo «¡No, no Zoraida; María, María!» Abrazóla Luscinda con mucho amor, diciéndole: «¡Sí, sí; María, María!» A lo cual respondió la mora: «¡Sí, sí, María; Zoraida, macange!», que quiere decir no. Zoraida,

María; no, no, sí, sí. Zoraida es una negación; María es una afirmación. ¡Con qué rotundidad, de qué manera absoluta se afirma y se niega! Y qué alegría acompaña a esa determinación. El campo queda clara y concluyentemente dividido; la zona de la afirmación es tan resplandeciente, que el *no*, con su oscuridad, sirve sólo de contraste, sin que su negrura invada el ámbito de luz. Hay alegría sin tristeza. Es necesario darse cuenta de lo alejados que estamos de la belleza de los tonos medios, de lo vago, indefinido e indeciso; la belleza de la tolerancia y la persuasión.

Como si se dispusiera a celebrar esa alegría, la noche avanza, trayendo con ella la hora de la cena. A una larga mesa—mesa de tinelo, pues en la venta no la había redonda ni cuadrada—se sientan los viajeros, más Don Quijote. Este a la cabecera, teniendo a un lado a toda la belleza y al otro a los caballeros; el Cura y el Barbero se sientan al lado de las señoras. Enfrente de Dorotea está Don Fernando; enfrente de Luscinda, Cardenio; enfrente de Zoraida, el cautivo. Don Quijote contempla la hermosura, las armas y las letras, fondo del discurso que va a pronunciar «movido de otro semejante espíritu que el que le movió a hablar tanto como habló cuando cenó con los cabreros». Cervantes relaciona los dos discursos, las dos grandes columnas que sostienen la pompa de todos los episodios de la novela.

Como exordio a su discurso, Don Quijote empieza admirándose de la maravilla de la personalidad humana: «¿Cuál de los vivientes habrá en el mundo que ahora por la puerta deste castillo entrara, y de la suerte que estamos nos viera, que juzgue y crea que nosotros somos quien somos?» Transforma la venta en castillo porque alberga tanta belleza y valor. Es venta para la humilde apariencia; es castillo para la esencia de la personalidad. Después de ese retórico comienzo, entra de lleno en el tema de su discurso: las armas exceden a todas las otras artes, eligiendo el compararlas con las letras. Las armas no sólo se ejercitan con el cuerpo, sino con el espíritu; éste es el punto de arranque de su argumentación. Examina cuál de los dos espíritus trabaja más: el de las armas o el de las letras. Al pasar a los trabajos del cuerpo, Cervantes hace notar que Don Quijote había captado ya la atención de los oyentes. Habla de los sufrimientos de los estudiantes, que son muchos y grandes; pero al cabo ven recompensados sus esfuerzos.

Al terminar este punto, Don Quijote, que en la aventura del Caballero del Lago hablará del orden barroco, indica cómo va componiendo su discurso: «Pero *contrapuestos y comparados* sus trabajos [los del estudiante] con los del mílite guerrero, se quedan muy atrás en todo, como ahora diré.» La vida del soldado se describe en el capítulo XXXVIII; luego se presenta el fin de las letras y el de las armas; por último, se pinta con gran sobriedad y fuerza la guerra en tierra y la guerra en el mar, terminando con la execración de la artillería, esa «diabólica invención», lo cual permite cerrar su discurso con el mismo tema de la Edad de Oro: «Bien hayan *aquellos* benditos siglos...» «En edad tan detestable como en *esta* en que ahora vivimos.» El contraste no hunde al hombre en la desesperación, le eleva a la altura de las exigencias máximas: «Haga el Cielo lo que fuere servido, que tanto seré más estimado, si salgo con lo que pretendo, cuanto a mayores peligros me he puesto que se pusieron los caballeros andantes de los pasados siglos.»

Cervantes ya había dicho que los caballeros le oían de buena gana, y cuando Don Quijote termina, es el Cura el que, aun siendo letrado, concede que tiene razón al dar la preeminencia a las armas sobre las letras.

Los dos discursos han sido dos trozos brillantes, dos ejercicios de retórica. Escritos como tales ejercicios de estilo, se introducen en la novela, sin embargo, con su función propia. El discurso de la Edad de Oro, según la fórmula que ha revelado Don Quijote, había contrapuesto y comparado la libertad y el amor en un pasado feliz con la libertad y el amor en el presente, dando lugar a la historia de Marcela y a la historia de las dos parejas: Cardenio y Luscinda, Dorotea y Don Fernando. En el *Discurso de las armas y las letras* se contrapone y compara el guerrero al letrado; estos dos tipos de vida dan lugar a la historia del Cautivo y a la historia del Oidor, cada historia apoyándose en un episodio amoroso—Zoraida, Clara—, el cual tiene su función y valor propios. En la historia del Cautivo el amor ocupa un primer plano y está estrechamente unido al cautiverio; en la historia del Oidor el amor se separa, siguiendo su desarrollo particular, y para enlazarse surgen las relaciones de padres e hijos. La vida del letrado, del padre, tiene su aventura en su hija, y el amor se desenvuelve en la ciudad; la vida del guerrero contiene en sí misma su propia aventura, transcurriendo en un plano de hazañas y peligros.

El Barroco compone contraponiendo, deslindando, separando, mostrando diferencias y calidades distintas; pero inmediatamente compara, establece una relación, tanto más tensa y dramática cuanto que se dispone entre elementos opuestos. La necesidad de componer así se satisface en el estilo, en la manera de narrar, en el enlace de los personajes, en el ritmo de la acción, en la distribución de la materia novelesca. Al comparar se une lo que la contraposición había separado, creando ese equilibrio tan característico de la época, esa armonía entre elementos heterogéneos que hace surgir un mundo nuevo.

Se compone muy conscientemente. Antes de comenzar a narrar su vida, dice el Cautivo: «Estén vuestras mercedes atentos, y oirán un discurso verdadero, a quien podría ser que no llegasen los mentirosos que con curioso y pensado artificio suelen componerse.» No se trata del proceso psíquico de la creación artística; no se trata de averiguar si la creación es consciente, inconsciente o subconsciente, o las tres cosas a la vez. Se trata de que, para un autor barroco, una obra de arte se compone con artificio pensado y curioso, y que, por tanto, todo lector con un mínimo de discreción debe darse cuenta de ese artificio, del cual depende el goce de la obra de arte y, por tanto, su comprensión. Es claro que el lector más discreto puede equivocarse al describir ese artificio; pero algo es evidente: el punto de vista histórico que negaba la composición de una obra barroca, del *Quijote*, del *Persiles*, de las *Novelas ejemplares*, es un punto de vista equivocado.

El *Discurso de la Edad de Oro* ha sido pronunciado ante pastores, que iban a ser comparados y contrapuestos a los pastores de la pastoril, y es un pastor el que pone en antecedentes de la historia de Marcela, el que cuenta una vida ajena. El discurso de las armas y las letras ha sido escuchado por caballeros y el Cura, y un caballero, el Cautivo, va a contar su propia vida. Todas estas variaciones tienen un valor formal y, al mismo tiempo, de significado.

El Cautivo cuenta su vida (caps. XXXIX, XL, XLI). En un lugar de las montañas de León había un padre que tenía tres hijos. Excesivamente gastador, decidió hacer cuatro partes de sus bienes, una para sí y las otras tres para sus hijos, con la condición de que se dedicaran al comercio, a las leyes y a las armas. El mayor eligió las armas; el segundo, el comercio, y el menor, los estudios de leyes. Antes de separarse, los hijos entregan al padre parte del dinero que les había dado, y se despidieron de él con mucho sentimiento y lágrimas. Junto al padre hay un tío de los muchachos; él es quien compra las tierras y hace posible la división de la fortuna. Es una de esas figuras tan corrientes en el arte clásico como en el barroco que con una función estrictamente marginal posee, sin embargo, toda la fuerza de su presencia.

Al despedirse, quedan en enviar noticias de sus sucesos cuando tengan medio para ello, y en seguida las tres vidas en proyecto, los tres viajeros van a dar a tres ciudades, la etapa primera y única conocida del hijo mayor, el Cautivo. Salamanca para las leyes, Sevilla para la ida a las Indias y Alicante para las armas. Como se ve, el comienzo de la narración está fuertemente arraigado en el cuento, esto es, en la tradición. Se ha ordenado fácil y claramente este punto de arranque de la vida personal; el lector sigue sin obstáculo de ninguna clase esa palabra que se desliza por un terreno conocido, teniendo junto a la sensación de facilidad y claridad el sentimiento de lo legendariamente común.

El comienzo de la narración es relativamente breve; dura lo suficiente, no obstante, para que el lector se sienta agradablemente sorprendido al verse en un medio tan compacto y que domina tan por completo. Ese comienzo de cuento tiene una función mítica, nos hunde en el tiempo inmemorial, inmemorial y con la forma de lo inconmovible. Abandonamos al joven estudiante y al joven mercader para ir tras el soldado. El contraste es violentísimo. La narración, el *Quijote*, se llena con el presente histórico. Ya no más molinos, ni ventas, ni parejas enamoradas, ni los encuentros que ofrece el camino. Esa aventura de lo cotidiano se abre, y por el rompiente contemplamos un hecho colectivo trascendente, un hecho histórico, y en él participamos. La Historia, con su vibración magnificadora, suplanta a la Mitología, e ilumina lo particular con lo general moderno, con lo histórico. Así, la novela del siglo XIX, en España y en Francia, en Inglaterra y en Rusia, al querer captar el alma individual, le pondrá como caja de resonancia la historia de su época.

La placidez de cuento termina. El Cura dirá más tarde (capítulo XLII) al Oidor que había conocido a un capitán, el cual le contó un caso que a su padre con sus hermanos le había sucedido, que, a «no contármelo un hombre tan verdadero como él, lo tuviera por conseja de aquellas que las viejas cuentan el invierno al fuego». Con el soldado vamos a Italia, pasamos a Flandes, volvemos a Italia para estar en Lepanto. Surgen los grandes nombres: el gran duque de Alba, los condes de Eguemón y de Hornos, Su Santidad el Papa Pío V, Don Juan de Austria, nuestro buen rey Don Felipe; y nombres menores que han brillado un momento: el famoso capitán Diego de Urbina. Además, los nombres de lugar y los nombres colectivos. Al entrar en el Mediterráneo, quedan prendidos en la frase nombres turcos y árabes junto a nombres de galeras. Se pierde Chipre, pero en seguida el triunfo de la batalla naval; luego, Navarino, Túnez, se cita al Uchalí y resplandece el nombre del invicto capitán de la mar Don Alvaro de Bazán. Después se pierde la *Goleta,* se pierde el fuerte. «Perdióse, perdióse», y continúa la narración con la enumeración de los muertos, de los héroes, y en sus tumbas ideales se ponen como epitafios dos sonetos:

Almas dichosas que del mortal velo
libres y exentas...

En el epitafio al fuerte se dice:

Las almas santas de tres mil soldados
subieron vivas a mejor morada.

Al llegar a los sonetos, la narración se interrumpe; no sólo se pasa al capítulo siguiente (XL), sino que los sonetos son recitados por uno de los oyentes; lo que cuenta el Cautivo es verdad, y, además, en sus líneas generales, es conocido por todos; éste es el significado que tiene el que uno de los oyentes sepa y recite los sonetos; es un testimonio de la veracidad de la historia y, además, de su generalización.

El relato del Cautivo tiene el movimiento zigzagueante y rápido que le permite estar en todas partes. Se cambia de idea, se va, se vuelve. Tomó parte activa en la victoria de Lepanto, y en ella fue hecho cautivo. Victoria y cautiverio. Bogando al remo ha cruzado el Mediterráneo una vez y otra. Después de los sonetos, la narración cambia. Su amo, el Uchalí, murió y pasó a poder del cruel Azán Agá; de la nave pasa al baño de Argel.

La movilidad se trueca en fijeza; las batallas y acciones de guerra dan lugar a explicaciones sobre la vida civil: testamento, prisión, diferentes clases de cautivos, conducta de los renegados; el rescate, sus condiciones y medios. La novela del siglo XIX también se servirá de este apoyo y nos hablará de las actividades económicas y comerciales, de la organización social, de las tramitaciones de los tribunales de comercio, etc., buscando ahora el trazo particular con el cual hacer entrar la realidad en el medio novelesco, dándole a éste la apariencia de lo real. De la misma manera todos los nombres históricos confluyen al del propio novelista, introducido de un modo incidental, que es lo que le otorga el resalto de lo auténtico: «Sólo libró bien con él un soldado español llamado Tal de Saavedra.» Los prisioneros tenían cada uno su rincón, su rancho, y la prisión estaba llena; pero cuando salían los que tenían que trabajar, quedaban solos aquellos cautivos que eran de rescate. Estos iban a un terrado, entreteniendo su tiempo en hacer ejercicio. A ese terrado daba la ventana de una casa contigua de un moro rico. Aglomeración, cadenas, algún ejercicio, un poco de aire libre y mucha crueldad innecesaria. «Cada día ahorcaba el suyo, empalaba a éste, desorejaba a aquél; y esto por tan poca ocasión y tan sin ella, que los turcos conocían que lo hacía *no más* de por hacerlo, y *por ser natural condición suya* ser homicida de todo el género humano.» Tal es la vida en ese recinto: el carcelero, íntimamente unido a los encarcelados, dependiendo de ellos para satisfacer su natural condición. El carcelero sería el único ser vil y repugnante si la vida de la cárcel no hiciera surgir lo más innoble del hombre. La experiencia moral del cautiverio es la libertad; pero esta experiencia va acompañada constantemente de la desconfianza. La palabra, la dignidad,

170

el honor, no cuentan; son valores que ha creado la libertad, y que sólo en la libertad existen.

Unicamente el Tal de Saavedra atraviesa el cautiverio de una manera heroica, ganándose el respeto del mismo carcelero. Como el Tal de Saavedra, el Cautivo, que ha vivido siempre superando la condición humana, sin caer en la desesperación, iluminado interiormente por la esperanza. «Jamás me desamparó la esperanza de tener libertad; y cuando en lo que fabricaba, pensaba y ponía por obra no correspondía el suceso a la intención, luego, sin abandonarme, fingía y buscaba *otra esperanza que me sustentase*, aunque fuese débil y flaca.» Por eso el Cautivo es el favorecido; a él era a quien se le «hacía la merced», y se le hacía porque, como dice Zoraida en la carta, «ninguno me ha parecido caballero sino tú».

La merced es el premio a su esperanza; su experiencia del cautiverio tiene como recompensa la aparición de Zoraida, a quien verá en un jardín cuando ya es libre. Antes de poder contemplarla está en comunicación con ella, y gracias a ella, a su intervención y ayuda, puede rescatarse. La relación con Zoraida se establece según el ritmo barroco. Una caña aparece cuatro veces, llevando cada vez una cantidad mayor de dinero: diez cianíes, cuarenta escudos de oro, cincuenta escudos en plata y oro (obsérvese la variedad de la tercera vez), cien escudos de oro; la caña aparece cada vez en días distintos; como desenlace, un quinto día aparece repetidas veces, y en ese magnífico *crescendo* la cantidad suma dos mil escudos de oro; por fin, aparece una vez más, la última, con mil escudos. No solamente tenemos los cuatro momentos, tan distinto el uno del otro, sino el *crescendo* y luego los dos momentos del final: uno en que ese momento llega a su punto máximo, con la complicación de la repetida aparición de la caña, y otro que sirve para terminar definitivamente. Dentro del ritmo de cuatro del dinero hay otro de tres de cartas: 1.º Carta de Zoraida, que corresponde a la segunda caña. 2.º Respuesta, que va acompañada con la tercera caña. 3.º Segunda carta de Zoraida y cuarta caña. Los dos momentos del desenlace van acompañados de respuestas y papeles, que se dan a conocer indirectamente y de manera acelerada, llegándose a perder el sentido de carta para conservar el de comunicación. Es claro que hemos de pensar que se hizo por escrito, pero llega casi a adquirir un aire oral. «Nos avisó de su partida», respondíle en breves palabras. Es la aceleración final.

En las cartas tenemos la primera visión de Zoraida. Están en árabe, y es necesario traducirlas; por eso entra en el relato un renegado. Cervantes se detiene en ese momento espiritual de la traducción (antes ya habíamos visto al moro aljamiado de la Alcaná de Toledo): «Abrióle (el papel), y estuvo un buen espacio mirándole y construyéndole, murmurando entre los dientes. Preguntéle si lo entendía; díjome que muy bien y que si quería que me lo declarase palabra por palabra, que le diese tinta y pluma, porque mejor lo hiciese.»

Al entregar la traducción, el renegado explica que ha traducido literalmente, pero que ha dejado algunas palabras árabes y otras en forma árabe; él indica sólo *Lela Marien;* además tenemos *zalá cristianesca*, y a Dios se le llama Alá. Es una manera posible de traducir que no convendría a una forma exclusivamente literaria; en una carta, sin embargo, quién sabe si en la novela, este barbarismo le da un cierto color y aroma. No es posible saber si Cervantes quiere presentar una cierta manera de traducir que, empleándola con discreción y cuidado, puede ser utilizada con éxito en algunos tipos de traducción; aunque sabiendo lo que le interesaba la diferenciación de los estilos y lo que le preocupaba el arte de traducir, podría pensarse que lo hizo intencionadamente. También es posible que su intención sea tan sólo conservar a la mora algunos de sus rasgos peculiares. De todas maneras, no se olvide que estamos en la tercera parte del relato del Cautivo, y que tanto en el *Quijote* como en las novelas es ésa la parte de mayor interés e intensidad dramática; en la narración del Cautivo es la parte en que, después de la brillante exposición del heroísmo y de la victoria, se cuenta la experiencia del cautiverio, una experiencia moral, y el renegado, antes de entregar la traducción declara: «Hase de advertir que donde dice *Lela Marien* quiere decir *Nuestra Señora la Virgen María*.» La Madre de Dios ilumina con su belleza y rutilante pureza, con su gracia amorosa de gloria máxima y máximo sacrificio, el cautiverio perpetuo de la vida. Ella es esperanza, y socorro, y auxilio; es la que hace que el corazón no desfallezca, y en la negrura de todos los sufrimientos da a los ojos una mirada alegre. La carta primera es una

172

carta de conversión, que tiene la firmeza, la ternura, la ingenuidad de la inocencia.

En *La española inglesa*, Cervantes querrá que los católicos ingleses tengan el valor de declarar su religión; que, limpiando su alma de todas las impurezas que la contaminan, sean capaces de libertarse del yugo con que los protestantes de la reina Isabel los tienen aherrojados. En *El cautivo* es el mundo árabe el que, convertido, desea entrar bajo la protección de España. Lepanto y la Armada, los dos núcleos político-religiosos del reinado de Felipe II. La victoria de Lepanto no fue todo lo fecunda en consecuencias que se hubiera podido esperar, y el mismo Cautivo habla de cómo se dejó escapar parte de la escuadra turca y de la pérdida de la *Goleta* y el fuerte. *La española inglesa* se escribe no sólo después del final desgraciado de la Armada, sino después de que los ingleses se atrevieron a saquear Cádiz. Estos resultados hubieran sido más que suficientes para abandonar la empresa y dar rumbo distinto al Gobierno; Cervantes pudo burlarse de la defensa de Cádiz; esto no impide que viera toda la grandeza de la política de Felipe II, «nuestro buen rey»; su razón de ser y su necesidad ideal, que no pueden medirse por el éxito o el fracaso.

La carta comienza: «Cuando yo era niña», y continúa: «Yo soy muy hermosa y muchacha.» Marcela, Luscinda, Dorotea, todas son hermosas y jóvenes; pero Marcela está colocada fuera del tiempo: su juventud corresponde a su hermosura; Luscinda y Dorotea han sufrido demasiado: el dolor ha dado madurez a sus años. Las dos bellezas del *Discurso de las armas y las letras*—Zoraida y Clara—, las dos hacen resaltar su juventud, su aire primaveral; apenas si han salido de la niñez. Las dos se sienten guiadas y conducidas: la una, por la religión; la otra, por el amor. Su juventud es el signo de su pureza. Clara, como su nombre, podrá permanecer circundada por la inocencia; Zoraida sabrá que no se entra en la verdad sin pasar por el martirio.

El Cautivo cuenta cómo hicieron coincidir el rescate con la partida de Zoraida y su padre a una casa de campo. Así, el capítulo siguiente (XLI) comienza en un jardín. El Cautivo apunta todavía más detalles particulares: los viajes que se tuvieron que hacer con la barca para ocultar la intención con que se había comprado, cómo se consiguieron los cristianos que debían ir al remo; más tarde se indica la conducta de los moros y moras con los esclavos cristianos, y censura que las moras se conduzcan con tanta libertad; luego cuenta las relaciones entre moros y turcos, gentes de guerra, y cómo los moros se sienten oprimidos por estos hombres que están a su servicio.

Por fin, ve a Zoraida, «la bella Zoraida». «Demasiada cosa sería decir yo agora la mucha hermosura, la gentileza, el gallardo y rico adorno con que mi querida se mostró a mis ojos.» Bella, hermosa, eso es todo; de su vestido—tela, color—no se dice nada; a la figura se la presenta en su apariencia resplandeciente y deslumbradora: perlas, aljófar, diamantes engastados en oro purísimo. Las piedras preciosas, abundantísimas, la cubren toda ella: cuello, orejas y cabellos, tobillos y muñecas. Son de un gran valor; los dos carcajes valían más de diez mil doblas, y las ajorcas valían otro tanto; porque las piedras preciosas no sólo se imponen por su belleza, son un signo de riqueza. El siglo XIX, siempre en busca de espiritualidades últimas, se sentirá muy incómodo ante los valores económicos de lo estético; el Barroco, no; al contrario, goza mostrando el virtuosismo con que manipula la belleza, cómo es capaz de captar en ello lo más suprasensible y lo más concreto.

La hermosura de Zoraida era tal, que todos los sufrimientos no han logrado destruirla. «Porque ya se sabe que la hermosura de algunas mujeres tiene días y sazones, y requiere accidentes para disminuirse o acrecentarse; y es natural que las pasiones del ánimo la levanten o abajen, puesto que las más veces la destruyen.» Y añade el Cautivo: «Me pareció que tenía delante de mí una deidad del Cielo, venida a la Tierra para mi gusto y para mi remedio.»

El Cautivo le dice a Zoraida, delante de su padre, que va a partir al día siguiente—«mañana»—en un bajel de Francia; Zoraida pregunta cómo no espera bajeles de España, ya que los de Francia no son amigos de los españoles. Advertencia que está preparando el desenlace. El desenlace ha sido feliz, puesto que ambos se encuentran a salvo en España. Esta bienaventuranza final, posible y, por tanto, sabida, no aminora el dolor sufrido para alcanzarla. Cervantes puede hacer del desenlace parte del interés de la narración; pero, como todo gran novelista, puede descartar este medio más bien externo para hacernos vivir el sentido del destino del hombre. Aun sabiendo que la pareja ha salido con bien, a partir de este diálogo entre el Cautivo y Zoraida nos olvidamos del final, para ir siguiendo, con atención cada vez más tensa y conmovida, cada paso de la historia. La huida va guiada por ese anhelo de llegar a sitio seguro; el temor es constante; cada segundo cuenta, y en medio minuto se puede perder la partida; se depende del viento; se confía en los remos; hay que detenerse, se apunta exactamente la velocidad: «Ocho millas por hora.» Esa notación minuciosa del tiempo contrasta con los días innumerables del cautiverio, que da lugar a un verdadero desconcierto temporal cuando van a fijar el día de la salida. El dramatismo de la fuga sostiene, con sus peripecias e inquietudes del momento, la tragedia esencial: Zoraida se escapa, se separa de su padre, su patria, los abandona. Deja su patria, su padre, por la religión verdadera, la verdadera libertad. Religión, patria, familia son sinónimos.

Los cristianos se han visto en la necesidad de llevar consigo al padre de Zoraida; ésta se cubre los ojos por no verle. El dolor de la separación era esencial, y Cervantes no se lo podía evitar a la bella mora. La escena tiene lugar en el mar. Primero es un llanto con el cual su padre ofrece todas sus riquezas por rescate de su hija; pero pronto se da cuenta de que Zoraida está adornada con las galas de las grandes solemnidades, y pregunta la causa. La hija no responde; quien habla es el renegado, para decir que Zoraida no va contra su voluntad, sino tan contenta «como el que sale de las tinieblas a la luz, de la muerte a la vida y de la pena a la gloria». Que sea un renegado el que pueda hablar en estos términos de una renegada muestra la seguridad con que el alma católica de esa época se siente situada en la verdad. Y Zoraida lo confirma: ni ha querido entregar a su padre a sus enemigos ni hacerle mal; lo único que deseaba era hacerse bien a sí misma. El padre pregunta, dolido y desconcertado: «¿Qué bien es el que te has hecho, hija mía?» Y ella le responde: «Pregúntaselo a Lela Marien.» El padre se arroja al mar, pero le salvan, para que oigamos, al abandonarle en la orilla desierta, su terrible maldición, no sin antes interpretar la conducta de Zoraida: «Ni penséis que la ha movido a mudar religión entender ella que la vuestra a la nuestra se aventaja, sino el saber que en vuestra tierra se usa la deshonestidad más libremente que en la nuestra.» La arena desierta, el mar solitario, se llenan en esta noche de separación de los gritos de maldición, llegando confusos y apaga-

175

dos a la barca que se aleja. La figura trágica del padre en la orilla aún esfuerza su voz implorando piedad de su hija. El destino del cristiano, como el de todo hombre que se mueve en la zona de lo absoluto, es inflexible. Firme en su dolor inmenso, Zoraida dice: «Alá sabe bien que no pude hacer otra cosa que lo que he hecho, y que estos cristianos no deben nada a mi voluntad, pues aunque *quisiera no* venir con ellos y quedarme en casa, me fuera imposible, según la priesa que me daba mi alma a poner por obra esta que a *mí me parece tan buena*, como *tú*, padre amado, *la juzgas por mala.*»

La seguridad del cristiano es inconmovible; la conducta, no obstante, es juzgada según el punto desde el cual se la contempla. La verdad es y no puede ser sino absoluta y total, pero válida tan sólo si se está incluido dentro de esta totalidad. El Barroco, quizá, más que apoyarse en el relativismo moderno, que dura hasta comienzos del siglo XX, vive de nuevo el conflicto medieval entre absolutos. La conducta buena en un mundo es nefanda en otro, como la misma hora en una zona es del día y en otra de la noche. Así, Agi Morato le había aclarado al Cautivo que su hija no le había dicho que se marchara, «sino que, por decir que los turcos se fuesen, dijo que tú te fueses, o porque ya era hora que buscases tus yerbas». Esta alternativa, que presenta un hecho único en sus posibles raíces últimas, nos presenta el mundo de Don Quijote en un plano moderno. Y Cervantes insistirá por boca del Cautivo: «Quiso nuestra ventura, o quizá las maldiciones que el moro a su hija había echado», que toparan con un barco francés, que les hunde su barca y los desvalija.

La sensualidad de los franceses se expresa principalmente en forma de codicia, contentándose con llevarse las piedras preciosas de Zoraida, joyas que eran la apariencia formal de la joya esencial: la pureza virginal. Zoraida, en el martirio de la separación, se ha despojado de todo lo humano y terrestre; el único adorno con que llega a España es la mejor gala: su virginidad pura y resplandeciente.

Al llegar a España, el Cautivo se transforma en un nuevo José a quien se le confía de nuevo la protección de María. Zoraida va montada en el jumento; el Cautivo le sirve de padre y de escudero; aún no de esposo. Al pisar tierra de España, fueron derechos a la iglesia a dar gracias a Dios, explicando a Zoraida lo que las imágenes significaban. «Ella, que tiene buen entendimiento y un natural fácil y claro, entendió luego cuanto acerca de las imágenes se le dijo.»

176

Al terminar el Cautivo, Don Fernando alaba su relato (capítulo XLII), exponiendo Cervantes su manera de concebir la novela ejemplar: «El modo con que habéis contado este extraño suceso ha sido tal, que iguala a la novedad y extrañeza del mesmo caso. Todo es peregrino, y raro, y lleno de accidentes, que maravillan y suspenden a quien los oye.»

Una novela ejemplar es, pues, un extraño y nuevo suceso, un suceso peregrino, raro y lleno de accidentes, contado en un estilo fuera de lo común. La novela ejemplar, tanto por el estilo como por el caso que cuenta, debe maravillar y suspender al lector. La época barroca lo que se propone es producir esta maravilla y suspenso; el hombre barroco busca lo que mueve a admiración y espanto. La actitud de la época renacentista era precisamente la contraria: gozaba con encontrar la relación natural entre las cosas. Compárese, verbigracia, la manera de adjetivar de Garcilaso con el modo de San Juan de la Cruz. Ni el primer Barroco—Santa Teresa, Herrera, fray Luis, San Juan—ni la plenitud del Barroco—Cervantes, Góngora, Lope— se proponen dar con lo exquisitamente extraño, con lo que separa del resto, por lo exquisito en sí o por lo raro; esto es, por lo que será el móvil del Impresionismo. Lo que quieren es sentir la maravilla del mundo y del hombre, que a veces encuentra gracias al contraste más inesperado, a la hipérbole más exagerada; pero otras, sintiendo todo contraste inexpresivo y toda hipérbole insuficiente, hallan en la máxima concisión el único medio de poder expresar su asombro: les basta nombrar o guardar silencio, retórico el silencio. O se acogen al lugar común para hacer resaltar lo que en lo común hay de extraordinario. Ambos procedimientos llegan agotados al último Barroco, y los creadores de entonces—Quevedo, Gracián, Calderón—hacen un supremo esfuerzo para mantenerse dentro de lo peregrino. Su esfuerzo—de ingenio, de inteligencia—era la razón de ser de su arte. Hacia 1660, la espléndida aventura de la época barroca ha terminado.

DON QUIJOTE

Sólo han intervenido en la narración Don Fernando y sus camaradas; el resto de los oyentes desaparece hasta tal punto tras la palabra del Cautivo, que su presencia no se siente, y se llega a dudar si Don Quijóte ha oído la historia de tantas hazañas. Como no se dice nada de él, se tiene la sensación de que Don Quijote no figuraba entre el auditorio; sospecha que parece confirmarse al llegar inmediatamente después el Oidor, ya que Cervantes declara: «Hallóse Don Quijote al entrar del Oidor y de la doncella, y así como le vio, dijo.» Se contara o no en el auditorio, lo cierto es que su presencia no se hace notar; pero de repente le sorprendemos en la constante actitud que mantiene en el epílogo. Desde que la princesa Micomicona ha ido a buscarle al retiro de su penitencia, Don Quijote vive el asombro de la maravilla del destino humano. El tema del *Discurso de la Edad de Oro* era el contraste y comparación entre el pasado ideal y el presente; el tema del *Discurso de las armas y las letras* era el destino del hombre, de ese ser cuyo presente, cuya presencia, tiene pasado y futuro.

El destino del hombre es una constante que da forma a la variante temporal. El hombre, como una cosa, está ahí, delante de las miradas de todos; pero es un objeto que viene de un principio y va a un fin. Su presente es un punto desde donde contemplar el extenso panorama de la vida, de un hacer. Vivir es tener un pasado, el cual mantiene el presente y se revela a la mirada experta. Este asombro del fluir histórico es lo que motivó el *Discurso de las armas y las letras*. El primer discurso nace contemplando un símbolo, unas bellotas; el segundo discurso se pronuncia al encontrarse frente a frente con el misterio del hombre. No sabemos si Don Quijote oyó al Cautivo, pero su silencio no es necesariamente signo de ausencia; cuando el Oidor abraza a su hermano, Cervantes declara: «Allí Don Quijote estaba atento, sin hablar palabra, considerando estos tan extraños sucesos, atribuyéndolos todos a quimeras de la andante caballería.» El silencio de Don Quijote es el momento fecundo de la meditación, en el cual el hombre se apodera, por medio de la imaginación, del sentido de la vida.

El Cautivo ha contado su vida sobre este fondo del silencio de Don Quijote; lo grotesco de la resurrección de un heroísmo muerto ha sido reemplazado por el interés conmovido del heroísmo vivo del presente. La novela se llena de hazañas verdaderas, históricas; el hombre ha luchado por su Dios y por su rey. El Cautivo es a Don Quijote lo que Zoraida a Dulcinea. Pero Zoraida representa la experiencia moral del cautiverio, representa la belleza de la fe y de la esperanza en medio de todo el dolor y la fealdad de la vida. El Cautivo vuelve pobre a España, pero enriquecido con el galardón máximo: el de la belleza de la virtud. Ha recibido el don de contemplar la belleza de la virtud y poseerla.

HISTORIA DEL OIDOR

Cuando el Cautivo pone fin a su relato y recibe las felicitaciones de Don Fernando por lo bien que lo ha contado y por el interés que tiene, acaba de cerrar la noche y llega el Oidor con su comitiva. Al verle, Don Quijote se apresura a recibirle: «No hay estrecheza ni incomodidad en el mundo que no dé lugar a las armas y las letras, y más si las armas y las letras traen por guía y adalid a la fermosura... Entre vuestra merced, digo, en este paraíso...: aquí hallará las armas en su punto y la fermosura en su extremo.» Por medio de Don Quijote, Cervantes hace depender la historia del Cautivo (armas) y la del Oidor (letras) del discurso, lo mismo que la historia de Marcela y la de las otras parejas amorosas dependían del de la Edad de Oro, según ese procedimiento de composición enunciado por el propio Don Quijote y acerca del cual ya he hablado: «Pero contrapuestos y comparados sus trabajos (los del letrado) con los del mílite guerrero...» Sistema de composición que encontramos también en las *Novelas ejemplares* y el *Persiles*.

El Oidor reconoce en todos gente principal; pero quien le sorprende y admira es Don Quijote. El capitán cautivo, que no había tenido noticias de su familia y no sabía si la suerte que corrieron el letrado y el mercader fue buena o mala, no quiere presentarse al Oidor, en quien ha conocido a su hermano, hasta estar seguro de que ha de ser bien recibido. El Cura se presta a servir de intermediario, y de una manera brevísima cuenta al Oidor la historia del capitán, haciéndose pasar él mismo por cautivo un tiempo. El hermano se lamenta de la historia, da cuenta de su vida respetable, del enriquecimiento del mercader, y, al saber que el capitán se encuentra en la venta, le falta tiempo para echarse en sus brazos, quedando unidas las armas y las letras en hermandad entrañable. Y así como el capitán trae la hermosura de sus hazañas en la recompensa de Zoraida, el Oidor tiene también su historia de amor: la tiene, como debe tenerla, en su hija, que también es una recompensa.

179

La noche sigue avanzando; todos se retiran a descansar; sólo Don Quijote vela. Hace la guardia del castillo, «porque de algún gigante o otro mal andante follón no fuesen acometidos, codiciosos del gran tesoro de hermosura que en aquel castillo se encerraba». Luscinda, Dorotea, Zoraida; la última en llegar es la hija del Oidor, Clara, que igualando a todas en belleza, las aventaja en juventud, esto es, en inocencia. Agradecen cortésmente a Don Quijote que monte la guardia; Sancho se desespera con tantas historias, con el desfile de tantas vidas. La venta queda en silencio; los caballeros y las damas duermen. Afuera, el campo, y en el campo, la luna y Don Quijote. ¡Cómo aíslan la noche y la luna el silencio de la venta! ¡Qué isla es la venta en el campo de la Mancha! ¡Isla de heroísmo y hermosura! Don Quijote la rodea, es su escudo y protección. Es *la segunda vez* que el Caballero monta la guardia. En una lejana noche de luna veló las armas; ahora custodia tanta hermosura.

Esta noche es noche de prodigios. La oscuridad está esperando el alba, y el silencio se ha hecho para que pueda sonar una voz entonada y buena. Ese silencio inmenso es la plataforma en que se eleva una canción. Las damas en seguida prestan atento oído, especialmente Dorotea, que no dormía. No se dice nada más, y el lector moderno no debe cargar de emoción este hecho; pero Dorotea no duerme. Cardenio se apresura a despertar a todas las damas. Cardenio y Dorotea son los personajes adecuados. El Barroco los tiene sometidos a su función dentro de la novela, eso es todo; el lector moderno no debe darles una vibración sentimental, pero debe captar la belleza, el sentimiento y el sentido de esta función. Junto a Dorotea duerme doña Clara de Viedma. Al lado de tanta experiencia mundanal y tan dolorosa, tanta inocencia.

Ha sonado la canción (cap. XLIII); Dorotea tiene que despertar a Clara: «Perdóname, niña, que te despierto.»

La muchacha se llama Clara porque es estrella pura y brillante que guía al hombre; tema de la primera canción, romance en u-o; la segunda, formada por cuatro liras de seis versos, canta el gran valor del amor, y, por tanto, lo mucho que cuesta el obtenerlo. Clara se despierta toda soñolienta, y al principio no entiende lo que le dice

Dorotea; pero al oír la voz empieza a temblar y, abrazándose estrechamente a Dorotea, se queja de que la hayan despertado; después se tapa los oídos para no oír al que canta. Clara es una niña; Dorotea la ha tratado como a una niña; al verla enamorada, sin embargo, le da inmediatamente el rango debido: señora, doña, señora doña; y no sólo Dorotea, también el novelista.

Tres mujeres—Luscinda, Dorotea, Zoraida—que por la ambición social, la lascivia y la religión han entrado trágicamente en la vida. El amor no ha podido brotar puro del corazón y ser el único sostén del alma. El sentimiento amoroso no se ofrece aislado, está íntimamente unido al complejo social y humano. La pastoril renacentista presentaba el amor aislado o hacía del amor el centro hacia el cual gravitaban todos los demás sentimientos; éste era el mundo de Marcela. Cervantes también quiere captar el amor exento de toda contaminación, pero quiere hacerlo florecer en la sociedad, en la corte. Por ser Oidor y por lo que ha contado, el padre de Clara nos ha situado en un medio social respetable. El mozo de las canciones, nos dice Clara que es natural del reino de Aragón, de familia noble, que vivía en la Corte frontero de su casa. Al ir el caballero al estudio, o quizá en la iglesia o en otra parte, la vio y se enamoró de ella. Clara también se enamoró, por el porte del muchacho y porque era estudiante y poeta. Se hablan por señas; para hacerle favor se deja ver toda en la ventana. Los prados, los árboles frondosos, los arroyos de agua pura y cristalina, las blancas ovejas, la libertad de juegos y canciones, los sabios diálogos han sido reemplazados por este medio urbano con los quehaceres y la vida de la ciudad. La decoración cambia; sobre todo cambian los personajes. La pastoril renacentista, siguiendo el modelo clásico, imaginaba un estado de naturaleza, en que el hombre es un ser ingenuo e inocente, sencillo y puro; crea un mundo idealizado en el cual se mueven unos hombres idealizados que pueden vivir sin sentirse sometidos a las fuerzas sociales. El Cervantes barroco capta con la imaginación la inocencia y la ingenuidad, la sencillez y la pureza que residen en el corazón humano, pero que pueden encontrarse verosímilmente en el hombre sólo en su niñez. Aunque los personajes de la pastoril son jóvenes, su juventud no es nada más que el medio adecuado para presentar la Ingenuidad, la Pureza; como para la Prudencia lo será la vejez. Cervantes no pinta

181

la Ingenuidad o la Inocencia, sino a una niña que por ser niña es ingenua e inocente.

Clara, toda temerosa, se abrazó estrechamente a Dorotea y le cuenta su historia al oído para que nadie la oiga. Relata su amor con gran ingenuidad y aún declara: «No sé qué diablos ha sido esto, ni por dónde se ha entrado este amor que le tengo, siendo yo tan muchacha y él tan muchacho, que en verdad creo que somos de una edad misma, y que yo no tengo cumplidos dieciséis años; que para el día de San Miguel que vendrá dice mi padre que los cumplo». Y el novelista comenta: «No pudo dejar de reírse Dorotea oyendo cuán como niña hablaba doña Clara».

Cervantes ha podido captar la inocencia paradisíaca en la tierra; ha sorprendido ese momento en que el corazón se abre al amor, ese despertar de la vida sentimental que inunda al hombre de felicidad y le llena de temor. La ráfaga de tragedia de las tres heroínas tiene como final la inocencia purificadora del amor de Clara. La gran hazaña de Cervantes consiste en poner a Clara en el polo opuesto a Marcela. Cervantes puede, y su época lo exige, contemplar la inocencia y el nacer del sentimiento en un medio real, el medio urbano. De aquí que la ingenuidad y la sencillez del Renacimiento sean tan otras de la ingenuidad y sencillez del Barroco.

Mientras esto ocurre dentro de la venta, fuera está Don Quijote montando la guardia y soñando en Dulcinea. Los acontecimientos de la venta terminan como si constituyeran una escena de comedia: «Sosegáronse con esto, y en toda la venta se guardaba un grande silencio.» En seguida se dispone el escenario para la próxima escena. Entran en juego dos personajes: «Solamente no dormían la hija de la ventera y Maritornes, su criada.» Como después de la historia de Marcela y de la historia de Cardenio, así ahora Don Quijote, al haber visto a doña Clara, eleva su pensamiento puro hasta Dulcinea.

Es la noche de amor—Calixto y Melibea, Romeo y Julieta—, purificada de toda sensualidad. Don Quijote, a caballo, recostado sobre un lanzón, daba de cuando en cuando profundos suspiros, y habla «con voz blanda, regalada y amorosa». Gracias a la virtud dramática que tiene la palabra en el siglo XVII, la Mancha ve surgir un suntuoso palacio. Por alguna de sus galerías se pasea Dulcinea, o quizá está apoyada en un balcón. La luna en toda su claridad ilumina la escena, y Dulcinea aparece en la evocación, resplandeciente de her-

182

mosura y honestidad. La noche de amor, siempre demasiado breve, se hace interminable para Don Quijote, debido a «las dos semidoncellas», quienes por el agujero de un pajar han visto al Caballero y le piden su mano, la cual, gracias a la descripción latinizante de Don Quijote, cobra un fuerte valor escultórico. Maritornes le ata la mano, dejándole colgado, esperando que termine el encantamiento. Esta escena acaba con la llegada de cuatro hombres a caballo, que vienen en busca de Don Luis, el amante de Clara.

PERIPECIAS E INCIDENTES

En los tres capítulos siguientes (XLIV, XLV, XLVI), junto al desenlace de la historia de Clara, ocurren numerosas peripecias, que vuelven a poner en primer término a los dos personajes de la novela, y con su movimiento acelerado preparan la salida de la venta y el final de la historia de Don Quijote. Su juego externo es un contraste con la vida interior de las parejas amorosas, y su rapidez está en oposición al ritmo lento de los últimos capítulos. La aceleración prende en la imaginación del lector, sacudiéndole violentamente y preparándole para el acorde final.

En el capítulo XLIV, la historia de Don Luis está entrecortada con el incidente de los dos huéspedes que quieren aprovecharse del bullicio para no pagar. Cuando Don Luis ha hablado con el Oidor, llega el barbero de la bacía. En la segunda parte Don Quijote pronuncia el *Discurso de la Edad de Oro* y es un mero espectador de los acontecimientos; en esta cuarta parte Don Quijote pronuncia su otro discurso, y con la excepción de la aventura de los cueros de vino, no sólo es un espectador, sino que a veces desaparece *(El curioso impertinente)*, o desaparece o no interviene para nada (Cautivo). La inacción del Caballero está justificada desde el mismo comienzo de la cuarta parte, ya que la princesa Micomicona, al ponerse bajo su amparo, impide que Don Quijote intervenga en ninguna otra aventura. «Lo que pido es que... me prometa que no se ha de entremeter en otra aventura ni demanda alguna hasta darme venganza de un traidor que, contra todo derecho divino y humano, me tiene usurpado mi reino» (cap. XXIX). Otorgada la promesa, es necesario recordarle inmediatamente a Don Quijote su palabra; así se

183

hace en los capítulos **XXXI** y **XXXII**. El Caballero queda sometido y en una actitud pasiva; por fin, en el capítulo **XLIV** es el mismo Don Quijote quien recuerda su promesa: «Cualquiera que dijere que yo he sido con justo título encantado, como mi señora la princesa Micomicona me dé licencia para ello, yo le desmiento, le reto y desafío a singular batalla»; y unas líneas después se vuelve a insistir. Tenemos, pues, la unidad temática, que reaparece ahora, porque va a dar lugar a uno de los incidentes más graciosos de la novela.

Los criados de Don Luis encuentran al muchacho; le quieren persuadir que regrese con ellos a la Corte; no lo consiguen, y entonces interviene el Oidor, quien apartó a Don Luis y le preguntó cuál era el motivo de su viaje. Dejamos al joven caballero hablando con el hermano del Cautivo, porque dos huéspedes de la venta, al ver la confusión que en ella reina, intentan irse sin pagar; el ventero les afea su mala intención, respondiéndole ellos con los puños. Pide el ventero socorro, y la ventera y su hija acuden a Don Quijote. Respondió Don Quijote muy despacio y con mucha flema: «Fermosa doncella, no ha lugar por ahora vuestra petición, porque estoy impedido de entremeterme en otra aventura en tanto que no diere cima a una en que mi palabra me ha puesto.» Aunque los golpes menudean, lo único que puede hacer es pedir permiso a la princesa; ésta se lo otorga: acude el Caballero con su espada desenvainada, pero se da cuenta de que la batalla tiene lugar entre gente escuderil, y se detiene, con gran desesperación de la ventera y de Maritornes, a quienes les dice que acudan a Sancho, que a él le toca esta clase de venganzas.

El tema de la promesa da lugar a uno de los incidentes más divertidos de la novela; pero conviene verlo en su relación orgánica con los otros elementos que forman la obra. Primero: sirve para que Don Quijote vuelva a ocupar el puesto principal en su papel caballeresco, ya que Maritornes y la hija de la ventera le habían introducido en el tema amoroso (Don Quijote, al atarle la mano, se creyó encantado, lo cual prepara el incidente de su enjaulamiento). Segundo: en esta abundante cuarta parte epilogal se han recordado, de una manera o de otra, las aventuras de Andrés y de los galeotes (primera y segunda salida, primera parte y tercera), en las que el Caballero había luchado por la justicia individual y del Estado. Las desastrosas consecuencias que ambas intervenciones habían tenido para el individuo y para la sociedad (en el último caso, además del robo del rucio, presentadas por el Cura en su posibilidad) quedaban fuera de la voluntad de Don Quijote, a quien sólo le concierne el triunfo del principio de la justicia, no sus consecuencias prácticas. En la lucha del ventero con los huéspedes lo afirma claramente Don Quijote: «Dadme vos, señora, que yo alcance la licencia que digo; que como yo la tenga, poco hará al caso que él (el ventero) esté en el otro mundo, que de allí le sacaré, a pesar del mismo mundo que lo contradiga; o, por lo menos, os daré tal venganza de los que allá le hubieren enviado, que quedéis más que medianamente satisfechas.» Don Quijote se mueve constantemente en un plano ideal y absoluto; lo real y relativo no le concierne; en este desentenderse de lo concreto y particular reside, como ya se apuntó al comienzo, su carácter grotesco. De aquí la excelencia artística del incidente de los huéspedes, pues si tiene mucha menos imaginación que cualquiera de las aventuras caballerescas —molinos, batanes—, o si está desprovisto de sentido histórico —rebaños—, o de profundo sentido humano y social, o de lírico sentido trascendente, en cambio no se apoya en la parodia.

Mientras que en la puerta de la venta el ventero continúa recibiendo golpes, dentro Don Luis confiesa al Oidor su amor a Clara, matrimonio que el padre vería con gusto. Don Quijote, con sus buenas razones, logra poner paz entre huéspedes y ventero; los criados de Don Luis aguardan que termine la conversación. Todo se va calmando, cuando llega el barbero de la bacía y encuentra nada menos que a Sancho arreglando la albarda que le había quitado. Así como la vio la reconoció; reconocerla y arremeter contra Sancho, llamándole ladrón, todo fue uno. Otra vez se enzarza una pendencia, y a la calma le siguen de nuevo el ruido y los golpes. Todos han acudido; Don Quijote los separa, y comienza la discusión sobre si la albarda es jaez y la bacía yelmo. Don Quijote va a demostrar el error del barbero; cuenta lo sucedido, y para confirmar lo que ha dicho manda a Sancho que traiga el yelmo. «¡Pardiez, señor —dijo Sancho—; si no tenemos otra prueba de nuestra intención que la que vuestra merced dice, tan bacía es el yelmo de Malino como el jaez deste buen hombre albarda!»

La discusión (cap. XLV) es sumamente divertida y cómica; se transforma en una burla. A la desesperación del barbero de la bacía, la calma de Don Quijote, la socarronería y donaire del diálogo y la acción, le sucede un gran revuelo y pendencia; mientras los hombres luchan, las mujeres se desmayan. Luego viene el sosiego; en ese momento de quietud se vuelve a la historia de Don Luis. Se decide que quede bajo la protección de Don Fernando y que se avise a su padre. Apenas se ha contado la solución hallada a los juveniles amores cuando el remolino de la acción se pone de nuevo en movimiento, cada vez más acelerado, pues a la venta habían llegado unos cuadrilleros a tiempo para tomar parte en la contienda de la bacía, saliendo malparados, y uno de ellos recuerda que traía un mandamiento de prisión contra Don Quijote. Los golpes cunden, las mujeres plebeyas gritan, la confusión reina, y Don Quijote, con mucho sosiego, deja oír su voz airada.

Se observará que la historia de Don Luis es una breve pausa entre dos acciones de ritmo creciente y decreciente; es un corto momento de narración, que penetra con su calma en el ritmo de la acción. Este ritmo hay que relacionarlo con el que tuvo lugar en la misma venta en la tercera parte (golpes, bálsamo y manteamiento), y así lo hace Don Quijote. La reaparición de los cuadrilleros había sido anunciada en la aventura de los galeotes, y se recuerda: «Como Sancho con mucha razón había temido.»

El desorden y la agitación de la burla tienen un sentido trascendente que le diferencia del que veremos en el segundo *Quijote*, característico del enredo del último Barroco. En el primer *Quijote*, el hombre no dispone la acción, está sometido a ella; por eso Sancho dirá: «¡Vive el Señor, que es verdad cuanto mi amo dice de los encantos deste castillo, pues no es posible vivir una hora con quietud en él!» Hemos estado constantemente en presencia del destino humano, y ahora, cuando la burla sustituye a la visión trágica y heroica del mundo, no por eso nos alejamos del misterio de la vida. Entre tantos gritos, golpes y desmayos, sorprendemos una alegría de acción, que es muy diferente de la que encontramos en el enredo trazado por el hombre. Lo que sentimos es que, «viéndose el enemigo de la concordia y el émulo de la paz menospreciado y burlado, y el poco fruto que había granjeado de haberlos puesto a todos en tan confuso laberinto, acordó de probar otra vez la mano, resucitando nuevas pendencias y desasosiegos». Es el demonio el que todo lo revuelve y confunde, siempre dispuesto a volver a las andadas. Cervantes podrá captar el sentido demoníaco de la vida en su paso devorador;

186

pero las más de las veces juega con el demonio, dominándolo. Lo importante, empero, es observar la calidad diferente de la burla en la plenitud del Barroco y a comienzos del último Barroco; observar también el desorden y el orden, la acción del demonio y la de Dios.

Con el incidente de los huéspedes, Don Quijote había mostrado su idealismo ante la acción, cómo lo particular y accidental carecía de valor a sus ojos. Con la discusión del baciyelmo (esta palabra es un hallazgo de Sancho, quien ya se comportó con gran cautela durante la aventura) seguimos la manera de discurrir medieval: una capacidad lógica que menosprecia la observación y la experiencia. Los que revivan la escolástica en el Barroco tendrán la misma tarea que los que quieran aprovecharse de los libros de caballerías: adaptar los valores formales de ese gran instrumento del pensamiento a la nueva visión del mundo que abarca la Naturaleza.

Don Quijote ha dicho repetidamente que la gran obra de magia consistía en la varia apariencia de la sustancia única. Don Quijote ha dado su opinión sobre la bacía; pero respecto de la albarda no se atreve a dar sentencia definitiva. «Sólo lo dejo al buen parecer de vuestras mercedes; quizá por no ser armados caballeros como yo lo soy no tendrán que ver con vuestras mercedes los encantamentos deste lugar, y tendrán los entendimientos libres, y podrán juzgar de las cosas deste castillo *como ellas son real y verdaderamente, y no como a mí me parecían*.» El primer *Quijote* está construido a base del contraste y comparación entre el ser y el parecer. Ya en el capítulo XXV había declarado Don Quijote que lo que a Sancho le parecía bacía a él le parecía yelmo y a otro le parecía otra cosa; en el epílogo, dentro de la misma aventura, da a conocer el caballero andante de una manera general el modo de su ser.

LA SEGUNDA VENTA EN EL MOMENTO FINAL

Convencen a los cuadrilleros de que no prendan a Don Quijote, pues está loco (cap. XLVI). Don Fernando le da al barbero algún dinero por las pérdidas sufridas; se pagará esta vez también al ventero. La paz reina de nuevo. Los personajes se agrupan: «los amantes de la venta y... los valientes de ella». Don Quijote entonces solicita de la princesa que se pongan en camino. Vamos a dejar la venta en que hemos oído leer *El curioso impertinente*, donde Dorotea ha encontrado a Don Fernando y Luscinda a Cardenio; donde Don Quijote ha pronunciado el *Discurso de las armas y las letras* y el Cautivo ha contado su vida; donde los dos hermanos—guerrero y letrado—han vuelto a reunirse; donde Clara está al lado de Don Luis. A tan numerosos acontecimientos y tan sorprendentes sigue una serie de pendencias llenas de buen humor. Pero todavía no basta; Sancho se encarga de hacernos descender de este plano novelescamente extraordinario con una observación de la realidad, que, por el tono con que está hecha y la índole de lo observado, logra que el espíritu cómico se mantenga al mismo nivel: ha sorprendido más de una vez a Dorotea, entre tanto tráfago y acontecimiento, en los brazos de Don Fernando. Al mundo medieval le bastaba el argumento lógico y el referirse a la autoridad, actitud mental y espiritual en la que nada hay de censurable, pues se dirige a captar lo sobrenatural (la vía mística no es necesario tenerla ahora en cuenta). Cuando esta actitud es ridículamente cómica es al aplicar esos instrumentos al mundo observable de lo cuantitativo y real; comicidad que la discusión y votación sobre la albarda han puesto de manifiesto. Pero en el mundo moral la observación puede ser inoportuna y también cómica, como el proceder de Sancho muestra.

Es claro que no es nada más que un trazo cómico, una escena cómica más: la abundancia del Barroco, la inagotable fecundidad de Cervantes, la necesidad de desbordamiento e inundación. La observación la hace Sancho, porque él es la figura apropiada para hacerla; se hace de Dorotea porque a ella le conviene tal observación. Pero la observación es todavía más cómica si no se olvida la función de cada figura: Sancho cuenta con el matrimonio de la princesa Micomicona y su señor. Al oír que no era tal princesa y que pertenecía a Don Fernando, se desazonó todo; le dijeron que estaba equivocado. Al ver a la pareja aprovechar cada momento de libertad y cada rincón, Sancho está viviendo por su cuenta momentos extraordinarios. A una dama no le conviene dar ese espectáculo; además, con tantos abrazos, ve que se le va el fruto de su trabajo.

Es un trazo cómico que hay que situarlo en relación con las figuras a las que les está encomendado. Podemos quizá también notar la densa atmósfera de la venta: amor en *El curioso impertinente;* amor dentro de la venta; amor fuera de la venta. Amor, amor por todas partes, y, además, valentía. Ese rasgo cómico nos recuerda que la venta es un castillo lleno de hermosura y de nobleza, lleno de parejas amorosas. ¡Qué lejos del paisaje pastoril! ¡Qué distante la complicada realidad social y mundana de la venta barroca de la sencilla vida idealizada de la corte renacentista! Dorotea y Don Fernando se besan (en realidad, ya están casados); Zoraida tenía siempre los ojos puestos en su español; Doña Clara está llena de contento al verse tan cerca de Don Luis. Quisiéramos saber qué les ocurre a Luscinda y Cardenio, pareja que da continuamente la nota de misterio. El Barroco puede captar toda la complejidad de planos y perspectivas que forman la estructura del mundo moderno.

Don Quijote, con su ausencia y su presencia, ha presidido constantemente esta vida amorosa y heroica; Sancho, a su lado, se ha visto en el reino de Micomicón, ha dudado, ha dormido; el Cura y el Barbero ayudan a unos y a otros; cuando llega el momento de hacer una burla, se entregan a ello con muy buen humor. Todas las parejas quieren y admiran al Caballero, se asombran de la sandez de Sancho; y, como un fino arabesco lejano, sirven de fondo al destino noble esos incidentes, que con toda su gritería y los golpes dan a la tragedia un contraste cómico; enfrente del mundo interior ponen el mundo externo, haciendo de la venta un lugar de ruido y de confusión, ese sitio de tránsito que rigen el ventero, y su mujer, y su hija, y, además, Maritornes.

A comienzos de la parte tercera habíamos entrado en la venta, donde con golpes, bálsamo y manteamiento presenciábamos una parodia del amor caballeresco fuertemente unida al amor plebeyo sexual. Así, el castillo tenía que acabar por mostrarse en lo que verdaderamente era: una venta, un lugar de paso en el camino. A finales de la parte cuarta, la venta se ha llenado de tragedia, heroísmo y amor puro. Si antes la llenaba toda la monstruosidad de Maritornes, ahora (donde incluso Maritornes deja de parecer un monstruo) la belleza se va acumulando en grado portentoso, desde Dorotea, la más terrenal, hasta la figura de Dulcinea en su palacio con luna. La luna, que ha sido precedida en su noche por la brillante estrella de Clara.

> ¡Oh clara y luciente estrella,
> en cuya lumbre me apuro!
> Al punto que te me encubras,
> será de mi muerte el punto.

Las historias de amor—de Cardenio a Clara—nos hacen ir de la sierra tenebrosa al lirismo de la claridad fría y mágica. Así, la venta se transforma en castillo. La venta, el mundo, posada para el caminante, para el hombre. Lugar de tránsito para arrieros y mozas del partido; lugar para la valentía y la hermosura. Lugar de encantamientos. No es el hombre para el mundo; el mundo es para el hombre. El hombre hace del mundo una venta o un castillo. La continua acción mágica es la esencia de la realidad. ¡Siempre gigantes, encantadores por todas partes! En el centro de todo, el hombre. Don Quijote quiere resucitar el pasado, es grotesco. Su sueño está rodeado de vida. El misterio del presente es lo que vive Cervantes, es lo que vive todo poeta.

DON QUIJOTE CON LA PALOMA

Don Quijote ha pasado la noche de centinela y colgado del agujero de un pajar; ha tomado parte por la mañana en todas las pendencias. Don Quijote puede estar cansado, y es natural que se retire a reposar y dormir. Sin embargo, ocurre con el sueño del Caballero lo mismo que con su voz (por otra parte, lo mismo sucede con todos los personajes), que se disponen y conciertan según la necesidad de la composición. No creo que debamos sentir el cansancio de Don Quijote como justificación de su sueño, sino la necesidad que tiene el novelista de hacerle dormir para que puedan atarle y meterle en una jaula. Es el Cura el que ha ideado esta estratagema para llevarse al Hidalgo. Nótense todas las variaciones de la acción desde que el Cura pensó en disfrazarse de doncella. El enjaulamiento es la última ocurrencia de este capítulo, tan lleno de sorpresas. Los personajes ya pueden separarse.

Una vez en la jaula, oye Don Quijote que le profetizan su unión con Dulcinea. El león y la paloma, el valor y el amor puro, son la cifra alegórica de este enlace. Y como el Cura encontró para Dorotea el nombre de Micomicona, el Barbero—autor de la profecía—asegura a Sancho, «de parte de la sabia Mentironiana», que le será pagado su salario. Don Quijote se siente consolado en sus prisiones, y la acción termina con la nota de religiosidad, tan frecuente en el transcurso de la novela; pero esta vez doblada de un elemento cómico.

SEPARACION. DON QUIJOTE EN LA CARRETA DE BUEYES

Al verse Don Quijote enjaulado y en el carro de bueyes (capítulo XLVII), no se sorprende del encantamiento, sino de la manera como va encantado. Sorpresa que, ahora que entramos en la recapitulación final, ha de servir al novelista para volver por boca de su personaje al motivo de su obra. Don Quijote dijo: «La caballería y los encantos destos *nuestros tiempos* deben de seguir otro camino que siguieron los *antiguos*. Y también podría ser que, como yo soy *nuevo* caballero en el mundo, y el primero que ha *resucitado* el ya olvidado ejercicio de la caballería aventurera, también *nuevamente* se hayan inventado otros géneros de encantamentos y otros modos de llevar a los encantados. ¿Qué te parece desto, Sancho hijo?» Sancho duda de que haya tal encantamiento, actitud que mantendrá hasta el final y que le permite a Don Quijote decir que los demonios no huelen, porque son espíritus. Comienza la despedida. Don Quijote puede despedirse solamente de las mujeres de la venta: la ventera, su hija y Maritornes, las cuales fingen llorar por su desgracia. Don Quijote las consuela; el dolor es el signo de la verdadera virtud, y la virtud, «a pesar de la nigromancía», sale vencedora a todo trance. El Caballero pide perdón por los daños que haya podido involuntariamente causar, ruega que recen a Dios por él, y les asegura de su eterno agradecimiento.

Mientras se despide Don Quijote, el Cura y el Barbero dicen adiós a la ilustre compañía. Todos se marchan con Don Fernando, quien pide al Cura no deje de darles noticias de Don Quijote, y él promete avisarle de su casamiento como del bautismo de Zoraida, del suceso de Don Luis y de la vuelta de Luscinda a su casa. Al llegar a la venta se habían puesto a leer *El curioso impertinente;* al marcharse acude el ventero para darles otros papeles hallados en la misma maleta: novela de *Rinconete y Cortadillo;* el Cura la acepta, pues pensó que quizá sería del mismo autor que la de *El curioso,* y, por tanto, buena; «y así, la guardó, con prosupuesto de leerla cuando tuviese comodidad». Vemos todos los acontecimientos de la venta encuadrados por el tema literario: la literatura del presente, la obra de Cervantes.

Se emprende la marcha en un orden procesional, encontrándose inmediatamente con el Canónigo de Toledo. La polaridad de la novela—el pasado en oposición al presente—se había manifestado en tres temas: literario, amoroso y caballeresco. Estos tres temas se recapitulan ahora, formando una especie de *reprise.* Primero tenemos el diálogo sobre materia literaria, que termina en la aventura del *Caballero del Lago.*

Don Quijote va encerrado en la jaula como si fuera un loco; pero al verle el Canónigo conducido entre cuadrilleros, le toma por un delincuente, y de la misma manera que el Caballero preguntó a los guardas qué es lo que habían hecho los galeotes, y le contestaron que ellos mismos se lo dirían, el Canónigo también pregunta a los cuadrilleros, y éstos le dicen que no lo saben. Entonces interviene Don Quijote, diciendo que hablará si el Canónigo es versado en la caballería andante. «Sé más de libros de caballerías que de las Súmulas de Villalpando», responde el Canónigo, con cuya respuesta queda todo preparado ·para que comience su disertación. Antes de que empiece, afirma Don Quijote que es caballero andante y que su nombre servirá «de *ejemplo y dechado* en los venideros siglos, donde los caballeros andantes vean los pasos que han de seguir si quisieren llegar a la cumbre y alteza honrosa de las armas». En estas palabras de Don Quijote creo que sorprendemos el sentido que le da Cervantes a la palabra ejemplar. El Cura se acerca al Canónigo para alejarle de Don Quijote; Sancho recrimina al Cura y al Barbero la prisión de su amo, y, por fin, el diálogo entre los dos eclesiásticos comineza.

Se adelanta el Cura con el Canónigo para poder hablarle del Hidalgo, y en su exposición parece como si Cervantes presentara concisamente el plan de su novela: «Estuvo atento (el Canónigo) a todo aquello que decirle quiso (el Cura) de la *condición, vida, locura* y *costumbres* de Don Quijote, contándole *brevemente el principio y causa* de su desvarío, y todo el *progreso* de sus sucesos, hasta haberle puesto en aquella jaula, y el designio que llevaban de llevarle a su tierra, para ver si por algún medio hallaban remedio a su locura.» Todos se admiran de la historia, y el Canónigo habla sobre los libros de caballerías. Los encuentra perjudiciales, y que, leído uno, se han leído todos, pues «ellos son una mesma cosa». Este género «de escritura y composición» lo califica de *disparatado*, que mira sólo a *deleitar* y no a enseñar. Le parece, por tanto, monótono como género, y les censura que no se obtenga de ellos ninguna enseñanza; además, no comprende que puedan deleitar siendo disparatados. Por disparatados hemos de entender la inverosimilitud y la falta de propiedad. Pone varios ejemplos: el mozo que de una cuchillada parte en dos a un gigante; el caballero que vence sin ayuda a un ejército numerosísimo; las reinas y emperatrices que se entregan inmediatamente a un aventurero desconocido; las torres que van por el mar, y, como si eso no fuera bastante, recorren en un corto tiempo largas distancias, acabándolo de arreglar con llegar a tierras inexistentes. Al Canónigo le parece que los libros de caballerías no tienen ninguna unidad, no forman «un cuerpo de fábula», y que, a juzgar por la composición, más parecen monstruos que figuras proporcionadas. Termina censurando su estilo por duro. (Don Quijote reprochaba, como ya quedó notado en el capítulo XXIII, a la poesía de esa época su falta de primor; en cambio, apreciaba extraordinariamente la prosa. No creo que haya una inconsistencia ni una diferenciación de prosa y verso, sino una adecuación de la figura a dos momentos diferentes: juicio literario, lector dominado por el estilo. Aprovechando Cervantes precisamente ese último momento para mostrar un ejemplo de estilo «duro».) El Canónigo, por fin, tacha los libros de caballerías de increíbles, lascivos, descorteses, largos, necios, disparatados y de carecer de «todo discreto artificio».

El Cura está de acuerdo, y le cuenta el escrutinio que hizo de los libros de Don Quijote. Hasta aquí el Canónigo se ha limitado a censurar; pero añade que halla en tales libros «una cosa buena». La cosa buena es que «la escritura desatada destos libros da lugar a que el autor pueda mostrarse épico, lírico, trágico, cómico, con todas aquellas partes que encierran en sí las dulcísimas y agradables ciencias de la poesía y de la oratoria; que la épica también puede escribirse en prosa como en verso». Esta flexibilidad formal necesita un estilo apacible y una invención ingeniosa; además el autor debe proponerse «enseñar y deleitar juntamente». La «ingeniosa invención» o el «discreto artificio» se consigue haciendo que haya una correspondencia entre las distintas partes de la obra. Ese concierto y proporción, unido a la verosimilitud, es lo que produce deleite. Una obra de arte es una ficción, una «mentira»; pero esta mentira tiene que poder ser creída; «que tanto la mentira *es mejor* cuanto más parece verdadera, y tanto *más agrada* cuanto tiene más de lo dudoso y posible». La imaginación no debe quedarse a ras de tierra; al contrario, tiene que producir admiración, suspendiendo, alborozando y entreteniendo, para lo cual se deben facilitar «los imposibles» y allanar «las grandezas».

El Canónigo ha expuesto la visión negativa qué el Barroco tiene del Gótico. Es superfluo indicar que esta visión negativa caracteriza al Barroco, pero no al Gótico. Al mismo tiempo ha indicado aquello del Gótico que el Barroco quiere apropiarse: la amplitud abarcadora de toda la Naturaleza. Con sus propias palabras: los libros de caballerías «daban largo y espacioso campo por donde sin empacho alguno pudiese correr la pluma». Vemos lo que se rechaza del Gótico y lo que se acepta, aceptación que se hace oponiéndose a la finitud, limitación y rigidez del Renacimiento. El Renacimiento selecciona e idealiza; el Barroco incluye. Su problema consiste precisamente en conseguir una armonía sutil entre los elementos dispares y opuestos de la Naturaleza, abarcar el mundo todo: Naturaleza y espíritu. No una armonía abstracta como la del Gótico, sino una armonía orgánica. El Renacimiento, empero, ha dejado su huella profunda. A él se deben esas exigencias de estilo y composición nuevos. La fuerza y dinamismo cristianos, la trascendencia cristiana, querrán adaptarse a una forma greco-latina que permita todos los goces de los sentidos y la contemplación de las ideas. La naturaleza sensual no será solamente algo grosero, sino que gracias al decoro podrá presentarse en toda su brillantez, en la hermosura de su apariencia; al mismo tiempo se contemplarán las ideas en su belleza esencial, y el mundo sensual y el de las ideas se contrapondrán y compararán, dándole a cada uno su diferente calidad. El Gótico se situaba en lo extraordinario—lo inverosímil—de una manera natural; el Barroco acudirá a lo inverosímil también, pero mostrando lo que tiene de extraordinario, de prodigio y portento.

El Canónigo continúa diciéndonos que había empezado a escribir un libro según los principios expuestos (cap. XLVIII); de esta manera puede pasar a su otro tema: la relación de autor y lector, que tanto apasionaba a Cervantes. Toma de esto pie para disertar

194

sobre la comedia. Al lado de la novela—*El curioso impertinente, Rinconete y Cortadillo*—, el género teatral. Cervantes apenas vivió el culteranismo. Aparte del respeto y de la admiración general hacia Garcilaso, los modelos de su generación en poesía fueron Herrera y, sobre todo (para Cervantes), fray Luis de León. En poesía, Cervantes se resigna a no llegar a la altura deseada, a esa altura en la que precisamente existe la poesía. Cervantes entrará en la novela y creará una serie de obras maestras; quiere hacer lo mismo en el teatro, pero siente que la generación inmediatamente posterior es la que ha descubierto la forma apropiada, y no se resigna. Se empeña en acercarse a la comedia con las ideas teatrales de su propia generación. «¿No os acordáis que ha pocos años...?», dice el Canónigo. En estos pocos años—quince años—Lope ha triunfado. Le censurará no haber alcanzado la perfección, pero tiene que alabarle la gala y el donaire, el verso y las razones, las sentencias y el estilo. Los valores se reconocen siempre. No se hará esperar el momento en que a Cervantes le otorguen el puesto principal en la prosa, que ya ha de ocupar para siempre; el novelista llama al autor de comedias «felicísimo ingenio». Así quedan inconmovibles los tres grandes nombres de la plenitud del Barroco en España: Cervantes, Góngora, Lope. Diferencia de años—1547, 1561, 1562—; diferencia de personalidad; igual capacidad creadora, que hace que se impongan y dominen.

Sancho acude a Don Quijote para tratar inútilmente de convencerle de que no está encantado, y mientras se detienen a comer (capítulo XLIX), poniendo a Don Quijote en libertad, se dirige el Canónigo al Hidalgo de nuevo. La conversación nos retrotrae al comienzo de la novela, pues se discute la existencia real de los héroes novelescos, en la cual cree Don Quijote, mezclando en su argumentación nombres históricos con nombres de ficción. El Canónigo se admira de que un hombre dotado «de tan buen entendimiento se dé a entender que son verdaderas tantas y tan extrañas locuras como las que están escritas en los disparatados libros de caballerías». Y al contestarle Don Quijote (cap. L), nos indica Cervantes por qué no ha querido acordarse del nombre del pueblo del Hidalgo y por qué no le ha importado averiguar cómo se llamaba. «¿Habían de ser mentira (los libros que están impresos con licencia de los reyes), y más llevando tanta apariencia de verdad, pues nos cuentan el padre, la madre, la patria, los parientes, la edad, el lugar y las hazañas punto por punto y día por día, que el tal caballero hizo, o caballeros hicieron?» El discurrir del Hidalgo es disparatado, lo cual no impide que haya una coherencia en sus pensamientos; lo que dice son «concertados disparates»; este concierto da todo su valor al problema de la diferencia entre realidad y ficción, historia y novela.

AVENTURA DEL CABALLERO DEL LAGO

Inmediatamente, y con eso termina el tema literario, Don Quijote imagina e improvisa la aventura del *Caballero del Lago*, capacidad literaria del protagonista, que ya estaba indicada en el primer capítulo de la novela y que habíamos visto cuando contó la historia de la infanta de un reino que no está en el mapa. Es una aventura de libro de caballerías; pero, como ocurrió con la historia pastoril de Marcela, esta aventura se llena de sentido barroco. El caballero, llamado por una voz tristísima, se arroja a un gran lago de pez hirviente, y encuentra un paraje en que «le parece que el cielo es más transparente y que el sol luce con luz más nueva»; ve una fuente «a lo brutesco ordenada, adonde las menudas conchas de las almejas, con las torcidas casas blancas y amarillas del caracol, puestas con orden desordenada, mezclados entre ellas pedazos de cristal luciente y de contrahechas esmeraldas, hacen una variada labor, de manera que el arte, imitando a la Naturaleza, parece que allí la vence». En esta descripción queda incluida la visión barroca del mundo. El color deslumbrante, el gozo de la materia, de las formas, pertenecen al Barroco; pero lo que más importa señalar es que en ella nos está dando Don Quijote el sentido de la composición de la época—orden desordenada—y la teoría del orden en que se basa la composición: se imita a la Naturaleza, venciéndola. Con el «discreto artificio» del Canónigo se capta toda la variedad, el desorden de la Naturaleza, de los sentidos, del mundo moral y social, y se le domina. La Naturaleza tiene un orden divino y secreto; el artista, el creador, es capaz de inventar, por medio de la imaginación, un orden que compite con el de la Naturaleza. El poeta encuentra la unidad de lo múltiple; la encuentra porque la inventa. De aquí la superioridad del arte sobre la Naturaleza: a lo natural y vario le impone la forma de lo permanente; esto es, revela a la naturaleza física y moral su sentido.

«La comedia artificiosa y bien ordenada», había dicho el Cura, ha de despertar en los oyentes la alegría, la admiración, la discreción y la sagacidad; el oyente ha de salir enseñado con las veras y advertido con los embustes, airado con el vicio y enamorado de la virtud. Creo que en esta teoría no sólo hay que ver las doctrinas humanistas sobre el arte, sino el espíritu cristiano que la Contrarreforma ha infundido al mundo greco-latino. Hay que penetrar vitalmente en la obra de arte, se la tiene que transformar en vida. Don Quijote repite de manera muy parecida las palabras del Cura, pero ha transformado la teoría en vida: «Lea estos libros (de caballerías), y verá cómo le destierran la melancolía que tuviere y le mejoran la condición, si acaso la tiene mala. De mí sé decir que después que soy caballero andante..., soy...» Y en seguida viene la enumeración: valiente, comedido, liberal, biencriado, generoso, cortés, atrevido, blando, paciente, sufridor de trabajos, de prisiones, de encantos. El oyente o lector tiene que incorporarse vitalmente a la obra; he aquí el propósito del autor barroco: crear una obra que sacuda y conmueva violentamente al auditorio o a los lectores, proponiéndoles ejemplos, esto es, paradigmas, dechados, un cielo más transparente que el cielo que ven los ojos, un sol que luce con luz más nueva. El autor barroco quiere admirar y suspender elevando a la maravilla. Así, en el hecho diario nos hace ver su forma mitológica o bíblica, o al revés, el hecho bíblico o mitológico lo llena de vida actual. Góngora, Lope, Cervantes, Velázquez, todos, cada cual a su manera, hacen lo mismo.

El magnífico y resplandeciente relato se termina con un recogimiento religioso. Tanta hazaña, tanto valor, tanto deslumbramiento, despiertan en el hombre el deseo de hacer el bien, de mostrarse agradecido, de ser generoso, de dar, de dar a manos llenas, imitando la suma bondad de Dios, el inagotable amor de Cristo. Sancho hace que esa corriente abundantísima se detenga en la tierra: «Trabaje vuestra merced, señor Don Quijote, en darme ese condado tan prometido de vuestra merced como de mí esperado.» El contraste es inmenso. Sancho, con los ojos fijos en los bienes mundanales, da lu-

197

gar con sus palabras y su actitud a un fuerte desequilibrio, que podría provocar la ira de un Dios justiciero si su ingenuidad no hiciera brotar la risa.

B) *TEMA AMOROSO: HISTORIA DEL CABRERO*

El tema literario ha terminado. Rápidamente se pasa al tema amoroso: «estando comiendo, a deshora oyeron un recio estruendo y un son de esquila». Es la *reprise* de las historias de amor. La historia de Marcela estaba rodeada de cabreros, y un cabrero canta su amor rústico antes de que puedan contar el amor de Marcela. El relato de Cardenio en la sierra escarpada está precedido de la pintura de la maleta podrida y la mula muerta, y es introducido por otro cabrero; a Dorotea, antes de oírla hablar, la vemos en el arroyo; el Cautivo tiene como introducción a su palabra además de su propio traje el vestido de la mora que le acompaña; para la historia de Clara los preparativos líricos son extraordinarios: la agitación de las almas se hace quietud, la palabra se convierte en silencio, la noche se llena de luna y así la voz bella puede entonar su canto, para que la muchacha hable de su amor.

La historia que sirve de *reprise* va precedida de este ruido y de este son y de unas zarzas y espesas matas. Rodeada de ese estruendo, entre esa maleza aparece «una hermosa cabra», la piel manchada de negro, blanco y pardo. Tras la cabra, el cabrero. La llama cerrera y manchada, hija y hermosa amiga. «Sois hembra, le dice, y no podéis estar sosegada.» Maldice su condición y la de aquellas a quienes imita. La incita a que vuelva al aprisco, donde si no tan contenta estará más segura. Si ella, que ha de servir de guía, le dice, va tan descaminada, ¿qué harán las compañeras?

La cabra simboliza la condición de las mujeres. No es una cabra idealizada, sino la que lleva la esquila, la que ha de encaminar a las otras, sirviéndoles de ejemplo, esto es, de guía. El Canónigo pide al Cabrero que se sosiegue y que no se acucie «en volver tan presto esta cabra a su rebaño: que pues ella es hembra, como vos decís, ha de seguir su natural distinto (instinto), por más que vos os pongáis a estorbarlo». Queda bien firme el tema de la historia: el natural instinto de la mujer. Pero este tema está introducido por medio de una cabra y un cabrero, es decir, de elementos pastoriles. El

Cabrero se excusa de haberse presentado de tal manera, aunque afirma que sus palabras no carecen de misterio, y termina diciendo: «Rústico soy, pero no tanto que no entienda cómo se ha de tratar con los hombres y con las bestias.» A lo cual responde el Cura: «Ya yo sé de experiencia que los montes crían letrados y las cabañas de los pastores encierran filósofos.» El Cabrero replica: «A lo menos, señor, acogen hombres escarmentados.» Queda, pues, enunciado el tema y, una vez más, expuesta la actitud de Cervantes respecto a la pastoril y la desviación del género: en este caso particular hablará un hombre escarmentado.

Cervantes hace que Sancho coja su empanada, apartándose del lugar, con lo cual puede Don Quijote expresar el propósito de la literatura de la Contrarreforma: «Yo ya estoy satisfecho, y sólo me falta dar al alma su refacción, como se la daré escuchando el cuento deste buen hombre.» «Así la daremos todos a las nuestras», dijo el Canónigo. Este es el sentido nuevo del «enseñar y deleitar»: la literatura debe ser alimento espiritual. E irónicamente, pero poéticamente, dedica Cervantes un recuerdo a la égloga en general y a Garcilaso en particular. Recuerdo que nos vuelve al mundo de Marcela. El Cabrero hizo recostarse a la cabra: «Se tendió ella junto a él con mucho sosiego, y mirándole al rostro daba a entender que estaba atenta a lo que el Cabrero iba diciendo.» Ahora empieza su relato (cap. LI), que es una *imitación* de la égloga primera del poeta del Renacimiento español. Apoyado firmemente en la primera frase —«Tres leguas deste valle está una aldea»—presenta a los personajes de la historia: un labrador rico y honrado; su hija, Leandra, hermosísima y de dieciséis años; sus dos amantes: «Llámase mi competidor Anselmo, y yo Eugenio, porque vais con noticia de los nombres de las personas que en esta tragedia se contienen, cuyo fin aún está pendiente; pero bien se deja entender que ha de ser desastrado.» Luego aparece el instrumento de la tragedia. Vicente de la Roca, vanidoso, fanfarrón, arrogante, músico y poeta, que «de cada niñería que pasaba en el pueblo componía un romance de legua y media de escritura». Inmediatamente sigue la peripecia: un caso de amor. Leandra, con su hermosura, discreción, donaire y virtud, se enamora del bravo y galán, éste aprovecha la ocasión para engañarla, robándole las joyas y vestidos, dejándola desnuda, pero sin atentar a su honor. El padre encierra a su hija en un monasterio en busca de olvido. Unos, aquellos a quienes no les iba ningún interés en la conducta de Leandra, atribuyeron su pecado a ignorancia; otros, en cambio, reconociendo su discreción y entendimiento, lo achacaron «a su desenvoltura y a la natural inclinación de las mujeres, que, por la mayor parte, suele ser desatinada y mal compuesta».

Esta es la base real del desenlace pastoril. Anselmo y Eugenio, el uno con sus ovejas, el otro con sus cabras—nuevos Nemorosos y Salicios—, dejan la aldea por el valle, donde pasan la vida cantando alabanzas o vituperios de la amada. A imitación de ellos, otros pretendientes de Leandra se entregan al mismo ejercicio, hasta convertir ese sitio en una pastoral Arcadia, cuyo eco repite el nombre de Leandra, acompañado de quejas y afrentas. «Si he sido en contarla prolijo, no seré en servíros corto (termina el Cabrero); cerca de aquí tengo mi majada, y en ella tengo fresca leche y muy sabrosísimo queso, con otras varias y sazonadas frutas, no menos a la vista que al gusto agradables.» El Canónigo, a quien este último recuerdo pastoril y virgiliano ha debido de complacer, alaba la manera como ha sido contada la historia, que más que de rústico cabrero parecía de discreto cortesano (cap. LII). Y con motivo de la caballería andante, comienzan a golpearse Don Quijote y el Cabrero, causando gran regocijo a todos y haciendo que se desespere Sancho, porque le tienen sujeto y no puede ir en ayuda de su señor.

El relato se ha desenvuelto con gran facilidad y concisión; el período, constantemente dominado, se extiende, logrando una amplitud que se encierra siempre en un límite, ya sea al presentar a los personajes o al contar lo acaecido, o bien al narrar el final pastoril. Si la dramática aparición de cabra y cabrero (cap. L) y la lucha con Don Quijote (cap. LII) nos recuerdan momentos del encuentro con Cardenio, la acción de Leandra nos hace pensar en Dorotea, y al ser robada de las joyas, pero conservar intacto su honor, se impone el recuerdo de Zoraida. Pero todo está alejado de la zona ideal; encadenamiento a la condición natural del hombre y la mujer que hace resaltar todavía más la diferencia con la pastoril. En esta *reprise* del tema amoroso se señalan no sólo la separación necesaria de Marcela y su mundo, sino la dualidad del Barroco: el contraste entre el mundo ideal y el mundo de la realidad. La leal Luscinda, la discreta Dorotea tienen que ser comparadas a la humanidad de Leandra; el heroico capitán de Lepanto debe ser contrapuesto al soldado fanfarrón; a pesar del deslumbramiento de las joyas, puede ponerse en duda la continencia; al lado de las cuestiones de amor están los casos de amor; la ironización de la égloga orla con una sonrisa el deambular de Marcela.

C) TEMA CABALLERESCO: AVENTURA
DE LOS DISCIPLINANTES. FINAL

La lucha entre Don Quijote y el Cabrero termina porque se oye el son tristísimo de una trompeta y el Caballero pide treguas. Es el comienzo de la aventura de los Disciplinantes, *reprise* del tema caballeresco. Este tema se ha proyectado en dos direcciones: la lucha por la Justicia y la lucha por la Belleza. La recapitulación del primer sentido ha tenido lugar a partir del comienzo de la cuarta parte: reaparición de Andrés, discusión de la aventura de los galeotes, huéspedes que querían irse sin pagar, presencia de los cuadrilleros con el mandamiento de prisión. El sentido del mundo de Don Quijote había sido recapitulado en la discusión del baciyelmo y la albarda-jaez.

La aventura de los Disciplinantes hace reaparecer el tema de las aventuras procesionales, como mercaderes, vizcaíno, cuerpo muerto. Don Quijote quiere libertar a la «buena señora que allí va cautiva». Es la imagen de la Virgen sacada en rogativas. Si además del aire procesional tenemos en cuenta a la señora cautiva, vemos en seguida al caballero andante protector de las damas, protector de la belleza y la virtud. El Caballero, como al final de la primera salida, queda medio muerto en el suelo y Sancho se encarga del llanto funeral. El planto del Escudero acaba disparatadamente y el Caballero vuelve en sí, proponiendo que vuelvan al pueblo, donde podrán disponer otra salida. Los Disciplinantes siguen su camino, el Canónigo con su comitiva se despide, también se despide el Cabrero, y los cuadrilleros se van, quedando solos el Cura y el Barbero, Don Quijote y Sancho.

La carreta se pone en movimiento y llegan por fin a la aldea. Entraron a la mitad del día, era un domingo. La carreta con Don Quijote atraviesa la plaza al paso cansino de los bueyes. Todo el pueblo allí congregado se admira al ver al Hidalgo. Por entre la multitud sale corriendo un muchacho a dar la noticia al ama y la sobrina, las cuales al ver a su señor y tío tumbado en el heno comenzaron de nuevo sus maldiciones contra los libros de caballerías. Acude la mujer de Panza y reaparece la vida caballeresca, la aventura vista por Sancho.

La novela queda completamente terminada con la vuelta a la aldea y con la muerte del Hidalgo, la cual se cuenta en tono paródico:

¡Nuevas proezas!, pero *inventa el arte*
un nuevo estilo al nuevo Paladino.

Son versos de un soneto del Caprichoso, miembro de la Academia de Argamasilla. Burla final—pero reveladora: nuevas, nuevo— que hace juego con las poesías del comienzo de la historia, la cual, a pesar de la vuelta a la aldea y la muerte, a pesar del encuadramiento, queda abierta, pues hubo una tercera salida.

SENTIDO Y FORMA DEL «QUIJOTE»

II

1615

LA COMPOSICION DEL «QUIJOTE» DE 1615

LA ARTICULACION DE LA MATERIA NOVELESCA

E L *Quijote* de 1615 tiene setenta y cuatro capítulos, los cuales no se agrupan en partes. Después de los siete primeros capítulos de afanoso diálogo y de constante ir y venir, tiene lugar la tercera salida, que llena toda la novela; ésta, al comienzo, se desarrolla con una gran lentitud y claridad nuclear: Toboso y encantamiento de Dulcinea, carro de la muerte, *Caballero del Bosque, Caballero del Verde Gabán* y leones, bodas de Camacho, cueva de Montesinos, maese Pedro y retablo y rebuzno, aventura del barco encantado. A partir del encuentro con los duques, los incidentes tienen una cierta unidad de lugar, pues acontecen en la casa ducal y sus alrededores; pero se suceden de una manera más intrincada: coloquio de ambos personajes con los Duques, Merlín y desencanto de Dulcinea, Trifaldi, consejos, se separan Don Quijote y Sancho, Altisidora, ínsula, doña Rodríguez, cartas, peregrinos, caída en la sima, se vuelven a reunir Caballero y Escudero, desafío con Tosilos, salen de la casa ducal. En la ida a Barcelona, la estancia en la ciudad y la vuelta, los sucesos y encuentros se hacen más numerosos y ganan en frecuencia; la lentitud del comienzo de la novela se trueca en rapidez, y la extensión episódica se cambia en un desmenuzamiento de acciones.

Frecuentemente los capítulos se aúnan de dos en dos o de tres en tres, llegando en algunos casos a formar un grupo más amplio.

Ejemplos de la primera agrupación los podríamos ver en los capítulos I y II, en los cuales tenemos primero a Don Quijote y después a Sancho; o en los capítulos III y IV, ambos dedicados a discutir la novela de 1605; o en el V y VI, donde vemos a Sancho con Teresa y a Don Quijote con el Ama y la Sobrina; en el XIII tiene lugar el coloquio entre los dos escuderos; en el XIV, el diálogo entre los dos caballeros; en el capítulo XXXII, Don Quijote está en conversación con los Duques; en el XXXIII, Sancho habla con la Duquesa; se dice cómo hay que desencantar a Dulcinea en los capítulos XXXIV y XXXV; el XLII y el XLIII se dedican a los consejos; los capítulos LXIX y LXX vuelven a tener lugar en la casa de los Duques. De la articulación de tres en tres serían ejemplos la ida a El Toboso (VIII, IX, X), la aventura con el *Caballero de los Espejos* (XII, XIII, XIV), el encuentro con don Diego de Miranda (XVI, XVII, XVIII), las bodas de Camacho (XIX, XX, XXI), maese Pedro (XXV, XXVI, XXVII); hay más ejemplos, pero quiero indicar únicamente aquellos que son evidentes. La aventura de la Trifaldi transcurre en seis capítulos (XXXVI a XLI) y ocupa la parte central de la novela.

Hemos advertido cómo a partir del encuentro con los Duques los sucesos tienen una cierta unidad de lugar. Además, parte de la acción se apoya en el encantamiento de Dulcinea y en la cueva de Montesinos; la agrupación de tres tiene una influencia también en la conformación de los episodios, y sobre la de dos insiste el mismo Cervantes, a veces destacándola en el epígrafe del capítulo: «Capítulo I.—De lo que el cura y el barbero pasaron con Don Quijote... Capítulo II.—Que trata de la notable pendencia que Sancho Panza tuvo con la Sobrina y el Ama... Capítulo V.—De la graciosa y discreta plática que pasó entre Sancho Panza y su mujer... Capítulo VI.—De lo que pasó a Don Quijote con su Sobrina y con su Ama... Capítulo XXXIV.—Que cuenta de la noticia que se tuvo de cómo se había de desencantar... Capítulo XXXV.—Donde se prosigue la noticia... Capítulo XLII.—De los consejos... Capítulo XLIII.—De los consejos segundos...» Otras veces en el texto: «Divididos estaban caballeros y escuderos, éstos contándose sus vidas y aquéllos sus amores; pero la historia cuenta primero el razonamiento de los mozos y luego prosigue el de los amos...» (cap. XIII); por último, lo que destaca en el epígrafe lo subraya en el texto: «Estos que hasta aquí te he dicho son documentos que han de adornar tu alma; escucha ahora los que han de servir para adorno del cuerpo» (capítulo XLII). Puede ocurrir también que un capítulo quede dividido en tres partes o en dos.

El ritmo bimembre, tan característico del Barroco en todas sus combinaciones posibles—alternación, paralelismo, redoblamiento, oposición—, sobresale tanto porque lo utiliza el novelista en 1615, no ya para dar unidad a un episodio, como ocurre con el grupo de tres, sino para dar movimiento a la obra; por ejemplo, al alternar un episodio de Don Quijote con otro de Sancho, o para establecer un orden riguroso: el caso de los consejos. Este paralelismo adquiere tal importancia en la composición de la novela porque está expresando la visión del mundo del novelista: dos líneas que dependen la una de la otra, que corren siempre igualmente separadas y siempre con la ilusión de unirse en un horizonte engañadoramente a la vista.

ACCION UNICA

Cervantes, precisamente al separar a Don Quijote de Sancho (capítulo XLIV), nos declara cómo ha empezado la novela de 1615, decidido a darle una forma distinta de la que le dio en 1605: «Dicen que en el propio original desta historia se lee que, llegando Cide Hamete a escribir este capítulo, no lo tradujo su intérprete como él lo había escrito, que fue un modo de queja que tuvo el moro de sí mismo, por haber tomado entre manos una historia tan seca y tan limitada como ésta de Don Quijote, por parecerle que siempre habían de hablar de él y de Sancho, sin osar extenderse a otras digresiones y episodios más graves y más entretenidos; y decía que el ir siempre atenido el entendimiento, la mano y la pluma a escribir de un solo sujeto y hablar por las bocas de pocas personas era un trabajo incomportable, cuyo fruto no redundaba en el de su autor, y que por huir de este inconveniente había usado en la primera parte del artificio de algunas novelas, como fueron la de *El curioso impertinente* y la de *El capitán cautivo*, que están como separadas de la historia, puesto que las demás que allí se cuentan son casos sucedidos al mismo Don Quijote, que no podían dejar de escribirse. También pensó, como él dice, que muchos, llevados de la atención que piden las hazañas de Don Quijote, no la darían a las novelas, y pasarían por ellas o con priesa o con enfado, sin advertir la gala y artificio que en sí contienen, el cual se mostrara bien al descubierto, cuando por sí solas, sin arrimarse a las locuras de Don Quijote ni a las sandeces de Sancho, salieran a luz; y así, en esta segunda parte no quiso injerir novelas sueltas ni pegadizas, sino algunos episodios que lo pareciesen, nacidos de los mesmos sucesos que la verdad ofrece, y aun éstos, limitadamente y con solas las palabras que bastan a declararlos; y pues se contiene y cierra en los estrechos límites de la narración, teniendo habilidad, suficiencia y entendimiento para tratar del Universo todo, pide no se desprecie su trabajo y se le den alabanzas, no por lo que escribe, sino por lo que ha dejado de escribir.»

El novelista temía que el lector se cansara de estar siempre con los mismos personajes, y al mismo tiempo creía que, dominado por el interés de la historia principal, no prestaría la debida atención a las novelas. El problema de Cervantes consiste en limitarse a un asunto, dándole a la unidad la mayor variedad. Acudirá a los episodios lo menos posible, y al hacerlo buscará la brevedad y, además, el enlazarlos naturalmente al protagonista. Quizá considere como episodios el suceso de Claudia Jerónima y la historia de Ana Félix (caps. LXIII y LXV).

Creo que cuando leemos el segundo *Quijote*, la tendencia que sorprendemos en 1615 es, primero, el deseo de una acción única; después, la necesidad de identificar la acción y protagonista: que la acción sea una y que el protagonista la llene toda ella. Piénsese en cuál será la nueva estética de la comedia—la llamada escuela de Calderón—y el ideal de la política de España, Francia e Inglaterra hasta la Paz de los Pirineos, hasta ese momento en que fatalmente se tiene que proclamar «El Estado soy yo», y que viene precedido del Conde-duque (quien incita a Felipe IV a «ser rey de España», no de Castilla, León, Aragón, etc.), de Richelieu y de Cromwell.

DIGRESION Y ENCADENAMIENTO

El ritmo paralelo o alterno, el acoplamiento de los sucesos en grupos de varios capítulos, son núcleos que fijan el constante fluir de la novela, cuya característica principal, por lo que a la composición se refiere, es la digresión y el encadenamiento. Esa atracción por lo singular, tan patente en el Cervantes de 1615, se opone a lo múltiple, pero no a lo disperso, por lo menos no en la forma de digresión. La digresión, no obstante, no nos dispara hacia mil puntos diferentes, como los radios de una circunferencia que, partiendo todos del centro, va a dar cada uno a un punto distinto. La digresión es una descarga cerrada a un mismo blanco o un inciso sin fin. Cada palabra, cada sentimiento, cada idea, pueden suscitar en todo momento, por una asociación natural o sorprendente, una nueva palabra, un nuevo sentimiento, una nueva idea. El interés se mantiene vivo y avivado de continuo. Completamente imposible predecir qué desarrollo va a seguir el pensamiento, e igualmente imposible saber si hemos entrado en un golfo o si vamos navegando hacia el mar inmenso. Cuando el lector es cogido en ese enracimamiento, depende en absoluto del autor, el cual le fuerza sin piedad a penetrar en su ritmo: lento o rápido, breve o largo. Refranes, sentencias, proverbios, preguntas, anécdotas, cuentos, oficios, tipos, costumbres, todos corren a enredarse el uno en el otro, y Don Quijote exclama, indignado: «¿Adónde vas a parar, Sancho, que seas maldito, qué cuando comienzas a *ensartar refranes y cuentos* no te puede esperar sino el mismo Judas que te lleve?» (cap. XIX). No oigamos la réplica de Sancho, pero escuchémosle en el capítulo XXII: «Yo digo de él (de Don Quijote) que cuando empieza a enhilar sentencias y a dar consejos...» Y ya en el capítulo V había dicho: «¡Válate Dios la mujer, y qué de cosas has ensartado unas en otras sin tener pies ni cabeza!»

Ensartar, enhilar, éste es el principio conductor en el *Quijote* de 1615, tanto por lo que se refiere al diálogo como por lo que respecta a la acción. Don Quijote, en su tercera salida, tiene que entretener el tiempo, precisamente porque sabe adónde se dirige: «Esperaba entretener el tiempo hasta que llegase el día de las justas de Zaragoza, que era el de su derecha *derrota*» (cap. XVIII). (La palabra *derrota* quizá haya que leerla en su doble sentido; no es tanto un juego verbal como la apasionante necesidad barroca de captar de la manera más directa y simple un complejo.) El hombre también tiene que entretener el tiempo de su vida, porque también emprende el camino dirigiéndose a la muerte. El camino ya no es la línea esquemática que sirve para trazar el desarrollo de la trayectoria del Destino. En lugar de este esquema abarcador, un continuo deambular, deteniéndose, volviendo sobre los pasos andados, bajando y subiendo, entrando y saliendo. Este ritmo de la acción es una digresión. Hay tiempo para llegar: «Determinó de ver primero las riberas del río Ebro y todos aquellos contornos antes de entrar en la ciudad de Zaragoza, pues le daba tiempo para todo el mucho que faltaba desde allí a las justas» (cap. XXVII). En 1605 se está constantemente viviendo el momento esencial. No hay que encaminarse a un punto o a otro; en cualquier sitio se está en donde se debe estar: en la gran aventura de la justicia total o la belleza total. En 1615 se explora con placer, se pasea con gusto, se tienen ganas de conocer gente, de visitar lugares, de satisfacer esa curiosidad que despierta la vida. Hay tiempo para llegar a donde nuestro destino nos llama; por eso, junto al sentimiento de que hay tiempo, el sentimiento de haberse detenido bastante, de tener que continuar la marcha. La coexistencia de estos dos sentimientos: «Por no parecer bien que los caballeros andantes se den muchas horas al ocio y al regalo, se quería ir a cumplir con su oficio» (cap. XVIII). Se vive con el sentimiento de libertad del que sabe que tiene tiempo, pero también con la inquietud y la tortura del que tiene que contar los días, las horas, los minutos que faltan: minutos, horas y días de libertad. Si en 1605 se contaban cuentos e historias y se pronunciaban discursos, en 1615 se habla sin cesar; si en el primer *Quijote* aventuras o acciones episódicas quedaban perfectamente encerradas en sí mismas, en el *Quijote* segundo lo que sobresale es el encadenamiento de los coloquios y los hechos.

Sancho, en la sima, piensa que a cada paso que dé, «debajo de los pies, de improviso se ha de abrir otra sima más profunda que la otra, que acabe de tragarme»; y Roque Guinart confesará: «Como un abismo llama a otro, y un pecado a otro pecado, hanse eslabonado las venganzas.» La forma de la novela es un ensartar, un enhilar, un eslabonamiento, porque la vida social es sólo un abismo que llama otro abismo; la vida del hombre, un ir de pecado en pecado hasta llegar a la muerte. Concepción cristiana—hasta en la frase— del hombre y su vida.

210

En 1605, Sancho ha atado las patas de *Rocinante;* el Cura y el Barbero han discurrido la acción que Dorotea se encarga de ejecutar; los mismos personajes, con la ayuda de los otros huéspedes de la venta, encantan a Don Quijote. Vemos, pues, que engañan al Caballero, y el último engaño es el medio por el cual consiguen que vuelva a la aldea. Estos engaños, sin embargo, forman parte de la acción, no la dirigen. El atar las patas de *Rocinante* es un engaño que se hace a Don Quijote; al mismo tiempo, es un signo del temor del Escudero; Dorotea, cuando cuenta la historia de la princesa Micomicona, apenas si hace otra cosa que volver a contar su vida: la vida de una mujer engañada; de aquí el nombre que le han dado a la princesa; cuando encantan a Don Quijote, le meten en la jaula, y vemos que le constriñen físicamente a que vuelva a la aldea. En 1605, la acción resalta sobre un fondo de sol cegador, de oscuridad profunda, de fuegos rodeados de noche, de brillos metálicos, de grises, de polvo y de luna, de candiles y silencio nocturno. Don Quijote y Sancho van por los caminos, entran en el bosque, se detienen en la sierra escarpada, paran en las ventas y les acompaña todo el tumulto de la Humanidad. Mujeres y mujeres, llenas de belleza, inocencia y virtud o esclavas del vicio, que exponen todas las facetas de la mujer; y hombres, jóvenes y viejos, nobles y pícaros, altos y bajos oficiales de la vida seglar y eclesiástica, pastores, arrieros, cabreros que nos entregan la multiplicidad del hombre. Mujeres y hombres, todos también en el camino, en las selvas y las ventas. Por todas partes, la vida—la gran aventura—, todos en el camino—el destino del hombre—, siempre en la venta—el teatro del mundo.

En 1605, Don Quijote salía de su casa sin otro propósito definido que el de buscar aventuras; en 1615, Don Quijote quiere, primero, ir al Toboso; después, a Zaragoza; entre un punto y otro desea visitar la cueva de Montesinos. Logra llegar al Toboso, donde inmediatamente necesita que le dirijan y le guíen. Al Toboso va buscando algo preciso; por eso se pierde y desorienta; a la cueva de Montesinos va también con un guía; cerca ya de Zaragoza, cambia de idea y se encamina a Barcelona, adonde llega con cartas de presentación. Don Quijote no sólo tiene alguien que conduzca sus pasos, sino que le hacen vivir una vida engañada. Sancho le engaña, y le siguen engañando el bachiller, maese Pedro, los Duques, las doncellas, Altisidora, don Antonio Moreno y sus amigos. En el mismo lecho de muerte pretenden engañarle. Esta dirección y este engaño continuos hacen del personaje y de la novela de 1615 algo completamente diferente de la obra y el personaje de 1605. El engaño se presenta igualmente encadenado. No sólo un engaño da lugar a otro, sino que a muchos personajes les llega el turno de ser engañados. A Sancho, el inventor del encantamiento de Dulcinea, le hacen creer que Dulcinea está verdaderamente encantada y le hacen creerse gobernador. Doña Rodríguez se engaña, y se engaña Tosilos; los duques se engañan al disponer el desafío; don Antonio Moreno, que engañaba a sus amigos con la cabeza encantada, como maese Pedro engañaba a las gentes con su mono, es a su vez engañado cuando llega el Bachiller. El Bachiller se engaña al pensar que desafiar a Don Quijote es vencerle.

La novela tiene un aire de juego, de burla, tanto más gracioso cuanto que hay quienes ignoran que se está jugando. Estas personas mayores están jugando hasta última hora, hasta que la muerte les manda acabar el juego. Y los jóvenes no se hacen pastores: juegan a pastores. Así, vemos que la acción está dirigida, preparada. Sabemos que lo que está pasando, lo que va a pasar, no es verdad. La vida social es un engaño, una representación.

El mundo de 1605 se concentraba en la aventura de la noche oscura, de una inmovilidad toda transida de movimiento. El equivalente de la aventura de los batanes lo tenemos, en 1615, en la aventura de *Clavileño*. Cervantes se encarga de hacérnoslo notar. El mundo de la soledad oscura se convierte en el mundo de los ojos vendados: la inmovilidad es ahora un reposo de madera. Nadie se ríe en los batanes hasta que llega el momento de la luz; en la aventura de *Clavileño*, Don Quijote y Sancho, también abrazados, son el hazmerreír, están rodeados de espectadores que se divierten. No es la luz la que hace desaparecer los monstruos inexistentes de la noche, sino los cohetes que dejan intacta la mentira de Sancho.

En 1605 se presentaba el misterio de la vida. En 1615, la vida es un enredo, y el novelista tiene que explicarlo. Se cuenta la industria de Sancho; se cuenta quién es el *Caballero de los Espejos;* se explica la industria de Basilio; se cuenta quién es maese Pedro; se declara quiénes eran Merlín y la Trifaldi, quiénes fueron las que azotaron a la dueña; se cuenta la industria de la cabeza encantada; se declara quién era el de la Blanca Luna. Cervantes explica por qué no van a Zaragoza. Don Quijote nos dice que había estado loco. Se explica y se aclara todo, porque todo puede y debe explicarse. Lo mismo ocurrirá en la comedia. En la época de Lope, ni se justifica la acción ni se explica: es un mundo poético; en la época de Calderón sentirán la necesidad de justificar la acción y de explicarla. Recordemos que entonces también Basilio prepara la acción para Segismundo, y que es el momento en que la acción va a ser dirigida y preparada por el gracioso. Se está creando la última etapa del Barroco, a la cual ha de seguir el Rococó.

En la época de Calderón, la figura se transformará y se hará figurón; lo mismo acontece en la novela de 1615. Acabo de indicar el papel que desempeñan ambos personajes en la aventura de *Clavileño;* recuérdese el incidente de los requesones, o la caída del Caballero y del Escudero cuando van a saludar a los duques, o el paseo por Barcelona con el cartel. La aventura se hace caricaturesca en el encuentro con los leones, y a la caricatura se le encarga el trazado de otros personajes; por ejemplo, doña Rodríguez. Dios está siendo sustituido por el hombre, es decir, por la razón. Son el hombre y la vida vistos desde la razón.

EL PARALELISMO ANTITETICO
EN LA ACCION

En las *Novelas ejemplares* se recurre más de una vez al paralelismo antitético para conducir la acción. En el segundo *Quijote* se emplea no sólo para llevar la acción del comienzo al final, sino para acentuarla fuertemente. La novela empieza presentándonos al Caballero en su cama restablecido y pronto a salir de nuevo; termina en el mismo cuarto con el Caballero moribundo. El primer episodio consiste en el engaño de Sancho, quien hace creer a Don Quijote que Dulcinea está encantada; al terminar la novela, Sancho le engaña de nuevo haciéndole creer que ya se ha azotado y que, por tanto, Dulcinea está desencantada. Lo mismo sucede con el doble desafío del bachiller: en el primero es vencido, y en el segundo, vencedor.

En posición casi simétrica—veintidós capítulos después de haber comenzado la novela, veinte capítulos antes de terminar—tenemos la bajada de Don Quijote a la cueva de Montesinos y la caída de Sancho en la sima. La relación entre ambos descensos, voluntario e involuntario, es muy fácil de establecer; pero, además, Cervantes la indica por boca de Sancho, e incluso la descripción de la sima coincide con la que hace Don Quijote de la cueva.

En los dos momentos de la vida pastoril (caps. LVIII y LXVIII), al encontrarse Don Quijote con los jóvenes que representan églogas y cuando, ya de vuelta, vencido, sueña con hacerse pastor, es atropellado por toros y cerdos: el choque de la realidad, el desenlace en la realidad de la representación y el ensueño.

El paralelismo, antitético o no, nos traslada siempre de un valor a otro valor, de una medida a otra, de la justicia y la belleza ideales a la justicia y belleza terrenales. El forcejeo continuo entre ideal y social; cómo lo relativo se siente agobiado por lo absoluto; cómo el ideal se siente encadenado, disminuido y deformado por lo social; insistentemente tenemos la sensación de dos líneas, o dos planos, o dos volúmenes paralelos. Sancho tiene la virtud de desencantar a Dulcinea y a Altisidora. En los capítulos alternos—Sancho, en la ínsula; Don Quijote, en la soledad social de su cuarto—, mientras el Caballero está teniendo la experiencia de la belleza y del amor, el Escudero tiene la experiencia de la justicia y el gobierno.

EL SEGUNDO «QUIJOTE»

Cervantes nos indica que ha dado a su novela de 1615 una forma distinta de la que dio a su obra de 1605. Quizá una atención más viva y profunda podrá encontrar otros elementos formales; pero, por de pronto, nosotros hemos visto cómo la acción múltiple queda reducida a una y cómo el protagonista la llena toda ella; también se han advertido las características de esta acción: la digresión y el encadenamiento, el engaño, el ser inventada por otros personajes; por último, el paralelismo antitético. Todas estas características florecerán en el arte del último Barroco, tanto en España como en Francia y en Inglaterra. Y he referido estos elementos formales al mundo político de finales del Barroco para que se puedan comparar dos medios diferentes.

Cervantes, en 1605, había logrado la expresión universal de su conflicto personal e íntimo: la lucha entre el pasado y el presente. A partir de ese momento, el novelista se dedica a explicar su época, esto es, a crearla. Va a dar forma a la sociedad de su época, al alma de su tiempo; va a crear el ideal que dé sentido a la vida del hombre. Entre las *Novelas ejemplares* y el *Persiles* se sitúa el segundo *Quijote*, novela que quiere que sea considerada no como una «parte» más del *Quijote* de 1605, sino como una obra diferente. Comienza la novela aislando temporalmente los dos *Quijotes*. «Cuenta Cide Hamete Benengeli, en la segunda parte desta historia y tercera salida de Don Quijote, que el Cura y el Barbero se estuvieron casi un mes sin verle.» Para el sentido del tiempo en el Barroco este mes basta, la separación temporal—diez años—queda expresada; para el sentido cronológico del siglo XIX, este mes era completamente inadecuado, y un editor lo cambió por un año; cambio irrespetuoso del texto, pero que obedecía a una necesidad espiritual. En el capítulo V nos advierte Cervantes que «habla Sancho Panza con otro estilo»; al emprender la tercera salida, insiste terminantemente: «Desde este punto comienzan las hazañas y donaires de Don Quijote y de su escudero; persuádeles (a los lectores) que se les olviden las pasadas caballerías del Ingenioso Hidalgo y pongan los ojos en las que están por venir, que desde agora en el camino del Toboso comienzan, como las otras comenzaron en los campos de Montiel» (capítulo VIII). Si no hacemos intervenir este olvido; si leemos las dos obras como si fueran una, el ritmo de la acción pierde todo sentido y la composición se desmorona, dejándonos en una confusión completa.

Con una formación siglo XIX teníamos que pensar que este paso del tiempo representaba una evolución en el carácter de los personajes. En mi opinión, esta manera de pensar y sentir es extraña al Barroco, época en la cual se es muy sensible a la «conversión» y a los distintos estados de la vida del hombre; época en la cual se estudia o la condición humana o los diferentes tipos en que la manera de ser del hombre cristaliza; época en que se infunde a la vida un

215

ideal o se trata de dirigir la conducta. Pero en el Barroco no se hace historia; quiero decir que no se le confía al tiempo una función formadora; así, en esa época no se ve la trayectoria de un destino de una manera temporal. En el Barroco se siente profundamente el paso del tiempo; a partir del Romanticismo, lo que se siente es que las cosas pasan en el tiempo.

Este paso del tiempo, pues, no va a indicar que Don Quijote ha cambiado; ese «mes» es una pausa entre las dos obras; no une, separa. Con la misma figura se va a explorar un mundo diferente. Por eso la muerte de Don Quijote en 1605 es la última nota paródica del mundo caballeresco medieval, y su muerte en 1615 es completamente distinta. Se habla en otro estilo, se muere de otra manera, no por descuido del novelista, sino porque emplea las figuras por él creadas según las exigencias del tema tratado.

La forma de la obra de 1615 es diferente de la que tiene la obra de 1605, y Cervantes quiere que al leer la una nos olvidemos de la otra. Además de los elementos puramente formales, para captar el ritmo de la composición es necesario percibir el tono de la novela y los motivos que la constituyen.

IRRITACION Y CALMA. CANSANCIO Y DESENGAÑO

En 1605 se decían refranes, y es precisamente Don Quijote el primero en emplearlos; pero sólo en 1615 se utilizan de una manera funcional; lo mismo ocurre con la discreción y la locura. Así, en la primera novela vemos alguna vez indignarse a Don Quijote; por ejemplo, cuando las mozas del partido no pueden contener la risa; sin embargo, la irritación del Caballero da el tono a la obra únicamente en 1615.

Ya en el primer capítulo (el prólogo también nos hace entrar en la zona de la irritación social y personal), ante la impertinencia del Barbero, Don Quijote pierde la ecuanimidad, y en el transcurso de la novela esto le acontece repetidamente: «Don Quijote se estaba consumiendo en cólera y en rabia», se dice en el capítulo XXXI. En esta irritación le acompaña Cervantes, quien, antes que Don Quijote conteste airado al Cura de la casa del Duque, incluso antes de haber presentado al personaje, se irrita contra ese sacerdote, al cual no ve como un individuo, sino como el representante de un cierto tipo social. Y Sancho también se irrita. Le desazona su dependencia del Caballero, que es lo irritantemente vaga para que no se sepa lo que va ganando en ella, y, al mismo tiempo, se hace notar constantemente de una manera irritante, sin que pueda librarse. Sancho querrá separarse de su señor; llegarán a golpearse uno a otro; exclamará, indignado: «¡Qué tienen que ver los Panzas con los Quijotes!» A pesar de todo, no podrá abandonar al Caballero; cuando no tengan más remedio que separarse, ambos llorarán; y se reunirán de nuevo, porque no pueden ser el uno sin el otro.

Ni la irritación de Don Quijote, ni la de Sancho, ni la del novelista tienen como causa algo trascendente, acaso porque el mundo trascendente puede llevar a la desesperación o a la tragedia, pero no a la irritación. Ese estado lo motiva la vida social: las instituciones y el hombre. La grosería humana, el misterioso encadenamiento social, producen la irritación, que, como un anticlímax, se resuelve en calma ante la incomprensión producida por la falta de experiencia del mundo. Don Quijote, a veces, trata de persuadir; lo que le caracteriza, sin embargo, es que no intente discutir ni convencer. Sabe que es inútil. El mismo novelista señala esa calma, y también indica de qué proviene; con frecuencia, la incomprensión tiene sus raíces en el cariño.

Irritación, calma y el paso de la irritación a la calma. La obra no ofrece un violento contraste de luz y oscuridad, sino un amortiguamiento de la luz, un enlace de luces y sombras, un ocaso. La palabra que usa Cervantes, como siempre la palabra exacta, es *entreclaridad*.

En el violento contraste, Don Quijote podía afirmar: «Yo sé quién soy y sé qué puedo ser.» En el mundo entreclaro, Don Quijote no expresa el secreto de la personalidad. Por tres veces ve el Caballero a Dulcinea; Sancho consigue la ínsula. La alegría de estar en el camino tras el ideal se ha perdido. Don Quijote y Sancho han conseguido lo que se proponían, y ¡qué diferencia entre la realidad y lo soñado! Sin que nadie lo supiera, solo, en la madrugada, sale Don Quijote por primera vez; ahora sale atardecido, y hasta las afueras del pueblo le acompaña el Bachiller. Don Quijote da pronto en la entreclaridad; en seguida se irrita porque no encuentra lo que busca, y al encontrarlo con la luz del día, se descorazona y entristece. Don Quijote, en 1615, es el instrumento que expresa esa tristeza de encontrar deformado lo que se iba buscando, lo que se había creado. Don Quijote expresa el cansancio espiritual y físico; por eso ahora afirma: «Yo no puedo más.» Expresa la desilusión y el desengaño del Barroco.

Pero Cervantes, tan luminoso y deslumbrante, incluso en la oscuridad, precisamente en la oscuridad; tan enamorado de la vida, de lo vital, de lo dinámico; tan seducido por las esencias y los sentidos, sale de la tristeza del desengaño dándole un tono afirmativo. Después de la vida todavía queda la muerte; en la muerte se rompen los velos, y, por fin, se abandona lo temporal por lo eterno. Don Quijote llegará cansado, engañado, hasta la muerte, en cuyo momento descubrirá la locura de su vida, la locura de la vida. Al entrar en la muerte, cuando la representación acaba, la irritación termina por completo, y la calma se transforma en serenidad.

LOS MOTIVOS DEL SEGUNDO «QUIJOTE»

Los tres temas de la novela de 1605—caballeresco, amoroso, literario—tomaban la forma de aventuras, episodios, juicios y diálogos. En 1615, el tema literario ya no consiste en la discusión de los libros de caballerías y de la novela pastoril; esa enorme masa literaria queda reducida al primer *Quijote* (al principio), y en posición paralela y antitética (al final) el falso *Quijote*. El tema historia-poesía se reduce a unidad en el mismo Don Quijote. Los dos personajes—el Cura y el Barbero—encargados en 1605 del tema literario, aunque aparecen en 1615, en realidad también se reducen a uno: el Bachiller. El novelista ya no vive pensando en la obra de otras épocas, sino en la de su época; esto es, la suya: el *Quijote* y las novelas. La amplia confrontación histórica es sustituida por esta realización personal, doblemente personal: la obra auténtica y la espuria.

En 1615 sentimos constantemente esa nota personalmente humana: en los diálogos, en los personajes, en las situaciones. En 1605, a la literatura del pasado se oponía la del presente—los dos escrutinios—, como al heroísmo pretérito se oponía el heroísmo del Cautivo, o al amor en la Edad de Oro el amor en la actualidad. En 1615, esta confrontación histórico-metafísica es sustituida por la experiencia de lo social, y dentro de lo social se confrontan dos dimensiones:

la realidad y la idea y los ideales que la informan. La realidad social no es nada más que el reflejo de las ideas y los ideales; unas y otros informan la sociedad, y al hacerlo se deforman, llegando en su deformación hasta la caricatura; a su vez, el arte es un reflejo de la sociedad y del hombre. Lo que el arte refleja es lo que la sociedad y el hombre tienen de reflejo; por eso en el arte la belleza es más bella y la fealdad más fea, y lo mismo acontece con la justicia, la virtud, el amor, el crimen, el vicio y el odio; en la zona del arte resplandecen en su esencialidad. En la sociedad se da unido lo abstracto y lo concreto, y el hombre es un ejemplo constante de la encarnación de lo eterno en forma temporal y de lo temporal velando lo eterno. Estos dos elementos que constituyen la unidad están haciéndose sentir en el transcurso de toda la novela como libertad y opresión, como dos dimensiones: una infinita e inabarcable y otra breve y mezquina. Don Quijote se siente prisionero y es hecho prisionero. En 1605 se le mete en una jaula, pero se siente en toda libertad y todavía interviene en el amor y tiene una aventura; en 1615 se le deja en libertad, pero ha sido vencido.

La tercera salida empieza con el encantamiento de Dulcinea. Una labradora, sin saberlo, hace el papel de Dulcinea. A partir de ese momento, en los umbrales de la acción, comienza la *representación*, el primer motivo novelesco de 1615. Luego tendremos la carreta de la muerte, gracias a la cual podremos contemplar a toda la Humanidad: la muerte con rostro humano teniendo a sus pies al amor, el grupo conducido por el demonio; después, el desafío del Bachiller, las bodas de Camacho, el retablo de maese Pedro y su mono, la representación de Merlín y la de la Trifaldi, la representación de Altisidora, las imágenes, la representación de la égloga, la cabeza encantada, la muerte de Altisidora. Este motivo nos explica la función del engaño en la novela y el que ésta se llene de «carros» y desfiles. La vida ya no la dirige Dios, sino el hombre. Esta limitación de horizonte se acentuará en el Rococó.

Si la representación refleja las ideas y los ideales que forman lo social vistos en la sociedad, en cambio, la *casa*, el segundo motivo, nos da la sociedad en lo que es como reflejo. Casa del *Caballero del Verde Gabán*, casa de Basilio, casa de los Duques, casa del gobernador Sancho, casa de don Antonio Moreno. Al camino de 1605 se opone la casa de 1615; como el heroísmo del Capitán cautivo (en

1605, Don Quijote-Cautivo) se opone la vida del *Caballero del Verde Gabán* (lo que en Francia se llamará *honnête homme* y en España ha de llamarse Caballero perfecto. En 1615, Don Quijote-*Caballero del Verde Gabán).*

Compárense las dos comidas en 1605—con los cabreros, con las parejas amorosas en la venta—, su medio inmenso, los dos majestuosos discursos que nacen de una consideración histórica y de la contemplación del destino humano, con las sobremesas de 1615 —casa de Don Diego Miranda, casa de los Duques, casa de Don Antonio Moreno—, con esos «banquetes» en que se habla de poesía, de las ideas platónicas y de lo apócrifo. El bosque y la venta son sustituidos por el salón. La arquitectura religiosa, el gran palacio monumental del Barroco, van a dar lugar en el Rococó a la arquitectura doméstica, y estas casas de Cervantes con su silencio o su jovialidad—bromas, saraos—nos dan la «medida» de la vida nueva y nos anuncian de lejos la próxima casa burguesa del siglo XVIII. La novela transcurre en un medio urbano no tanto porque algunos capítulos tengan lugar en Barcelona, sino por esa perspectiva que abre Doña Rodríguez en la casa ducal; por esa ronda nocturna de Sancho, en la que una muchacha crea con su imaginación a la ciudad y su fuerza de atracción. El pueblo de Don Quijote se llena de realidad con las cartas de Teresa y la vida de Ricote. El *Quijote* de 1615 produce una emoción social tan fuerte porque Cervantes está aislando lo social. El novelista o Sancho se encargan de ir enlazando una casa a otra.

Si los carros dan una especial fisonomía al segundo *Quijote,* la casa y la vida urbana completan el aspecto de la novela y la caracterizan. En 1605, el dinero era un elemento burlesco y tenía un valor mágico; de aquí la manera novelesca como Sancho vio recompensado su trabajo—el oro que encontró en la Sierra—. En 1615, el *dinero,* tercer motivo, tiene una función en la acción y la califica. Sancho comienza pidiendo salario, luego insiste en recibir una compensación; por último, el encantamiento de Dulcinea—el ideal en la sociedad—da lugar a los azotes a sueldo. Sancho no se encuentra con oro, los duques le gratifican e incluso Roque Guinart: ¡el bandolero apiadándose del exgobernador! Don Quijote, que ni por una vez toma una venta por castillo, paga su alojamiento, invita a sus compañeros de viaje, hace compras, y con su dinero desenlaza sus aventuras caballerescas—retablo y barco encantado—. Junto al encierro doméstico, que tanto satisface a Sancho, las cadenas del dinero que tanto le preocupa.

Los *animales*, cuarto motivo, desde el león a la liebre, pasando por los monos, los cuervos, los murciélagos y otras aves nocturnas; las cabrillas, los gatos, los toros, los cerdos, están dando calidad a la entreclaridad de la acción. Sirven para introducirnos en la sociedad y en el mundo turbio de las pasiones, llegando a cristalizar en la jimia de bronce y el cocodrilo de un metal desconocido, grupo simbólico que adorna la sepultura de la Humanidad. El hombre cristiano encadenado por las pasiones es una bestia. Sancho lo recuerda; y cuando dominados por la tristeza, después de la aventura de la barca, vuelven Caballero y Escudero a sus monturas, es Cervantes quien nos lo advierte: «Volvieron a sus bestias, y a ser bestias, Don Quijote y Sancho.» El hombre es «un compuesto de fiera». Al desaparecer el sentido religioso se llegará a la *bête humaine* del Naturalismo positivista, que es la última reducción de esta bestia del Cristianismo.

Don Quijote puede luchar sólo dos veces, y las dos tienen un profundo significado. Lucha con las figuras del retablo, lucha en Barcelona para ser vencido. La vida de Don Quijote, más que en obras, se traduce en palabras. Don Quijote dialoga y diserta; sobre todo, da consejos. Los *consejos* son el quinto motivo de la obra de 1615, son la cristalizada expresión del mundo social. Consejos sobre la familia, la educación de los hijos, el matrimonio, la paz y la guerra, etc., etc. En los consejos que da a Sancho y a Altisidora, el motivo llega a adquirir una gran importancia—por la extensión, por la forma poética—, hasta conseguir que la novela tenga un carácter educador. Y de la misma manera que a la experiencia espiritual de la sociedad—cueva de Montesinos—corresponde la experiencia intelectual de la política—caída en la sima—, así a los consejos de Don Quijote les sirven de armónico los juicios de Sancho gobernador, el recipiente del saber natural. Don Quijote adoctrina hasta su último momento, cuando encuentra la lección mejor, la de su muerte.

La sensación que nos produce la obra de 1605 es de una libertad máxima; su complicada organización compite con la naturaleza en complejidad y le gana en sensación de vida; el *Quijote* de 1615, en cambio, nos produce constantemente la sensación de estar encerrado en límites estrechos, sensación que el contraste nos hace sentir con más fuerza.

En lugar de la experiencia histórico-metafísica de 1605, tenemos esta experiencia político-social. Si penetramos en la estructura, tono y forma de la obra de 1605 y en la de 1615, y les damos sentido, podremos captar las dos experiencias de índole tan distinta que sirven de base a cada uno de ambos *Quijote*. Una novela no es superior a la otra; son diferentes.

En 1605, Don Quijote y Sancho ni se oponían ni se complementaban; las dos figuras eran lo mismo: lo que cambiaba era su dimensión, la cual, al ponerse en relación una figura con otra, forma un todo nuevo. En 1615, este juego de dos medidas autónomas diferentes formando un todo, ya no existe. De un lado se subraya la mutua dependencia, la cual hace resaltar la diferente calidad de ambas figuras, que forcejean continuamente por separarse, y llega un momento en que tienen que separarse. Ese momento en el cual Don Quijote se cree por primera vez caballero verdadero y Sancho verdadero gobernador. Con el paralelismo se está expresando ese correr igual de dos diferentes calidades; la separación constantemente igual es lo que constituye la esencia de su forma. Siempre la una al lado de la otra, siempre la una reflejo de la otra, pero siempre diferente la una de la otra. Don Quijote y Sancho viven primero con un mismo anhelo: merecer a Dulcinea, ganar la Insula. Lo que une a esas dos figuras es que las dos viven deseando, aunque cada una con un deseo distinto. Pero en 1615 tenemos la realización de esos dos ideales; por tanto, su diversificación. Don Quijote encuentra a Dulcinea. Sancho recibe la Insula; el Caballero era el protector de las doncellas, el Escudero es el que tiene el poder de desencantarlas. Primero, Don Quijote crea un ideal, y toda la Humanidad va en pos de esa meta; después, Don Quijote desengaña a los hombres. Se pasa del mundo creador del ideal al mundo de la lección moral. Cada obra refleja—en la composición, en las figuras, en el ritmo de la acción, en los temas y motivos—uno de esos mundos. En 1605 se vivía el conflicto pasado-presente; en 1615 se vive el presente en sus dos proyecciones, la representación y la burla, esto es, el arte y la sociedad. En el *Persiles* insistirá sobre su visión del mundo, completándola: Sociedad y Comedia, Pecado y Templo.

EL HOMBRE EN LA SOCIEDAD

LA MATERIA SOCIAL Y SU AHONDAMIENTO
DRAMATICO. EL TONO DE 1615

E N el primer capítulo, poniéndolo en boca de Cide Hamete Benengeli, declara inmediatamente Cervantes que la segunda parte de la historia de Don Quijote está formada únicamente por una salida del héroe, la tercera; indica la separación temporal entre esta salida y la segunda, sirviéndose de las cuatro figuras de la primera parte: el Cura, el Barbero, la Sobrina y el Ama, y recuerda cómo terminó la segunda salida de Don Quijote y la parte que en su vuelta al pueblo tuvieron el Cura y el Barbero. Se nos introduce en el nuevo medio novelesco: «Determinaron (el Cura y el Barbero) de visitarle (a Don Quijote) y hacer experiencia de su mejoría.» Con esta visita a Don Quijote en su aposento y en la cama empieza la novela, la cual terminará en el aposento del protagonista, acostado en su lecho; apenas se haya lanzado a sus aventuras querrán sanarle, y si entramos por última vez en su aposento es porque se ha curado.

Visita en su aposento y experiencia de su mejoría, después la presentación grotescamente burlesca del héroe: «Halláronle sentado en la cama, vestida una almilla de bayeta verde, con un bonete toledano, y estaba tan seco y amojamado, que no parecía sino hecho de carne momia.»

Con la visita comienza el diálogo, característica de la tercera salida, de material social: «Vinieron a tratar en esto que llaman razón de Estado y modos de gobierno.» Enunciado de manera general el tema, se ensartan los motivos políticos y morales: venida del turco, arbitristas y arbitrios, las comparaciones, la Edad de Oro, los caballeros modernos y su enraizamiento en el estrado, los caballeros antiguos y su espíritu de aventura—este espíritu de aventura queda ejemplificado en el caballero de corazón intrépido que se arroja en el batel sin remos—, y más que una alusión temática a la aventura de la barca, es una clave para situarnos en esta aventura. Entrecortando estos motivos, a veces como consecuencia de ellos, otros generándolos, aparecen los nombres de los héroes de los libros de caballerías, ejemplos de valor y virtud que van adquiriendo una realidad plástica y conducen directamente a Angélica, lo que utiliza Cervantes para cerrar el primer capítulo, citando en español el verso de Ariosto que en italiano terminaba el último capítulo de la obra de 1605. Pero el capítulo no termina aquí, porque siempre partiendo de Angélica se llega a Lope, y quizá se le vuelve a aludir dentro de la observación general sobre los poetas desdeñados que satirizan a sus damas, «venganza por cierto indigna de pechos generosos». Y se anuncia con gran ruido la llegada de Sancho.

En esta forma de diálogo y pasando de un motivo a otro, se presentan dos de los trazos que definían a Don Quijote: momentos de lucidez y de locura; creencia en la realidad de las figuras de imaginación. Con el primero verterá Cervantes su experiencia de lo social, empleando el segundo para ahondar dramáticamente lo social y realzarlo decorativamente.

El tema y la forma de presentarlo son patentes en el primer capítulo, también el tono de la obra de 1615. En cuanto comienza el motivo de los arbitrios, interviene el Barbero: «Mas el Barbero, que ya había dado en el mismo pensamiento que el Cura, preguntó a Don Quijote cuál era la advertencia de la prevención, que decía era bien se hiciese; quizá podría ser tal, que se pusiese en la lista de los muchos advertimientos impertinentes que se suelen dar a los Príncipes.» «El mío, señor rapador, dijo Don Quijote, no será impertinente, sino perteneciente.» Dice luego el Barbero su famoso cuento (discreción y locura que iluminan ya toda la novela): «Pues ¿éste es el cuento, señor Barbero, dijo Don Quijote, que por venir aquí como de molde, no podía dejar de contarle? ¡Ah señor rapista, señor rapista, y cuán ciego es aquel que no ve por tela de cedazo!»

Dice su arbitrio Don Quijote, terminando: «Y con esto me quiero quedar en mi casa, pues no me saca el capellán de ella; y si Júpiter, como ha dicho el Barbero, no lloviere, aquí estoy yo, que lloveré cuando se me antojare. Digo esto por que sepa el señor bacía que le entiendo.»

Rapador, rapista, bacía. Don Quijote va mostrando su mal contenida irritación por tanta impertinencia. No es la cólera del caballero andante, blandiendo su lanza o arremetiendo furioso. Es la sorpresa y malestar que se sufre ante la osadía irritante del sentido común, ante la bajeza social tan razonable y con tanta razón como mezquindad, ante esa grosería material a la cual hay que reconocerle, sin embargo, una cierta inteligencia. Para estar completamente seguros de que esta sensación que recibimos de irritación social es justa, sólo tenemos que oír las disculpas del Barbero: «No lo digo por tanto, replicó el Barbero», se excusa primero; y luego: «En verdad, señor Don Quijote, dijo el Barbero, que no lo dije por tanto, y así me ayude Dios como fue buena mi intención, y que no debe vuesa merced sentirse.» «Si puedo sentirme, o no, respondió Don Quijote, yo me lo sé.» Este malestar social, con el desasosiego que produce, tan fuertemente presentado al comienzo de la novela, da el tono al segundo *Quijote*, y en el capítulo XXXI veremos hasta qué punto la actitud del Hidalgo es la del novelista.

LA INSULA Y EL ENCIERRO.
EL PARALELISMO

La llegada de Sancho, que se anuncia de esa manera ruidosa que habíamos ya visto usada en *Rinconete* (otro procedimiento de *Rinconete* es la ironía con que se subraya la deformación de las palabras), da lugar al capítulo II. Sancho viene acompañado de la ambición que en él hizo nacer su señor: la Insula; y de su deseo que le define: «Malas ínsulas te ahoguen, respondió la Sobrina, Sancho maldito, y ¿qué son ínsulas? ¿Es alguna cosa de comer, golosazo, comilón, que tú eres?» El tema del hambre y la glotonería, que como explica Lope de Vega es uno de los recursos seguros para producir un efecto cómico—y así hemos de considerarlo casi siempre en la Comedia y a menudo en la picaresca, sin tratar de ver un reflejo social—, en el *Quijote*, como a veces también en el teatro y sobre todo en la picaresca, es expresión del instinto social, del impulso en su forma más ínfima.

El comilón Sancho llega reclamando su Ínsula, y de nuevo nos vemos encerrados en el aposento de Don Quijote. Diálogo entre unos muros. Conviene, al empezar a leer la novela, darse cuenta de este encierro, pues si lo captamos en todo su profundo sentido vemos cómo poco a poco va adquiriendo un valor funcional. Si antes el Barbero irritó a Don Quijote, ahora la presencia de Sancho le desasosiega; «pero Don Quijote, temeroso que Sancho se descosiese y desembuchase algún montón de maliciosas necedades, y tocase en puntos que no lo estarían bien a su crédito, le llamó, y hizo a las dos (al Ama y la Sobrina) que callasen, y le dejasen entrar». A la irritación que produce lo social va unida esta inseguridad, este temor, notas constantes en la novela y que se expanden en toda su fuerza en el capítulo XXXI.

El diálogo introduce brevemente a Sancho (manteamiento, golpes) y presenta a Don Quijote en su nueva dirección. Don Quijote le hace siete preguntas a Sancho (la séptima es una pregunta general y que sirve para terminar), Sancho inmediatamente contesta y por el mismo orden: el vulgo le tiene por loco; los hidalgos le critican el don; los caballeros no ven con buenos ojos que un hidalgo pretenda igualarse a ellos. Las tres primeras preguntas se refieren a lo social; por eso termina Sancho con lo de dar humo a los zapatos y remendar las medias negras con seda verde (como en el caso del batel sin remos, no es una alusión al incidente que le ocurre a Don Quijote más tarde, sino una explicación de su sentido); las tres siguientes, al carácter. Haciendo juego con la séptima pregunta, dice Sancho: «Y por aquí van discurriendo en tantas cosas, que ni a vuesa merced ni a mí nos dejan hueso sano», lo cual da lugar a que Don Quijote entre de nuevo en el coloquio con el tema de la virtud perseguida: «Mira, Sancho, dijo Don Quijote, dondequiera que está la virtud en eminente grado, es perseguida.»

En este diálogo debemos observar el paralelismo: pregunta-respuesta, subrayado por la ordenación en grupos de las cuestiones a tratar. El fluir, la corriente incesante de la digresión queda como aprisionada en este paralelismo, que es como las rejas que encierran y aprisionan toda la inquietud de la vida social, la jaula que no contiene a leones domados, sino cazados. También será en la casa de los Duques cuando esta forma paralelística adquiera mayor relieve. Caballero y Escudero—«que parece que los forjaron a los dos en una misma turquesa»—dejan de presentarse ya en un juego de proporciones y se transforman en dos figuras paralelas. La figura de Don Quijote penetra en el mundo social reflejándose en él y deformándose; igualmente vemos a su ideal (Dulcinea) en manos de Sancho; de aquí que cambie la relación de 1605 entre Caballero y Escudero, pues en 1615 vemos el encanto de Dulcinea en la Insula; esto es, cómo la Belleza, la Virtud, la Justicia se desplazan de la zona ideal y penetran en la realidad. Este reflejo es lo que conduce al novelista al paralelismo.

EL BACHILLER Y SU FUNCION. CERVANTES Y SU OBRA. LA UNIDAD DE DOS MUNDOS DIFERENTES

Con estas preguntas vemos a Don Quijote pendiente del medio social. No es ya la fama (aparecerá pronto la fama en su nueva forma), con esa amplitud del nombre que va de boca en boca, atravesando las fronteras espaciales, y los límites cronológicos, liberándose de toda traba, hasta convertir al hombre en un inmortal, en un héroe; es la dependencia del qué dirán, de la opinión; de aquí la sensación de algo reducido (es claro que esa estrechez de límites nada tiene que ver con el lugar de la Mancha; lo mismo sería en Madrid, o en Sevilla, o en la inmensa metrópoli actual). Don Quijote, irritado, intranquilo, sometido a la ·opinión ajena: «Así que, ¡oh Sancho!, entre las tantas calumnias de buenos, bien pueden pasar las mías, como no sean más de las que has dicho. —¡Ahí está el toque; cuerpo de mi padre!, replicó Sancho. —Pues ¿hay más?, preguntó Don Quijote. —Aún la cola falta por desollar, dijo Sancho. Lo de hasta aquí son tortas y pan pintado.» Sancho presenta al personaje que en 1615 sustituye al Cura y al Barbero: el bachiller Sansón Carrasco. Recuérdese que la función de los personajes de 1605 era doble; a ellos les estaba encomendado el tema literario y también fueron ellos los que decidieron que el Hidalgo volviera al lugar y la manera de llevarlo a cabo. Los dos personajes quedan reducidos a uno, reducción que ya podemos explicarnos' fácilmente. Carrasco será

quien decida la vuelta de Don Quijote y el que discurra cómo ejecutarla. Es igualmente el Bachiller el que tiene a su cargo el tema
literario, el cual ya no es la literatura de caballerías. Esta, respecto
a Don Quijote, representaba una forma de vida pretérita que había
que resucitar; en relación con Cervantes, un género literario que
había que dar por terminado. En 1615, el Hidalgo y Cervantes viven
de la *Historia del ingenioso hidalgo Don Quijote de la Mancha*. Si
Don Quijote depende del pasado, de su propio pasado, sin proyectarse en ese futuro lleno de promesas, en «los venideros tiempos» a
los cuales confiaba con esperanza su destino, Cervantes vive de su
obra. Cervantes ya es Cervantes, como Don Quijote es Don Quijote. No tienen que ir hacia la gloria, la fama: están ya en ella. Ya no
tienen el cometido alegremente vital, dolorosamente fecundo de lanzarse a la gran aventura de la creación, les queda el deber de defender su conquista de todos los ataques. Van a ser incomprendidos,
y bien y malintencionadamente, deformados y confundidos. Es la
gran gloria del creador no vivir de la creación ajena, sino de la
propia. Pero por grande y fecunda que sea la creación individual, su
círculo es necesariamente más reducido que el de una época histórica. Antes hablaba de la inmensa diferencia de volumen entre los dos
escrutinios de 1605, mas esa diferencia estaba compensada con la
gran osadía del gesto; el atrevimiento era admirable y necesario.
Pero ahora el *Quijote* está viviendo su propia vida, Cervantes no
puede hacer otra cosa que hablar de sus faltas, de sus olvidos, tiene
que escudarse en el impresor. En 1605 veíamos a Cervantes escribiendo, preparando las cuartillas que van a ir a la imprenta; en 1615
entramos en esa imprenta. Las numerosas ediciones no fortifican la
alta idea que tiene del valor de su propia obra. En 1605 el amigo le
ayudaba a lanzar su obra, después los amigos tienen que repetirle
constantemente que su obra vale. Importa muy poco, es claro, que
estos amigos sean invención de Cervantes, pues esta invención está
expresando su temor, sus inquietudes, su desasosiego, su necesidad
de apoyo. Es el hombre de letras que idealmente vive en el círculo
literario—del *Canto a Calíope* al *Viaje del Parnaso*—, cuanto más
amplio mejor, no por temor a ser excluido, sino por temor a no
ser el único; pero en la realidad los colegas son sustituidos por amigos en los cuales se puede descansar de esa carcoma de la inmortalidad.

228

Cervantes tiene la fortuna de desdoblarse en Don Quijote, quien puede expresarse con toda sinceridad: «Harásme mucho placer, amigo (Sancho), dijo Don Quijote, que me tiene suspenso lo que me has dicho (la noticia de que ha aparecido la historia de su vida), y no comeré bocado que bien me sepa hasta ser informado de todo»; atreviéndose Cervantes a anunciar el capítulo III como «un graciosísimo coloquio». Va Sancho en busca del Bachiller, en su aposento permanece Don Quijote. Don Quijote queda abrumado ante la noticia: «Pensativo, además», «no se podía persuadir», «con todo eso imaginó», «se consoló algún tanto; pero desconsolóle pensar», «temíase», «deseaba», «y así envuelto y revuelto en estas y otras muchas imaginaciones, le hallaron Sancho y Carrasco, a quien Don Quijote recibió con mucha cortesía». El tema literario no es solamente distinto en 1605 y 1615, sino que su diversa índole crea un tono muy diferente en cada época. En el primer *Quijote* se enjuiciaba, y el tema se utilizaba como meta paródica, se disparaba contra él con toda la seguridad de puntería de quien tiene su propio mundo; en el segundo *Quijote*, el juicio se ha transformado en vida y el personaje paródico en personaje de libro en conflicto con el personaje de la realidad. En 1605, la experiencia vital se transforma en arte —Dorotea en la Princesa Micomicona—; en 1615, el arte ilumina la vida—dueña Dolorida, dueña Doña Rodríguez—. Cervantes, que ha estado discutiendo durante todo su primer *Quijote* la diferencia entre la criatura de imaginación y la criatura de la realidad y lo ridículo que era creer en la existencia real de aquélla, se encuentra en su segundo *Quijote* con que la criatura inventada se traslada de su ámbito imaginario a la realidad, descubrimiento que a partir del Rococó queda incorporado a la vida espiritual europea.

En los dos capítulos siguientes—el III y el IV, separados por la comida y la siesta; el Bachiller se queda a comer con Don Quijote, Sancho va a comer a su casa. Los tres primeros capítulos tienen lugar por la mañana en el aposento de Don Quijote: visita del Cura y el Barbero (cap. I), visita de Sancho (cap. II), visita del Bachiller (cap. III, y continúa en todo el cap. IV)—se describe al nuevo personaje y se habla del primer *Quijote*.

Hasta ahora hemos podido notar el encadenamiento y paralelismo de la forma que se traducía plásticamente en los muros de un aposento, encierro en un aposento que relacionábamos con lo social

—aposento - sociedad—, viendo cómo este cercamiento social, esta dependencia de la sociedad crea un estado de inseguridad (o al contrario, la inseguridad es causa de esta dependencia), de irritación, malestar y temor. El nuevo personaje se ha creado para encomendarle el nuevo sentido del nuevo *Quijote:* la burla y la parodia del personaje de 1605, de Don Quijote. Muchos se daban cuenta en 1605 de que Don Quijote era un loco y le apaleaban o se reían de él o trataban de entrar en su mundo: tres actitudes distintas ante la figura grotesca del Caballero, tres formas de vida que creaba la relación de Don Quijote con el mundo circundante. Pero en 1615 Don Quijote ya no es uno de los elementos de esta relación dual; el Caballero está encerrado entre el *Quijote* y la sociedad: *Quijote*-Don Quijote-sociedad. Si no se conoce el libro, aunque se haya conocido al caballero andante—el caso de Ginés de Pasamonte—, la burla no surge, ésta se produce únicamente ante lo grotesco de encontrarse la figura de imaginación en la realidad; lo concluso, perfecto y contenido en sí mismo deambulando entre seres temporales: estamos en el tema del teatro en el teatro; somos espectadores de actores que hacen de espectadores de actores que hacen de actores. Hemos de atender a los dos escenarios: el escenario del teatro y el escenario del escenario. Es claro, el escenario secundario es el escenario del escenario, como el actor secundario es el actor que hace de actor, no el que hace de espectador; pero esta escena y este actor secundarios iluminan la escena principal y a veces se adueñan de toda la atención. De aquí que el segundo *Quijote* no sea una continuación del primero, sino que dependiendo del primero se mantenga por sí solo. No es una continuación porque el primero estaba terminado, y, por tanto, no había nada que se prestara al desarrollo, pero podía servir como punto de arranque de otra obra. Por eso podemos explicarnos que siendo Don Quijote el protagonista tengan tanto vigor los otros personajes y tanta fuerza el medio. Con Don Quijote vamos a ver desfilar una serie de figuras y tipos; con Don Quijote entraremos en ciertos medios sociales, y el mismo Don Quijote nos hará descansar de esta realidad, representando una aventura. Nuestra atención debe acudir a dos acciones distintas de volumen y medida diferentes, que, además, están intercambiando constantemente el volumen y la medida. Para comprender lo que quiero decir con dos acciones distintas y para que no se establezca ninguna contradicción con la afirmación de que la característica de esta época (1610-1615) es la acción única, y sobre todo para hacer resaltar el valor estético de la relación e intercambio de estos volúmenes y medidas diferentes, tan importante en todo el segundo *Quijote*, bastará citar, sin más, el encuentro del Caballero con la carreta de la muerte (cap. XI): «La primera figura que se ofreció a los ojos de Don Quijote fue la de la misma *Muerte*, con rostro *humano*.» Es la unidad creada por estos dos elementos heterogéneos lo que caracteriza la creación de 1615; la sensación que recibimos ante el acoplamiento de estos dos elementos diferentes nos la producirá toda la novela. Adviértase la insistencia con que se presenta a Don Quijote como loco y discreto; son otra vez las dos zonas de la novela. Una de las maneras como se produce es tal como queda expresada en el capítulo III con la entrada del Bachiller: la unión de la figura de la realidad y de la figura de arte por medio de la burla, lo cual hace aparecer a Don Quijote y Sancho con una mayor humanidad tanto en sus diálogos como en sus acciones.

Sansón Carrasco tenía todas las señales «de ser de condición maliciosa, y amigo de donaires y burlas, como lo mostró en viendo a Don Quijote, poniéndose delante de él de rodillas, diciéndole: déme vuestra grandeza las manos, señor Don Quijote...; que es vuesa merced uno de los más famosos caballeros andantes que ha habido, ni aun habrá en toda la redondez de la tierra».

En seguida se presenta el tema de la nueva fama, la que consiste en ver su propio nombre impreso; y se pasa a hablar del primer *Quijote:* su inmediata popularidad, siempre creciente. El diálogo refleja, aunque no de una manera sistemática, sino en el ritmo de digresión, la idea de Cervantes acerca de su propia obra, y algunas de las observaciones que hicieron los lectores, es una «Defensa». Destaquemos que Cervantes recuerda las aventuras en la segunda salida. Menciona las cinco de la tercera parte, menos la del yelmo: batanes, rebaños, cuerpo muerto, galeotes, encuadrándolas entre la de los molinos y la del vizcaíno. Hace la diferencia entre dos artes, el que cuenta o canta las cosas como debían ser y el que escribe de ellas como fueron. La tacha que le ponen a la novela: el haber introducido novelas, tema que desarrollará más tarde, lo cual da pie a que se hable de su claridad y de nuevo de su popularidad; hablan de los escritores y de los críticos, advirtiendo que «quizá podría ser que lo que a ellos (a los críticos) les parece mal fuesen lunares que a las veces acrecientan la hermosura del rostro que los tiene». Terminan con los defectos mecánicos del *Quijote:* hurto del rucio y lo que hizo Sancho con los cien escudos que encontró en Sierra Morena. Al llegar a este punto, quedan emplazados por Sancho para el capítulo siguiente, el IV. Con gracia aprovecha estos dos olvidos, transformando uno de ellos en uno de los hilos de la acción: «y nadie tiene para qué meterse en si truje o no truje, si gasté o no gasté, que si los palos que me dieron en estos viajes se hubieran de pagar a dinero, aunque no se tasaran sino a cuatro maravedís cada uno, en otros cien escudos no había para pagarme la mitad». Se recordará que Sancho, en 1615, primero, pide salario a Don Quijote; éste lo niega, pero después, ante sus protestas, se aviene a pagarle y dejarle marchar; el Duque le da un presente en dinero, que corre peligro de perder cuando se topan con los ladrones; pero, lejos de perderlo, Roque Guinart le hace otro regalo; por último, el *Quijote* termina recibiendo Sancho dinero por los azotes que se da, azotes ficticios (es de esperar que un día se estudie este motivo, como tantos otros del *Quijote,* según una interpretación social moderna; sin embargo, mi intención no es interpretar la novela desde un punto de vista social, o político, o humano moderno, sino con ideas necesariamente de hoy descubrir la obra de 1615). Se habla de la segunda parte posible y de la tercera salida con la movilidad cronológica característica del Barroco; se pasa a otros temas, y hablando de versificación termina este capítulo, en el cual ha tenido Sancho la palabra. Conviene tener en cuenta que otro hilo que no nos dejará hasta muy tarde, y por razones de todos sabidas, aparece aquí: la ida a Zaragoza (recordando el primer *Quijote)* y el tema de los agüeros.

El comienzo del *Quijote* de 1615 es de una gran lentitud; para disponer la primera salida bastó un capítulo; para la tercera salida son necesarios siete. En los cuatro estudiados se habrá observado que se presenta a Don Quijote primero y a Sancho después según esa ley de paralelismo que vemos inmediatamente confirmada, cuando se dedican dos capítulos para hablar del primer *Quijote* (en el tercero, la figura importante es Don Quijote, y en el cuarto lo es Sancho), y en el quinto y en el sexto, de manera paralela, veremos a

232

Sancho en su casa y a Don Quijote en la suya, mientras el séptimo anuda a Caballero y Escudero en una discusión social, encuadrada por la figura de Sansón Carrasco.

EL NUEVO PAPEL DE SANCHO. HACIA LA NUEVA CONCEPCION DEL CABALLERO

El capítulo V comienza con esta advertencia: «Llegando a escribir el traductor de esta historia este quinto capítulo, dice que lo tiene por apócrifo, porque en él *habla* Sancho Panza *con otro estilo* del que se podía prometer de su corto ingenio, y *dice cosas* tan *sutiles*, que no tiene por posibles que él las supiese.» Este comienzo es para mí prueba suficiente de que Cervantes tenía pensado de antemano lo que iba a escribir, observación necesaria sólo para aquellos que creen que una obra de arte como el *Quijote* podía deberse a sugerencias e «inspiraciones» del momento; además, y esto es lo importante, que Cervantes—volveremos a insistir en el capítulo VIII— había pensado y sentido su segundo *Quijote* como completamente diferente del primero, tanto por lo que se refiere a la forma como a los personajes. El Sancho de 1615 es distinto del de 1605. Su vida no acude ya tras un señuelo que solamente le deslumbra. Los reflejos del poder le seducen, pero también iluminan planos y términos de la sociedad y del individuo que le eran desconocidos. Lo mismo acontece con Don Quijote. Ambos personajes han sido visitados por la sapiencia, la cual aún se hace sentir mejor, amablemente, pero con fuerza, en esos momentos en que la ambición o la vanidad agita sus almas. Junto al ruido de la carcajada o el tono agrio de la irritación, lo que impregna la voz de Cervantes en su segundo *Quijote* es la calma y el reposo con una gota de cansancio. No hay nada de menoscabo en este cansancio, ningún signo de «decadencia»; es la nota que le conviene a esa sabiduría de lo humano, la que da su tono especial a la calma. La seguridad de la osadía debe tener como valor complementario el brío; a la condensación de la experiencia de lo social le va bien esta punta de cansancio, que se convierte en seguida en serenidad. Arriba queda indicado que los personajes del segundo *Quijote* no son más reales que los de 1605, pero tienen mucho más volumen humano. La realidad de Teresa Panza estaba ya

233

conquistada con dos frases en el primer *Quijote;* pero en 1615 se nos ofrece en todas sus dimensiones, se le da el volumen necesario para que haga juego con su marido. A ambos se les encomienda el tema de «las aceitunas»: vivir como presente real el futuro imaginario; lo que importa, sin embargo, no es la transposición de la clave.

Hagamos las aceitunas reales, y el paso de Lope de Rueda pierde su razón de ser. La fuerza dramática del paso reside en ese ir dando realidad a algo que aún no existe, y el poder de su desenlace, en el choque que se recibe al darse cuenta de que se ha vivido como real lo imaginario. El diálogo entre Teresa y Sancho se desplaza del tiempo (aunque más tarde el futuro se hace presente, capítulo LII) para presentarnos la relación marido-mujer, para hacernos penetrar en la consistente densidad del matrimonio. Rápidamente marido y mujer se ponen en contacto. Teresa reconoce en la alegría de Sancho un signo de acontecimientos, y le pregunta a qué se debe. Sancho contesta con una frase que su mujer no entiende, y como ésta se lo advierta, nos muestra Sancho su nueva función: es capaz de explicar una breve frase con todo un párrafo, y despierta en Teresa la admiración intelectual hacia él. Al decirle a su mujer que va a salir de nuevo con Don Quijote, se impone a ella no tanto por el esfuerzo físico que las aventuras suponen como por la superioridad moral de Sancho, el cual afirma: «Si no pensase antes de mucho tiempo verme gobernador de una ínsula, aquí me caería muerto.» Y Teresa, con toda su profundidad de esposa, acude en seguida: «Eso no, marido mío—dijo Teresa—; viva la gallina aunque sea con su pepita; vivid vos, y llévese el diablo cuantos gobiernos hay en el mundo.» Sancho ya está carcomido por la ambición que le impulsa a abandonar la casa y a preferir la muerte antes que resignarse al estado en que vive. Teresa le acompaña mientras adivina en esa ambición un elemento constructivo familiar y doméstico, el cual existe; pero ni es único ni preponderante. De aquí que el hombre prefiera la muerte a la resignación, y es entonces cuando la esposa protesta, llevada de su cariño, sí, pero también de su necesidad de límite, de conformidad. Mas en el caso de que el marido triunfe, no piensa en ella misma, sino en sus hijos. Primero en la muchacha; hay que casar a Mari Sancha: «Mirad también que Mari Sancha, vuestra hija, no se morirá si la casamos, que me va dando barruntos que

desea tanto tener marido como vos deseáis veros con gobierno.»
Para la hija es tan importante el casarse como para el padre el tener
gobierno; la relación de la ambición masculina y femenina no dis-
minuye a ninguna de las dos; lo que hace es destacar su diferencia
y mostrar la rica textura de lo social, que aparece en toda su amplitud cuando se discute el problema del matrimonio. El hombre—hombre, padre, marido—se lanza ya sin freno, movido por su ambición, y la mujer trata inútilmente de retenerle. Aconseja, persuade, implora, logrando que su cordura sea tomada por pusilanimidad
y que caiga sobre ella todo el desprecio del ser que se siente con la
fuerza multiplicada de quien está abocado a la acción. Brevemente
se vuelve al hijo para terminar el diálogo. Para terminar el capítulo se pasa del diálogo al estilo indirecto; al largo diálogo se le opone una brevísima descripción, que sirve para cerrar el capítulo, al
mismo tiempo que se presenta el dolor fecundo de la desavenencia
del matrimonio, en el cual el sentido doméstico del límite y de las
raíces tiene que luchar con la ambición ilimitada de lo mundanal.
La mujer opone su sentido de seguridad a la inquietud del hombre,
y ofrece toda la gracia de su femineidad al someterse al impulso
masculino, por más que éste se aleje de la razón. La mujer no agota
sus posibilidades con esta actitud; en el capítulo LII, y ante el presente, Teresa nos manifiesta nuevos aspectos de lo femenino social.

Capítulo apócrifo—dice Cervantes—: manera de indicarnos el
cambio que se hace sufrir a la figura de Sancho. Cervantes, es claro, no se propone estudiar el desarrollo posible de un carácter; lo
que hace es darle a Sancho otra función de la que tenía en 1605; de
aquí que lo señale inmediatamente. Sancho no se transforma, no se
transforma su carácter, y conviene advertir toda la diferencia entre
él y Don Quijote, ya que la nueva función del Escudero es convertir la experiencia espiritual de Don Quijote en una mera experiencia
intelectual, que Cervantes hace encarnar en Sancho. Si en Sancho
se refleja la manera de hablar de Don Quijote es porque también se
refleja en él el anhelo del Caballero. Reflejo que produce un efecto
paródico cuando habla, pues parece que imita, que su estilo es sólo
un remedo del de Don Quijote. Si insistimos en la imitación, creo
que se destaca demasiado el valor cómico, en menoscabo de su significado esencial y del verdadero sentido de lo cómico. El significado
es la realización de los valores ideales en la realidad social. Esta rea-

lización puede aparecer y ser dramática y aun trágica, pero Cervantes la ve de una manera cómica. Al ver la seriedad con que el hombre transforma lo espiritual en intelectual sin darse cuenta de lo que está haciendo, Cervantes se sonríe y nos hace sonreír. Sancho es cómico no sólo cuando habla en un estilo elevado y engoladamente, sino también cuando nos muestra todas sus ansias por el gobierno. Este preferir morirse—«aquí me caería muerto»—si no posee la tierra, que será el drama moderno, es el engaño del hombre que a Cervantes con frecuencia le hace sonreír.

En posición paralela al diálogo entre Sancho y su mujer tenemos en el capítulo VI el coloquio entre Don Quijote y su Sobrina y el Ama. Como en el capítulo I se nos ha mostrado la locura de Don Quijote con el tema de los arbitrios, ahora, con el de los memoriales, se muestra su discreción. «¡Válame Dios!—dijo la Sobrina—. ¡Que sepa vuesa merced tanto, señor tío, que, si fuese menester en una necesidad, podría subir en un púlpito e irse a predicar por esas calles, y que, con todo esto, dé en una ceguera tan grande y en una sandez tan conocida, que se dé a entender que es valiente siendo viejo, que tiene fuerzas estando enfermo, y que endereza tuertos estando por la edad agobiado, y, sobre todo, que es caballero no lo siendo, porque, aunque lo puedan ser los hidalgos, no lo son los pobres!» Locura y discreción eran un elemento formativo de lo más importante en la figura de Don Quijote, pero en 1615 se convierte en un elemento formal de la novela. En lugar de un complejo, que constituye la esencia de un personaje, tenemos el paso de una característica a otra, con un ritmo ordenador; a medida que lo vamos deshojando—locura-discreción, locura-discreción—aumenta nuestro anhelo por llegar a ese momento, y retardarlo, en que fatalmente se resuelva la dualidad, hasta que nos quedamos en las manos con el pétalo de la cordura, que la brisa de la razón hará revolotear durante todo el siglo XVIII. Cordura que en el siglo XVII tiene un sentido religioso.

En «la Corte de su majestad» otra vez; los cortesanos sirven de adorno y de ostentación, sobre la cual fulgura la grandeza de los príncipes, la majestad real. ¡Qué fondo de tejido tan rico, cuajado de pedrería, lleno de plumas y reverencias jerarquizadas, bandas, oro, ambición, ocio y lujo, placer y pasión, refinamiento, arte, acción interior! «Porque los cortesanos, sin salir de sus aposentos ni

236

de los umbrales de la Corte, se pasean por todo el mundo, mirando un mapa, sin costarles blanca, ni padecer calor ni frío, hambre ni sed; pero nosotros, los caballeros andantes verdaderos, al sol, al frío, al aire, a las inclemencias del cielo, de noche y de día, a pie y a caballo, medimos toda la tierra con nuestros mismos pies.» Para penetrar en la sociedad barroca es necesario captar fuertemente cómo la acción guerrera medieval se ha transformado en acción comercial e industrial; nuevo tipo de acción que es la que va a lograr el dominio de la Tierra, multiplicar las riquezas materiales, crear una vida social fundada en la capacidad del individuo para gozar de los privilegios que son consecuencia de sus servicios a la comunidad; individuo y comunidad separados y unidos fuertemente por una línea tan fácil de intuir como difícil de definir, ya que su demarcación reside en un sentimiento interior, es un hecho espiritual, es lo espiritual de esta acción: saber hasta dónde se puede llegar y dónde debe detenerse; ser capaz de reconocer si se ha traspasado la línea; forma del respeto y la tolerancia que relaciona lo particular y lo general, lo privado y lo público, la fuerza y el derecho, tanto por lo que respecta al individuo como por lo que se refiere a la comunidad. En el fondo, se trata de la misma sociedad feudal en idéntico estado de lucha permanente como base de un orden social; sólo que este orden no se funda en el agro, sino en el comercio y en la industria, y el acento pasa de la autoridad, la cual, más que fuerza, significa expresión de lo sobrenatural en la sociedad, a la libertad política (razón). Junto a la realidad y voluntad de este desarrollo en el ámbito tridentino-español, vemos, y esto es muy característico de España, convertirse la acción en algo puramente externo, ornamental y gratuito, o bien en algo interior; la acción, si se externaliza, deviene gesto, expresión, y si se interioriza, se transforma en pura contemplación. De la misma manera que en los mejores momentos de la acción comercial, industrial y social podemos y debemos aprehender el espíritu, podemos y debemos también captar el espíritu en ese mundo de la contemplación y de los gestos. Para el caballero feudal, lo importante es el enemigo; para el cortesano, lo que Don Quijote llama niñerías, ésto es, todo aquello que hace de la batalla campal un desafío reglado, un deporte o un juego mortal. En el juego, el sometimiento a la regla, o picarescamente el burlarla (y en la trampa hay un profundo sentido trascendente: improvisación, ingeniosidad, valor de lo momentáneo, o desdén, rencor, agria rebeldía), es más importante que el resultado; el mismo propósito del juego, la muerte, alcanza un suntuoso reflejo decorativo. Don Quijote se encuentra en ese momento propicio en el cual puede aprehender la misma intuición que ha tenido Cervantes: «Ni todos los que se llaman caballeros lo son de todo en todo; que unos son de oro, otros de alquimia, y todos parecen caballeros; pero no todos pueden estar al toque de la piedra de la verdad..., y es menester aprovecharnos del conocimiento discreto para distinguir estas dos maneras de caballeros, tan parecidos en los nombres y tan distantes en las acciones.» En el mundo, cuando más falta hace la confianza, más necesaria es la discreción para distinguir el oro verdadero de su remedo, de su falsificación; para examinar la coincidencia de nombre y acción. Hay que tener en cuenta que esta vigilancia despierta no es en Cervantes una invitación al recelo. La división ya ha quedado completamente establecida en el mundo moderno, convertida en método; de un lado, sospecha, desconfianza, duda (en España, picaresca); de otro, confianza. Cervantes es de los que confían, o, más exactamente, de los que quieren confiar, de los que sienten que es absolutamente necesario confiar. Si en el juego del ser y el parecer, de lo verdadero y lo falso, el hombre rechaza todo apoyo, caerá en el abismo de lo vago o de la materia; esto lo siente muy bien Cervantes; por eso se alista entre los que confían en la realidad de lo formal. Pero la suya no es una confianza boba, sino una confianza activa. Confía en poder, aprovechándose *del conocimiento discreto*, diferenciar el oro de la alquimia. Algo tiene que haber en la alquimia que suene a falso, algo en el oro que revele su verdad. Confianza del siglo XVII, optimismo del XVIII, progreso del XIX, estamos en la misma línea, seguimos el mismo desarrollo (aunque necesariamente no haya una relación de causa-efecto), y desde un punto de vista estético (también ideológico, pero esto no nos interesa ahora) hay que darse cuenta de cómo difieren estos distintos conceptos del mundo, de cómo vienen acompañados de una diferente sensibilidad.

En 1605, cuando se dudaba de la existencia de los caballeros andantes, Don Quijote acudía a demostrar que han existido. En 1615, Cervantes, entregándose al movimiento suavemente ondulado de la digresión, que nos eleva a diferentes alturas, cuyo ímpetu es constantemente diverso, que despide unas luces siempre cambiantes, llevándonos de ironía en ironía, hace que Don Quijote replantee el problema. No se trata de saber si Amadís ha existido realmente, fábula-historia, sino de averiguar algo igualmente sutil, pero situado en otro plano. ¿Qué es lo que hace al Caballero? ¿Basta con serlo para parecerlo? O ¿basta con parecerlo para serlo? Molinos-gigantes; de esta amplia zona metafísica y formal pasamos a una zona ética y social; del ser a la conducta.

En 1605, Sancho dependía de Don Quijote, y o no podía seguirle o bien sucumbía momentáneamente ante el engaño de las sensaciones para reponerse en seguida, volviendo a engañarse por su propia cuenta. En 1615, no. El *Caballero de los Espejos* y su Escudero se presentan como tales a Sancho y a Don Quijote; después, a ambos aparecen como el Bachiller y el vecino de Sancho, así con el Escudero de la Trifaldi y Mayordomo de los Duques, así con el lacayo Tosilos, lo que es más perturbador, así con el encanto de Dulcinea. Antes, los fenómenos engañaban al hombre; ahora, el hombre engaña al hombre; la situación es la misma, pero toda la motivación ha cambiado; por tanto, el hombre se presenta con otro gesto, otra expresión, otra emoción de lo circundante. En 1605, Don Quijote afirmaba: «Yo sé quién soy», y Hamlet le acompañaba: «Ser o no ser.» En 1615, Don Quijote exclama: «¡Yo no puedo más!», y en la exclamación, dándole un diferente sentido, le acompañará Sancho: «¡No puedo más!»

Caballeros andantes y cortesanos, verdaderos y falsos: Ama y Sobrina no están en contradicción con Don Quijote, dicen lo mismo, cada cual con un sentido diferente. Diferencia de sentido que no proviene de cómo se examine la palabra, sino de un planteamiento distinto del problema. «Los hidalgos pueden ser caballeros, pero no lo pueden ser los hidalgos pobres», afirma la Sobrina para anonadar a Don Quijote; pero éste le contesta: «Tienes mucha razón, Sobrina, en lo que dices.» Sólo que la Sobrina es capaz de penetrar en un círculo muy reducido, mientras Don Quijote se remonta hasta el círculo que abarca todos los linajes. Está de acuerdo con la Sobrina, pero el problema es aún más complejo de lo que se piensa: «De todo lo dicho quiero que infiráis que es grande la confusión que hay entre los linajes.» La virtud y la liberalidad son la esencia del caballero rico, y la esencia del caballero pobre, la virtud y espíritu caritativo, el cual consiste en la alegría en el dar. Don Quijote diserta sobre la virtud y el camino que conduce a ella, tema evangélico en que se incide frecuentemente en el Barroco; pero Cervantes inunda su tono moral en la resplandeciente belleza de Garcilaso. En oposición al capítulo V, el capítulo VI, elevándose a una alta serenidad, termina con un gracioso movimiento, acelerado con la llegada de Sancho.

En el capítulo anterior, además de marcarse la desviación de Sancho con respecto al primer *Quijote,* por medio de la familia se nos introduce en la apretada textura de lo social; en este capítulo aparece el ideal del nuevo Caballero, ni esforzado como el andante, ni como el del Renacimiento cortesano, ni como el Cautivo. Mientras la sociedad está desarrollando el tipo espléndido del gran señor, todo forma y todo apariencia, que, distinto del hombre del Renacimiento, no equilibra armas y letras, sino que vive en el reducido recinto de la corte la aventura del mundo, Cervantes crea al caballero virtuoso, al *Caballero del Verde Gabán.* El coloquio de Don Quijote con el Ama y la Sobrina completa de una manera paralelística el diálogo entre Sancho y Teresa.

LA REALIDAD HUMANA

El capítulo VII tiene como núcleo el diálogo entre Don Quijote y Sancho, el cual está encuadrado por la figura de Sansón: presente al principio del capítulo, aunque no del diálogo, y al final de ambos. El diálogo tiene un tono y un ritmo tan impregnados de humanidad, que las figuras de Sancho y Don Quijote se alejan definitivamente de 1605 para insertarse en el mundo burgués moderno. Cervantes tiene una especial capacidad para captar el movimiento de una figura, un gesto, el ritmo del diálogo; pero en el segundo *Quijote* no se presentan formando un arabesco decorativo o un efecto retórico o teatral, que es lo que tantas veces observamos en las *Novelas,* en los *Entremeses* y en el *Quijote* de 1605. Cuando Don Quijote pronuncia su *Discurso de la Edad de Oro,* o cuando Dorotea es sorprendida en el arroyo, o la gitana vieja protegiendo a sus muchachas en Madrid, o el eunuco negro, de todas estas figuras y en las diversas actitudes en que se las representa, sentimos que han sido «colocadas». En el *Quijote* de 1615, por el contrario, Cervantes goza con el rasgo meramente descriptivo. «Apenas vio el Ama que

Sancho Panza se encerraba con su señor cuando dio en la cuenta de sus tratos; y imaginando que de aquella consulta había de salir la resolución de su tercera salida, y tomando su manto, toda llena de congoja y pesadumbre, se fue a buscar al Bachiller Sansón Carrasco.» La frase «y tomando su manto» nos parece que impregna al Ama de sentido humano, sugestión que confirma la composición del capítulo. El Ama encuentra al Bachiller paseándose por el patio de su casa, teniendo lugar un diálogo que nos anuncia la inmediata tercera salida de Don Quijote y nos recuerda cómo terminaron las otras dos: jumento, carro de bueyes. Recuerdo y anuncio encuadrado por el humor de Sansón. El diálogo sería uno de tantos diálogos—graciosos, movidos, llenos de verbo—como escribió Cervantes si no fuera acompañado con el encuentro del Ama con el Bachiller, el cual nos arraiga fuertemente en un lugar de Castilla. Luego, el diálogo entre Don Quijote y Sancho. Este pide un sueldo a su señor. Detrás de las palabras de Sancho hay un capítulo del *Quijote* no escrito, no por un descuido del autor o porque se le olvidara, sino porque su arte suprime los términos intermedios para apresar la vida. Cada palabra de Sancho nos hace pensar en cómo continuó su diálogo con su mujer después de su triunfo de varón y de jefe de la casa. Victoria en los grandes planes, en el futuro ambicioso; pero cómo tiene que irse replegando Sancho ante el presente, en ese campo conocido a la mujer de su casa, y en el cual Teresa obtiene un magnífico desquite: «La cual, cuando toma la mano a persuadir una cosa, no hay mazo que tanto apriete los aros de una cuba como ella aprieta a que se haga lo que quiere.» La mujer logra dirigir la conducta del hombre, y cuando éste fracasa, entonces él convierte su derrota en una lección de masculinidad: «Pero, en efecto, el hombre ha de ser hombre.» El arte de Cervantes puede dar todo el inmenso volumen de la acción sin hacerla pesada; pero tampoco aquí hay nada especial dentro del arte cervantino. Es la actitud, la mirada, el gesto, la reserva acogedora de la palabra de Don Quijote lo que nos muestra hasta qué punto el novelista ha calado en los hombres. Don Quijote, que inmediatamente va a dar pruebas de su locura, que las está dando mientras habla con Sancho, tiene por momentos tal sabiduría en la expresión de su semblante, su mano tal serenidad, su cuerpo tal compostura, que, sin haber llegado a un individuo, nos sentimos a una gran distancia de lo general. Unos ejemplos de este diálogo:

«Sancho: Y yo digo que el consejo de la mujer es poco, y el que no lo toma es loco.

Don Quijote: Y yo lo digo también. Decid, Sancho amigo: pasa adelante, que habláis hoy de perlas.»

Una gran tirada de Sancho sobre la muerte la corta Don Quijote: «Todo eso es verdad; pero no sé adónde vas a parar.»

Y haciendo juego con otra del comienzo, esta réplica de Don Quijote: Sancho: «Ya entiendo. Yo apostaré que había de decir rata y no gata; pero no importa nada, pues vuesa merced me ha entendido.» Don Quijote: «Y tan entendido, que he penetrado lo último de tus pensamientos, y sé al blanco que tiras con las innumerables saetas de tus refranes.»

Sansón viene a ver a Don Quijote, y le aconseja, con gran desesperación de Ama y Sobrina, que no posponga por más tiempo su salida, la cual tiene lugar al final del capítulo.

En estos primeros siete capítulos, con una pausa muy acentuada después del cuarto, queda establecida la preponderancia que va a tener el diálogo y la digresión; sobresale el sentido de lo social, se advierte el sentido humano que otorga Cervantes a sus personajes y la fuerza con que capta el medio. La ausencia de cronología es completa, y no hemos de tratar de introducir un orden cronológico como lo exigía el neoclasicismo (Vicente de los Ríos), y luego todo el siglo xix y aun el xx, porque el sentimiento que tenemos es el de temporalidad, que la pausa del capítulo IV subraya, y en la cual, al parecer, se apoyaba Ríos para creer que se pasaba a un segundo día.

Para el lector moderno, esta pausa puede ser desconcertante, puesto que al final del capítulo IV se decide la tercera salida y el Bachiller se despide de Don Quijote, decisión y despedida que vuelven a tener lugar en el capítulo VII. Sin embargo, suponiendo que los tres capítulos restantes ocurren al día siguiente, no conseguimos dar un sentido a esa pausa. El sentido de ese final del capítulo IV lo encontramos si tenemos en cuenta lo dicho al estudiar el primer *Quijote* (RFH, II, 337-43): el Barroco presenta, en síntesis y de una manera especial y total, la acción que se va a desarrollar inmediatamente. (Comp. capítulo XXIV: «Subieron todos tres el dere-

242

cho camino de la venta, a la cual llegaron un poco antes de anochecer.» Después se cuenta lo que les sucede en el camino antes de llegar a la venta.) Los tres capítulos acentúan lo social de esta salida, el insistir en los preparativos necesarios (diálogo Sancho-Teresa, Sancho-Don Quijote) y la despedida. Don Quijote sale la primera vez: «Sin dar parte a persona alguna de su intención y sin que nadie le viese» (cap. II), y la segunda: «Sin despedirse Panza de sus hijos y mujer, ni Don Quijote de su Ama y Sobrina, una noche se salieron del lugar sin que persona los viese» (cap. VII). En cambio, en su tercera salida: «Don Quijote y Sancho se acomodaron de lo que les pareció convenirles, y habiendo aplacado Sancho a su mujer y Don Quijote a su Sobrina y a su Ama, al anochecer (las otras dos han tenido lugar en la oscuridad, yendo hacia la mañana: «antes del día», «una noche»), sin que nadie los viese, sino el Bachiller, *que quiso acompañarlos media legua* del lugar, se pusieron en camino del Toboso.» En la tercera salida se entra en un mundo entreclaro. Conviene llamar la atención sobre estos detalles, porque, aunque sin ellos la diferencia de tono de la tercera salida es evidente respecto a las otras dos, nos muestran la imposibilidad de introducir ningún cambio en una obra de arte. Para dar un orden cronológico al *Quijote* no basta con suponer una sucesión de días y decir que Cervantes se equivoca cuando no la tiene en cuenta; se tiene que transformar toda la obra. Cervantes no ha dado este cauce cronológico a su acción; insiste, por el contrario, en la nota espacial: el aposento en que se encierra Don Quijote y la casa de éste y la de Sansón. Los personajes se mueven dentro de la casa, van y vienen, se sale a recibir a los visitantes, y, además, las voces y ruidos, al recorrer el espacio, le dan una forma. No hay una cronología, sentido mecánico-científico del tiempo que desconoce el Barroco; tenemos el sentido temporal en relación con el sentido espacial.

Los siete diálogos—agudos, chispeantes de ingenio, intencionados—no producen una impresión de pesantez, pero sí de lentitud, la cual contrasta con la rapidez del comienzo del primer *Quijote*. Son dos ritmos distintos—rápido, lento—que conviene captar desde un principio para leer las dos obras en su debido *tempo*. El ritmo rápido expresaba todo el ímpetu del destino del hombre, nos movía en un espacio de metafísica libertad. La lentitud del segundo *Quijote* no expresa un majestuoso desarrollo, no es un movimiento procesional; sino el avanzar deteniéndose aquí y allí, dando largos rodeos que. permitan al hombre abarcar la vida en toda su variedad accidental. Don Quijote se detiene, y también Sancho. Desde 1605 ha pensado Cervantes llevar su acción a Zaragoza; la ida a Zaragoza se confirma en el capítulo IV de 1615, y se reitera numerosas veces; pero es precisamente a Zaragoza adonde no llegan. Se desvían, y dan en Barcelona. Cervantes nos dice por qué no van a Zaragoza; por otra parte, nos lo explica siempre todo. Lo que quiero hacer observar es este salirse del camino propuesto, pues me parece lo característico de 1615 esa especie de digresión de la acción. Lo que tiene que perderse en ímpetu, en dirección, se gana en rodeo, en exploración, en un penetrar en todos los recovecos de la materia social.

REFLEJO DE LAS ESENCIAS PURAS
EN LA SOCIEDAD

*TERCERA SALIDA. EN EL TOBOSO. EL IDEAL
EN LA TIERRA. ENGAÑO-DESENGAÑO*

Así, el capítulo VIII empieza con la satisfacción de dar, por fin, comienzo a «las hazañas y donaires de Don Quijote y su Escudero», pidiendo a los lectores «que se les olviden las pasadas caballerías del Ingenioso Hidalgo y pongan los ojos en las que están por venir». Separación de los dos *Quijotes* que hay que tener siempre en cuenta.

Si las otras andanzas «comenzaron en los campos de Montiel», las nuevas «desde agora en el camino del Toboso comienzan», adonde quiere dirigirse Don Quijote para pedirle a Dulcinea su bendición y su licencia. La tercera salida se hace bajo auspicios felices—tema de los agüeros—, pues como al decidirse a ella había relinchado *Rocinante*, ahora vuelve a relinchar, acompañado de los rebuznos del rucio. La ida al Toboso destaca inmediatamente a Sancho, quien había hecho creer a Don Quijote que ya había estado en el pueblo. Se recuerda este lance de la novela y se vuelve a hablar del libro, para desembocar en el tema de la fama. Es Sancho el que introduce otra vez el tema, el cual da lugar a que Don Quijote cuente varias anécdotas y ponga numerosos ejemplos para mostrar cómo el deseo de fama es «activo en gran manera» y para diferenciar la buena de la mala fama, enlazándola fatalmente a la verdadera inmortalidad, la del alma, y haciendo aparecer el valor simbólico

245

que tiene la figura cristiana medieval: «Hemos de matar en los gigantes a la soberbia...»

En el capítulo XIII del primer *Quijote* ya se había discutido la vida del religioso y la del caballero andante; pero Cervantes lo que quería entonces era presentar la discusión de estos dos estados de vida como introducción temática al *Discurso de las Armas y las Letras*. En el capítulo VIII del segundo *Quijote*, de una manera muy natural, le ocurre a Sancho que, si lo que hay que buscar es la fama, la buena fama, lo mejor es dedicarse a la vida religiosa. Pero ahora Cervantes no va a presentar dos estados, sino que, volviendo idealmente al capítulo VI, nos dice que muchos son los caminos de la virtud, y si el número de los caballeros santos no iguala al de los religiosos es porque pocos «merecen nombre de caballero». Vemos, pues, primero, cómo el tema se trata en cada época de manera distinta; segundo, la unidad interior de la digresión; tercero, cómo, dentro de lo social, insiste Cervantes en la salvación—fama, inmortalidad—en el mundo. Observación esta última que interesa hacer no como una contribución al estudio de la ideología de Cervantes o de la de su época, sino para la comprensión de la obra de arte.

Sancho hablaba en 1605 de Dulcinea ahechando trigo, trigo que Don Quijote convierte en perlas; perlas que pueden ser trigo candeal o trechel; trigo candeal o trechel que Sancho convierte en rubión. En 1615 dice Sancho: «Pues en verdad, señor, que cuando yo vi ese sol de la señora Dulcinea del Toboso, que no estaba tan claro que pudiese echar de sí rayos algunos; y debió de ser que como su merced estaba ahechando aquel trigo que dije, el mucho polvo que sacaba se le puso como nube ante el rostro y se le oscureció.» Así vemos el diferente mundo de estas dos obras de arte. En 1605, la confrontación continua de esencias, el enlace de formas; en 1615, el sol con una nube. El mundo del segundo *Quijote* es un mundo que «no estaba tan claro», un mundo con el sol oscurecido.

El diálogo del capítulo IX tiene lugar en el mismo Toboso. Dulcinea y la Insula son dos creaciones de Don Quijote; teniendo la misma raíz, son dos aspectos distintos del mismo impulso vital. Dulcinea, la Insula, Don Quijote y Sancho, dos figuras y sus sombras. En la novela de 1615, estas sombras se hacen realidad también. Cervantes siente la necesidad de llevarnos al Toboso. Todo el

246

misterio del primer *Quijote*, acompañado siempre de la nota grotesca: un lugar ideal situado no sólo en una realidad geográfica, sino que ésta no posee ninguna sugestión histórico-poética. Lo mismo que Dulcinea, encarnación de una idea, que se le hace arrancar de Aldonza Lorenzo, lo cual nos manifiesta todo el humor con que Cervantes se acerca a las ideas platónicas. El misterio del primer *Quijote*, deslumbrante en la tensa oposición de una luz profundamente dorada y una noche densamente oscura, cambia su calidad en el segundo *Quijote*, donde continúa existiendo misterio; pero es el misterio de la realidad concreta. Lo grotesco se transforma en burla, gracias a la cual podremos ver a Dulcinea y más tarde entrar en la Insula.

Al Toboso llegamos una noche *entreclara*, sin que se aluda al deseo que, según Sancho, tenía Dulcinea de que fuera a verle Don Quijote (cap. XXXI de 1605). Esta entreclaridad caracteriza al mundo de 1615 como la oposición entre la luz y la oscuridad caracterizaba al mundo de 1605. Un silencio de sosiego y reposo, horadado de ladridos, de rebuznos, de gruñidos y del maullar de los gatos, acoge al Caballero y al Escudero, y el repiqueteo de un arado acompañado del canto de un labrador que anuncia el alba los despide. Es un pueblo español en las horas que preceden al amanecer en los días de labranza. Para empezar y terminar el capítulo, esa potente captación de lo concreto e inmediato. Dentro de estos límites de pueblo español, de un lugar de Castilla, en el cielo entreclaro se recortan los perfiles de los alcázares y los palacios reales. Palacio, palacio, alcázar, alcázar, palacios, alcázares, Princesa, Princesa; Don Quijote no cesa en la busca de la mansión de Dulcinea, y tiene que ser guiado por Sancho. «Tú me harás desesperar, Sancho—dijo Don Quijote—; ven acá, hereje. ¿No te he dicho mil veces que en todos los días de mi vida no he visto a la sin par Dulcinea ni jamás atravesé los umbrales de su palacio, y que sólo estoy enamorado de oídas y de la gran fama que tiene de hermosa y discreta?» Sancho dice que él tampoco la ha visto, pues también fue de «oídas la vista y la respuesta que le truje». «Sancho—respondió Don Quijote—, tiempos hay de burlar y tiempos donde caen y parecen mal las burlas.»

En 1605 tenemos todo el contenido burlesco de la creación de Dulcinea; esto no impide que en su forma humorística veamos cómo el hombre se eleva hasta la idea y cómo hemos de descubrir lo general en lo particular. En 1615 se trata, siempre humorísticamente, es claro, de la pura intuición de la idea y del mundo de lo ideal, intuición que ha tenido Don Quijote, el cual, para darle una forma concreta, busca la ayuda de Sancho; éste pasa a ocupar, juntamente con Don Quijote, el primer plano. Así, el gracioso suplanta al caballero de la Comedia, de manera parecida a como el pícaro se ha hecho protagonista. Si el pícaro, para mí, representa la naturaleza humana sin el don de la gracia divina, el gracioso que se está formando en esta época representa la razón; creo que el Sancho de 1615 lo muestra muy claramente, y más tarde el Clarín de *La vida es sueño*, aunque ambos se mantienen dentro del concepto cristiano de razón. La comedia cae en manos del gracioso como el hombre entra en la etapa racionalista. El misterio del Destino se transforma en un enredo humano.

No quiere esto decir que suponga que el *Quijote* de 1615 es una obra filosófica en la cual se presente el desarrollo y transformación del pensamiento en el siglo XVII. No. Lo que quiero decir es que las ideas filosóficas de su época son las que permiten que Cervantes invente la acción de 1615. Un novelista, un poeta, por otra parte, un hombre cualquiera, vive las ideas y los sentimientos de su época sin necesidad de estudiarlos en libros. Su propia vida es una expresión de estas ideas y sentimientos del ambiente espiritual. Cervantes siente y expresa con toda fuerza cómo su época descubre la belleza de la idea pura, y, al mismo tiempo, cómo la razón se adentra en los secretos de la Naturaleza. En España no se acepta que la razón se interne por toda la estructura del mundo sin ir acompañada de la autoridad. En España no se veía lo que la razón era capaz de construir; en cambio, se veía muy bien todo lo que iba a derrumbar, y el mundo nuevo de la razón se consideraba desde el punto de vista cristiano antiguo. Por de pronto, Sancho se atreve a presentar a Dulcinea en la forma de una rústica labradora.

Antes de pasar al capítulo siguiente, conviene recordar que en este capítulo se encuentra la famosa frase en boca de Don Quijote: «Con la Iglesia hemos dado, Sancho.» Aunque no es absolutamente imposible que esta frase encierre una alusión contra la Iglesia, alusiones así se encuentran en el católico Cervantes, lo que conviene apuntar es cómo los sentimientos y resentimientos dan forma y sentido a una frase. No depende de la intención de su autor, ni ésta es lo importante en este caso; lo importante es notar cómo los anhelos de un pueblo buscan la frase en que expresarse.

El capítulo X está formado por tres diálogos entre Don Quijote y Sancho, un soliloquio de Sancho, que sigue al primer diálogo, y el encuentro con las labradoras, después del segundo diálogo. Soliloquio y encuentro concentran la atención del lector. Las dos partes del primer diálogo presentan un delicioso contraste. Al tema gótico de las embajadas, tratado con una gran soltura barroca, se opone el tono de Sancho. «Yo iré y volveré presto—dijo Sancho—, y ensanche vuesa merced, señor mío, ese corazoncillo, que le debe de tener agora no mayor que una avellana...» Al oír a Don Quijote, nos estamos dando cuenta de la parodia, pero también de la riqueza histórica y cultural del tema, hasta el punto que se llega casi a olvidar la parodia. Es en ese momento, al estar casi dominados por la belleza del tema, cuando Sancho comienza a hablar. La risa salta inmediatamente; pero hay un tono tan humano en la boca de Sancho, hay tanta comprensión de hombre a hombre, que por debajo de la risa fluye una corriente de honda simpatía hacia ese momento amoroso de la espera incierta, el cual cristaliza en una actitud literaria. «Don Quijote se quedó a caballo, descansando sobre los estribos y sobre el arrimo de su lanza, lleno de tristes y confusas imaginaciones...»; compostura literaria de la melancolía amorosa que está unida estrechamente a la de Sancho, de la misma índole, pero de nivel muy diferente. Este tono literario da un mayor realce a la situación en que se encuentra Sancho, analizada con una gran seriedad. Uno de los mejores ejemplos de fuerza cómica, dentro de una realización literaria, lo tenemos en el famoso soliloquio de Sancho: «Sepamos agora, Sancho hermano, adónde va vuesa merced. ¿Va a buscar algún jumento que se le haya perdido?» «No, por cierto...» Apareciendo uno de los hilos principales de la novela de 1615: el encanto de Dulcinea decidido por Sancho.

El segundo diálogo, rápido con el desasosiego de Don Quijote y la desenvoltura de Sancho, quien se mueve con gran agilidad mental (Don Quijote le da a escoger, como muestra de agradecimiento por las noticias que trae, entre el mejor despojo de la primera aventura y las crías de sus yeguas. «A las crías me atengo», respondió Sancho), nos lleva al encuentro de Don Quijote y Dulcinea.

Cervantes sobresale en la capacidad para presentar a un personaje o a un grupo de personajes o, como gran narrador que es, en captar inmediatamente la atención del lector. Esos comienzos de las obras cervantinas: *Quijote* (1605), *La gitanilla, La fuerza de la sangre.* Igualmente característico de su arte es su poder de invención, quiero decir de dar realidad a una escena, ya sea de interior, ya de aire libre, ya en un medio castellano-andaluz, ya en medios exóticos, llenos de colorido o de grises, blancos y negros de frialdades nórdicas. El ritmo y el tono del diálogo, el gesto y el movimiento de un personaje o de un grupo, los aprehende Cervantes con un vigor extraordinario. A veces da con el pulso agitado de una acción muy movida, otras puede expresar toda la dramática tensión del encuentro primero. Piénsese en cuando Don Quijote encontró la venta, o en el encuentro de Ricaredo y Leonisa en *El amante liberal,* o en el de Constanza y Avendaño en *La ilustre fregona,* o en tantos otros. Cervantes, como todo autor de su época, se encarama con una gran soltura por las nubes, juega con amaneceres y ocasos, maneja con gran facilidad las pesadas colgaduras, sabe reunir mil reflejos distintos, acoplar mil calidades diversas, y después pasar con la mayor naturalidad (naturalidad, es claro, conseguida tras largo aprendizaje) a una extraordinaria simplicidad y sencillez.

Don Quijote había transformado siempre la realidad como lo hacía de continuo Cervantes. Si Don Quijote, por medio de su ideal, convierte a las mozas del partido en damas, Cervantes, con el suyo, crea a Preciosa. Sancho cree poder hacer lo mismo, pero Sancho fracasa. Los molinos llegan a ser gigantes, pero de la labradora carirredonda y chata no hace nunca Sancho una Dulcinea. Don Quijote no pone la menor resistencia para ver cómo Sancho quiere que vea; sin embargo, éste no consigue nada más que engañarle, sin hacerle penetrar en su invención.

En 1605, la realidad aparecía con una forma nueva en cuanto Don Quijote la tocaba con su ideal; en 1615 se trata de hacer pasar una cosa por otra. El ideal que da forma a nuestro mundo se ha trocado en la conveniencia de trajinar con la realidad según las circunstancias lo exijan. De aquí que el lector sienta la misma irritación que siente el Caballero. Desde que el Barbero le falta al respeto hasta cuando es atropellado por los cerdos, Don Quijote va de humillación en humillación, la cual tiene su raíz en el engaño de que es objeto; engaño que a veces se convierte en mofa y escarnio.

Unos por divertirse, otros pensando en ayudarle, otros aún creyéndolo un expediente útil, se sirven del engaño. A una vida espiritual verdadera—la de Don Quijote—no se opone una vida falsamente espiritual, sino que, por un motivo o por otro, se confronta al Espíritu con la Razón, y el triunfo de ésta fatalmente hace aparecer y pone al Espíritu en una posición desfavorable.

Entre Sancho y Don Quijote tenemos a las labradoras, de las cuales conviene advertir: primero, que hacen un papel—la «que había hecho la figura de Dulcinea»—, y segundo, que representan sin saberlo una acción inventada por Sancho. Ya no es Dios el que dirige la vida del hombre; entre Dios y el hombre un tercer elemento interviene—Sancho, Sansón, los Duques—, la Razón, una nube de polvo. Antes de 1605 era el sentimiento lo que le daba al destino humano una forma, esto es, una unidad, un sentido. El destino del hombre se conforma según sus creencias. En 1615, el destino toma la forma que le da la propia voluntad o la ajena. Así, en 1605 se encontraban todos en la venta—Dorotea y Don Fernando, Cardenio y Luscinda, el Cautivo y el Oidor, Clara y Don Luis—anudados en ese pequeño punto de la Tierra por la voluntad divina, que va formando grupos con sentido; ahora la voluntad de Sancho forma un grupo útil para él, pero sin sentido para los demás y que durará tan sólo un momento. Esta falta de sentido propio es lo que obliga a Cervantes a explicar lo que sucede, a escribir esos capítulos del tipo de: «Donde se cuenta quién es...», «Donde se explica la industria...»

El encuentro con las labradoras se resuelve en el tercer diálogo, que pone fin al capítulo. Don Quijote queda tal y como le veremos durante toda la novela, con palabras de Cervantes: «Tan delicadamente engañado.» La novela de 1615 no es otra cosa que la proyección de este engaño. Primero, desde el punto de vista del argumento, el encanto y desencanto de Dulcinea es uno de los hilos conductores de la obra; segundo, el tema: la realización del ideal en la Tierra aparece siempre en una forma grosera; tercero, el sentido cristiano barroco de este tema, el sentido cristiano del *Quijote* de 1615: la muerte nos muestra el engaño de la realidad, es la muerte la que desencanta a Dulcinea, al hacer que Don Quijote recobre sus sentidos y, por tanto, la necesidad de limitación, la necesidad de resignarse a aceptar la realidad como tal, dejando para otra vida mejor el captar las esencias puras.

Todas las diferencias no deben impedirnos ver cómo se dispone el hombre europeo a entrar en la zona de lo voluntaria y gozosamente limitado, cómo se dispone a crear la cultura rococó. El mundo absoluto es sustituido por el mundo relativo; de aquí que la deslumbradora luz o la ciega oscuridad dejen el lugar a lo entreclaro. Esta entreclaridad de la razón en unas zonas europeas es vivida afirmativamente, en otras—en España—negativamente, pero es vivida en toda Europa. Esta entreclaridad se sitúa entre el trágico choque del Barroco en sus dos primeros períodos y la brillantez tonal del Rococó, triunfo de la claridad de la Ilustración.

En la Mancha, a comienzos del siglo XVII, ha tenido lugar una tarde la gran farsa inventada por Sancho de la encarnación de la Idea pura, y una rústica mujer del Toboso ha sido la encargada de representar, sin saberlo, el papel. Cervantes, consciente de la trascendencia de toda su obra, en la cima de su orgullo de creador—siempre siendo el primero *(Novelas ejemplares)*, escribiendo siempre la mejor obra *(Persiles)*—, tiene conciencia completa de haber dado forma a la *farsa* de la Razón; por eso en el capítulo siguiente (XI) se escribe: «Por la fe de caballero andante, respondió Don Quijote, que así como vi este carro *imaginé que alguna grande aventura se me ofrecía...*» Es el carro de los representantes, prosiguiendo Don Quijote: «*y ahora digo que es menester tocar todas las apariencias con la mano para dar lugar al desengaño*». Don Quijote imagina todavía grandes aventuras, pero al tocar las apariencias da en el desengaño. Engaño-desengaño, ésta es la trayectoria del Caballero en 1615. Este engaño irritante tiene que ser superado, y el desengaño humillante debe ser ennoblecido; la tarea de Cervantes en 1615 no es otra.

Cervantes tuvo la fortuna de descubrir en 1605 el conflicto entre dos mundos dentro de la forma novelesca, conflicto que hasta ahora ha sido uno de los principales, si no el principal, del alma europea moderna (siglos XVI-XX),y en 1615 siente la necesidad de consolar al hombre de su dolor social, dolor social que también es uno de los temas principales de la novela europea.

EL MUNDO COMO REPRESENTACION.
LA PERSPECTIVA DIAGONAL PARA DAR
LUGAR A LA SUSPENSION

Apenas ha dado Don Quijote en el desengaño cuando en las manos de Cervantes aflora su propia vida; primero, porque ha sido siempre su ideal—ideal frustrado que mantiene muy cerca de su corazón—; segundo, porque ha sido siempre su alegría: «Andad con Dios, buena gente, y haced vuestra fiesta, y mirad si mandáis algo en que pueda seros de provecho, que lo haré con buen ánimo y buen talante, porque desde muchacho fui aficionado a la carátula, y en mi mocedad se me iban los ojos tras la farándula.» Buena gente, que, al ser increpada, se convierte en «turba alegre y regocijada», llenándose de jovial dignidad en el gran aire de la frase que la envuelve, como antes la carreta de los cómicos había podido transformarse, en uno de los caminos de Castilla, en «la barca de Carón».

El capítulo X terminaba con la fealdad de la labradora y la grotesca descripción de su belleza, mientras que el capítulo XI nos presenta a Don Quijote ensimismado: «De su ensimismamiento le volvió Sancho Panza, diciéndole: Señor, las tristezas no se hicieron para las bestias, sino para los hombres; pero si los hombres las sienten demasiado, se vuelven bestias.» Sancho es el instrumento de este dolor de Don Quijote, que si se siente demasiado convierte a los hombres en bestias. La tercera salida comienza arrojando al Caballero en la tristeza, la cual, según la sabiduría de Sancho (que hasta ahora cree poder dominar el mundo), ha sido creada para el hombre. Don Quijote ya no es el Caballero de la Triste Figura, sino el hombre de las tristezas de la experiencia social. En el capítulo XXX comienza la estancia del Caballero y el Escudero en casa de los Duques; pues bien: el capítulo XXIX termina con la frase que ha desconcertado a más de un lector: «Volvieron a sus bestias, y a ser bestias, Don Quijote y Sancho, y este fin tuvo la aventura del encantado barco.» Don Quijote y Sancho son bestias porque están completamente dominados por la tristeza. En estos primeros veintinueve capítulos, la tristeza de lo social va posándose poco a poco en el corazón de Don Quijote y también en el de Sancho, que se creía inmune. Luego veremos a Don Quijote triste en casa de los Duques y a Sancho triste en la Insula; la tristeza se irá acumulando más tarde, acompañando a Don Quijote a la muerte, momento en el cual, por fin, puede el hombre dominar la tristeza del mundo.

Después de presentar a Don Quijote en su dolor abismal, pero social, deja el novelista que se apodere del tema de la descripción literaria de la belleza femenina: «Pintaste mal su hermosura», le advierte Don Quijote a Sancho refiriéndose a Dulcinea. Y en seguida se encuentran con la carreta de los cómicos. La interpretación de este encuentro y, por tanto, su sentido en la obra es evidente, ya que había sido utilizado muy a menudo y en todas las proporciones y formas: como el actor representa un papel en el teatro, así el hombre en el mundo; termina la representación para el actor, recobrando éste su verdadera personalidad, y al hombre le llega la muerte, liberándose de toda forma cambiante. Además, en el próximo capítulo—Cervantes siente la necesidad de aclarar todo—Don Quijote lo explica.

El tema de los representantes, junto a su sentido religioso, puede tener una intención solamente moral, que es la que aquí le da Cervantes. Y no una intención moral en general, sino social. Ni pensamos en la otra vida ni en los bienes mundanales que perdemos, sino en la ficción de la vida social. «No fuera acertado que los atavíos de la comedia fueran finos»; deben ser, como la misma comedia, «fingidos y aparentes». Ficción, apariencia, Sancho Panza aún ha rebajado más lo social: «oropel o hoja de lata». Esta sapiencia mana sosegadamente, tranquilamente, dando incluso lugar a felicitaciones académicas. «Brava comparación», ha exclamado Sancho, al oír disertar a su señor, y hasta discute las fuentes—lo cual en su boca no está mal—: «aunque no tan nueva». La prudencia de Don Quijote acoge con calma y de buen grado tanta sabiduría: «Cada día, Sancho, dijo Don Quijote, te vas haciendo menos simple y más discreto», pero al Escudero le queda ingenio para dar la réplica, si bien es verdad que «todas o las más veces que Sancho quería hablar de oposición y a lo cortesano acababa su razón con despeñarse del monte de su simplicidad al profundo de su ignorancia». (No se crea que escribo estas líneas pensando en la actividad univeristaria actual; sería, por lo menos en la mejor parte, injusto. A Cervantes, como a toda su época, le preocupaba y malhumoraba

254

la transformación, que estaba presenciando, del conocimiento en un mero saber hechos sin sentido.)

Este diálogo sirve de puente entre el capítulo XI y el XII, en el cual se cuenta la aventura con el *Caballero de los Espejos*. Pero hay que insistir en el encuentro con los representantes. Don Quijote y Sancho están en el camino, acaban de separarse de las labradoras, el Caballero está viviendo el encantamiento de Dulcinea. Para él el mundo es feo, la belleza que puede crear Sancho es grotesca y Cervantes la retoca, burlándose del lugar común literario. De repente y al sesgo, marcada muy bien la diagonal—«una carreta salió al través del camino»—, se aparece el mundo extraño y maravilloso de la Comedia. «Venía la carreta descubierta al cielo abierto, sin toldo ni zarzo. La primera figura que se ofreció a los ojos de Don Quijote fue la de la misma Muerte, con rostro humano.» Cervantes nos transmite con toda la fuerza de su frase ese sentimiento de la muerte como núcleo de la vida. Ya no tenemos dos zonas perfectamente delimitadas, aunque su coexistencia angustie al hombre, las zonas del ser y el parecer. Aparece una figura única, y en balde querríamos descomponerla en los elementos que la forman para elevar uno de ellos al rango de lo esencial. Todo hombre es un cadáver en movimiento, nada nuevo en el Barroco, ya que por medios muy distintos se llega a la misma imagen. Cervantes la lanza de golpe —lo mismo que las observaciones generales que preceden la exposición detallada o el presentar en síntesis la acción que luego se ofrece en su desarrollo—para crear el desnivel querido, el cual sorprende todavía más, ya que lo que sigue es de un valor completamente diferente: Angel y alas pintadas, Emperador con corona, Cupido con sus atributos, etc. Cervantes quiere sorprender al lector, como la aparición al sesgo de la carreta inquietó a Don Quijote: «Todo lo cual *visto de improviso* (recuérdese: «salió al través del camino») en alguna manera alborotó a Don Quijote.»

No hay ni un sentido religioso ni moral, pero la efímera apariencia de lo social conserva todo su desconcertante y dramático prestigio, cuya breve duración aún hace que resalte más el desengaño.

Obsérvese, por último, que Cervantes pudo llegar a la «barca de Carón» por una fácil asociación de ideas, pero esta «barca» es el primer *carro* que desfila ante Don Quijote. El novelista ha creado

un bello carro barroco con el demonio guiando las mulas y Cupido
«a los pies de la Muerte», mientras después la bojiganga pone todo
su alboroto, sus altos y correrías para sacudir al hombre que contempla la compendiada y esquematizada sociedad de «las cortes de
la muerte», cuyas raíces góticas hacen florecer en el Barroco la figura del Emperador y la de la Reina, la del Soldado y la de otras personas «de diferentes trajes y rostros», todas ellas guiadas y conducidas por el Demonio, amparadas por el Angel y sirviendo de base
el Amor y la Muerte. Conviene ver cómo el sentido gótico de la
vida de «la danza macabra» se ha transformado en esa figuración
barroca, en esa barca de Carón (antigüedad) que es una carreta de
mulas (tiempos modernos), en la cual la Humanidad es sorprendida
(y sorprende) entre dos representaciones. No es la muerte la que
llama a la cita fatal; la muerte, como en los sepulcros barrocos, es
«la primera figura» que se ofrece a los ojos del caminante, a los
ojos de Don Quijote. Corona de emperador, adornos de reina, atavíos de soldado, es eso: muerte, que tiene a sus pies el amor. No
es un juicio, es un espectáculo para el pasajero, es el espectáculo
de la vida que le sale al sesgo al hombre para sorprenderle; masca-
rada de la vida que el Demonio, «mansamente», explica; es el trujumán de este Retablo. Luego Don Quijote se lo explica a Sancho:
la comedia es un espejo «donde se ven al vivo las acciones de la
vida humana». Y la comedia y los comediantes son como una metáfora de «lo que somos y lo que habemos de ser», pues «en llegando al fin, que es cuando se acaba la vida, a todos les quita la muerte
las ropas que los diferenciaban, y quedan iguales en la sepultura».
Lo que me parece que se debe subrayar es este terminarse las diferencias al quitarse las ropas—signo y vanidad—, además el realizarse la igualdad en la sepultura. La igualdad del Gótico se establecía
para marcar inmediatamente la diferencia esencial: buenos y malos; en el Barroco, todas las diferencias de la vanidad quedan reducidas a la igualdad de la ceniza encerrada en la sepultura. Muerte
y Juicio en el Gótico, Vanidad en la última morada del hombre
—sepultura—en el Barroco.

DESAFIO CON EL BACHILLER.
LUCHA CON EL LEON

Los capítulos XII a XV tratan de la aventura del Caballero del Bosque, o de la Selva, o de los Espejos, que con todos estos nombres se va designando, según las circunstancias lo piden, al bachiller Sansón Carrasco. La función del Bachiller ha sido notada por la crítica desde una época temprana, relacionándose este encuentro con su nueva aparición en Barcelona; sin embargo, téngase en cuenta que la función encuadradora de los desafíos del Bachiller está en una relación de dependencia con respecto al encanto de Dulcinea. Hagamos notar la disposición paralelística de la aventura: «Divididos estaban caballeros y escuderos, éstos contándose sus vidas y aquéllos sus amores; pero la historia cuenta primero el razonamiento de los mozos, y luego prosigue el de los amos», así empieza el capítulo XIII, en el cual el escudero del Caballero de los Espejos ya dice que su amo, «por que cobre otro caballero el juicio que ha perdido, se hace el loco», explicación que no le basta a Cervantes, quien dedica el capítulo XV («Donde se cuenta y da noticia de quién era el *Caballero de los Espejos* y su Escudero») para ampliarla y además preparar el capítulo LXIV: «Que trata de la aventura que más pesadumbre dio a Don Quijote...», seguido del LXV, en «donde se da noticia de quién era el de la Blanca Luna...»

Esta distribución paralelística, la necesidad no ya de aclarar la acción, sino de dar a la aclaración tanta prominencia, el encuadramiento tan equilibrado de la composición—el Bachiller interviene en el capítulo dozavo, y después de su nueva intervención (LXIV) todavía se escriben diez capítulos—, con su mecánica estabilidad, son características del segundo *Quijote* y se deben sin duda a la necesidad de sustituir el orden íntimo del hervor desordenado de la vida por la pauta ordenadora de la razón. En 1605, el orden social del espíritu estaba recubierto por todo el desorden de lo aparente; en 1615, a todo el desorden de lo social se le cubre con el orden de la razón. Hay que considerarlo como estrictamente barroco, sin que por eso dejemos de ver cómo se prepara el camino para el arte rococó.

Si la función del Bachiller consiste en encuadrar la acción—encuadramiento reforzado por el aposento y el encantamiento—, en

257

17

cambio, durante la novela veremos a Sancho queriendo separarse de su señor, y en el capítulo XIII se le exhorta repetidamente a que lo haga. Si en el diálogo de Sancho con Tome Cecial, el escudero del *Caballero de los Espejos,* empieza a expresarse esa necesidad de separarse de Don Quijote, que en 1615 le caracteriza y caracteriza su relación con el Caballero, en cambio, su subida al árbol se repetirá mecánicamente en la cacería con los duques. Este mismo sentido mecánico tiene el segundo desafío, anunciándose la reaparición del Bachiller en el mismo capítulo XV: «La historia vuelve a hablar dél a su tiempo.» En el segundo desafío (cap. LXIV) no se repite el hecho de haber vencido ya a Don Quijote de la Mancha, porque Cervantes va a utilizar este recurso con gran acierto en un nuevo sentido, al relatar el encuentro con Don Alvaro de Tarfe (capítulo LXXII). Esta actuación mecánica del Bachiller en la novela (que todo lector siente a su manera) está expresando su función. «El nuevo Sansón»—así le llama Don Quijote (cap. VII)—, como el Sansón bíblico (1) *(Jueces,* 13-16), no se siente inspirado por un motivo trascendente, llegando incluso a confesar después de su derrota: «No me llevará ahora a buscarle el deseo de que cobre su juicio, sino el de la venganza» (cap. XV). Para esta actuación, mezquinamente, limitadamente personal, inventa Cervantes una intervención mecánica; sentido mecánico de la acción que obedece a la necesidad de expresar el orden racionalista. La función mecánica de esta figura y de algunos recursos empleados por Cervantes en 1615 tienen, por tanto, un sentido espiritual.

Hay un peligro evidente en dedicarse a ver correspondencias y relaciones en la composición de una obra de arte o entre las distintas obras de un autor o bien de una época. El peligro es aún más grande cuando esas relaciones, en lugar de parecer únicamente caprichosas, son consideradas como demasiado sutiles. Pero, dada esta voluntad de paralelismo, no hay más remedio que apuntar lo que se afirma del Bachiller en el capítulo XV: «El señor Bachiller quedará imposibilitado para siempre de graduarse de Licenciado,

_____

(1) «Don Quijote miró a su contendedor y hallóle ya puesta y calada la celada, de modo que no le pudo ver el rostro; pero notó que era hombre membrudo... El ya dicho caballero debía de ser de grandes fuerzas» (capítulo XIV). Esta descripción hay que leerla poniéndole como fondo la figura bíblica.

por no haber hallado nidos donde pensó hallar pájaros», todo el mundo recuerda lo que dice Don Quijote en su lecho de muerte: «En los nidos de antaño no hay pájaros hogaño.»

La aventura de la cueva de Montesinos se alude también ahora, cuando el *Caballero de los Espejos* refiere que bajó a la sima de Cabra (cap. XIV), y Sancho nos da la clave para que relacionemos la aventura de los leones con la de los gatos, al decir: «Porque si un gato acosado, encerrado y apretado se vuelve en león.»

En 1615 sólo muy rara vez se emplea la alusión temática; en cambio, es frecuente que se nos dé la clave reveladora de la intención del novelista o bien que se disponga la materia de una manera paralela o alterna. Esta disposición, haciéndonos pasar de un tema a otro, trata de contrarrestar la monotonía, pero acentúa la regularidad, la cual se irá imponiendo cada vez con más fuerza, hasta triunfar plenamente en el siglo XVIII.

La aventura de los leones (cap. XVII) está encuadrada por la figura del *Caballero del Verde Gabán;* primero, el encuentro con Don Diego de Miranda (cap. XVI); después (cap. XVIII), Don Quijote conoce a su mujer, Doña Cristina, y a su hijo, Don Lorenzo.

Un caballero incitando a la lucha a una fiera. Todo es natural en el desarrollo de la aventura. Don Quijote oye las advertencias de Don Diego y las de Sancho, permite que el carretero se aleje con las mulas, espera al león, y al no salir éste, sigue el consejo del leonero; por último, le manda a Sancho que dé a los hombres una recompensa por las molestias que les ha causado. El comportamiento razonable de Don Quijote hace sobresalir aún más lo desatinado de su acción, que está en correspondencia con la del león, tan natural como sorprendente. El león está descrito con gran fuerza retórica y paródica, desde que empieza a revolverse en la jaula hasta que vuelve a echarse. Pintura que subraya la función antirrealista de la fiera. Cervantes nos está mostrando que la esencia del valor reside en la determinación y la decisión del hombre, pero no insiste en ello. Lo que quiere es presentar lo grotesco y absurdo de lo social; esto es, de aquello a lo cual el hombre civilizado considera como natural; visión de lo social que florecerá con todo vigor en el siglo XVIII. Ante lo inusitado de la conducta de Don Quijote, Don Diego de Miranda no puede por menos de pensar que decididamente tiene que ser un loco; pero el Caballero, que penetra con gran facilidad en la mente de los hombres, defiende sus actos con una serenidad en la cual resplandece el brío de todas sus victorias. Pinta una vez más la pompa de los caballeros cortesanos, cuyas «precisas obligaciones» comprende y acepta su papel; mas esta vida la presenta contemplada desde su propia plenitud espiritual. Ni rebaja ni desprecia la sociedad; tiene que separarla, sin embargo, del espíritu. «Destas imaginaciones y deste soliloquio le sacó Don Quijote, diciéndole: ¿Quién duda, señor Don Diego de Miranda, que vuesa merced no me tenga en su opinión por un hombre disparatado y loco? Y no sería mucho que así fuese, porque mis obras no pueden dar testimonio de otra cosa. Pues, con todo esto, quiero que vuesa merced advierta que no soy tan loco ni tan menguado como debo de haberle parecido. Bien parece un gallardo caballero a los ojos de su rey, en la mitad de una gran plaza, dar una lanzada con felice suceso a un bravo toro...» De aquí llegaremos a Voltaire y Rousseau. El camino queda trazado con una fatal necesidad por Cervantes. La escena en tierras de la Mancha pone de manifiesto lo absurdo y grotesco de la vida de la Corte, debiendo adentrarnos con Cervantes en ese mundo de los valores sociales. «Mejor parece, digo (habla Don Quijote), un caballero andante socorriendo a una viuda en algún despoblado que un cortesano caballero requebrando a una doncella en las ciudades.» (Dice *despoblado* para que no se crea que trata del tema del campo y la ciudad.) La diferencia con el siglo XVIII la tenemos en que no sentimos en el *Quijote* tambalearse lo social, ni en ello pensaba Cervantes; no podemos suponer nada más fuera de su propósito. En el siglo XVII, los valores sociales están fuertemente arraigados; si pasan a un primer plano, es precisamente por la fuerza de su presencia, que, al hacerse sentir más y más, quedará expuesta al ataque del siglo siguiente. Ante la imagen de la sensata vida espiritual (Don Diego de Miranda, sin embargo, había ya dicho: «No me puedo persuadir que haya hoy en la Tierra quien favorezca viudas, ampare doncellas, ni honre casadas, ni socorra huérfanas») ha surgido un proceder absurdo; pero la conducta de Don Quijote ha sacudido violentamente lo social y nos obliga a examinar de nuevo el cuadro de la sociedad, haciendo que descubramos quizá lo grotesco de la actitud del caballero andante no en sus hechos, sino en su móvil puro y desinteresado. El caballero cortesano no es ni más sensato, ni más razonable, ni más racional que el caballero andante; en cambio, es vanidosa y mezquinamente egoísta. Don Quijote ha vencido al universitario, académico y antiespiritual Bachiller, el nuevo Sansón cuya fuerza reside todavía, quizá, en el pelo; y no ha temido luchar con el león, obteniendo una cómica victoria moral, que pone al descubierto no la irracionalidad social (tarea para el siglo XVIII), sino la antiespiritualidad social.

La aventura espiritual de los leones—«si no ha sido del cuerpo, ha sido del espíritu, que suele tal vez redundar en cansancio del cuerpo»—está encuadrada por la figura del *Caballero del Verde Gabán*. Cervantes nos presenta, primero, la vida de Don Diego de Miranda, y después, su casa. La aventura se interpone en este episodio doméstico, de casa, dándole sentido; acentuando ahora el novelista el paso constante de la locura a la discreción, la diferencia del dicho al hecho. La alternancia o paralelismo, como ocurre siempre en la obra de 1615, aumenta su frecuencia en cuanto estamos en un momento de gran significación.

LA CASA, OPUESTA AL CAMINO. INGENIO Y NATURALEZA

El aposento de Don Quijote y la casa del Bachiller anunciaban ya la importancia que se iba a dar a la casa en oposición al camino. La de Don Diego de Miranda es la primera casa como tal que nos encontramos, y, es claro, Cervantes hará que al ir de una casa a otra Sancho vaya recordándolo. Este recuerdo no es lo mismo que la referencia a la ida a Zaragoza; ésta es un hilo que marca el laberíntico deambular; aquél es una recopilación.

Don Quijote enfrente de una dama y dos caballeros: la familia de los Mirandas. El padre sabe latín; el hijo, latín y griego; doña Cristina «sabía y podía regalar a los que a su casa llegasen». Don Diego nos aleja definitivamente del tipo de vida del Renacimiento, y, aunque separados por enorme distancia, nos dirige hacia la forma de vida del siglo XVIII. De la vida laica y palaciega renacentista, con un equilibrio tan seguro y un repertorio de deseos tan ampliamente vario, pasamos a la vida racionalista del XVIII, que resuelve la variedad en una unidad de tono y superficie brillante a través de la razonable espiritualidad de la casa del *Caballero del Verde Gabán*. Es la vida del Caballero perfecto, de lo que se llamará en Francia *honnête homme;* es el interior que más tarde pintará Johannes Vermeer o Pieter de Hooch o Nicolaes Maes. La luz que captan los holandeses se transforma en silencio en la pluma de Cervantes, la cual lo compara al de un monasterio de cartujos. Luz y silencio, que son formas de la vida espiritual, que hacen sentir la inmensidad del espacio, son dos notas cristalinas que nos entregan el espacio imbuido de religiosidad. La materia transida de espíritu religioso. Lo denso, lo transparente, lo espeso, lo rugoso, lo liso ofreciendo con toda su piedad católica y puritana el espíritu de lo concreto. El hombre del *Verde Gabán*, en su tordilla, no mira al mundo con ansia de poseerlo y esperanza de lograrlo ni se repliega en el interior, desgarrado por la pena de tener el alma encadenada al cuerpo; ha logrado un cierto equilibrio entre el hombre del Renacimiento y el del primer Barroco. Su serenidad es menos racional que la del renacentista; es una serenidad religiosa en la cual resplandece la voluntad. El mundo protestante, todavía más el mundo católico, ha logrado su paz particular. Es un momento de paz y de ansia de paz que va a terminar en una guerra feroz, guerra que con una razón de ser religiosa se transforma en exclusivamente política. El tono del *Caballero del Verde Gabán* nos da esa ansia de paz; los holandeses nos transmiten el triunfo.

Don Diego de Miranda ha presentado el nuevo tipo de vida, e inmediatamente Sancho la eleva al rango de santidad. No es una vida que descubra el valor del medio como opuesto a los extremos, sino la reclusión laica, la reserva, el fuero de la conciencia, la vida privada. Todo el alarde de las armas queda amortiguado en la caza con perdigón manso y la pesca; de las buenas obras se excluye todo el aparato externo. El ansia de saber se ha transformado en una posesión intelectual del mundo. En la actividad del hidalgo, el hervor de las pasiones ha quedado sometido a la moral, y ésta todavía conserva un sentido religioso. Esta plenitud espiritual arquetípica es la que merece el dictado de santa. La aristocracia brillará aún durante mucho tiempo, y su pompa será aún la flor de los siglos XVII y XVIII; pero con Don Diego de Miranda la burguesía «más que medianamente rica» ha triunfado, más que medianamente rica no sólo en dinero, sino en capacidad creadora: ciencias, artes, política. Y en ella residen los verdaderos valores espirituales. Lo que diferencia a Don Diego de Miranda del resto de su clase social que se desarrolla en Europa es que Don Diego no tiene, afortunada y desgraciadamente, que trabajar. Don Diego, que ha abandonado las armas, dice sin temor ninguno que «es más que medianamente rico»; su vida se basa en esta riqueza, y evidentemente Don Diego no puede imaginarse el llegar a perderla. Si la pierde, sin embargo, esta vida de noble ocio y de interna piedad se ha de venir abajo. La burguesía del Norte cimentaba su bienestar espiritual y material en el comercio y la industria.

No estoy haciendo historia o economía o sociología; intento explicar la diferente belleza que un mundo y otro nos transmiten. Esta santidad, este heroísmo, tan bien captado por Sancho, puede ser reconocido externamente sólo por la contenida alegría de la mirada. Es una santidad interior; no se lucha con dragones o gigantes, sino con la lujuria, o la soberbia, o la envidia; pronto ha de llegar el día en que de la zona moral y científica se pase exclusivamente al plano de la ciencia. Don Lorenzo, digno hijo de tal padre, pero que estudia el griego y no quiere dedicarse a la teología, da lugar a que Cervantes, por boca de Don Quijote, exponga una vez más su ideal de la poesía de la Contrarreforma. Al hablar de la Naturaleza y el Arte como los dos elementos formativos del poeta, está discutiendo, según el sentir barroco, la teoría del arte de su época. Como tal, es un documento más que, junto a los otros que nos ha dejado Cervantes, nos sirve para el conocimiento teórico de la estética barroca. Su función dentro del *Quijote*, sin embargo, es lanzarnos al conflicto entre Naturaleza e ingenio que Don Quijote comienza ahora, en su conversación con el poeta, y que da su alto sentido al desenlace de las bodas de Camacho.

A Sancho le ha conmovido la vida del hidalgo, pero no a Don Quijote. Después de las muestras que dio de admiración: «Volvió Sancho a cobrar la albarda, habiendo sacado a plaza la risa de la profunda melancolía de su amo...» Su idea del heroísmo es tan diferente de la de Don Diego, que hacia ella no puede mostrar otra deferencia que la de la cortesía. Con cierta altanería deja a Don Lorenzo abandonado a la poesía, y, sobre todo, no oculta su desprecio por la prudencia de Don Diego: «Váyase vuesa merced, señor hidalgo—respondió Don Quijote—, a entender con su perdigón

manso y con su hurón atrevido, y deje a cada uno hacer su oficio.»
Con estas palabras nos revela Don Quijote lo que iba pensando
mientras Don Diego relataba su vida; hasta tal punto la suya le parecía superior. Y si la insensatez de Don Quijote hace sobresalir
la sensatez de Don Diego, no es menos verdad que la diferente calidad de estos dos mundos queda subrayada cuando al lado de la
fiera ponemos el perdigón. El héroe de Lepanto podía rodear de
una ancha orla de humorismo el acto heroico de Don Quijote—quizá la comicidad que ofrece un pasado que se resucita—, pero no se
avenía a presentar el nuevo heroísmo, la nueva santidad, sin hacer
notar que también el pasado había tenido su grandeza.

En el capítulo XVI Don Diego narra su vida, cuyo sentido lo
revela ingenuamente Sancho y lo ahonda Don Quijote al hablar de
la poesía; en el capítulo XVII, la aventura de los leones delimita
lo social; Don Quijote hace y dice; por último, en el capítulo XVIII,
haciendo juego con la exposición de la ciencia de la poesía, habla
Don Quijote de la otra ciencia, la única que la supera, la ciencia de
la caballería andante, y luego el poeta lee sus versos: el presente,
que es nostalgia del pasado y anhelo del futuro. Al dolor de esta
vida de Jano—«Vivir en perpleja vida, ya esperando, ya temiendo»—sólo se le encuentra salida en la muerte; pero ahí está el espíritu de la época, advirtiendo que «me da la vida el temor de lo
que será después». Vivir entre el deseo de resucitar el pasado y de
que se realice pronto el futuro es vivir entre un imposible y el temor
desesperante al más allá. Esta tensión de la vida la eleva Cervantes
a la zona de la poesía; en la vida práctica nos ha presentado la oposición entre caballeros andantes y caballeros cortesanos, encuadrada
entre la discusión teórica de dos perfecciones.

El giro irónico con que en el capítulo XII se habla de la amistad
de *Rocinante* y el rucio es muy cervantino, y le sirve al mismo tiempo para burlarse del decoro literario; al decir, en el capítulo XVIII,
«que en la cantidad de los calderos hay alguna diferencia», nos volvemos a encontrar con otro rasgo cervantino muy frecuente, con
el cual se burla de la precisión objetiva; pero en el mismo capítulo tiene un valor completamente distinto la afirmación siguiente:
«Aquí pinta el autor todas las circunstancias de la casa de Don Diego, pintándonos en ellas lo que contiene una casa de un caballero
labrador rico; pero al traductor desta historia le pareció pasar estas

264

y otras semejantes menudencias en silencio, porque no venían bien con el propósito principal de la historia, la cual más tiene su fuerza en la verdad que en las frías digresiones.» Creo que en estas palabras de Cervantes se percibe ya la seducción que van a ofrecer las descripciones, anticipándosenos el placer de ellas, al pintarnos, a pesar de todo, la casa de Don Diego, aunque «sin todas las circunstancias» que desearíamos conocer: «Halló Don Quijote ser la casa de Don Diego de Miranda ancha como de aldea; las armas, empero, aunque de piedra tosca, encima de la puerta de la calle; la bodega, en el patio; la cueva, en el portal, y muchas tinajas a la redonda, que por ser del Toboso...», terminándose la descripción con un gran rasgo de humor.

Don Quijote ha vencido al *Caballero de los Espejos* y ha mostrado su valor extraordinario en la aventura de los leones; ha entrado ya en la casa de Don Diego de Miranda, que Cervantes a veces llama castillo, pero no Don Quijote. La presencia del caballero andante no ha conmovido el mundo de Don Diego; por su casa ha pasado esa grotesca unión de lo discreto y la locura causando sólo admiración, sin que cambiara el ritmo de su cortesía espiritual. Esta densa serenidad no volveremos a encontrarla hasta el final de la novela, la cual discurre entre el engaño y el desengaño; entre las dos intervenciones del Bachiller; entre el aposento del Caballero convaleciente y el lecho de muerte de Don Quijote. De un punto al otro se explora el encanto de Dulcinea y la aventura del carro de la muerte.

De un lado, el misterio esencial de la vida, con sus prodigios y sus milagros; de otro, el hacer del hombre. «Dios sabe la verdad de todo—respondió Sancho—; y como él sabía que la transformación de Dulcinea había sido traza y embeleco suyo, no le satisfacían las quimeras de su amo» (cap. XVI). Entre el secreto de Dios y los embelecos del hombre, la quimera de Don Quijote. Para penetrar en esos enredos que el hombre inventa, Don Lorenzo lee un «soneto a la fábula o historia de Píramo y Tisbe». Este soneto lo vamos a vivir en las bodas de Camacho.

NUEVA CREACION DE MITOS: EXPERIENCIA DEL MUNDO

RENOVACION DE LA FABULA DE PIRAMO Y TISBE. TRIUNFOS DEL INGENIO

E L capítulo XIX es uno de los mejores ejemplos para estudiar la composición del *Quijote* de 1615. Caballero y Escudero, al salir de la casa de Don Diego, se encuentran con dos parejas, una de estudiantes y otra de labradores; ésta no obedece a otra necesidad que a la de la agrupación de personajes. Cervantes piensa en dos estudiantes de carácter opuesto, e inmediatamente ve dos parejas que también se oponen. Don Quijote les explica quién es: «Todo esto, para los labradores, era hablarles en griego o en jerigonza; pero no para los estudiantes, que luego entendieron la flaqueza del cerebro de Don Quijote; pero, con todo eso, le miraban con admiración y con respeto.» Queda así separada la cultura de la rusticidad. Inmediatamente los estudiantes invitan a Don Quijote a que asista a las bodas del rico Camacho y la bella Quiteria, las cuales serán espléndidas y, además, memorables por lo que se piensa que va a hacer el despechado Basilio. Relaciona en seguida el estudiante la historia de los amores de Basilio y Quiteria con la fábula de Píramo y Tisbe: «Es este Basilio un zagal vecino del mismo lugar de Quiteria, *el cual tenía su casa pared en medio de la de los padres de Quiteria,* de donde tomó ocasión el amor de *renovar* al mundo los ya olvidados amores de Píramo y Tisbe.» Así se renuevan en el Barroco los mitos y temas de la antigüedad. Los padres se niegan a que continúe el amor de estos muchachos; el papel del león lo hace Camacho el *Rico,* y Basilio utiliza una espada, la cual no le sirve para perder a su amada, sino para ganarla. Se cambia toda la escenografía, se crea un nuevo personaje para dar un nuevo sentido a la fábula y, por último, se encuentra un desenlace feliz. Para penetrar en la sensibilidad del Barroco es sumamente importante ver el fondo antiguo de la acción moderna. No es posible saber si pensando en la fábula Cervantes va descubriendo la acción moderna o si al inventar ésta va refiriéndola al mundo antiguo. Por importante que sea dilucidar este punto, lo cierto es que para el lector ambos mundos están en una fuerte relación, la cual ilumina todo el arte barroco. Al estudiar la boda insistiremos sobre esta relación.

Al presentar un estudiante las figuras que han de intervenir en la acción, Don Quijote y Sancho toman sus posiciones. Aquél en favor de la ley; éste, al lado de la Naturaleza. El diálogo sobre este tema sería largo si una equivocación de Sancho, seguida de la corrección de Don Quijote (friscal-fiscal), no lo hiciera cambiar de rumbo, yendo a dar a la pureza del lenguaje, primero, y después, al desafío de los dos estudiantes.

El documento que nos encontramos en el *Quijote* acerca del bien hablar es de sobra conocido, y nos muestra la diferente actitud del Barroco respecto al Renacimiento. No se habla bien cuando se ha nacido en Toledo, sino cuando se es discreto. Ya le había dicho Don Quijote a Don Lorenzo que la poesía «no se ha de dejar tratar de los truhanes ni del ignorante vulgo, incapaz de conocer ni estimar los tesoros que en ella se encierran. Y no penséis, señor, que yo llamo aquí vulgo solamente a la gente plebeya y humilde, que todo aquel que no sabe, aunque sea señor y príncipe, puede y debe entrar en número de vulgo.» El estudiante que conoce el arte de manejar la espada es el que vence en el desafío. Es muy interesante hallar este documento sobre la lengua en Cervantes, y tiene igualmente interés que se haga notar cómo el novelista creía en la superioridad de la destreza sobre la fuerza. Es claro que Cervantes opina como su época exigía. Pero, desde el punto de vista de la novela, lo que es necesario es darse cuenta cómo el escritor, por medio de la discusión que luego se transforma en acción, nos está presentando la superioridad del ingenio. Los dos temas—pureza de la lengua, arte de la esgrima—están expresando lo mismo: la Naturaleza es vencida por el arte (arte = ingenio, destreza, discreción). Como dice Cervantes: «El cual testimonio (triunfo del diestro) sirve y ha servido para que se conozca y vea con toda verdad cómo la fuerza es vencida del arte.» (La expresión es irónica, pero no hay duda sobre la manera de pensar de Cervantes.)

Una obra de arte es también un documento histórico, que puede ser utilizado para la historia económica o política, la historia del pensamiento, o de las costumbres, o de la lengua, etc., etc.; pero, es claro, esto es algo secundario. Lo esencial en una obra de arte es la forma que adquieren todos los elementos extraños (extraños en tanto que obra de arte), y el lector o el espectador, por una vía o por otra, lo que tienen que hacer es llegar a captar esa forma y su sentido.

Cervantes, en las bodas de Camacho, está creando una acción que surge del conflicto entre la ley y la Naturaleza y cuyo desenlace lo ofrece el ingenio, la discreción. El estudiante introduce las figuras principales de esa acción y su conflicto, que queda aclarado por el diálogo de Don Quijote y Sancho, e inmediatamente con el motivo de la lengua y de la esgrima aparece el *deus ex machina:* el arte, el dios barroco, dominando la Naturaleza. Esta nota repetida de ingenio, traza, está apuntando al desenlace de las bodas de Camacho, y destacando la importancia que tiene el ingenio, la habilidad, en el *Quijote* de 1615. La luz que ilumina esta escena se va amortiguando para terminarla, y al mismo tiempo como contraste con la pradera en la que van a tener lugar las fiestas y la boda. «Era anochecido; pero antes que llegasen les pareció a todos que estaba delante del pueblo un cielo de innumerables y resplandecientes estrellas.» Al llegar a esa pradera, a ese escenario, el capítulo termina, termina el prólogo. Don Quijote y Sancho, como espectadores (y no se pierda todo el valor decorativo barroco de estas dos figuras que están en el marco, lo mismo que esa viñeta, que al irse a empezar la aventura de los leones nos deja ver a Sancho comprando requesón), permanecen fuera del lugar, anudándose el hilo de la novela: «Bien contra la voluntad de Sancho, viniéndosele a la memoria el buen alojamiento que había tenido en el castillo o casa de Don Diego.» Castillo o casa—siempre Cervantes en su recuerdo—, porque Don Quijote ya no se mueve en esa zona metafísica en la cual la realidad es una aventura. La sociedad le aprisiona, y ya no encuentra castillos.

Cuando Cervantes escribe «en el castillo o casa» no está expresando una disyuntiva, sino poniendo el fondo de 1605 a su segundo *Quijote*.

«¡*OH TU, BIENAVENTURADO!*», Y EL
DESBORDAMIENTO DE LOS SENTIDOS.
EL MATRIMONIO

Un diálogo de Don Quijote y Sancho empieza el capítulo XX y lo termina otro diálogo de los mismos personajes; estos dos diálogos encuadran las vituallas abundantes de la comida de la boda y las danzas que la preceden. Un pequeño arabesco ricamente decorativo—blanca Aurora, luciente Febo, líquidas perlas, cabellos de oro—sirve de escenario al primer gesto de Don Quijote al despertarse, dramatizando Cervantes el tema del *Beatus ille:* Don Quijote contempla a Sancho dormido. En cuanto Don Quijote ha dicho su aria *¡Oh tú, bienaventurado!,* Sancho despierta. El tema aparece completamente renovado; sin embargo, conserva todo su movimiento de gran escuela, en fuerte y poderoso contraste con el despertar del gracioso, quiero decir de Sancho. «Despertó en fin soñoliento y perezoso, y volviendo el rostro a todas partes, dijo: De la parte desta enramada, si no me engaño, sale un tufo y olor harto más de torreznos asados que de juncos y tomillos; bodas que por tales olores comienzan, para mi santiguada que deben de ser abundantes y generosas...» En seguida discuten la boda, y Don Quijote manda a Sancho que calle. El último diálogo comienza discutiendo la boda de nuevo; dice Don Quijote a su Escudero que calle, y entonces Sancho introduce la muerte «que engulle y traga cuanto se le pone delante». Leer detenidamente, dejándose arrastrar por el ritmo novelesco, tiene estas ventajas. Se ve, empero, cómo las bodas de Camacho van apareciendo en todo su ordenado desbordamiento, con qué claridad vamos percibiendo los distintos motivos y cómo ese rebosar de la glotonería de los sentidos—olfato, gusto, vista—hace juego, de una manera muy barroca, con una muerte tragona y devorada. No es que me sienta impulsado por la manía de imponer mi propio punto de vista; pero creo que si se lee este capítulo sin dar su valor a esta intervención de la muerte, se pierde uno de los efectos buscados por Cervantes y que da un acento particular a esa cornucopia que son las bodas.

«Lo primero que se le ofreció a la vista de Sancho fue, espetado en un asador de un olmo entero, un entero novillo.» Así comienza la descripción de los preparativos del banquete, la cual termina: «En el dilatado vientre del novillo estaban doce tiernos y pequeños lechones, que, cosidos por encima, servían de darle sabor y enternecerle.» Dentro de este encuadramiento, el espectáculo enorme: carneros, liebres, gallinas, pájaros y caza, arrobas de vino, rimeros de pan, murallas de queso, aromándolo todo un arca de especias. Toda esta profusión está ordenada por el bulto de las ollas, los zaques y las calderas. Órden que Cervantes destaca en la recapitulación: «Primero le cautivaron y rindieron el deseo (de Sancho) las ollas...; luego le aficionaron la voluntad los zaques, y últimamente las frutas de sartén, si es que se podían llamar sartenes las tan orondas calderas.» Y para expresar la incapacidad de Sancho de posar su deseo, le acerca al cocinero, quien le dice que busque un cucharón, y como no lo encuentra, él mismo pone en un caldero gallinas y gansos; pero Sancho no tiene dónde echarlo. «Pues llevaos—dijo el cocinero—la cuchara y todo.» Cucharón, caldero, cuchara: por ese volumen irónicamente reducido se agita la incontenida voracidad visual de Sancho.

Sancho, el glotón, se retira al margen de la escena, y las danzas comienzan. Entra primero un tropel de jinetes, que con sus correrías llenan de alboroto el prado, rápidamente seguidos de la danza de espadas; un cuerpo de doncellas hermosísimas aquieta con su baile esa pulsación, para dar lugar a la danza hablada.

Ya pueden entrar los novios, lo que tiene lugar en el capítulo XXI. La entrada de los novios es una marcha de gran aparato; la alabanza de la novia que hace Sancho nos va dando el progreso procesional, hasta quedar en primer término, con su talle como «una palma que se mueve cargada de racimos de dátiles». Hemos de seguir ese desfile cuyo ritmo va ordenando toda la belleza y encauzando la admiración que producen tanta multitud, tanta alegría y movimiento. «Ibanse acercando a un teatro»; la admiración tiene que ordenarse para dar lugar a la suspensión del suceso que van a presenciar. «A la sazón que llegaban al puesto, oyeron a sus espaldas grandes voces...» Es la entrada del nuevo Píramo: Basilio;

271

también se atraviesa el corazón con una espada al creer a su amada devorada por ese nuevo león que son las riquezas. Sólo que este nuevo Píramo se diferencia del antiguo en no usar la espada sino con argucias e ingenio. Los circunstantes, al levantarse Basilio, gritaron: «¡Milagro, milagro!» Pero Basilio replicó: «No milagro, milagro, sino industria, industria.» El que vence al león no es Don Quijote. La relación León-Caballero es la relación antigua, que al ser resucitada produce un efecto cómico: ni el león quiere luchar. La comicidad y lo disparatado de esta acción no deriva del enfrentamiento del hombre con la fiera en un despoblado, pues más absurda y disparatada tenía que parecer esa lucha en la corte. Lo absurdo de la acción de Don Quijote está en considerar todavía como esencial lo que se había convertido en ornamental. El caballero moderno no lucha con el malo en la figura de un dragón o de un león (el león, en el simbolismo medieval, es, frecuentemente, el diablo), sino en la forma de riquezas, honores, etc., y esta lucha es una lucha interior. El arte de Cervantes no es un arte simbólico, como lo son, por ejemplo, los autos sacramentales; pero el arte de su época, el arte barroco, puede ser gozado en su plenitud únicamente al darnos cuenta del sistema de referencias que lo mantiene. De una manera completamente barroca elude Cervantes el león en el soneto de Píramo, porque lo presentó en la aventura de Don Quijote, cambiando así la magnitud del león, que en la fábula ocupa un plano muy lejano, mientras que Cervantes lo acerca a un primer plano. La materia de la fábula se ha espiritualizado en el soneto de Don Lorenzo: el muro, la quiebra; el encuentro de los dos amantes se debe a que «salió el deseo de compás», y Tisbe es «la imprudente virgen» que «solicita por su gusto la muerte». En esta transformación que se hace sufrir a la materia poética se mantiene un sentido cristiano, pero no cristiano medieval, sino cristiano tridentino. De la misma manera que la aventura de los leones, la estancia en casa de Don Diego, donde se da forma nueva (esto es, nuevo sentido) a la fábula antigua, y las *bodas de Camacho* se crean según una representación barroca del mundo, axiomáticamente el sentido de esa visión del mundo tiene que ser el de su época. De aquí que aparezca el tema del matrimonio tratado de una manera muy complicada.

Quiteria es separada del amante de su niñez como lo han sido Luscinda (*Historia de Cardenio, Quijote*, 1605) y Leonisa (*El amante liberal)*, y por el mismo motivo; los padres preferían para su hija un marido rico. Con cada grupo de personajes—Luscinda, Cardenio, Don Fernando; Leonisa, Ricardo, Cornelio; Quiteria, Basilio, Camacho—se trata un tema distinto. La lujuria vencida por el esfuerzo de Don Quijote; la propia purificación que se alcanza por la renuncia—Ricardo—, y el triunfo del amor sobre lo social, que lo consigue el ingenio (Basilio). En 1615 tenemos el tema situado en esta zona de lo social; el tormento (dolor de Luscinda y Cardenio, cautiverio y naufragio de Leonisa y Ricardo), por tanto, ha desaparecido. Don Quijote interviene dos veces: para que dé Quiteria el sí (recordando el tema de Píramo: «pues el tálamo de estas bodas ha de ser la sepultura») y para que no haya lucha. Basilio ha sufrido al verse separado de su amada, pero este sufrimiento no sólo queda relegado a un lugar muy secundario, subrayado todavía al pintársele como el de Cardenio (1), pues esta semejanza nos muestra el camino divergente que siguieron los amantes: desesperación, ingenio. Las *bodas de Camacho* se mantienen siempre dentro de un tono de fiesta; de aquí que el novio defraudado haga solamente un gesto de protesta y que permita que los festejos pagados por él continúen. Camacho se consuela rápidamente, pensando que «si Quiteria quería bien a Basilio doncella, también le quisiera casada, y que debía de dar gracias al cielo, más por habérsela quitado que por habérsela dado». Esta nota social la sitúa Cervantes en un plano rústico («finalmente el aparato de la boda era rústico»); de un lado, porque era el que convenía al nivel del tema; de otro, porque si los personajes hubieran sido nobles se hubiera tenido que conducir la

---

(1) «De todo no me queda más que decir sino que desde el punto que Basilio supo que la hermosa Quiteria se casaba con Camacho el *Rico*, nunca más le han visto reír ni hablar razón concertada, y siempre anda pensativo y triste, hablando entre sí mismo, con que da ciertas y claras señales de que se le ha vuelto el juicio; come poco y duerme poco, y lo que come son frutas, y en lo que duerme, si duerme, es en el campo, sobre la dura tierra, como animal bruto; mira de cuando en cuando al cielo, y otras veces clava los ojos en la tierra, con tal embelesamiento, que no parece sino *estatua vestida que el aire le mueve la ropa*» (cap. XIX). Por esta nota se puede ver cómo la descripción del estado de Basilio es una variación de la descripción de Cardenio; pero si la cito es para hacer observar ese movimiento de paños, en contraste con el extático ensimismamiento, representación idéntica a la de la pintura o la escultura barrocas.

acción de manera distinta. Y, efectivamente, no son las danzas, ni siquiera el ingenio de Basilio, lo que se apodera de la atención del lector, sino la abundancia de la comida, abundancia que está expresando la rusticidad, esto es, la clase social de los que se casan—labradores—, pero esta rusticidad es al mismo tiempo y sobre todo una representación del nivel inferior de lo estrictamente social. Esta abundancia que dispone el rico Camacho queda vencida por la industria del pobre Basilio. Una vez más la industria, la destreza, vence a la fuerza, a la riqueza, a la naturaleza. Y como Don Quijote y Sancho fueron espectadores del desafío de los estudiantes, así también lo son de esta contienda entre los dos amantes de Quiteria. Las *bodas de Camacho* es una acción dramática (se nos hace presenciar la disposición de la acción desde sus preparativos preliminares; esta visión del escenario y su mecanismo [final cap. XIX] debe compararse, para notar las diferencias, con la misma visión que tanto atrajo a los impresionistas) representada ante Don Quijote y Sancho. Si el lector se siente dominado por las ollas, los zaques y las calderas, atiende con igual interés a las relaciones del Caballero y del Escudero, los cuales dramáticamente cambian de actitud, ya que Don Quijote empieza por estar a favor de Camacho y se deja ganar gradualmente por Basilio, y Sancho, por el contrario, se pone al lado de Basilio para acabar defendiendo a Camacho.

Estamos en el XVII; por tanto, no hay ni el menor asomo de conflicto social o político (como tampoco lo hay en el teatro, ni en *Fuenteovejuna*, ni en *El alcalde de Zalamea);* igualmente queda excluida toda motivación sentimental de atracción hacia el más débil. Lo que coloca a Sancho al lado de Basilio es que él piensa como su mujer: «la cual no quiere sino que cada uno case con su igual», y añade por su cuenta: «Lo que yo quisiera es que ese buen Basilio, que ya me lo voy aficionando, se casara con esa señora Quiteria, que buen siglo hayan y buen poso—iba a decir al revés—los que estorban que se casen los que bien se quieren.» Que las circunstancias sociales sean semejantes, la diferencia de edad apropiada y que ambos se quieran, son los requisitos que Cervantes considera necesarios para que los que se casen puedan llegar a ser felices. Por tanto, su manera de pensar coincide con la de Sancho, lo cual no es nada sorprendente, ya que esto ocurre con relativa frecuencia. En este caso particular, la intención de Cervantes es evidente. Se trata de un

274

desdoblamiento irónico. Sancho defiende lo mismo que defiende Cervantes, pero no por los mismos motivos. Igual ocurre con el punto de vista de Don Quijote, el cual será el que más tarde adoptará Sancho, pero no por la misma razón que su señor. Al lector estos cambios de punto de vista pueden parecerle un procedimiento técnico que utiliza el novelista para adentrarnos en el carácter de sus personajes. Y no hay duda que la novela como el teatro van en esa dirección, pero tratándose de una obra del siglo XVII, tanto o quizá más que en el estudio de carácter hay que fijarse en lo que tiene de procedimiento dialéctico, de «diálogo platónico». Sancho comienza defendiendo a Basilio y Don Quijote a Camacho, trocando después sus actitudes. Lo que hace Cervantes es examinar, enfrentándolos, los dos puntos de vista, el de la ley y el de la naturaleza. Mostrando la necesidad de que la ley limite a la ciega naturaleza (cuya libre y funesta actuación es la raíz de la *Historia de Leandra, Quijote*, 1605), ley que debe ser aplicada y manejada por la autoridad competente, en este caso los padres. Vemos en seguida reflejarse en esta actitud la influencia de la Contrarreforma; la naturaleza debe quedar férreamente sujeta a la forma, a la ley depositada en manos de la autoridad: Iglesia, Monarquía, Inquisición, Academia, Censura, Retórica, etc., etc. La actitud del autor de *El celoso extremeño* es completamente antirromántica (en el sentido de que no prepara el camino al Romanticismo), la naturaleza debe quedar sometida a la ley: «Si todos los que bien se quieren se hubiesen de casar, dijo Don Quijote, quitaríase la elección y jurisdicción a los padres de casar sus hijos con quien y cuando deben; y si a la voluntad de las hijas quedase escoger los maridos, tal habría que escogiese al criado de su padre, y tal al que vio pasar por la calle, a su parecer, bizarro y entonado (caso de Leandra), aunque fuese un desbaratado espadachín; que el amor y la afición con facilidad ciegan los ojos del entendimiento, tan necesarios para escoger estado; y el del matrimonio está muy a peligro de errarse, y es menester gran tiento y particular favor del cielo para aceptarle.» Pero a esta jurisdicción externa hay que acudir, únicamente, cuando el hombre libre (con libertad metafísica, no con libertad política) no es capaz de dirigir su naturaleza. Don Quijote defiende después a Basilio, porque *cree* que Basilio puede *salvarse*. Tiene fe en que seguirá su consejo: «Todo esto decía (Don Quijote) con intención de que se dejase el señor Basilio de ejercitar las habilidades que sabe, que aunque le daban fama no le daban dineros, y que atendiese a granjear hacienda por medios lícitos e industriosos, que nunca faltan a los prudentes y aplicados.» A Cervantes, desde un punto de vista artístico, en 1615 le es necesario permanecer en esta zona estrictamente social (rico-pobre). La pobreza en los románticos no es totalmente un signo de lo social, pues lo que ellos están haciendo es libertar al amor de todo encadenamiento formal; sin embargo, para el Romanticismo es una necesidad metafísica esa posibilidad de amor al margen de lo social, necesidad de separar la pasión de la materia. Cervantes no estudia el amor pasión, sino el amor que va a tomar forma en el matrimonio («el mayor contrario que el amor tiene es la hambre y la continua necesidad; porque el amor es todo alegría, regocijo y contento, y más cuando el amante está en posesión de la cosa amada, contra quien son enemigos opuestos y declarados la necesidad y la pobreza». El reflejo religioso que hay en estas frases no debe confundir a nadie. Se trata del matrimonio como institución social). Así, para final de este confrontamiento dialéctico aparece el matrimonio en toda su densidad humana. Sancho murmura, y le pregunta Don Quijote: «—¿Qué murmuras, Sancho? —No digo nada ni murmuro de nada, respondió Sancho; sólo estaba diciendo entre mí que quisiera haber oído lo que vuesa merced aquí ha dicho antes que me casara; que quizá dijera yo agora: el buey suelto bien se lame. —¿Tan mala es tu Teresa, Sancho?, dijo Don Quijote. —No es muy mala, respondió Sancho; pero no es muy buena; a lo menos, no es tan buena como yo quisiera. —Mal haces, Sancho, dijo Don Quijote, en decir mal de tu mujer, que, en efecto, es madre de tus hijos. —No nos debemos nada, respondió Sancho, que también ella dice mal de mí cuando se le antoja, especialmente cuando está celosa, que entonces, súfrala el mismo Satanás.» A ese tierno matrimonio que acaba de formarse y que va a ser azotado por todos los vientos de la vida, se opone el relieve de un viejo matrimonio, cuya unión ha tenido que ir salvando cotidianamente los mil obstáculos—sociaies, económicos, de carácter—que la vida sin cansancio presenta para deshacerla. No deja de ser gracioso imaginarnos a Teresa celosa de Sancho, pero todos somos Teresas y Sanchos ante la imagen clara e ideal de la perfecta casada y el esposo perfecto.

276

Supongamos que hemos comprendido las ideas de Cervantes en el sentido que tuvieron en el momento que fueron concebidas, pero no olvidemos que no estamos estudiando un tratado sobre el matrimonio. Leemos una novela. Cervantes acaba de crear la nueva forma de vida: el Caballero del Verde Gabán, y después presenta el matrimonio que corresponde a esta vida nueva (antes había trazado la educación de los hijos), pero lo presenta estrictamente en su sentido social (rico-pobre), por eso en un medio rústico. El interior doméstico (la vida privada) lo completa con la fiesta (la vida comunal). Según el arte de su época, pone como fondo a la vida (boda) moderna una fábula antigua, que además dramatiza y le da, como es natural, nuevo sentido, el cual permite una gran libertad en el movimiento de las figuras. El león de la fábula lo pasa a un primer plano, pero lo cambia de lugar, y hace que el puesto que ocupaba en la fábula lo tenga ahora otra figura, el «rico», y lo mismo hace con el desenlace: la espada es un instrumento del ingenio. Oponiendo al mundo del pasado (Don Quijote) el mundo del siglo XVII (Don Diego de Miranda, Basilio). Se ilumina la dramática fiesta de las bodas de Camacho con la discusión dialéctica de Don Quijote y Sancho, personajes que no nos van mostrando su carácter al hilo del diálogo, sino que dada su función se confía a cada uno el papel que le corresponde. Sancho, como rústico, defenderá inmediatamente el enlace elemental entre iguales, y como villano, se entregará con todos su sentidos a los bienes de la Tierra. Don Quijote, en cambio, defenderá la ley, para hacerla florecer inmediatamente en medio de la libertad.

LA CUEVA DE MONTESINOS: UNA EXPERIENCIA ORFICA. LA FORMA TEMPORAL DE LA VIDA

Caballero y Escudero, después de pasar varios días con los novios, acompañados por un primo del diestro Licenciado, se dirigen a la cueva de Montesinos (cap. XXII). Este guía «sabía hacer libros para imprimir», y Cervantes, en una breve frase, ya nos dice cuál va a ser el papel del personaje: «Finalmente, el primo vino con una *pollina preñada*.» La erudición del Renacimiento se ha convertido en el Barroco en un acarreo de hechos y datos sin sentido. La erudición renacentista era completamente vital: conocer un hecho, una fecha, un dato, una variante, era en sí mismo un acontecer espiritual; en el Barroco, esta acumulación de materiales es más necesaria que nunca, pero los materiales ya no se mantienen por sí mismos, se les tiene que dar un significado. De un lado, pues, este conflicto, dentro del humanismo, entre la erudición y la interpretación; de otro lado, el interés en descubrir nuevos hechos que no tienen sentido de ninguna clase, por ejemplo: ¿quién fue el primero que tuvo catarro? Sancho, que le señaló al lector la santidad de la vida de Don Diego de Miranda, muestra ahora lo vacío de tal actividad intelectual. «Más has dicho, Sancho, de lo que sabes, dijo Don Quijote; que hay algunos que se cansan en saber y averiguar cosas que después de sabidas y averiguadas no importan un ardite al entendimiento ni a la memoria.» El conflicto sigue todavía en pie y empeorado si cabe, porque las ciencias naturales, que han tenido también su época en que los hechos por sí solos ya venían cargados de significado, han contribuido a enturbiar con sus métodos las ciencias del espíritu. Don Quijote, como Montaigne, prefiere *une tête bien faite* a *une tête bien pleine*.

En ciertas épocas de la historia, el conocimiento de hechos y nombres, la erudición libresca, producen una fruición creadora; en otras épocas, por el contrario, son sentidos como un freno y una cortapisa. El libro y la biblioteca representan un papel de gran importancia en la vida espiritual barroca. Se conoce, admira y respeta el mundo antiguo mucho más en el Barroco que en el Renacimiento, pero en el Barroco la admiración hacia las figuras de la antigüedad no da lugar a una respetuosa sumisión, suscita la rebeldía. La admiración que el hombre barroco siente hacia el hombre antiguo le incita a querer igualarse a él, a ser tanto como él. La admiración no se expresa en forma de rendimiento, sino de lucha. En lengua romance se puede—se debe—ser un creador tan genial como en latín o griego (diálogo de Don Quijote y Don Lorenzo), y ahora, ante ese estudiante—esos estudiantes—que viene con su «pollina preñada» y que no se cansa en averiguar cosas que después de averiguadas nada importan, ni a nadie, Cervantes se lanza a crear una fábula, una leyenda, la de la Cueva de Montesinos y el origen del Guadiana—Cervantes, una vez más, quiere competir con los poetas de Grecia y de Roma—. El erudito estudiante es el instrumento con el cual satiriza Cervantes la pedantesca y vacía erudición, lo que no impide—dada la posible adaptación de todo personaje barroco a su función—que al mismo tiempo sea el encargado de mostrar una de las tendencias artísticas más fecundas en el Barroco: «Otro libro tengo también, a quien he de llamar *Metamorfóseos, o Ovidio español,* de invención nueva y rara; porque en él, *imitando a Ovidio a lo burlesco,* pinto quién fue la Giralda de Sevilla y el Angel de la Madalena, quién el Caño de Vecinguerra...» La aventura de la Cueva de Montesinos es una imitación burlesca de la poesía antigua; aventura de «invención nueva y rara».

Don Quijote y Sancho habían pasado unos días en la casa de Basilio; después, camino de la Cueva de Montesinos, pernoctan en una aldea, donde compran una soga; ¡qué mundo tan distinto el de 1615 del de 1605! Don Quijote pasa la noche en hoteles y a la mañana siguiente va de compras, compra lo que necesita, según consejo del Estudiante, y luego, como ocurre siempre, echa a faltar algo en el último momento: una campanillita. El capítulo XXII termina entrando Don Quijote en la sima (el lector debe hacer penetrar en el ritmo de la narración las cambroneras y los cabrahígos, las zarzas y las malezas, que «tan espesas y intrincadas» rodean la sima, cuyo valor pictórico va unido a los cuervos y grajos, que «tan espesos y con tanta priesa» salen de la boca de la cueva. Maleza y aves nocturnas, que son la reducción humorísticamente realista de todas las alimañas y obstáculos que se encuentran siempre en toda entrada infernal o prodigiosa. Con las aves nocturnas de la cueva continúa también la turbia representación del mundo moral), de donde le sacan, media hora después, asfixiado.

Sancho y el Estudiante le hacen la respiración artificial. Hoteles, tiendas, respiración artificial, subrayo demasiado el medio social para hacer notar que Cervantes le da un gran realce. Materia social que circunda esa media hora de Don Quijote en el abismo enrarecido, media hora en que ha soñado el sentido de toda la vida (por eso la llama «la más sabrosa y agradable vida y vista que ningún humano ha visto ni pasado»): «En efecto, ahora acabo de conocer que todos los contentos desta vida pasan como sombra y sueño, o se marchitan como la flor del campo.» En esa breve media hora Don Quijote ha tenido la experiencia de la vida, una experiencia órfica; infernal, dicen el Estudiante y Sancho. «¿Infierno le llamáis, dijo

Don Quijote; pues no le llaméis ansí, porque no lo merece, como luego veréis.» No es ni el infierno pagano ni el cristiano, es el infierno del siglo XVII, en donde Don Quijote encuentra a su Dulcinea. La diferencia entre la vivencia espiritual y la social se señala con el sentido del tiempo: «A esta sazón dijo el primo: Yo no sé, señor Don Quijote, cómo vuesa merced, en tan poco espacio de tiempo como ha que está allá abajo, haya visto tantas cosas y hablado y respondido tanto. —¿Cuánto ha que bajé?, preguntó Don Quijote. —Poco más de una hora, respondió Sancho. —Eso no puede ser, replicó Don Quijote, porque allá me anocheció y amaneció, y tornó a anochecer y amanecer tres veces; de modo que, a mi cuenta, tres días he estado en aquellas partes remotas y escondidas a la vista nuestra.» (Cap. XXIII. Véase también antes: «ayer» y «ha muchos años».)

Don Quijote da a conocer el tema de su narración («¡Oh desdichado Montesinos! ¡Oh mal ferido Durandarte! ¡Oh sin ventura Belerma! ¡Oh lloroso Guadiana, y vosotras sin dicha hijas de Ruidera...!»), el cual se interrumpe inmediatamente para ponerse a comer y disponer la escena para el gran acontecimiento (cap. XXIII).

La luz del sol mediada la tarde («las cuatro de la tarde serían») se amortigua («el sol entre nubes cubierto»), Sancho y el Estudiante llenan todo el anfiteatro con la muchedumbre que va a oír la tragedia («clarísimos oyentes»). La trágica narración, que comienza en el tono apropiado, tiene un fuerte reborde grotesco, creado por las notas realistas. El auditorio vive la narración: interrupciones de Sancho y el Estudiante.

Montesinos, Durandarte, Belerma, la materia del Romancero—renovada humorísticamente—nos dirige a la estancia de Don Quijote en la casa de los duques, y la nueva aparición de Dulcinea descubre la esencia de lo social: la Necesidad, diosa que, como conviene a la edad moderna, encubre su presencia agobiante con la máscara grotesca de la realidad. De esta cueva arranca también el argumento del desencanto. Y en la cueva, lagunas y ríos quedan encerrados en la forma de un mito.

Mientras Don Quijote moraliza y diserta parece discreto a todo el mundo, pero cuando penetra en la realidad social se le tiene por loco: «Bien se estaba vuesa merced acá arriba con su entero juicio, tal cual Dios se le había dado, *hablando sentencias y dando conse-*

jos a cada paso [obsérvese cómo Sancho descubre otro de los motivos del *Quijote* de 1615, y, por tanto, parte de su sentido. De aquí que en 1615 tenga significado lo que en 1605 (cap. XXV) era sólo una observación: «Válame, Dios, dijo Don Quijote, y qué de necedades vas, Sancho, ensartando»] y no ahora contando los mayores disparates que pueden imaginarse.» Sancho pierde todo sentido del límite, y su sincera irritación va a dar en el tono tranquilo y la calma de su señor, lo cual ya sorprende al Estudiante (cap. XXIV), pero Don Quijote nos declara el porqué de esta actitud: «Como me quieres bien, Sancho, hablas de esa manera, dijo Don Quijote; y *como no estás experimentado en las cosas del mundo,* todas las cosas que tienen algo de dificultad te parecen imposibles.» De la experiencia mística del primer Barroco pasamos a esta experiencia del mundo, que comienza irritando a Sancho y que continuará irritando a todos los Sanchos de buena voluntad, cuando un novelista tras otro penetre cada vez con más valor en la estructura cada vez más compleja de lo social. La paciencia de Don Quijote es otro signo de su seguridad y decisión. El camino que hay que seguir queda ya trazado: «Andará el tiempo, como otra vez he dicho, y yo te contaré algunas (cosas) de las que allá abajo he visto, que te harán creer las que aquí he contado, cuya verdad ni admite réplica ni disputa.»

El creador de *La gitanilla* es también autor del *Coloquio de los perros.* Su ideal clarísimo se impone con toda la exigente interioridad de la amarga experiencia de lo social.

El descenso a la Cueva de Montesinos es otro tema de los que aparecen como apócrifos. Rasgo humorístico desconocido en 1605 y que tiene como fondo que lo hace posible la diferencia entre poesía e historia, pero que sitúa la materia novelesca en una zona indecisa. En 1605 era la realidad la que era captada según las determinantes de cada sujeto; en 1615 la realidad es la misma para todos, pero varían las interpretaciones. Para Don Quijote los molinos eran gigantes; para Sancho, molinos; por el contrario, ambos personajes se encuentran primero con el *Caballero de los Espejos* y su Escudero, y después están de acuerdo en el parecido con el Bachiller, que Don Quijote fue el primero en observar; Sancho deduce inmediatamente la identidad: el *Caballero de los Espejos* y el Bachiller son la misma persona; la realidad observada le basta para llegar a esa conclusión. Don Quijote, sin embargo, considera mucho más importante que el dato observado el poder trazar el puente que de una forma (Bachiller) conduce a otra *(Caballero de los Espejos)*: si no es posible dar con la intención que ha impulsado al Bachiller a ese cambio, es necesario desconfiar de todo parecido. Todo lector ve que Sancho tiene razón, modo irónico de Cervantes de darle la razón a Don Quijote y de hacer resaltar el valor que tiene la intención. Loco y discreto, irritado y blando, así aparece Don Quijote en 1615, el cual en 1605 inventaba historias (el caballero que se casa con la Infanta, la aventura del *Caballero del Lago),* pero ahora las vive, se sitúa en una zona de imaginación pura en la cual no puede penetrar Sancho y de la cual él mismo tiene que descender dudando de su realidad. Sólo la muerte confirma o niega el mundo de ideales que hemos vivido, esa muerte que encuadra al capítulo XXIV: «Tú, lector, pues eres prudente, juzga lo que te pareciere, que yo no debo, ni puedo más, puesto que se tiene por cierto que al tiempo de su fin y muerte, dicen que se retractó della, y dijo que él la había inventado por parecerle que convenía y cuadraba bien con las aventuras que había leído en sus historias», así al comienzo, discutiendo la aventura de la cueva, y al final: «Todo es morir, y acabóse la obra.» La obra de la vida tiene un final obligado; poco importa cómo es éste (siempre que venga sin anunciarse, que es la muerte preferida en esta época del Barroco), lo que importa es la vida, el ideal que la ha informado y que se refleja en la muerte. En el capítulo XXIV «se cuentan mil zarandajas tan impertinentes como necesarias al verdadero entendimiento desta grande historia». Se habla de las dedicatorias, los ermitaños, el hipócrita y el público pecador, aparece un hombre conduciendo un macho cargado de lanzas y alabardas, un sotaermitaño, y, por fin, la gran figura del capítulo, el mancebito que canta seguidillas:

> A la guerra me lleva
> mi necesidad.
> Si tuviera dineros,
> no fuera en verdad.

Del desfile de sombras de la Cueva de Montesinos pasamos a este desfile de figuras de la sociedad. La esencia de lo social que se descubría en la cueva ahora aparece concretizada, pero todavía se le da forma poética. Con la juventud (dieciocho o diecinueve años) del mancebito se construye toda la vida: solicitud de empleo, hidalgo pobre, servir a gente mezquina, hasta que llegamos a la muerte, cuando la obra se acaba. La necesidad ha hecho esa obra. Con ese mozo alegre presenciamos el desfile de los hombres inválidos, de los negros esclavos, cuyos amos les dan la libertad para dejarlos en poder del hambre, «de quien no piensan ahorrarse sino con la muerte». Parece bastante; por lo menos, Don Quijote termina: «Por ahora no os quiero decir más»; como ha aconsejado a Don Lorenzo sobre la poesía y a Basilio sobre el matrimonio, así aconseja al mancebo, consejos en los que se va tejiendo el sentido de la vida y que adquirirán toda su importancia en la estancia del Caballero en la casa de los Duques. Son estos consejos los que dan a la forma de la novela todo su sentido. La vida de Don Quijote se convertirá en 1615 en un vivo consejo.

No es una visión picaresca de la vida, ni tan siquiera pesimista; aparte de que Don Quijote le da todo el heroísmo de las armas, lo que importa no es ir tras una vida regalada y cómoda, puesta siempre la mira en el agrado de los sentidos, sino la honra que se consigue con el cumplimiento de su deber. De aquí que Sancho se diga: «Válate Dios por señor: ¿y es posible que hombre que sabe decir tales, tantas y tan buenas cosas como aquí ha dicho diga que ha visto los disparates imposibles que cuenta de la Cueva de Montesinos?» El descubrimiento que ha hecho Don Quijote en su sueño le parece increíble a Sancho, pero la realidad concretizada, individualizada, está a la altura de su comprensión. En el camino se han encontrado con esta forma temporal de la vida, llegando, por fin, a la venta adonde se dirigían por expresa voluntad de Don Quijote («vamos a buscar adonde recogernos esta noche»). Pero Sancho mantiene la nota fundamental de la obra de 1615: «¡Ah bodas de Camacho y abundancia de la casa de Don Diego, y cuántas veces os tengo de echar menos!»

La discusión sobre la veracidad de la visión de la cueva se puede y quizá se debe interpretar de doble manera: 1, el arte es mentira, es decir, es un sueño de esencias; 2, la visión amarga y desengañada de la vida—desfile grotesco del dolor, la Necesidad—no tiene por qué ser la esencia total y única del hombre en la sociedad. Toda interpretación, de una manera muy característica de la época barroca, es tanto más *segura* cuanto es más *abierta;* esto es, más abarcadora de posibilidades. Por tanto, lo contrario de la vaguedad e indefinición impresionistas.

PRIMER DESENLACE DEL DESTINO DE DON QUIJOTE

LA REPRESENTACION DRAMATICA

La composición de los capítulos XXV, XXVI y XXVII es clarísima; aventura del rebuzno, Maese Pedro (cap. XXV), retablo de la libertad de Melisendra (cap. XXVI), Maese Pedro, aventura del rebuzno (cap. XXVII). El primer capítulo y el último están divididos en dos alas, ciñendo apretadamente el enorme capítulo central. La división en cinco miembros destaca fuertemente el elemento del centro, que adquiere una gran magnitud, resaltando su unidad. *A B C B' A'*, ésta es la fórmula barroca, pero obsérvese que la inversión de los dos elementos al fin de la serie va acompañada de una readaptación del tema, la cual es al mismo tiempo funcional, ya que sirve de desenlace. La aventura del rebuzno es un cuento; por tanto, se narra, y Cervantes insiste en los giros característicos del género literario: «Sabrán vuesas mercedes que en un lugar, que está cuatro leguas y media desta venta, sucedió que a un regidor... le faltó un asno...», «Quince días serían pasados...», «Con estas circunstancias todas, y de la misma manera que yo lo voy contando, lo cuentan todos aquellos que están enterados en la verdad de este caso», «Y éstas son las maravillas que dije que os había de contar; y si no os lo han parecido, no sé otras; y con esto dio fin a su plática el buen hombre». Don Quijote es el perfecto oyente: ansioso de que el narrador comience, pendiente de su palabra. Al final *(A')*, la narración se convierte en acción y el oyente en actor; el que rebuzna es Sancho, el cual, como en el encuentro con el Caballero del Verde Gabán o en el desafío de los estudiantes (aconseja al fuerte que se dedique a tirar a la barra) o al hablar el erudito estudiante hace brotar el significado de la acción. Maese Pedro en B' se presenta con su verdadera personalidad: Ginés de Pasamonte, o con su otro nombre Ginesillo de Parapilla. El movimiento es el contrario del que tiene lugar en la aventura del rebuzno: se presenta a Maese Pedro en acción, luego se explica quién es. Dos desenlaces formalmente distintos, como lo han sido las dos exposiciones, y con ellas en un dinámico equilibrio. Es claro que el cuento se dice con gran maestría: las alabanzas que se prodigan los dos regidores, la descripción del rebuzno; además, esa capacidad del arte barroco, que pasa a la novela del XIX, de crear con una figura secundaria un aparte lleno de misterio («a un regidor, *por industria y engaño de una muchacha criada suya*—y esto es largo de contar—le faltó un asno»). De ese personaje secundario no sabremos nada, ni hace falta no hay en él ninguna sugerencia ni viene cargado de poder alusivo; por el contrario, su presencia está muy bien delineada; es su bulto (con su sentido sexual) el que imprime tanta gravedad a su evidente papel retórico, que no es otro que el de ayudar a la exposición del cuento. Lo mismo ocurre con la figura de Maese Pedro y su mono. Téngase en cuenta también que tanto A como B tienen su propio desenlace, el cual subraya aún más fuertemente el paso de la imaginación a la realidad. El cambio de dirección en A' nos pone ante todo el tumulto de la muchedumbre y sus banderas y estandartes, notas de rico colorido; en B' nos aleja hasta el *Quijote* de 1605.

El cuento del rebuzno se enlaza con las bodas de Camacho. Basilio tenía una porción de habilidades inútiles; estas habilidades—situadas en la zona del ingenio—pueden transformarse fácilmente en cualidades grotescas y ridículas. Hay que poder diferenciar el arte verdadero del falso, como la erudición con sentido de la erudición vacía, pero esta diferencia tiene que establecerse en todo, también en lo social. Hay hombres dotados de ciertas capacidades, de ciertas habilidades, y otros no. Dentro de las habilidades, sin embargo, se necesita descartar las que no tienen ningún valor, y además usar las que lo tienen oportunamente y con tacto. Don Quijote establece las razones por las cuales el hombre debe luchar, y hace ver que tan noble es el que lucha por una causa justa y digna como

286

ridículo el que está siempre en pendencias por niñerías. De lo cómico de la aventura del rebuzno nos elevamos hasta esa zona de la lucha necesaria, en la cual Cervantes, con espíritu verdaderamente religioso, puede exponer la concepción occidental del cristianismo, imaginado no sólo en la forma de paz, sino en la de guerra. Sancho desvía el tema, aunque dejándolo siempre en la línea de la conducta: cómo ha de comportarse el que quiere que renazca la concordia.

Maese Pedro se enlaza igualmente con Basilio. No el milagro, sino la industria, fue lo que hizo que triunfara el amor; tampoco hay milagro en las adivinanzas del mono, sino industria de parte de Maese Pedro, tema que aún será tratado cuando Don Antonio Moreno presente la cabeza encantada, y antes, en uno de los juicios de Sancho en la ínsula. El sentido de este tema es claro en Cervantes. En los países de la Contrarreforma se acepta el milagro, que el vulgo rebaja con sus supersticiones, pero que entre la gente pura y culta mantiene incólume su expresión de lo sobrenatural. En el mundo del arte, la imaginación descubre la maravilla reveladora del profundo sentido de la vida; pero porque es tal maravilla no se confunde ni con el absurdo que puede crear la fantasía ni con las argucias que cotidianamente tienen lugar en la sociedad. Con Maese Pedro comienza también el análisis de la Cueva de Montesinos: «El mono dice que parte de las cosas que vuesa merced vio o pasó en la dicha cueva son falsas y parte verosímiles.» Sancho cree ver confirmada su opinión, no así Don Quijote, quien sabe que la verdad del ideal sólo se establece al darle realidad, no la realidad social, sino la verdadera, la de la muerte: «Los sucesos lo dirán, Sancho, respondió Don Quijote, que el tiempo, descubridor de todas las cosas, no se deja ninguna que no la saque a la luz del sol.» El hombre cristiano, siempre dentro del misterio de la Encarnación, utiliza el tiempo como instrumento para dar forma a lo eterno. Imaginación y Realidad son las notas a que quedan reducidas la aventura del rebuzno y la historia de Maese Pedro. Y la imaginación y la realidad limitan fuerte y profusamente el espectáculo del retablo.

Otra vez, como en las bodas de Camacho, nos hace presenciar Cervantes todos los preparativos para la representación. El retablo todavía no tiene telón de boca, son las «candelillas de cera encendidas» las que abren la perspectiva hacia un mundo nuevo. Cervantes nos da toda la nerviosa inquietud que llena los últimos momentos que nos separan del acontecimiento: Maese Pedro va a ocupar su puesto, el trujumán ya tiene la varilla en la mano. El público—inmenso público, como el que oyó la narración de la cueva, pero esta vez no al aire libre, sino en el interior—está ya preparado. Don Quijote, Sancho, el paje (es decir, el mancebito que va al ejército) y el primo (el erudito estudiante) ocupan los puestos de honor, mucha más gente sentada (no pasarían de media docena) y algunos en pie, todos «fronteros del retablo».

La unidad del capítulo es completa, aunque está dividido en dos partes iguales: retablo y mandobles de Don Quijote: «Esta verdadera historia que aquí a vuesas mercedes se representa es sacada al pie de la letra de las corónicas francesas y de los romances españoles», así comienza el trujumán, que tiene al público pendiente de su boca y con los ojos clavados en el retablo, en cuanto termina el son de trompetas y los disparos de la artillería, rumor que encauza la inquietud ruidosa de la sala y el escenario y la transforma en activo silencio.

Las bodas de Camacho, la Cueva de Montesinos, la representación del retablo, son otros tantos testimonios preciosos de la sensibilidad épico-dramática del español en el Barroco. El que quiera imaginarse el ambiente de la Comedia, la atmósfera de la sala y el escenario en el siglo XVII, hará bien en recurrir a estos documentos. Pero el lector del *Quijote* no debe hacerlos derivar hacia ese blanco. Es necesario dejarse penetrar por esa poderosa corriente dramática y abandonarse a ella activamente. La representación de la *Libertad de Melisendra* es una de las grandes acciones dramáticas que ha sido capaz de captar la novela.

Del romance de las postrimerías del Gótico sale este «escenario» barroco. El «escenario» tiene tres actos, con una división—creada por procedimientos diferentes—muy clara de los actos primero y último, en dos partes cada uno. División de los tres actos en cinco miembros (como la de los tres capítulos que estamos estudiando), que quizá sea esencial en la Comedia del siglo XVII.

El trujumán declara el tema de la obra, esto es, el título: «Trata de la libertad que dio el señor Don Gaiferos a su esposa Melisendra», y después el lugar de la acción, «que estaba cautiva en España en poder de moros, en la ciudad de Sansueña, que así se llamaba

288

entonces la que hoy se llama Zaragoza» (1). El público, que es todo
ojos y oídos, sabe ya lo que va a ocurrir y en dónde; lo que no sabe
es cómo; este cómo es lo que va a presenciar en una serie de escenas que se suceden rápidamente unas a otras, creando con su ritmo
el *tempo* dramático, en el cual no hay, no puede haber, solución de
continuidad. La suspensión no admite intersticios. Desde que se
entra en el teatro se tiene que sentir uno dentro de la tensión dramática.

Primer acto, primera parte, primera escena (2). *«Vean* vuesas
mercedes *allí* cómo está jugando a las tablas Don Gaiferos.»

Segunda escena. «Y aquel personaje que *allí* asoma... es el emperador Carlo Magno, padre putativo de la tal Melisendra, el cual...
le sale a reñir.» Se dice por qué interviene el emperador, por qué
riñe a Don Gaiferos y cómo le riñe.

Tercera escena. «*Miren* vuesas mercedes también cómo el emperador vuelve las espaldas y deja despechado a Don Gaiferos», el
cual, lleno de cólera, arroja el tablero, pide las armas, pide prestada
su espada Durindana a Don Roldán; éste no se la quiere prestar,
pero se ofrece a acompañarle. Don Gaiferos no acepta compañía
y se va solo a libertar a su mujer. Estas tres escenas forman la primera parte del primer acto, la cual sin duda tiene lugar en Francia,
pero el lugar es ahora completamente innecesario, por eso no se
indica; lo importante es la acción. No se distrae al público con el
lugar secundario, que por otra parte sabría, para no desviarle del
hecho dramático: el cautiverio, el cual se destaca, indicando con
insistencia donde tiene lugar, y desde este lugar principal se dirige
la atención hacia el secundario, presentándolo con todo el prestigio
de su razón de ser dramática: París, la libertad.

Primer acto, segunda parte, primera escena. *«Vuelvan* vuesas
mercedes *los ojos* a aquella torre que *allí* parece, que se presupone
que es una de las torres del alcázar de Zaragoza, que ahora llaman
la Aljafería.» Y la gran aparición de la protagonista (en un momento, con su belleza, con su actitud, tiene que merecer su libertad
y alcanzarla del público): «Y aquella dama que en aquel balcón

---

(1) Si Don Quijote hubiera ido a Zaragoza, según el plan que sacrificó
(aunque ingeniosamente) Cervantes, hubieran sido de un efecto magnífico
estas dos Zaragozas.

(2) Llamo escena a cada uno de los momentos en que cambia la acción.

289

parece, vestida a lo moro, es la sin par Melisendra, que desde allí muchas veces se ponía a mirar el camino de Francia, y puesta la imaginación en París y en su esposo, se consolaba en su cautiverio» (1).

La apretada verticalidad gótica ha sido sustituida por el lírico infinito barroco y la alegórica figura medieval es reemplazada por una actitud, forma de un estado espiritual. Se está—físicamente— en Zaragoza, pero la imaginación está puesta en París y en su esposo. El cautiverio es esto: dos polos, uno físico y otro espiritual, y el camino de un punto al otro es el consuelo. El retablo se ha llenado con la Belleza, aquella dama es la «sin par Melisendra», asomada a un balcón vestida a lo moro, apareciendo así todo el peligro que se corre en la cautividad.

Segunda escena. «*Miren* también un nuevo caso que ahora sucede, quizá no visto jamás. ¿No *ven* aquel moro que, callandico y pasito a paso, puesto el dedo en la boca, se llega por las espaldas de Melisendra? Pues *miren* cómo la da un beso en mitad de los labios.» Como tenía que suceder, la sensualidad subrepticia y silenciosamente ataca a Melisendra. La belleza de la esposa cautiva siente toda la repugnancia de esa mancha. Escupe, se limpia los labios con la «blanca manga» de la camisa, se lamenta y arranca los hermosos cabellos, «como si ellos tuvieran la culpa del maleficio». Hay que sentir todo el valor de ese beso apretado, tan lleno de deseo, que da al muñeco del retablo en mitad de la boca, y la fuerza de atracción de esos cabellos.

La sensualidad es rápidamente castigada en la escena tercera con que termina el primer acto: «*Miren* también cómo aquel grave moro que está en aquellos corredores es el rey Marsilio de Sansueña...; le mandó luego prender..., y *veis* aquí dónde salen a ejecutar la sentencia.»

Don Quijote interrumpe la representación, manera de marcar el final del acto y que debe relacionarse con las interrupciones de la narración de la Cueva de Montesinos.

Se habrá notado que la división del acto (división muy mar-

_____

(1) Ahora no puedo detenerme a describir el romance, pero si se compara el retablo con el romance, se apodera uno inmediatamente de dos estilos, dos mundos diferentes.

cada con el movimiento de personajes—Don Gaiferos «se entra a armar»—y con el verbo «*vuelvan* vuesas mercedes los ojos», cambio de dirección que señala el cambio de lugar) presenta al marido y a la mujer, aquél en su negligencia, ésta en medio del peligro. Los dos finales son distintos: el primero está lleno de dinamismo, mientras que el segundo es sólo una pausa que sirve para cerrar.

Segundo acto, escena única: Don Gaiferos llega; Melisendra no tarda en reconocerle. Se descuelga del balcón y se escapa con su marido a la grupa de su caballo, que relincha de contento. El segundo acto es esencialmente acción («Pero veis... Veis también... Veis cómo...»), precipitación, pero sin la menor confusión, el cual comienza con un breve diálogo, que Cervantes suprime, y termina (el primer final de la comedia barroca) con un canto augural: «Vais en paz, ¡oh par sin par de verdaderos amantes!...»; les desea que lleguen a su patria sin que la fortuna interponga obstáculos en su camino y que vivan tranquilos los días que les queden de vida. Terminado este canto en prosa, se interrumpe (Maese Pedro) otra vez la acción. Pero como quiera que el acto segundo, a diferencia del primero, pone un fin a la acción, la nueva interrupción es brevísima («No respondió nada el intérprete; antes prosiguió diciendo»), es una pausa que prepara para la aceleración del *tempo* dramático.

Tercer acto, primera parte, escena única: La huida ha sido descubierta y se da la alarma. Interrupción de Don Quijote, en largo diálogo con Maese Pedro.

Tercer acto, segunda parte, escena única: «*Miren* cuánta y cuán lucida caballería sale de la ciudad en seguimiento de los *católicos* amantes; cuántas trompetas que suenan..., dulzainas que tocan..., atabales y atambores que retumban; témome que los han de alcanzar, y los han de volver atados a la cola de su mismo caballo, que sería un horrendo espectáculo.» Final. Este *horrendo* espectáculo posible con que termina el retablo se opone a la paz deseada del segundo acto. No es un final de vaguedad impresionista que deje en duda la libertad de Melisendra. A la manera barroca, se anticipa el triunfo de Don Gaiferos (final del segundo acto); triunfo que es un desenlace de la acción del segundo acto, dejando para final de la comedia los dolores para llegar a ese triunfo, los cuales se expresan en un movimiento de extraordinario dramatismo, que la división del acto en dos partes subraya.

La intervención de Don Quijote en el desenlace está expresando la unidad que forman estos dos elementos que se enfrentan uno a otro: el público y los actores. Cuando la obra termina, comienza para los actores la vida real; para el público, la vida de la imaginación. La acción dramática ha creado en el hombre nuevas perspectivas, lanzándole en una nueva dirección. La acción dramática no sólo ha cambiado el horizonte de su vida cotidiana, poniéndole ante los ojos y en los oídos una acción heroica y maravillosa, sino que le impulsa a realizar sus íntimos anhelos. Le lleva a ser noble, valiente, virtuoso. La imaginación del autor dramático se apodera, por medio de la imaginación del actor, de la imaginación del hombre, creando esa unidad que es comunión y vida espiritual. La comedia del Barroco expresa de continuo esta emoción religiosa del arte, este hacerse vida de la palabra.

La diferencia con 1605 creo que es esencial, si se quiere encontrar la forma de los dos *Quijotes*. Don Quijote confundía las figuras históricas con las de imaginación, y éstas suscitaron en él el deseo de vivir de manera semejante a ellas. Cervantes mostrará las dificultades que presenta el diferenciar el mundo imaginario del histórico, cuya confusión parece, a primera vista, tan absurda; al mismo tiempo, nos hace ver lo grotesco de hacer revivir el pasado. Don Quijote es un loco, no por querer ser comedido, y honesto, y valeroso, sino por quererlo ser según una forma (la de la caballería andante) pretérita de vida. Pero la obra de arte nos hace vivir una vida más elevada que la que nos ofrece la exigencia de los instintos, y, además, nos mueve a que la imitemos (en el sentido religioso). Don Quijote, en 1615, no resucita la caballería andante; pero todavía vive la obra de imaginación de una manera inconveniente. La acción dramática del retablo debe despertar en los espectadores los deseos de ver a Melisendra libre, e incluso de ayudarla; pero esta incorporación al drama no tiene que adoptar la forma ingenua que le da Don Quijote. En 1605 teníamos un *extraño pensamiento*, que se hacía grotesco al tratar de vivirlo; en 1615, la *respuesta primera a la apelación del arte*. Para seguir viendo la diferencia entre los dos *Quijotes*, nótese que en el capítulo XXXII de 1605 Cervantes nos presentaba la diversa manera como cada individuo vivía los libros de caballerías: el hombre, la mujer, la muchacha, etc.; ahora, en Don Quijote se anudan las vidas de todos los espectadores: «Alborotóse el senado de los oyentes, huyóse el mono por los tejados de la venta: temió el primo, acobardóse el paje, y hasta el mismo Sancho Panza tuvo pavor grandísimo, porque, como él juró después de pasada la borrasca, jamás había visto a su señor con tan desatinada cólera.» Todo el público vive aterrado su propia cólera, que Don Quijote expresa por todos ellos. En 1605, finalmente, Don Quijote convertía las ventas en castillos, las mozas del partido en damas; en 1615 le hacen creer que una labradora es Dulcinea, y en seguida se encuentra con la carreta de cómicos; de los cómicos de la carreta pasamos a los muñecos del retablo, habiéndonos hundido antes en la Cueva de Montesinos y habiendo presenciado la representación de las bodas de Camacho. No es el hombre que vive (crea) su ideal, sino el hombre que va viviendo diferentes espectáculos; que en unos momentos hace de espectador; otros, de actor; que vive de su ideal. La vida toda es representación, sin olvidar la gran representación de lo social; la representación termina cuando llega la muerte, cuando echan todas las piezas de ajedrez en la caja y vuelven a ser todas iguales. La representación de Don Quijote terminará en su muerte.

Las interrupciones de la acción del retablo han sido tres, dos a cargo de Don Quijote y una encomendada a Maese Pedro. Don Quijote interrumpe la primera vez partiendo de la comparación que ha hecho el muchacho entre las costumbres judiciales árabes y las cristianas, sobre lo cual ya había hablado un personaje de *El amante liberal*. Pero, aparte de que ahora, con un sentido irónico y trascendente al mismo tiempo, se dice «que para sacar una verdad en limpio menester son muchas pruebas y repruebas», parece que la intención de Cervantes, cuando se está sirviendo de la digresión como forma narrativa, es advertir la diferencia entre la acción novelesca y la dramática: «Seguid vuestra historia línea recta, y no os metáis en las curvas o transversales.» La tercera interrupción, segunda de Don Quijote, se refiere también a la técnica dramática: la propiedad de la acción. Así, vemos cómo Don Quijote vive la acción plenamente, es decir, como obra de arte. Las dos veces que ha hablado Don Quijote interviene Maese Pedro para reforzar lo dicho por el Caballero. La segunda interrupción también tiene un sentido literario: llaneza contra afectación. El cometido de las tres, sin embargo, consiste en acentuar firmemente el ritmo de la acción; función muy clara en todas ellas, pero sobre todo en la segunda, que señala la precipitación con que se pasa del segundo al tercer acto.

Los capítulos XXV y XXVI tienen lugar en la venta, que Don Quijote no toma por castillo, y en la cual corre con todos los gastos; el XXVII, que comienza explicando quién es Maese Pedro, tiene lugar en el camino, después de haber salido gradualmente los otros personajes. Así, se puede observar la gran movilidad de la unidad orgánica y funcional de estos tres capítulos.

La situación de Sancho después de la aventura del rebuzno (capítulo XXVIII) es semejante a la situación en que se encontraba después de haber sido manteado *(Quijote,* 1605, cap. XVIII). Sancho ha sido maltratado, sin recibir ayuda de su señor; entonces piensa si no sería mejor volverse al pueblo y dejarse de aventuras. Pero en 1605 no hay irritación por parte de Sancho; después del manteamiento, Sancho comienza a dudar que sea razonable la empresa en que está metido. No piensa solamente en él, sino también en Don Quijote. Ya han tenido varias aventuras y no han conseguido ningún beneficio; ante esa enseñanza de la realidad, lo sensato es volver a la vida de siempre. Don Quijote está magnífico: si no le ha ayudado es porque todo ha pasado por vía de encantamiento; además, la hora está próxima en que llegará a sus manos la espada de la victoria. Tanta fe, tanta esperanza, van a dar a la gran aventura de los ejércitos. La realidad no descorazona por completo a Sancho, y, como siempre, para Don Quijote es un acicate: al ponerse en contacto con la realidad, cobra nuevo vigor su ideal; la realidad es la piedra de toque para contrastar el valor del ideal; en contacto con la realidad, el verdadero ideal reluce con más fuerza; el falso se apaga y desaparece. El ideal verdadero tiene siempre como núcleo esa honda alegría donde resplandecen las virtudes teologales que impregna el *Quijote* de 1605. En el capítulo XXVIII, Don Quijote se ha retirado abandonando a Sancho a su suerte. Don Quijote ha huido, temiendo la muerte sin sentido. Es verdad que ya en 1605 hablaba de las armas de fuego, de esa invención anticaballeresca; pero entonces no tuvo y no podía tener la experiencia de un ideal que queda sin realizarse. Es una revelación moral y espiritual lo que vive ahora: rodeado de unos hombres que no son sus enemigos y a los cuales ha querido ayudar, Don Quijote siente que su vida puede terminar allí mismo, y con su vida, su ideal. No es morir realizando el ideal o para realizarlo, una muerte necesaria a la vida; es una muerte que se inserta sin ninguna consideración en la trayectoria de la voluntad. Es claro que si Don Quijote ha tenido la experiencia de esa muerte es porque la actitud hacia su ideal ha cambiado. No necesita del arrojo del creador, sino de la prudencia del que tiene que conservar lo creado. Su ideal ya está en manos de Sancho, ya está encantado y transformado. Sancho ha sido el que ha encantado a Dulcinea y el que ha puesto en peligro la vida de su señor. «Cuando el valiente huye, la superchería está descubierta; y es de varones prudentes guardarse para mejor ocasión. Esta verdad se verificó en Don Quijote, el cual, dando lugar a la furia del pueblo y a las malas intenciones de aquel indignado escuadrón, puso pies en polvorosa, y sin acordarse de Sancho ni del peligro en que le dejaba, se apartó tanto cuanto le pareció que bastaba para estar seguro.» Al llegar Sancho, Don Quijote se dispone inmediatamente a curarle las heridas, pero al ver que no tiene ninguna, le habla con cólera. Sancho le contesta irritado y con palabras intencionadas. Después hay un silencio interrumpido sólo por los gemidos de Sancho. Durante este silencio acompañado de lamentos, la cólera de Don Quijote va cediendo y su alma se va llenando de una profunda emoción y comprensión humanas, lo cual le permite a Cervantes crear uno de los mejores movimientos cómicos de su obra. Cuando se dice que duele toda la parte del cuerpo que ha cogido el palo, y que si mayor parte cogiera mayor parte doliera, el tono es tan profundamente serio que se hace brotar la mejor broma. Don Quijote también observa la realidad, irritando aún más a Sancho: «¡Cuerpo de mí!, ¿tan encubierta estaba la causa de mi dolor...?»

Si Don Quijote se encuentra su ideal en manos de los hombres, a Sancho no le basta la promesa de la ínsula, quiere algo más seguro, quiere ser pagado (cap. VII). Ahora ya no habla de volver los dos—Caballero y Escudero—al pueblo, sino de separarse de su señor, reclamando el salario devengado por su servicio y reduciendo la promesa de la ínsula a dinero. Cuando oímos a Don Quijote exclamar: «Ahora digo que quieres que se consuma en tus salarios el dinero que tienes mío; y si esto es así, y tú gustas dello, desde aquí te lo doy, y buen provecho te haga; que a trueco de verme sin tan mal escudero, holgárame de quedarme pobre y sin blanca», comprendemos que la orgánica unidad que formaban Caballero y Escudero se ha roto. Ambas figuras quedan incluidas en la sociedad y escindidas para siempre. Lo que separa a Sancho de Don Quijote es que éste no puede mantenerle en su plano. Creó un ideal para él —la Insula—, pero este ideal de necesidad tiene que realizarse en el tiempo. La extratemporalidad de la Insula—Justicia y Moral ideales—queda en manos de Don Quijote, de donde nunca había salido, pero la realización de ese ideal era lo que le importaba a Sancho. La irritación de Don Quijote se debe a verse cercado por lo social, a ver que la sociedad reclama su Ideal; la irritación de Sancho es impaciencia: «Diose Don Quijote una gran palmada en la frente, y comenzó a reír muy de gana y dijo: Pues no anduve yo en Sierra Morena, ni en todo el discurso de nuestras salidas, sino dos meses apenas, y ¿dices, Sancho, que ha véinte años que te prometí la ínsula? Ahora digo que quieres que se consuma, etc.» El tiempo ha pasado según la necesidad que cada ideal exigía. Dos meses, veinte años: Sancho no miente, mide el tiempo con su desesperanza. Cada minuto Don Quijote vive su Ideal, Sancho se siente defraudado en cada minuto que pasa. Don Quijote nunca había intentado comprender a Sancho, pero tampoco debía hacerlo, y cuando por primera vez se acerca al alma de su Escudero, lo hace para inventar un móvil ruin en su conducta. La sinceridad de Don Quijote—esa honda sinceridad que se transforma durante todo el capítulo en una broma llena de gracia y de dulzura—no puede descubrir en lo temporal nada más que algo vil, de aquí el tono de la broma: este algo vil que descubre Don Quijote es la sociedad y el hombre, y para la temporalidad del hombre, para su racionalidad, las observaciones que se hacen desde la extratemporalidad parecen una ingenuidad o una broma, que a veces no hace gracia, pero al que contempla ese conflicto sí que le parece gracioso. Nos estamos alejando cada vez más de la tragedia, yendo a dar al drama. Del misterio pasaremos al problema, de la virtud al deber, de la religión a la moral. Don Quijote, por tanto, aparece cada vez más solo;

Sancho, por el contrario, da cada vez mayor volumen a su medio familiar.

Y de la misma manera que Don Quijote va a verse en las mayores humillaciones sociales (desde que encuentra a los Duques hasta cuando es atropellado por los cerdos), así la divergencia entre amo y criado irá haciéndose siempre más grande. La unidad que ambos formaban en 1605 se ha transformado en verdadera oposición en 1615, oposición evidente ya en el capítulo II y que llega a tomar la forma de la separación física, para acabar luchando uno con otro. Esta escisión que encontramos en el *Quijote* de 1615, y que es a la vez la característica de la novela y del mundo moderno, Cervantes la intuye en sus comienzos, y en el capítulo XXVIII nos ofrece el primer signo segundo. Sin que se pueda evitar la división, Sancho continúa con Don Quijote.

La aventura del barco encantado (cap. XXIX). En el primer capítulo, al hablar «de los caballeros que ahora se usan», dice Don Quijote: «Ya no hay ninguno que saliendo deste bosque entre en aquella montaña, y de allí pise una estéril y desierta playa del mar, las más veces proceloso y alterado, y hallando en ella y en su orilla un pequeño batel sin remos, vela, mástil, ni jarcia alguna, con intrépido corazón se arroje en él, entregándose a las implacables olas del mar profundo, que ya le suben al cielo, y ya le bajan al abismo; y él, puesto el pecho a la incontrastable borrasca, cuando menos se cata se halla tres mil y más leguas distantes del lugar donde se embarcó, y saltando en tierra remota y no conocida le suceden cosas dignas de estar escritas, no en pergaminos, sino en bronces.» Este es el boceto de la aventura que se vive en el capítulo XXIX, al pasar el Ebro. Don Quijote vive el infinito en las orillas del río, convertidas por su anhelo espiritual en un dilatado horizonte. La gran aventura geográfica del siglo XVI, en la que los españoles descubren la fisonomía de la Tierra y se la entregan a los hombres, la vive Don Quijote en cuanto ve la barca de pescadores. Don Quijote navega, dando realidad a la visión abstracta en la que ha quedado enjaulada la Tierra: corta paralelos, ve signos, deja atrás imágenes. Ante los ojos de Sancho pasan los coluros, las líneas, los paralelos, los zodíacos... La enredada visión abstracta de Don Quijote debe compararse con la poética popular que tiene de las estrellas Sancho (aventura de *Clavileño*). Ni en la espera de la ínsula coincide el tiempo de Don Quijote y Sancho, ni en la estancia en la Cueva de Montesinos, y ahora tampoco pueden ponerse de acuerdo sobre la distancia recorrida. Antes, Caballero y Escudero nos presentaban la imagen de la realidad según la captaban con sus deseos y sus sueños; esta imagen diversa, de una manera muy siglo XVII, queda reducida a un ritmo, a un sentido distinto del tiempo, que casi necesitaríamos poder expresarlo en una fórmula algebraica. Entre Sancho y Don Quijote nos vemos cogidos en dos ritmos diferentes que, necesitándose el uno al otro, esencialmente se oponen entre sí, apareciendo la unidad del mundo moderno: la tensa unión de dos elementos contradictorios. Son estos dos ritmos contradictorios los que dan una forma a la aventura: «En esta aventura se deben de haber encontrado dos valientes encantadores, *y el uno estorba lo que otro intenta:* el uno me deparó el barco y el otro dio conmigo al través; Dios lo remedie, que todo este mundo es máquinas y trazas contrarias unas de otras.» No hemos de tratar de interpretar quiénes sean estos dos encantadores que mueven esas máquinas contrarias unas de otras, y no por temor a equivocarnos, sino porque lo esencial en la aventura del barco encantado—verdaderamente encantado, contra lo que opina Sancho—no es la experiencia del conflicto entre dos elementos opuestos, sino la de la contradicción del mundo moderno. Don Quijote tiene que someterse, no puede realizar su anhelo de resucitar una cultura antigua: *«Yo no puedo más,* y alzando la voz prosiguió diciendo y mirando a las aceñas: Amigos, cualesquiera que seáis, que en esa prisión quedáis encerrados, perdonadme, que por mi desgracia y por la vuestra yo no os puedo sacar de vuestra cuita: para otro caballero debe de estar guardada y reservada esta aventura.» Es el desenlace primero—esencial—del destino de Don Quijote en 1615. El bachiller Sansón Carrasco es la fuerza externa que dirige al caballero andante hacia el sentido de su propio descubrimiento, con el cual terminará la novela—el segundo desenlace—. El destino de Don Quijote ha sido el esfuerzo puro de «un corazón intrépido», que se ha entregado a las olas implacables de un mar profundo. Su heroísmo ha consistido en su arrojo, en su lucha con la «incontrastable borrasca». El triunfo de esta acción—cristianamente—reside en el reconocimiento de su propia nulidad, de la nada del hombre. Así se triunfa sobre el misterio de la vida, triunfo que hace resaltar lo grotesco de la victoria mundanal, de la fama, del renombre, de los honores, de la estancia del Caballero en la casa de los Duques y en la casa de Don Antonio Moreno. Cervantes nos ha dado el sentido de la novela al trazar las líneas esenciales de la aventura del barco encantado, y en seguida nos ha hecho penetrar en un mundo «entreclaro» (cap. IX)—opuesto a la oscuridad de la noche de los batanes—donde se encanta a Dulcinea y aparece la muerte con rostro humano, donde la vida espiritual (imaginación, teatro) es el reflejo con sentido de la vida real, donde la industria (ingenio), la destreza, crea portentos y vence. Esta entreclaridad, este conflicto entre dos fuerzas contradictorias se vive hecho imagen en la aventura del barco encantado (XXIX). En el resto de la novela, la tonalidad y las luces siguen siendo las mismas, pero la acción se mueve con un ritmo distinto, que acentúa lo bufonesco y nos conduce a la experiencia de Sancho, el cual, como Don Quijote voluntariamente descendió a la Cueva de Montesinos, donde vivió sus sueños, caerá en una sima, donde él vive el vacío de lo social. Antes que Don Quijote reconozca su vencimiento, Sancho, al empezar la aventura del barco encantado, exclama: «¡Oh carísimos amigos *(Rocinante* y rucio), quedaos en paz, y la locura que nos aparta de vosotros, convertida en desengaño, nos vuelva a vuestra presencia!» En la aventura total vive Don Quijote el desengaño total; Sancho, en cambio, sólo será capaz de un desengaño parcial. Es de la esencia de Sancho vivir lo absoluto como relativo, lo eterno como temporal; por eso su desengaño será temporal también y circunstancial.

DEFORMACION SOCIAL DEL ESPIRITU

CONFRONTACION BARROCA DE
IMAGINACION Y REALIDAD

Sᴀɴᴄʜᴏ y Don Quijote, «sin hablarse palabra» (cap. XXX), cada uno dentro de su mundo, de sus preocupaciones, se alejan del barco roto, aventura que Sancho está decidido a que sea la última para él, «porque maguer era tonto, bien se le alcanzaba que las acciones de su amo, todas o las más, eran disparates, y buscaba ocasión de que, sin entrar en cuentas ni en despedimientos con su señor, un día se desgarrase y se fuese a su casa». Por ser la aventura del barco la experiencia definitiva de Don Quijote es por lo que Sancho podía llegar a tomar una decisión firme y extrema que le alejara definitivamente de su amo, separación tan necesaria que a ella sacrifica su trabajo y su ambición; pero, como le había dicho Don Quijote (cap. XXVIII), la hora de verse recompensado con la ínsula estaba cada vez más cercana. En ese mismo capítulo Sancho hace de nuevo la recapitulación: la «casa de Don Diego de Miranda, y la jira que tuve con la espuma que saqué de las ollas de Camacho, y lo que comí y bebí y dormí en casa de Basilio». La casa, lo social, recuerdo de Sancho que va dando forma a la novela, y que, por fin, nos hace entrar en la casa de los Duques.

La aparición de los Duques es un modelo de visión de esta época del Barroco: «Sucedió, pues, que otro día, al poner del sol y al salir de una selva, *tendió Don Quijote la vista por un verde prado, y en lo último dél vio gente,* y llegándose cerca, conoció que eran cazado-

301

res de altanería.» Ese bello verde por el cual se explaya la vista, el espacio dilatado lleno de la luz sin sol del atardecer, en el último término un grupo de figuras, que en su conjunto y masa indistinta hacen juego con las dos figuras en primer plano sobre un fondo de bosque. Poco a poco, Don Quijote, al aproximarse, va destacando a una figura—una bella nota de blanco, verde y plata—a caballo. Bastante después de la presentación de la Duquesa—«la misma bizarría venía transformada en ella»—tiene lugar la presentación del Duque. Con estos personajes, y al entrar la obra en este nuevo medio, el cual crea una fuerte unidad, la novela vuelve a replantearse. La embajada de Sancho nos recuerda su ida al Toboso en busca de Dulcinea (principio del cap. X); aparece otra vez Don Quijote como personaje de libro—los Duques han leído la historia de *El Ingenioso Hidalgo Don Quijote de la Mancha*—; se nos dice que va a empezar la burla: «Le atendían (los Duques a Don Quijote) con presupuesto de seguirle el humor y conceder con él en cuanto les dijese, tratándole como a caballero andante los días que con ellos se detuviese.» Don Quijote y Sancho se transforman en bufones; la caída del primero y el quedarse cogido el segundo por un pie son el comienzo bufonesco de la acción. Por eso la Dueña le dice en seguida a Sancho: «Hermano, si sois juglar, guardad vuestras gracias para donde lo parezcan y se os paguen.»

.   La dueña Doña Rodríguez, que ha de desempeñar papel tan importante en la estancia del Caballero y el Escudero en casa de los Duques, aparece sólo en el capítulo XXXI, cuando llegan a la casa de placer «o castillo», siendo Cervantes y no Don Quijote el que plantea la disyuntiva. En cambio, Sancho mantiene siempre el tema de 1615 delante del lector: «Se le figuraba que había de hallar en su castillo lo que en la casa de Don Diego y en la de Basilio.» De Don Quijote declara Cervantes que «aquél fue el primer día que de todo en todo conoció y creyó ser caballero andante verdadero, y no fantástico, viéndose tratar del mismo modo que él había leído se trataban los tales caballeros en los pasados siglos». No creo se deba interpretar esta afirmación en el sentido de que Don Quijote hubiera dudado de su realidad interior. Dentro de la manera como se concibe en este estudio el segundo *Quijote*, se puede hallar otra explicación: la realidad interior del hombre busca el ser confirmada por la sociedad, la cual, al someterse *al hombre de acción, le otorga una personalidad, pero toda confirmación social del espíritu es siempre paródica.* Don Quijote, hombre espiritual, ve su imagen de Caballero andante, que él siempre había contemplado en la pureza de su acción: imagen de su ser externo. Los honores, la posición, la fama que la sociedad puede otorgar al hombre espiritual no son otra cosa que una imagen burlesca, deformación de la vida interior. En 1605, Don Quijote—su forma, su vida—aparece grotesco y absurdo, y lo grotesco y absurdo puede ser cómico, puede hacer reír, pero nunca produce un efecto bufonesco, el cual surge inmediatamente en 1615, en cuanto le reconoce por tal Caballero andante el bachiller Sansón Carrasco. El proceder de los Duques, que tanto irritaba y tenía que irritar al siglo XIX, ya sabemos que es completamente normal en el siglo XVII; pero, sin tratar de desorbitar el tema, ahora hemos de intentar ver la casa de placer como el medio social en el cual se refleja el espíritu. El teatro—el arte—es un reflejo de lo social: refleja la imagen esencial; la sociedad es un reflejo del ideal: refleja una imagen del ideal apenas reconocible en su deformación. Esta bufonesca deformación puede ser contemplada con pesimismo, pero Cervantes, que ha estado creando las figuras ideales para su época, la contempla con ironía. Es la ironía burlesca con que frecuentemente el poeta barroco contempla la propia belleza por él creada, esa *ironía que nace de confrontar las formas de la imaginación con las de la realidad;* ironía, por tanto, que nada tiene en común con la romántica, la cual es expresión amarga de la imposibilidad de dar realidad *a un ideal.* El poeta barroco no pretende hacer real el mundo de la imaginación, y no confunde nunca ambas zonas; si presenta su coexistencia, es para marcar bien la diferente calidad de ambas y para afirmar una realidad más: la de su coexistencia. La belleza, la virtud—o la realidad, la maldad—ideales quedan inscritas en la zona de la imaginación.

TONO CON QUE SE INICIA EL TEMA DE LOS CONSEJOS A SANCHO. EL MARCO DE LAS JABONADURAS

Los capítulos XXXI, XXXII y XXXIII forman una unidad. Encuadrados por el tema de las «dueñas», tienen lugar numerosos incidentes y digresiones, que se encauzan principalmente en dos coloquios, el primero entre Don Quijote y los Duques y el segundo entre la Duquesa y Sancho. Al empezar el capítulo XXXIV lo hace notar Cervantes: «Grande era el gusto que recibían el Duque y la Duquesa de la conversación de Don Quijote y de la de Sancho Panza.» Los temas e incidentes se pueden enumerar así: dueñas; descontento de Don Quijote ante el comportamiento de Sancho, iniciándose el tema de los «consejos» preparado por los consejos a Don Lorenzo, a Basilio y al mancebito; Eclesiástico; cuento sobre las presidencias; encanto de Dulcinea; censura y reprensión del eclesiástico (capítulo XXXI). Respuesta de Don Quijote; se concede el gobierno a Sancho; sobre afrenta y agravio; burla de las doncellas; jabonadura de Don Quijote; Dulcinea figura ideal (la nueva Troya, el Toboso); sobre Sancho y su gobierno (Don Quijote advierte que los consejos «saldrán a su tiempo»); jabonadura de Sancho (capítulo XXXII). Encanto de Dulcinea, que tiene como fondo la visita fingida por Sancho en el primer *Quijote;* Don Quijote y Sancho: raíces de su relación, según Sancho; Gobierno y salvación del alma (interviene la Dueña); Dulcinea está encantada; tema de las «dueñas» y los «asnos» en los gobiernos (cap. XXXIII).

El incidente promovido por Sancho hace que Don Quijote, a solas con él, le reprenda y aconseje, empezándose así la cristalización del tema de los consejos: «No se me han olvidado (dice Sancho) los consejos que ha poco vuesa merced me dio sobre el hablar mucho o poco, o bien o mal»; y en el capítulo siguiente (XXXII), Don Quijote vuelve a dirigir la atención sobre este tema. Pero ahora tiene un tono muy distinto del que ha de adquirir después: está apuntando a la figura del Eclesiástico.

Cervantes trata al mismo tiempo del comportamiento social (que no es sólo algo mecánico externo, sino que expresa una realidad espiritual) y del mundo moral. Don Quijote, cuando le reprenda el Eclesiástico, le reprochará la inconveniencia de hacerlo en público; hará notar que el educador de las casas nobles ha de tener experiencia del mundo; al burlarse las doncellas, el Duque mostrará su educación y tacto social. Los consejos de Don Quijote, sin embargo, nacen de una angustia social, que se traduce en el tono de su frase: «No, no, Sancho amigo: huye, huye destos inconvenientes...» La presencia de su Escudero le desasosiega y no es por estar en casa de los Duques; recuérdese que la novela ya empezaba (cap. II) así. Don Quijote no tiene confianza en Sancho, sabe que ha de sostenerle constantemente, sin esperanza de que llegue nunca a liberarle de su bajeza congénita. Esta nota de impaciencia se transforma en irritación, cuando el Caballero andante y el Caballero cortesano encuentran al Eclesiástico. Esta irritación ya la habíamos visto en el capítulo I, pero ahora, antes que el Caballero se indigne, incluso antes que el religioso intervenga, dice Cervantes: «Un grave eclesiástico destos que gobiernan las casas de los príncipes; destos que, como no nacen príncipes, no aciertan a enseñar cómo lo han de ser los que lo son; destos que quieren que la grandeza de los grandes se mida con la estrechez de sus ánimos; destos que, queriendo mostrar a los que ellos gobiernan a ser limitados, les hacen ser miserables.» Tras la figura del Eclesiástico puede haber un momento de la vida del novelista, quizá más de uno; lo que importa, sin embargo, es ver la experiencia de lo social, ver cómo hay quienes quieren *medir* la *grandeza* con «*la estrecheza* de sus ánimos», que confunden el límite con la mezquindad. Eclesiástico de los Duques, o Barbero, es lo mismo: son los que rodean la grandeza—espiritual, social—con su ánimo rastrero, incapaz de sentir nada elevado.

El cuento de Sancho—la narración popular, con todos sus incisos, no podemos por menos de compararla con la literaria, llena de digresiones, notando la diferencia de ambas en la diversa función de incisos y digresiones—enseña la cortesía social, también la oportunidad de la enseñanza y la manera adecuada de sortear una situación desagradable. Para salir de esa situación, la Duquesa le pregunta a Don Quijote (nótese el tono social y el gran humor de la pregunta) si tiene noticias de la señora Dulcinea, contestando el Caballero que ha sido encantada. Al oír hablar de encantos y gigantes, el Eclesiástico cae en la cuenta de que está delante de Don Quijote, «cuya historia leía el Duque de ordinario» (nótese que el *Quijote* se lee y relee), reprendiendo, entonces, al Duque y a Don Quijote. Este contesta (cap. XXXII), se concede el gobierno de una ínsula a Sancho, se retira el religioso y se establece la diferencia entre afrenta y agravio (diferencia del valor de las acciones y de los sentimientos, que se trata muy frecuentemente en la novela y la comedia de la época, tema que expresa ese deseo de apoderarse de lo social y que encontramos también en los casuistas). Ahora que se ha retirado el Eclesiástico puede tener lugar el coloquio con Don Quijote, el cual está dentro del marco de las dos jabonaduras, la de él y la de Sancho. Obsérvese la diferente calidad de los dos elementos que forman este marco: doncellas-pícaros, agua limpia-agua sucia, etc.; y cómo el primer elemento se desdobla: jabonadura del Duque. Es inútil recordar que en 1605 Don Quijote se encuentra con unas mozas del partido al comenzar sus aventuras y que después Maritornes y la hija de Palomeque, las dos «semidoncellas», como broma, le tienen suspendido de la mano durante varias horas para que viva la noche de amor. Las mozas están desorientadas y no pueden comprender con qué clase de hombre se encuentran. Su deslumbramiento forma un todo orgánico con la figura del Caballero andante. La noche de luna del puro amor de Don Quijote se resuelve en esa escena de agujero de pajar en la que le encanta la crueldad de la mujer. En ambas escenas el lector se siente violentamente sacudido. La disparidad de los elementos que la componen crea esa visión grotesca, tan profundamente cómica, que puede fácilmente convertirse en trágica.

La jabonadura de las seis doncellas (Don Quijote vive en 1615 lo que ha imaginado—aventura del *Caballero del Lago*—en 1605) es un juego de salón, sujeto a todos los convencionalismos y limitaciones sociales. La desenvoltura y atrevimiento de estas damiselas de salón obedecen evidentemente a un impulso sexual; su lascivia mental es de un desenfreno que las cortapisas sociales hacen resaltar aún más. Son seis deliciosas figuras, cuyos corazones sociales han tamizado la pasión hasta dejarla convertida en un juego de delicadezas y temblores. La distancia que va de esas mozas que conviven con arrieros a Don Quijote es inmensa y puede ser recorrida de un solo impulso. La fragilidad delicada de las seis doncellas es incompatible con la pureza del Caballero andante. Don Quijote tiene en sus brazos a Maritornes, su corazón puro transforma toda la bajeza y fealdad de los instintos; pero se niega a corresponder a Altisidora. Las seis doncellas, que han querido desnudar y cambiar de camisa a Don Quijote (estamos completamente alejados del siglo XV, la escena pertenece al siglo XVII y nos dirigimos hacia el XVIII), preparan toda la acción de Altisidora, figura sumamente atractiva por su gracia, gentileza y frivolidad, siempre que se mantenga encuadrada en un salón. Como es natural, la correspondencia de este ingenio de estrado se encuentra en la gente apicarada de cocina. Entre estos dos movimientos burlescos, Don Quijote presenta el nuevo mundo.

En 1605, partiendo de Aldonza Lorenzo, se nos hace presenciar la forma y función barrocas del ideal. El puente para pasar de lo concreto y real a su forma ideal es la ironía, la cual confronta lo particular en toda su diversidad con la inspiración y móvil del hombre. En Dulcinea «se vienen a *hacer verdaderos todos los imposibles y quiméricos* atributos de belleza que los poetas dan a sus damas» (cap. XIII), Dulcinea es «extremo de toda hermosura, fin y remate de la discreción, archivo del mejor donaire, depósito de la honestidad, y últimamente *idea* de todo lo provechoso, honesto y deleitable que hay en el mundo» (cap. XLIII). Dulcinea es una quimera—la que poseen y necesitan todos los poetas—, es la idea de la belleza y también de la virtud. No se concibe al hombre sin su quimera. Don Quijote es el instrumento de Dulcinea; a la viuda le basta el mozo motilón. Para explicarle a Sancho la función de Dulcinea, el mismo Don Quijote pone el ejemplo de la viuda; y cuando el Caballero andante a la luz de la luna se eleva hasta el «*extremo* de toda hermosura» las dos «semidoncellas», por voluntad de Cervantes, son las que contemplan la escena desde el agujero de un pajar. De un lado, Aldonza Lorenzo, las mozas del partido, Maritornes, la hija del ventero; frente a toda esa variedad, Dulcinea. Fijados ya en 1605 el irónico contraste con la realidad, la forma y la función del ideal, en 1615 se proyecta a Dulcinea en relación con la creación y con la sociedad.

Los Duques le piden que les pinte a Dulcinea, después el Duque le pregunta quién la ha encantado, luego la Duquesa quiere saber de su existencia; por último, los Duques indagan su origen. En la primera pregunta el Duque, en la última la Duquesa, refuerzan lo preguntado, y las dos preguntas centrales se confían cada una a un personaje. Además hay que tener en cuenta que la primera intervención del Duque se debe a una interrupción de la Duquesa.

Sirviéndose de una imagen, que Cervantes toma de las postrimerías del Gótico, Don Quijote da a conocer que Dulcinea reside en el mundo del sentimiento y de la voluntad. Su belleza y su ser no son inefables, pero para pintarla y esculpirla habría de acudir a los pinceles y buriles más eximios, y para alabarla, a las palabras más elocuentes. Don Quijote declara: «Quitara el trabajo a mi lengua de decir lo que apenas se puede pensar.» Frase que nos introduce en todo el proceso de la creación barroca, la cual, de un lado, se basa en la improvisación (muy característica del Barroco), pero, de otro, en ese esfuerzo heroico por dar forma a lo que es casi impensable —ideal de Belleza y Virtud—. Además, Dulcinea ha sido encantada, y ese encanto se la ha «borrado de la idea». Don Quijote ha empezado su tercera salida yendo en busca de su ideal, y este ideal lo encuentra transformado en algo bajo y plebeyo. En 1605 tenemos siempre esa alegría que da la dirección, esa seguridad que da la fe. Todo el destino del Caballero arranca de su afirmación: «Yo sé quién soy... y sé qué puedo ser.» La apariencia de la realidad no le oculta nunca la esencia de las cosas; en 1615, su mismo ideal ha sido transformado. Sin la mediación de Sancho, en la Cueva de Montesinos lo ha visto o, lo que es más grave, lo ha soñado en su forma angustiosa. La forma pura de su ideal se le ha borrado de la idea, por eso tiene que exclamar: «Yo no puedo más»; por eso la nota de cansancio y desorientación. No es Dulcinea la que le guía, sino la forma social que ha adoptado: los Sansones, Duques y Sanchos, los cuales, sin ellos saberlo, representan, como hizo la labriega, el papel de ideales. Cuando le preguntan quién la ha encantado, nos declara que está ciego, «porque quitarle a un caballero su dama es quitarle los ojos con que mira»; son los encantadores envidiosos, «raza maldita, nacida en el mundo para escurecer y aniquilar las hazañas de los buenos», los que han transformado su ideal, atacándole así de la única manera posible. La sociedad es mala, pero según la idea cristiana; es mala porque es una creación del hombre. Los ideales no los crea el hombre—y ahora contesta a la Duquesa—: «Ni yo engendré ni parí a mi señora.» El ideal existe de por sí, con existencia propia; el hombre al inventarlo no hace nada más que descubrirlo. Cuando lo inventa, lo descubre en la Tierra; esto es, le da realidad. De aquí que afirme: «Dios sabe si hay Dulcinea o no en el mundo, o si es fantástica, o no es fantástica; y éstas no son de las cosas cuya averiguación se ha de llevar hasta el cabo.» Se descubre únicamente aquello que se es capaz de inventar, de crear; se crea únicamente aquello que ya existe en su realidad primera, en realidad otorgada por Dios. Por eso se habla del linaje de Dulcinea, que según Sancho, y guiados por el primer *Quijote*, es bajo y humilde, cuando según Don Quijote es principal y bien nacida, «y aunque no formalmente, virtualmente tiene en sí encerradas mayores venturas».

En este diálogo, la materia cristiana y la antigua se presentan anudadas tensamente. «Banquete» en el que los tres comensales dialogan sobre las ideas. Compárese el escenario tan altamente social de este diálogo con el medio espiritual de *Los nombres de Cristo;* compárense los personajes: esos discípulos que adoran al Maestro y están pendientes de su ardiente palabra, la cual les eleva a luminosos niveles de concentrada interioridad; esa dama joven, bella, socialmente alegre y ocurrente, ese caballero joven también y apuesto e igualmente ocioso. Pero si no se quiere ir tan lejos—principios del Barroco—compárese con el diálogo con el Canónigo (capítulos XLIX y L), lleno de seriedad, de sueños actuantes, de lirismo y de acción heroica. Por alejado—no sólo en el tiempo—que se encuentre el salón de los Duques del salón rococó, está mucho más próximo que el prado donde tiene lugar este diálogo, del cual le separan sólo diez años. La imaginación del lector debe penetrar en el diálogo, situándolo en su medio, dando todo su valor decorativo a ese magnífico marco de las jabonaduras. El diálogo termina hablando Don Quijote de Sancho, *un dúdalo todo y créelo todo,* y de su gobierno. Sancho se ha interpuesto entre Dulcinea y Don Quijote, inserción necesaria; pero igualmente necesaria es la intervención de Don Quijote entre la ínsula y Sancho. Anuncia sus «consejos» el Caballero andante y de paso censura una vez más a los gobernadores. Al recaer la conversación sobre Sancho es cuando éste hace su entrada perseguido por los marmitones, y el capítulo termina dejándonos emplazados para el coloquio entre la Duquesa y Sancho, que tiene lugar en el siguiente, el capítulo XXXIII.

UN DIALOGO EN UN SALON (SANCHO)

Si al ir a comenzar a comer contó Sancho el cuento sobre la presidencia de la mesa, al empezar el diálogo con la Duquesa e invitarle ésta a que se siente, también se encuentra con un problema de etiqueta, terminando el coloquio con la advertencia de Sancho de que en las cortesías «jumentiles y asininas se ha de ir con el compás en la mano y con medido término». Se ridiculiza las costumbres de la época y al mismo tiempo se enseña. Teniendo siempre como fondo el primer *Quijote* (visita fingida), la Duquesa le pide a Sancho que le explique el encantamiento de Dulcinea. Don Quijote había expuesto la contextura del Ideal y su relación con la sociedad, refiriéndose muy brevemente a la relación entre el hombre espiritual y el hombre de acción. El tema de Dulcinea le sirve a Sancho para presentar su dependencia con respecto a Don Quijote, y, dentro de los estrechos límites de la realidad—gobierno, poder, acción—, la preocupación por el Espíritu. Dulcinea y la ínsula aparecen fuertemente ligadas, se pesa y mide escrupulosamente la degradación que tiene que sufrir Dulcinea al entrar en contacto con la ínsula. Se acepta también la necesidad de lo relativo y lo práctico. Se hace el descubrimiento de que Dulcinea está verdaderamente encantada. La Duquesa formula con toda exactitud el pensamiento de Cervantes: «el buen Sancho, pensando ser el engañador, es el engañado». Sancho es el engañado; la Duquesa, creyendo engañar a Sancho, es la engañada, porque toda realidad es la forma mezquina y estrecha de un ideal. Pero hay algo que sabe Sancho, y es que sólo la muerte le separará de su señor. En vísperas de alcanzar el poder, cuando se sabe incompatible con Don Quijote, exclama: «No puedo más, seguirle tengo.» La esencia del Barroco tridentino se encuentra en estas frases paralelas. Don Quijote tiene que resignarse a vivir el ideal puro, a entrar en la sociedad; Sancho tiene que resignarse a vivir sometido a su señor. Es el compromiso de la Contrarreforma, que, sin embargo, no logró organizar la sociedad en los países católicos. Muy característico del Barroco también que Sancho pueda vivir en conflicto continuo con Don Quijote y que no se decida a la separación. Será necesaria toda la labor del siglo XVIII para que en el siglo XIX se crea preferible la separación a esa convivencia en eterno conflicto.

La dueña Doña Rodríguez hace su entrada en el diálogo a su debido tiempo, y con una frase que temáticamente reaparecerá en el capítulo XXXVII («¡Oh, válame Dios, y cuán mal estaba con estas señoras un hidalgo de mi lugar!»), Sancho vuelve sobre las dueñas, cerrando los tres primeros capítulos en casa de los Duques.

A la tranquilidad y reposo de los diálogos se opone el alboroto de cómo se había de desencantar a Dulcinea, aventura que los Duques trazan partiendo del mito de la Cueva de Montesinos. Con la escena de la caza del jabalí, la cual crea el movimiento dramático, empieza el capítulo XXXIV (hablándose del ocio de los príncipes y de los gobernadores) y se dispone en «un cierto claro oscuro» el desfile de carros, acompañados de sones bélicos y luminarias, con que da comienzo el desencanto, que termina en el capítulo XXXV, a las luces del alba, despertar de la Naturaleza en cuya sinfónica descripción se complace Cervantes. Don Quijote ha contemplado a Dulcinea en la forma de una labriega, bajo la misma forma se le apareció en la Cueva de Montesinos; por tercera y última vez vuelve a contemplarla en los bosques ducales, pero ahora ya es pura representación: un· muchacho, debidamente instruido, hace el papel, que puede desempeñar por lo que se refiere a la hermosura, pero en burlesco contraste con su voz «no muy adamada». Don Quijote es espectador de su propio destino. Vive espiritualmente su tragedia: el desencanto de Dulcinea no depende de él, sino de Sancho. Desde el comienzo de la novela—engañándose Sancho, al creer engañar—el Ideal está en manos del Escudero. Si Don Quijote en esa entreclaridad en que se mueve no puede asegurarse de si era verdad o no lo de la Cueva de Montesinos, la admiración de Sancho es grande al ver que se empeñaban en que Dulcinea estuviera encantada, admiración que va en aumento al enterarse de cómo recobrará su forma primera.

El hombre rebaja, degrada y transforma el Ideal, el cual sólo puede volver a manifestarse encarnado en la sociedad, en el gobierno. Sancho se aviene a desencantar a Dulcinea, no por ella misma, sino porque su aceptación de ser el instrumento del desencanto es un requisito previo para recibir el gobierno. Es el ansia de poder, es la ambición social lo que trueca el Ideal en algo plebeyo y bajo; pero para dar forma al poder, para conseguir un orden social hay que poner de nuevo al Ideal en libertad: «En resolución, Sancho, o vos habéis de ser azotado, o os han de azotar, o no habéis de ser gobernador.» Sancho no comprende esta relación entre el Ideal y el Poder (virtud del hombre de acción que envidiará

311

—cap. LXIX—Don Quijote, el hombre espiritual, el cual puede inventar ideales, pero no es el encargado de darles realidad social); sin embargo, se da cuenta de la necesidad de someterse y de la urgencia de la decisión. Pide un plazo que no le otorgan y accede al apremio.

Encantada Dulcinea, se encontraron a la muerte con rostro humano, y ahora Merlín se aparece como una «muerte viva».

«CLAVILEÑO» O LA REDENCION
DE LA HUMANIDAD

LA VIDA COMO REPRESENTACION

En los seis capítulos siguientes, del XXXVI al XLI, ambos inclusive, se cuenta la historia de la condesa Trifaldi o Dueña Dolorida con su desenlace: la venida de *Clavileño*. El mayordomo del Duque, explica Cervantes, hizo la figura de Merlín y dispuso toda la aventura pasada, y, con intervención de sus señores, ordenó la de la Dueña. La carta de Sancho a su mujer con la que comienza esta larga aventura nos sitúa dentro de lo social: codicia, posición, envidia, opinión de las gentes, y deja establecida la relación entre los azotes y el gobierno («si buen gobierno me tengo, buenos azotes me cuesta»), que la Duquesa aclara: no recibe el gobierno por los azotes que se ha de dar, aunque los azotes son una condición esencial para el gobierno. Con un pergamino termina la aventura. En él se declara en qué consiste el heroísmo. «El ínclito caballero Don Quijote de la Mancha feneció y *acabó la aventura... con sólo intentarla.*» Lo que nos explica el sentido de la aventura de los leones y en general del heroísmo barroco, que reside en la voluntad. No es que el hecho heroico no vaya acompañado de toda clase de proezas y de riesgos físicos que exigen un valor extraordinario, sino que el artista barroco—poeta, novelista, autor dramático—nos transmite la emoción del momento de la decisión y la belleza de lo esencial. Esencia de la acción heroica, que no reside en los sufrimientos—físicos o morales—, los cuales siempre son lo externo y secundario del heroísmo, sino en el hecho de decidirse a la acción. La trayectoria que va del Barroco al Impresionismo nos dirige del heroísmo de la voluntad a la voluntad de heroísmo; por eso en el Barroco la voluntad heroica se presenta siempre acompañada de la acción—leones, Trifaldi—, la cual es más que inútil en el Impresionismo, ya que la acción—la realización—degrada en el Impresionismo la esencia pura.

Entre la carta y el pergamino discurre la historia de la Dueña Dolorida, trazada una vez más como una fiesta palaciega, como un espectáculo de gran aparato. Don Quijote y Sancho vuelven a ser espectadores y actores necesarios.. Como se trata de un engaño, como todos los que componen la casa ducal creen que es una broma, viven la tragedia en farsa, hacen de la tragedia una farsa altamente burlesca, están viviendo su propia vida como representación. Olvidados de la comedia de la vida (que es una tragedia), viven la comedia. Ignoran que en la vida no son nada más que representantes de una acción misteriosa; como no saben que son lo que representan, se lanzan con gusto a representar lo que son. Están haciendo una verdadera farsa: se creen actores y son hombres. Toda esta burla, con la teatralidad de los gestos, de los discursos, de la acción, de la caracterización, muy acentuada, tiene un fondo de melancolía, de tristeza y de luto, que se presenta también de una manera burlesca (la nota burlescamente macabra se subraya en el capítulo LXIX). El escudero Trifaldín anuncia la llegada de la condesa Trifaldi, a quien Don Quijote está dispuesto a recibir, poniendo en seguida al Caballero andante enfrente del letrado, del sacristán, del caballero que no ha salido de su lugar (alusión a Don Diego de Miranda, al nuevo tipo de caballero), del «perezoso cortesano que antes busca nuevas para referirlas y contarlas que procura hacer obras y hazañas para que otros las cuenten y las escriban».

LA JIMIA DE BRONCE: EVA Y LA SENSUALIDAD DE SU DESCENDENCIA. EL ARTE LASCIVO

Aunque el sentido de la historia de la Dueña Dolorida ha sido preparado largamente, Cervantes no permite que la Condesa se presente en escena sin volver sobre el mismo. El breve capítulo XXXVII es un «coloquio dueñesco», que nos dirige hacia la realidad social. La Dueña Dolorida cuenta una historia de tercerías. Los sentidos rodean el alma inocente, y la tercera por medio de ellos ataca la Pureza. En el capítulo XL aparecen las celestinas de bajo nivel, aquellas mujeres que en Candaya «andan de casa en casa a quitar el vello y a pulir las cejas, y hacer otros menjurjes tocantes a mujeres». Pero la condesa Trifaldi, servidora de reyes, es de un nivel superior, representa el arte sensual y lascivo, el arte anterior a Trento, que, en lugar de elevar el alma, la rebaja y envilece.

Un gigante, primo de la Reina, ha encantado a los amantes en la misma sepultura de la madre (Eva), a ella la han convertido «en una jimia de bronce, y a él en un espantoso cocodrilo de un metal no conocido». Entre estas dos horrendas figuras en que ha quedado transformada la Humanidad, hay un padrón de metal que dice: «No cobrarán su primera forma estos dos atrevidos amantes hasta que el valeroso Manchego venga conmigo a las manos en singular batalla.» La pureza y castidad de Don Quijote quitará la baja sensualidad a esta *jimia de bronce* y le devolverá su forma de mujer, y al *espantoso cocodrilo* le hará retornar a su noble forma primera. La pureza de Don Quijote se arroja a la gran aventura para desencantar, para salvar a los amantes y a las dueñas, para hacerles recobrar su forma originaria; pelea por toda la Humanidad; de aquí que toda la historia se ofrezca tan cargada de sentido real, pero, según mi parecer, sin aludir a nadie, porque los alude a todos. La jovencita seducida es la infanta *Antonomasia;* el nombre de la tercera—«como si dijéramos, la condesa de las tres faldas»—también es claro, y Sancho ya había explicado antes, subrayándolo, el sentido del nombre (cap. XXXVII): «De lo que yo saco que, pues todas las dueñas son enfadosas e impertinentes, de cualquier calidad y condición que sean, ¿qué serán las que son doloridas, como han dicho que es esta Condesa Tres Faldas, o Tres *Colas?* Que en mi tierra faldas y colas, colas y faldas todo es uno.»

Desde el punto de vista de la imaginación decorativa, este grupo escultórico, adornando la sepultura de la madre—tan barroco y por tanto, tan alejado del Gótico—, es una de las grandes creaciones de Cervantes. El novelista, que sólo quiere una poesía de esencias —como todos los artistas de su época—, imagina ese grupo escultórico para tener encadenada la bajeza de los sentidos en toda su

315

escala, desde los apetitos más innobles hasta las artes—la poesía—
que sólo están al servicio de lo intrascendente, de los sentidos. Pero
el desafío no va a tener lugar únicamente para que recobre su libertad aquella que por antonomasia representa a la mujer seducida,
sino para libertar también a las dueñas. La cultura actual, al sustituir los tipos ideales por lo normal científico (100 por 100), ha em-
prendido una noble lucha (una lucha científicamente quijotesca)
contra lo subnormal, contra las formas fisiológicas, morales, sociales inferiores, aceptándolas sólo en aquel porcentaje que es signo de
éxito. El científico lucha a su manera con el mal, que él concibe a
su modo, y en el mundo que él imagina no deja espacio para lo inferior. No debemos, sin embargo, partir del momento científico de los
últimos cien años para tratar de comprender las culturas precedeu-
tes. La dueña Doña Rodríguez nos explica muy claramente (capítulo XL) por qué lo inferior existe: «También nos parieron nuestras
madres como a las otras mujeres: y pues *Dios nos echó en el mundo, El sabe para qué,* y a su *misericordia* me atengo, y no a las barbas de nadie.» Entre los tipos ideales y los inferiores está el ser por
antonomasia, está el hombre: así se concibe el mundo en el Barroco
tridentino, acentuando sobre todo la misericordia divina, la cual ilumina esta composición grotesca y le da el tono que la caracteriza.
La Humanidad encantada por la fuerzas elementales de la Naturaleza y desencantada por el amor puro de Don Quijote. Ahora nos
explicamos por qué la tercera salida del Caballero empieza con el
encanto de Dulcinea por Sancho, encanto que recibe toda su profundidad en la Cueva de Montesinos. Sancho, al no ser capaz de reconocer el Ideal del Caballero, tiene forzosamente que transformarlo.
Por esa transformación, es claro, Sancho debe también padecer.

Si Sancho tiene que azotarse para poder recibir el gobierno, debe
asimismo acompañar a Don Quijote en *Clavileño,* es el cohecho que
se le exige. En la figura de Sancho anuda Cervantes lo político a
las costumbres, a la moral. Por segunda vez tiene que vivir Sancho
la aventura de la inmovilidad, de la oscuridad completa. La aventura
de *Clavileño* es al segundo *Quijote* lo que la aventura de los batanes
era al primero. «Desde la memorable aventura de los batanes, dijo
Don Quijote, nunca he visto a Sancho con tanto temor como ahora.»
En el silencio lleno de ruidos y en la oscuridad del bosque vivió
Don Quijote, en íntima comunión consigo mismo, el espíritu de la

esencia de la aventura. En un jardín, sobre un caballo de madera, con los ojos vendados por los hombres, vive Don Quijote lo social de la aventura. La inmovilidad de los batanes está transida de movimiento y dinamismo—subrayado éste al atar Sancho las patas de *Rocinante*, al pegarse él mismo al Caballero—; en cambio, la quietud de *Clavileño* es un reposo de madera. Los sentidos del Caballero pueden entrar en el juego, siente aire y calor; pero su espíritu es ajeno por completo a lo que acontece a su alrededor. Don Quijote, hombre de gran donaire, vive siempre seriamente. El que toma parte en el juego es Sancho; él ha visto, según la doctrina cristiana, el tamaño de la Tierra y el de los hombres, y en el cielo ha jugado con cabrillas de juguete. La imaginación de Don Quijote se hundió en el abismo de la cueva para vivir el tormento de lo social, para resucitar el pasado épico, para crear mitos y leyendas; la imaginación de Sancho se eleva puerilmente para trazar un paisaje ingenuo. Tan ingenuo, que, conducidos por el humor verbal, nos zambullimos de nuevo en la regocijada densidad de lo social (no se olvide además que estamos en una aventura de tercerías): «Decidme, Sancho, preguntó el Duque, ¿viste allá entre esas cabras algún cabrón?» «No, señor, respondió Sancho; pero oí decir que ninguno pasaba de los cuernos de la luna.» Para terminar la aventura, Don Quijote, llegándose a Sancho, le dijo al oído: «Sancho, pues vos queréis que se os crea lo que habéis visto en el cielo, yo quiero que vos me creáis a mí lo que vi en la Cueva de Montesinos, y no os digo más.» Las dos fantasías quedan unidas en un valor y dirección diferentes. Don Quijote ha penetrado en el mundo poético-histórico-moral; Sancho miente, el mundo que crea es tan tenue y tan intrascendente como el de los Duques, y tan limitado. De la misma manera que toda la corriente metafísica de 1605 iba a dar a la aventura de los batanes, todo el sentido social de 1615 cristaliza en la de *Clavileño;* y por primera vez vemos a Don Quijote sin *Rocinante*, porque es a un caballo de madera—aludido ya en el primer *Quijote*, pero creado sólo ahora, y Cervantes está muy contento y orgulloso de su creación— a lo que queda reducida la caballería mítico-histórica, que en 1605 galopaba entre nubes de polvo. Como es natural, Cervantes, antes de presentar a *Clavileño*, hace desfilar las grandes cuadras, desde *Pegaso*, con su propietario Belerofonte, hasta *Orelia*, el caballo del

317

rey Don Rodrigo, y conducido por Sancho pasa también *Rocinante*.

Por último, hay que recordar la posición de Cervantes respecto a *La Celestina*—finales del Gótico—. Cervantes, como exige su época (Gracián lo subrayará: «Propóngase en cada predicamento los primeros, no tanto a la imitación cuanto a la emulación; no para seguirles, sí para adelantárseles»), no trata de imitar a los antiguos; lo que quiere es entrar en competencia con ellos. Competir y vencer. Lo cual es válido también para la actitud con respecto a los autores medievales. Todo el sentido humano de *La Celestina*, su densa sensualidad, la visión táctil del deseo, su oscuro anhelo, el espesor sexual, se aligera en manos de Cervantes, el cual, en medio de la gran burla, puede dirigirse sin titubeos a la esencia de lo celestinesco: ese elemento que mueve los sentidos y el pensamiento en dirección terrenal—el Gótico le da la forma demoníaca de Celestina, que en el Barroco se parodia: la Trifaldi, revelándonos al mismo tiempo su esencia—. La tercera no tiene que ser necesariamente una mujer, cualquier cosa puede servir de intermediario, todo puede arrastrar los sentidos: la música, las coplas.

SENTIDO EDUCADOR DE LA NOVELA

E L sentido educador de la novela, que ha aparecido tan claramente en los consejos a Don Luis, a Basilio y al mancebo, se concentra en los capítulos XLII y XLIII. Repartidos en dos series paralelas—«Estos que hasta aquí te he dicho son documentos que han de adornar tu alma; escucha ahora los que han de servir para adorno de tu cuerpo»—, los consejos manan de los labios de Don Quijote en un tono tranquilo y sereno, que contrasta con la persona que los recibe. Encerrados en un aposento de la casa ducal, el Caballero habla y escucha el Escudero. No es una de tantas disertaciones como hemos oído a Don Quijote, es un «Doctrinal de privados»; pero la sabiduría de la enseñanza hace resaltar la rudeza del entendimiento sobre el cual se vierte. Parece que estamos frente a una roca lamida por una suave corriente, ¡cuántos y cuántos siglos han de pasar para que ese murmullo deje la menor traza en la piedra dura! Sancho lo advierte: «Bien veo que todo cuanto vuesa merced me ha dicho son cosas buenas, santas y provechosas; pero ¿de qué han de servir, si de ninguna me acuerdo?» La figura espiritual aparece con toda su densa levedad frente a frente a la impenetrabilidad de la materia político-social. Y no es que la naturaleza político-social del hombre ofrezca una resistencia voluntaria; al contrario, esta serie paralela de consejos surge encuadrada por los deseos de renuncia del poder: Toda la espesura que envuelve al hombre, el

319

encadenamiento de los sentidos, el apremio de sus instintos no pueden impedir que oiga la voz del espíritu. Sancho, a su manera, se ha elevado hasta el cielo, y desde allí ha contemplado la pequeñez de la tierra y del hombre; él no opone, pues, ninguna resistencia voluntaria, sino aquella resistencia inherente a su propia índole. En el lejano anhelo de renuncia hemos de ver quizá no sólo el temor de trocar una ganancia mayor—salvación del alma—por otra menor —disfrute del poder—, sino la condición suficiente para que la realidad pueda encarnar la mínima parte de espíritu que necesita para que el ideal sea una fuerza actuante.

Con los dos capítulos de los consejos comienza la segunda parte de la estancia del Caballero y el Escudero en la casa de placer de los Duques. Los consejos nos han elevado a la cima que separa las dos vertientes, la iluminada por la burlesca luz de la fantasía y aquella en donde se vive lo social. Cervantes da por fin a su novela la rigidez paralelística que ha soñado como forma de la obra de 1615. Por eso el capítulo XLIV comienza refiriéndose a la forma de su primer *Quijote* y mostrando la diferencia con respecto al segundo. En los primeros seis capítulos—del XLIV al XLIX—, de una manera alterna se pasa de Don Quijote a Sancho. En los tres siguientes—L, LI, LII—se trata dentro de cada capítulo de dos materias distintas; son los capítulos de las cartas. Este cambio de forma aísla y hace resaltar el fin del gobierno de Sancho, el cual se presenta exento (capítulo LIII) y haciendo juego con el fin del tema de Don Quijote (capítulo LVI); entre estos dos capítulos, la materia novelesca ha vuelto a presentarse bipartita (caps. LIV y LV), y en el LVII la estancia en el palacio de los Duques llega a su fin.

LA SOLEDAD DE DON QUIJOTE

Después de tratar Cervantes el problema de la forma de su obra, Sancho se despide de Don Quijote, no sin advertir la semejanza entre la condesa Trifaldi y el Mayordomo de los Duques. Don Quijote acepta la semejanza; «el rostro de la Dolorida *es* el del Mayordomo; pero no por eso él es la Dolorida; que a serlo implicaría *contradicción* muy grande, y no es tiempo ahora de hacer estas averiguaciones, que sería entrarnos en intrincados laberintos». Si la

Duquesa le había planteado el problema de la realidad de las ideas, a lo cual Don Quijote contestaba que «éstas no son de las cosas cuya averiguación se ha de llevar hasta el cabo», Sancho antes de abandonarle nos introduce en el mundo donde la realidad y la imaginación coexisten. Caballero y Escudero se separan ahora porque tienen que seguir cada uno un rumbo diferente; cada uno ha de tener su propia experiencia. En 1605 ya habíamos visto a Don Quijote quedarse en soledad; era la soledad espiritual del héroe cristiano que vive la gratuidad del sacrificio, la pasión del ser puro para poder rescatar el alma. Alrededor de Don Quijote, en la sierra escarpada, bullía la vida. Ahí estaban el Cura, el Barbero, Cardenio, Dorotea y el mismo Sancho, que apenas se aleja. Rodeado por este fragor de vida, Don Quijote está en lo intrincado de la sierra sin ser visto de nadie. El Cura y el Barbero no saben que están tan cerca del Hidalgo; Dorotea y Cardenio ignoran lo próximos que están de la felicidad, de su redención, que la está alcanzando Don Quijote con su penitencia. La soledad de Don Quijote es estrictamente social en 1615. Don Quijote queda encerrado en un cuarto, triste y melancólico; se queda físicamente solo; ha dicho el adiós de la separación. Por primera vez vemos llorar a Don Quijote; Sancho también ha llorado. Cervantes no se apiada, no puede apiadarse. Para estas lágrimas del adiós moderno, de este quedarse separados, de esta sequedad de la soledad física, Cervantes acentúa el tono burlesco y crea esa figura tan frágil y al mismo tiempo tan pulida y dura de Altisidora, cuyas piernas, «que al mármol puro se igualan», y ligas blancas y negras, nos acercan tanto al cinismo rococó.

Don Quijote, al entrar en el cuarto, «cerró tras sí la puerta, y a la luz de dos velas de cera se desnudó, y, al descalzarse», se le rompió la media. Sancho, en el capítulo II, ya había dicho que los caballeros «no querrían que los hidalgos se opusiesen a ellos, especialmente aquellos hidalgos escuderiles, que dan humo a los zapatos y toman los puntos de las medias negras con seda verde. Eso—dijo Don Quijote—no tiene que ver conmigo, pues ando siempre bien vestido y jamás remendado.» La obra de Cervantes es de una trabazón tan apretada, que revelaba ya en el capítulo II la miseria que ha de aparecer en el XLIV. Don Quijote se ha roto las medias verdes—el color del hilo se ha convertido en el de las medias—, y se las hubiera zurcido «aunque fuera con seda de otro color, que es una de las mayores señales de miserias que un hidalgo puede dar en el discurso de su prolija estrecheza». Cervantes llena la escena de burla; no hay nada agriado ni pesimista; pero la pobreza, la necesidad, hace ahora su aparición con toda la realidad intuida en la Cueva de Montesinos. Si se excluye lo repelente, en cambio se hace sentir cómo no se trata de un sufrimiento físico únicamente: esta pobreza comporta un tormento moral; sin embargo, en la zona social, para el espíritu de lo social es un sufrimiento material que nunca podrá ser la fuente de ninguna alegría. «¡Miserable del bien nacido que va dando pistos a su honra, comiendo mal y a puerta cerrada, haciendo hipócrita al palillo de dientes con que sale a la calle, después de no haber comido cosa que le obligue a limpiárselos! ¡Miserable de aquel, digo, que tiene la honra espantadiza y piensa que desde una legua se le descubre el remiendo del zapato, el trasudor del sombrero, la hilaza del herreruelo y la hambre de su estómago.» Esta mordedora mortificación de índole social la vive Don Quijote en la soltura de sus puntos. En *El lazarillo* tenemos la creación de un tipo social: el hidalgo pobre. El Barroco nos da el sentimiento de esa miseria, la cual no es ni exclusiva ni principalmente de índole económica, sino moral.

CONSEJOS SOBRE LA HONESTIDAD Y EL MATRIMONIO (ALTISIDORA)

El teatro y la novela nos han presentado muchas veces la soledad ideal y oscura en que queda el hombre noble para entregarse a sus altos pensamientos, frecuentemente amorosos, sin poder conciliar el sueño; aún más, rehuyéndolo. Cervantes, que ha hundido a Don Quijote en tanta miseria social, transforma el no dormir noble en el insomnio material: «Mató las velas, hacía calor y no podía dormir; levantóse del lecho y abrió un poco la ventana de una reja que daba sobre un hermoso jardín.» Este insomnio *naturalista* es el primer acorde de la parodia del amor. Antes de encerrarse en el cuarto, la Duquesa ya había hecho aparecer en el diálogo a sus doncellas, coro de la frivolidad que sirve de fondo graciosamente burlesco a la honestidad del Caballero y al desencanto de Dulcinea. Ahora, cuando Don Quijote abre la ventana, se destaca del coro

322

la figura de Altisidora. Inmediatamente pensamos en Maritornes y en la hija de Palomeque; pero, además, Cervantes, en 1615, no abandona al lector ni por un momento; después de haber oído el burlesco romance de Altisidora, en el cual ella misma goza en deformar su propia belleza, su juventud y la rendición del sentimiento amoroso, Don Quijote exclama: «Llore o cante Altisidora, desespérase Madama, por quien me aporrearon en el castillo del moro encantado, que yo tengo de ser de Dulcinea cocido o asado, limpio, bien criado y honesto, a pesar de todas las potestades hechiceras de la Tierra.» Y con esto, cerró de golpe la ventana, y despechado y pesaroso, como si le hubiera acontecido alguna gran desgracia, se acostó en su lecho. Ténganse siempre presentes los dos escenarios diferentes: venta-palacio, los cuartos, el jardín; y los diferentes personajes en su diferente disposición: Maritornes-Altisidora y Emerencia la figuranta, Don Quijote, Sancho y el arriero-Don Quijote solo. En la venta, separados por el dormir de Sancho, el amor carnal y el amor caballeresco-idealista se encontraban frente a frente. Maritornes, que acudía a satisfacer la apelación de los sentidos, era al mismo tiempo la materia que servía de punto de apoyo a la construcción ideal; a Maritornes la tiene Don Quijote en sus brazos; es la única mujer que ha tenido tal honor. Don Quijote no se equivoca nunca. A Altisidora, esa «pulcela tierna», le da consejos. Don Quijote, que ya había hablado del matrimonio en las bodas de Camacho, se pasó todo el día que siguió a la serenata dada por Altisidora componiendo una poesía para adoctrinar a todas las doncellas:

Suelen las fuerzas de amor
sacar de quicio a las almas,
tomando por instrumento
la ociosidad descuidada.

Suele el coser y el labrar,
y el estar siempre ocupada,
ser antídoto al veneno
de las amorosas ansias.

Las doncellas recogidas
que aspiran a ser casadas,
la honestidad es la dote
y voz de sus alabanzas.

323

> Los andantes caballeros,
> y los que en la corte andan,
> requiébranse con las libres,
> con las honestas se casan.

> La firmeza en los amantes
> es la parte más preciada,
> por quien hace Amor milagros,
> y a sí mesmo los levanta.

Altisidora no representa la sensualidad, pero tampoco la pasión; es una de las doncellas «que aspiran a ser casadas»; por eso no puede permitirse la menor desviación que la separe de la honestidad, que es su dote. Además, como su verdadera aspiración es la de casarse, cualquier alejamiento de la honestidad no le llevará a la pasión, ni tan siquiera a la sensualidad, sino a la frivolidad.

Al terminar los *consejos*—única vez que hemos oído cantar a Don Quijote, con «una voz ronquilla, aunque entonada»—, el Caballero que iba en busca de leones no encuentra nada más que gatos. (Compárese con la manera de expresarse de Sancho en el capítulo XIV: «Porque si un gato acosado, encerrado y apretado, se vuelve león.») Sancho no podía recordar los consejos políticos y sociales; con los consejos sobre la honestidad y el matrimonio, lo único que consigue Don Quijote es irritar la femineidad social, la cual le llena de arañazos, que ella misma le cura. Altisidora, con sus blanquísimas manos, le vendó las heridas, mientras le decía al oído: «Todas estas malandanzas te suceden, empedernido caballero, por el pecado de tu dureza y pertinacia; y plega a Dios se le olvide a Sancho, tu escudero, el azotarse, porque nunca salga de su encanto esta tan amada tuya Dulcinea, ni tú la goces, ni llegues a tálamo con ella, a lo menos viviendo yo, que te adoro.» A todo esto no respondió Don Quijote otra palabra, sino fue dar un profundo suspiro, y luego se tendió en su lecho, no sin agradecer a los Duques la buena intención con que habían acudido a socorrerle. Don Quijote, que está decididamente cansado, ni se equivoca ni juega frívolamente. El Rococó, que surgirá, en sus dos direcciones distintas, de Don Diego de Miranda y de Altisidora, no podrá aprehender la esencia de Don Quijote. Para aquél será siempre una presencia incomprensible (pero no perturbadora); para ésta y su mundo, un motivo de frívolo entretenimiento. Don Quijote se sonríe de la serenidad y sensatez de Don Diego (que iban a terminar en romanticismo), y al ver que no puede ayudar a Altisidora, se calla y se acuesta. No es tan fácil librarse de la impertinencia; a última hora, cuando Don Quijote se está despidiendo de los Duques, todavía se le ocurren gracias a esta doncella, que, claro, estando delante de mucha gente y siendo buena ocasión para lucirse, no podían sino girar alrededor de su cuerpo y de sus ligas. El Duque, naturalmente, «quiso reforzar el donaire»; pero la escena termina con una reverencia de Don Quijote a «los Duques y a todos los circunstantes».

LA REALIDAD SOCIAL DEL PALACIO DE LOS DUQUES

Hemos visto el humor de la joven pareja ducal; también la gracia chispeante—en el gesto, la mirada, la voz—de Altisidora. El Eclesiástico no ha querido autorizar con su presencia ni este humor ni esta gracia. Pero la casa de los Duques no se resuelve en un elegante arabesco decorativo; tiene una laberíntica profundidad, la cual, al parecer, autorizaba el Clérigo malhumorado. Entramos en el laberíntico palacio llevados de la mano por la dueña Doña Rodríguez. La dueña, siempre una tercera, que en lugar de elevar los sentidos los rebaja; que convierte el palacio, la vida, en puro chisme. Cervantes nos ha presentado las bellísimas piernas de Altisidora; Doña Rodríguez nos descubrirá las de la Duquesa, con unas fuentes «por donde se desagua todo el mal humor de quien dicen los médicos que está llena». Doña Rodríguez nos da a conocer el secreto de los médicos; nos hace, querámoslo o no, presenciar el cuerpo de la Duquesa en su realidad verdadera, e igualmente nos entera de la vida del Duque y nos aproxima a Altisidora, todo esto después de habernos hecho pasear por Madrid y conocer la corte. En el cerrado aposento de Don Quijote, el cual está en la cama como resultado de sus consejos, la lengua maldiciente de la dueña va abriendo esas grandes perspectivas que nos llevan a la ciudad y nos hacen recorrer el palacio y penetrar en sus más recónditos rincones.

Por fácil que fuera, en 1605 había que intuir en la Princesa Micomicona la vida de Dorotea, la vida transformada en arte. En 1615,

Cervantes nos lo dice: «Donde se cuenta la aventura de la segunda dueña Dolorida o Angustiada, llamada por otro nombre Doña Rodríguez», es el epígrafe del capítulo LII; antes (cap. XL), al terminar la Trifaldi su narración, Don Quijote se ofreció inmediatamente a socorrer a las dueñas; pero cuando le piden su auxilio a Sancho, éste se niega, interviniendo entonces la dueña Doña Rodríguez. Don Quijote vuelve a entrar en la discusión, diciendo: «Ahora bien, señora Rodríguez, y señora Trifaldi y compañía: yo espero en el Cielo que mirará con buenos ojos vuestras cuitas...», dejando anudadas así las dos figuras. La representación es sólo un espejo de la vida; Doña Rodríguez se ha reconocido en la Condesa Trifaldi; ha podido leer su propio triste destino, que se transmite de generación en generación. Los consejos a la joven frívola le costaron a Don Quijote unos arañazos, que le tienen en la cama, y el enterarse de los secretos de la vida social, ha de pagarlo con unos pellizcos, bien dados por la Duquesa y Altisidora, quienes han azotado también a la dueña. En la venta de Maritornes fue aporreado fuertemente por puños duros; ahora, uñas de gato y manos femeninas rasguñan y pellizcan sus carnes. La intervención de la dueña, al dar realidad a la experiencia de lo social, no llena la novela de negrura. En la representación de la Condesa Trifaldi, de una manera burlesca, sí que se acompañaba la vida de una marcha funeral; pero con Doña Rodríguez aumenta Cervantes el tono bufonesco, que no quiere que perdamos, invitándonos a ver con nuestros propios ojos el grotesco grupo que forman Dueña y Caballero. La vida social sin un ideal está vista por Doña Rodríguez, pero en el siglo XVII Cervantes todavía puede verla con su apariencia espléndida, la cual, al desaparecer, hace estallar en una carcajada. El siglo XVIII aún podrá reír; pero el XIX ni podrá ni querrá hacerlo. Además, la misericordia de Don Quijote cubre con su bondad lo que la dueña se empeña en descubrir. No cree en la descomposición fisiológica de la Duquesa ni en la incapacidad del Duque para hacer justicia. Será necesario la arremetida del siglo XVIII para que la burguesía se decida a suprimir la aristocracia, a sustituir al aristócrata con el científico y el industrial, ya que ha sido inútil el apoyo que ha prestado a la forma agotada del siglo XVII. La actitud del Barroco se verá aún más claramente al estudiar el gobierno de Sancho. Téngase en cuenta también que esta manera de ver la vida social se confía a Doña Rodríguez, ridícula figura de limitada inteligencia, y compárese con los personajes que en el Rococó y el Neoclasicismo nos dan una visión de la sociedad, personajes llenos de agilidad e inteligentes, que con su vivacidad mental y ligereza física tenían fatalmente que traer la revolución.

La acción imaginaria terminaba con la venida de *Clavileño*. Si con sólo intentarlo logró Don Quijote el desencanto de Antonomasia y Clavijo y la libertad de las dueñas, en la acción real, también con intentarlo, consigue que la desenvuelta hija de Doña Rodríguez encuentre quien repare su falta. El desafío con el lacayo—todo bajo y plebeyo en la realidad social—Tosilos es a la acción real lo mismo que la subida en *Clavileño* a la acción imaginaria. Estéticamente, para el ritmo de la acción, para penetrar gozosamente en la novela y encontrar su forma y su sentido, hay que ser capaces de relacionar en su proporción justa y en su valor correspondiente los dos mundos. *Clavileño* vuelve a ser *Rocinante*, y el gigante Malambruno descubre la realidad lacayuna en este desafío, cuyo anacronismo, por estar situado en la realidad social, se señala: «Que nunca otra tal (batalla) no habían visto, ni oído decir, en aquella tierra los que vivían ni los que habían muerto.» Los Duques han vuelto a ser espectadores de la farsa por ellos preparada, pero esta vez se les escapa el desenlace de sus manos. Don Quijote, con sólo su presencia, triunfa verdaderamente. A pesar de haberlo dispuesto todo, se le escapa al Duque la solución, y entonces él tiene que vivir un nuevo desenlace inesperado, porque al lacayo que estaba representando se le ocurre tomar en serio su papel de actor. Todos—menos Don Quijote— están representando, y en un momento o en otro todos toman en serio su papel. Don Quijote vive siempre el arte como arte, esto es, como vida profunda. Siempre ante el retablo, y en el retablo, dispuesto siempre a libertar a Melisendra, y a Antonomasia, y a la hija de Doña Rodríguez. El lacayo no sabe lo que hace, aunque se lo han explicado muy bien; no sabe que está tomando parte en un engaño. La autoridad del Duque le sacará de su engaño, de ese creerse con libertad social; lo mismo le ocurrirá a Doña Rodríguez y a su hija. Cuando se vive en el mundo de lo esencial, esa misma vivencia se refleja en el mundo práctico; cuando se vive en el mundo práctico, la esencia se incorpora dolorosamente o se choca con ella de una manera cómica.

Al hablarnos del repentino enamoramiento de Tosilos, se ve
cómo reacciona la imaginación barroca ante la figuración clásica:
«El niño ceguezuelo a quien suelen llamar de ordinario Amor por
esas calles no quiso perder la ocasión que se le ofreció de triunfar de
un alma lacayuna y ponerla en la lista de sus trofeos; y así, llegándose a él bonitamente sin que nadie le viese, le envasó al pobre lacayo una flecha de dos varas por el lazo izquierdo y le pasó el corazón de parte a parte; y púdolo hacer bien al seguro, porque *el
amor es invisible*, y entra y sale por do quiere, sin que nadie le pida
cuentas de sus hechos.» La manipulación burlesca de la representación plástica no le basta a Cervantes; siente la necesidad, siempre
burlescamente, de dar a los sentimientos su calidad cristiana de interioridad.

Pero para el desencanto de la Infanta y sus dueñas no era necesario sólo que subiera Don Quijote en *Clavileño;* tenía que acompañarle Sancho. Por eso, toda esta vida de palacio no puede tener
un sentido hasta que Sancho intervenga, lo cual tiene lugar únicamente en la breve y segunda estancia en casa de los Duques (capítulos LXIX y LXX).

LA INSULA BARATARIA: LA EXPERIENCIA
DEL GOBIERNO

Mientras ha estado Don Quijote encerrado en su aposento viviendo dos aspectos del amor lascivo: el juego frívolo—otra mani-
festación de la poesía sensual—y las tercerías—seducciones volunta-
rias y visión sin ideal de la vida—de las dueñas, Sancho tiene su
experiencia del gobierno. Un desfile de tipos y de oficios, unos juicios, cuentos, anécdotas y preguntas (Doña Rodríguez también había contado unos cuentos y había presentado unos tipos y costumbres) forman el fondo de esta experiencia, materia folklórica que
destaca lo que hay de folklórico en la figura de Sancho; además, la
escena de la comida, donde debemos ver expresadas las inquietudes
y sinsabores del poder y de la responsabilidad de la acción, que no le
dejan disfrutar al hombre de ese dominio de lo material por él tan
ardientemente deseado. Sancho no tiene ni un momento de placer,
ni de descanso, ni de tranquilidad; vive en la estéril inquietud

que producen los bienes terrenales. La sabiduría y prudencia de sus juicios se mantienen de la savia que mana en los últimos límites de la historia. Como en todo juicio, se puede ver en los de Sancho una tendencia moral, una actitud filosófica del hombre; pero Cervantes destaca lo que tiene de caso práctico, que exige una solución intelectual. Ni una vez trata de recordar los consejos de Don Quijote; sólo cuando la solución intelectual es imposible es cuando recuerda que Don Quijote le aconsejó que se inclinara del lado de la misericordia. En el Juzgado ha pronunciado Sancho sus tres sentencias sobre cinco casos de deshonestidad —la del sastre y la de su cliente, la del que pidió prestado el dinero, la del ganadero y la moza—; después le llevan a un «suntuoso palacio», donde tiene lugar la comida y en donde recibe la carta del Duque y al labrador de Miguelturra, que viene a negociar. Sancho, terminado el trabajo, se disponía a descansar. Su trabajo ha consistido en ver desfilar la naturaleza humana, pequeña y mezquina, dispuesta únicamente al engaño, y su descanso consistirá en satisfacer a esa naturaleza humana. El humor aligera la terrible tortura de la escena de la comida. Mientras se satiriza a los médicos y se pinta una «naturaleza muerta», vemos a Sancho, que, en lugar de satisfacer su apetito, siente aumentársele el hambre en medio de tanta abundancia —nuevo Tántalo—. La carta del Duque acrecienta el tormento del Gobernador, quien no sólo no podrá comer, sino que debe rechazar la comida por temor a ser envenenado, todo esto acompañado con anuncios de guerra. Va creciendo la tortura de Sancho, y el humor va siendo cada vez mayor; para que Sancho no pueda dormir, el labrador le pinta dos grotescas figuras (que son la representación de la transformación que la Importunidad hace sufrir a toda realidad) y le pide dinero. Del labrador se dice: «El bellacón supo hacer muy bien su oficio.» Estos representantes, que despiertan la cólera en Sancho, están haciéndole vivir la verdadera realidad del gobierno. Ni come ni descansa; en medio de los bienes terrenales, se vive el mito de no poder alcanzar lo que se desea.

En la ínsula, unos burladores le hacen vivir a Sancho la experiencia del poder, como otros burladores en palacio le hacen vivir a Don Quijote la experiencia amorosa: siempre la «carreta de la muerte», siempre un retablo, siempre la burla, y hay que darse cuenta a la vez del origen único de arte y burla y de su diferencia.

329

Pero de la misma manera que la conducta de la dueña Doña Rodríguez es una sorpresa para todos, también en la ínsula acontece algo inesperado. En la ronda se encuentran con el jugador y el mirón, con el ingenioso y con una muchacha vestida de hombre acompañada de su hermano vestido de mujer. Este episodio del gobierno de Sancho nos ofrece, en otra escala, el mundo del segundo *Quijote.* La noche con luz de linternas, el encierro, la realidad y la imaginación en una constante interferencia; las dos dimensiones, la inmensa de lo imaginado y la reducida de lo real, haciendo resaltar la una a la otra; la necesidad de captar la realidad con la imaginación: la muchacha, como excusa, inventa inmediatamente un motivo novelescamente verosímil—«una doncella desdichada a quien la fuerza de unos celos ha hecho romper el decoro que a la honestidad se debe»—; además, para que la escapatoria se convirtiera en aventura, la muchacha se viste de hombre y su hermano de mujer; por último, la aventura según el que la vive y el que no penetra en ella. Ante la profunda excitación de la chica, algo disminuida en el muchacho, dice Sancho: «Por cierto, señores, que ésta ha sido una gran rapacería, y para contar esta necedad y atrevimiento no era menester tantas largas ni tantas lágrimas y suspiros; que con decir somos Fulano y Fulana, que nos salimos a espaciar de casa de nuestros padres con esta invención, sólo por curiosidad, sin otro designio alguno, se acabara el cuento, y no gemidicos ni lloramicos, y darle.» El encierro hace estallar la imaginación: «Este encerramiento y este *negarme el salir de casa,* siquiera a la iglesia, ha muchos días y meses que me trae muy desconsolada *quisiera yo ver el mundo* o, a lo menos, el pueblo donde nací... Cuando oía decir que corrían toros, y jugaban cañas, y se representaban comedias, preguntaba a mi hermano, que es un año menor que yo, que me dijese qué cosas eran aquéllas y otras muchas que yo no he visto; él me lo declaraba por los mejores modos que sabía; pero todo era encenderme más el deseo de verlo.» Esta muchacha que habla—y por eso habla ella y no su hermano—nos entrega en sus palabras el impulso femenino del deseo. Esta muchacha no corre el riesgo de llegar a ser una Leonor *(El celoso extremeño),* pero tampoco alcanzará el ser una «ilustre fregona»; su anhelo, provocado por el encierro, puede hacerla caer en el peligro social en que cayeron las jóvenes de *Las dos doncellas.* Lugar—la ciudad, la corte—y mundo, de la oposición de estos dos volúmenes surge todo un movimiento imaginario; pero, además, Cervantes expresa el horizonte con su calidad peculiar de la época de los Felipes, tan opuesto al de la época del Emperador: «Dejando a todos admirados así de su gentileza y hermosura como del deseo que tenían de ver mundo de noche y sin salir del lugar.» Es una nueva sensibilidad, y recuérdese que ya Don Quijote había hablado de los caballeros cortesanos, que recorrían el mundo en un mapa sin salir de su gabinete, oponiéndolos a los caballeros *andantes*.

Este episodio conmueve con su aire novelesco la atmósfera didáctico-folklórica de la estancia de Sancho en la ínsula, y termina siendo introducido en la realidad novelesca: el Maestresala del Duque se enamora de la muchacha, y Sancho piensa en el muchacho para marido de Sanchica. «Con esto se acabó la ronda de aquella noche, y de allí a dos días el gobierno, con que se destroncaron y borraron todos sus designios, como se verá adelante.»

El capítulo L interrumpe los acontecimientos que tienen lugar en la casa de placer de los Duques y lo que sucede en la ínsula, cambiando el ritmo de la narración. En este capítulo se declara quiénes azotaron a Don Quijote, y un paje lleva la carta de la Duquesa a Teresa, con lo cual el pueblo de Don Quijote y Sancho se llena de vida, reapareciendo el Cura y Sansón Carrasco. En 1605 reaparecerían el Cura y el Barbero en los capítulos centrales de la novela para organizar todo el desenlace, destacándose así su función; ahora es un punto de contacto, es un nudo que refuerza el hilo del argumento. Hemos visto al Cura y a Sansón con el Barbero al comienzo de la novela; después, a Sansón solo en el desafío; en el capítulo L se desvía nuestra atención hacia el pueblo, y allí nos encontramos las dos figuras; luego Sansón aparecerá solo en el desafío de Barcelona, y finalmente volveremos a verlos a todos en el pueblo. En el capítulo LI se presenta muy brevemente a Sancho en el gobierno, y se leen las cartas entre Don Quijote y Sancho; en la del Caballero continúa el tema de los consejos, y Don Quijote muestra la esencia del hombre espiritual en oposición al hombre práctico o de acción: «Un negocio se me ha ofrecido que creo que me ha de poner en desgracia destos señores; pero aunque se me da mucho, no se me da nada, pues en fin, en fin, tengo que cumplir antes con mi profesión que con su gusto.» El hombre espiritual no depende ni puede depender de propósitos y finalidades externas a su mundo propio. La amistad de los Duques es de agradecer, siempre que no desvíe a Don Quijote de su propia trayectoria. La vida política así sería imposible, pues su esencia consiste, y por eso no hay menoscabo en ello, en alejarse de los ideales en la medida necesaria para conseguir los fines. Sancho lo advierte inmediatamente: «No querría que vuesa merced tuviese trabacuentas de disgusto con esos mis señores...» Adviértase la seriedad y seguridad de Don Quijote: «Aunque se me da mucho, no se me da nada», y la rapidez de Sancho en captar la trascendencia de la actitud del Caballero. El Barroco ha sido una época especialmente propicia para comprender las cosas del espíritu y, por tanto, las que a él se oponen. Un ejemplo más. Dice Sancho que en la ínsula está haciendo penitencia: «Y como no la hago de mi voluntad, pienso que al cabo, al cabo, se me ha de llevar el diablo.»

La carta de Sancho le sirve a Cervantes para enfrentarse con el estado social y las costumbres. En el capítulo LII, con igual brevedad se habla de Don Quijote y la segunda dueña Dolorida, y también hay dos cartas: la de Teresa a la Duquesa y la que escribe a Sancho. En estas cartas, especialmente en la última, la materia literaria y la descripción literaria de tipos y costumbres, tal como se presentan en la historia de Doña Rodríguez y en el gobierno de Sancho, son reemplazadas por una representación naturalista, contraste estético voluntariamente, es claro, buscado y querido. En la corte, el pan vale a real; la libra de carne, treinta maravedises; en el lugar, la Berruca casó a su hija con un mal pintor, que ha dejado los pinceles por la azada; el hijo de Pedro Lobo se ha ordenado con la intención de hacerse clérigo; la Minguilla le ha puesto demanda porque le tenía dada palabra de matrimonio; la cosecha de aceitunas ha sido mala; de vinagre no hay ni una gota; una compañía de soldados que pasó por el lugar se llevó a tres mozas; no quiere decir el nombre, porque quizá volverán, y no faltará quien se case con ellas; haciendo encaje se ganan ocho maravedises al día; la fuente de la plaza se secó, etc. Teresa nos da también la visión barroca del mito del gobierno: gobernar cabras; gobernar hombres; el pastor. Todo esto ocurre en un lugar de la Mancha; es la vida del pueblo en el estilo familiar y doméstico.

El pueblo de Don Quijote se ha llenado de realidad; en labios de Doña Rodríguez, la corte—ciudad y palacio—entra en la novela; en la ronda de la ínsula surge el pródigio nocturno de la ciudad y su seducción; Don Quijote va a Barcelona; la *ciudad* está en correspondencia con la *casa*.

Estos capítulos, con su dualidad, con su brusco cambio, destacan el rigor formal del segundo *Quijote;* la diferencia de humor de cada una de las partes pone de relieve lo bufonesco de la estancia del Caballero en la casa de los Duques. Estos capítulos retardan los desenlaces y, al mismo tiempo, los aíslan.

El fin del gobierno de Sancho se cuenta en el capítulo LIII, el cual comienza presentándonos las dos medidas cuya relación está en juego durante toda la novela. La ligereza e inestabilidad de la vida presente y la duración de la eterna, para entender lo cual no es necesario ser cristiano; basta con la luz natural. Y la dirección distinta de estos dos movimientos, el uno circular y sin fin, renovándose constantemente; la vida corriendo siempre hacia un blanco: la muerte; corriendo aún más ligera que el tiempo, cambiando constantemente, pero no renovándose jamás. La vida se renueva cuando deja de ser vida. Compárase con la actitud antigua, en que la mente del hombre, como todo lo viviente, tiene el poder de autorrenovación. El cristianismo tenía que cambiar de actitud, ya que lo que le interesa es la verdadera renovación, aquella que consiste en dejar lo terrenal. Hoy, por el contrario, se busca tanto el cambio para no pensar en la renovación. Hay una ironía evidente al advertir Cervantes que este comienzo se refiere al fin del gobierno de Sancho, a la rapidez con que se terminó. Lo cierto es que no sentimos una intención religiosa; hay un sentimiento moral. Primero, la angustia; después, la nada; luego, el desengaño; por último, la libertad. Se recorre esta escala sin alegría de ninguna clase, la cual estaría presente si se tratara de una experiencia religiosa. Vamos guiados por la tristeza, que poco a poco va transformándose en serenidad y que deja el rostro del hombre marcado para siempre con el sello de la melancolía.

Sancho se ha equivocado. Este descubrimiento se hace en un ritmo muy parecido al del celoso extremeño cuando descubre el adulterio. Junto a esos silencios tan sonoros del mundo espiritual, siempre anotados por Cervantes, tenemos los silencios opacos y algodonosos en que el hombre calla. No es lo mismo estar callado que estar silencioso. El silencio se consigue al reducir la vida a una unidad cristalina; el callar es el momento turbio en que se fragua la acción y que por un freno exterior o interior se mantiene encerrada, o es el momento en que se derrumba nuestro mundo moral. Callar es *estar sepultado* en silencio.

Al terminar la broma de la batalla, Sancho se desmaya. Preguntó qué hora era, calló, se vistió, se fue lentamente a la caballeriza, se acercó al rucio «y le dio un beso de paz en la frente». Al rucio le habla de su vida antigua dichosa y de la miseria en que ha caído desde que se subió a las torres de la ambición y de la soberbia. De una manera barroca se da forma al tema del *Beatus ille;* inquietudes y tormentos de la ambición, paz y tranquilidad de la vida alejada del mundo. Hay que apoderarse del humorismo tan lleno de sentimiento de ese beso de paz que se da al símbolo de la vida sencilla. En seguida este sentimiento de límite estrecho, de encierro, de prisión: «Abrid camino, señores míos, y dejadme volver a mi antigua libertad; dejadme que vaya a buscar la vida para que me resucite desta muerte presente.» Véase bien que no se trata de una libertad religiosa (San Juan de la Cruz) o metafísica (fray Luis de León, primer *Quijote),* sino social, diferente tipo de anhelo que nos interesa únicamente desde un punto de vista estético. Este venirse abajo de todas las ambiciones no está acompañado de ninguna desesperación o rebeldía románticas, porque «bien se está San Pedro en Roma; quiero decir, que *bien se está cada uno usando el oficio para que fue nacido».* El orden social todavía es sentido como creado por Dios; no depende de la fuerza, o de la inteligencia, o de la habilidad, o de la suerte del hombre. Aun en el azar, incluso en el capricho sin sentido de la vida, principalmente en el azar y en lo sin sentido, se ve la mano de Dios, quien, como explica muy bien fray Luis de León en *Los nombres de Cristo,* permite el triunfo del malo.

De la victoria de los leones, pasando por el ataque de los gatos y después por los pellizcos, llega Don Quijote a la victoria sobre Tosilos, el lacayo. Dos victorias en las que la fiera y el mundo plebeyo se niegan al combate, en las que Don Quijote ha vencido por su noble voluntad de combatir: *Clavileño.* Sancho también ha vencido; así se lo dicen sus insulanos. Sancho no es un cobarde. En 1605 pelea varias veces, no sólo en defensa de la albarda, sino contra Cardenio (cap. XXIV) y el Cabrero (cap. LII) para proteger a su señor, que ha sido atacado; en 1615 está dispuesto, según le dice al Duque, a manejar las armas que le dieron en defensa de la ínsula «hasta caer» (cap. XLII), y cuando llega la hora del ataque, pide que le lleven a la muralla, que defenderá con su cuerpo. Sancho no es un cobarde, como no es un vulgar codicioso. Ni por un momento intenta en su gobierno adquirir bienes; él mismo lo dice sinceramente; si quiere el gobierno, no es por codicia, sino por el deseo que tiene de probar a «qué sabe el ser gobernador». A Sancho le hemos visto, tanto en 1605 como en 1615, en varios actos de piedad. Pero la gracia, la alegría, la espiritualidad de la virtud, se tienen que recortar para acomodarse a Sancho; tienen que contraerse lo suficiente para que la virtud se transforme en deber. No es un deber de pequeño empleado; aún conserva un ancho margen de corazón; pero la voluntad de Sancho se niega a la gratitud y al alto vuelo. El deber es la virtud sin gracia, o, para emplear una frase terriblemente grosera, pero muy clara en nuestra época, el deber es la virtud sin lujo. Sancho no sentía ninguna necesidad de subir en *Clavileño*, porque él no creía que fuera su deber sacrificarse por las faltas que otro ha cometido. Y en realidad este sacrificio no es un deber que se pueda exigir a nadie. Sólo el hombre virtuoso, el hombre espiritual·sufre por el dolor ajeno. Para el autor trágico, para el novelista, para el poeta, para el santo no hay dolor que sea ajeno. Vivir en la esencia del mundo es el cometido del hombre espiritual, pero no del que se mueve en la zona práctica. La índole de la victoria es también diferente en la vida espiritual y en la vida práctica. Leones, *Clavileño*, Tosilos son triunfos suficientes en el mundo espiritual, la voluntad de bien ha triunfado; pero la victoria de la ínsula no satisface a Sancho. El no intenta engañarse a sí mismo, sabe que ha sufrido, pero sabe igualmente que con su sufrimiento él no ha contribuido en nada a la victoria. El hombre espiritual—poeta, sabio, santo—se basta a sí mismo, él mismo es un mundo en plenitud. En cada momento de su vida el espíritu se hace realidad, se hace tiempo. El hombre espiritual es el medio gracias al cual lo eterno y lo temporal se encuentran, gracias al cual se revela la esencia en lo concreto. Por eso para el hombre espiritual no hay derrota posible, su martirio es siempre una victoria. En cambio, el hombre de acción, siempre al servicio de la naturaleza, viviendo únicamente para el logro de ciertos fines, no puede triunfar nunca, pues nunca está preparado para enfrentarse con la muerte. De aquí que el que se empeña en vivir aparezca siempre como hipócrita o como grosero y plebeyo; por el contrario, el que está siempre dispuesto a renunciar a la vida aparece como un héroe. Sancho ha dominado el mundo con sus juicios, pero inmediatamente la comida pasa delante de sus ojos no para satisfacer el apetito, sino para atormentarle, despertándole aún más el hambre. Y en la batalla ha sido pisoteado. En la postura de Sancho no se defienden ínsulas. Sancho ha padecido, pero la victoria la han ganado otros. El desafío con Tosilos es el desenlace triunfal de la acción de Don Quijote en el mundo, en el palacio ducal; en la defensa de la ínsula descubre Sancho la esencia de la acción para conservar el poder. El ataque ha tenido lugar en las altas horas de la noche, y al amanecer deja Sancho su ínsula; ya ha probado a lo que sabe el ser gobernador, pero todavía no ha descubierto toda la riqueza moral de su experiencia.

UNA HORA DE OLVIDO

Un breve párrafo al comienzo del capítulo LIV pone en antecedentes del desafío que va a tener lugar entre Don Quijote y el lacayo Tosilos, pasándose en seguida a hablar de Sancho, quien se dirige al palacio ducal. Sobre su rucio, y entre alegre y triste, camina Sancho. No se había alejado aún mucho de la ínsula, de su gobierno, cuando se encontró con unos peregrinos; con ellos viene Ricote el *Morisco*, nuevo personaje que dará lugar al episodio tan lleno de color de *La hermosa morisca* (caps. LXIII y LXV). Los peregrinos, en cuanto ven a Sancho, le piden limosna; éste les da todo lo que ha sacado de la ínsula: un pan y medio queso. Le piden guelte, pero Sancho no tiene dinero. Sancho no conserva de la ínsula nada más que su experiencia moral. Ricote reconoce a Sancho y se da a conocer. De nuevo, el «lugar de la Mancha», el lugar del Caballero y el Escudero se llena de realidad. Ricote había sido el tendero del lugar, tenía mujer (Francisca) y una hija; se menciona también a su cuñado, Juan Tiopieyo. El «lugar de la Mancha» era un pueblo donde vivían bastantes moriscos, donde un tendero se hacía rico, donde acudía, atraído por la belleza de una joven morisca, un mayorazgo de un lugar vecino, don Pedro Gregorio. Sancho presenció la salida de los moriscos de su lugar. Sancho lloró entonces como había de llorar al separarse de Don Quijote. Las noticias y novedades de Teresa ya habían dado una gran consistencia real a ese lugar de la Mancha, que el encuentro de Sancho y Ricote aumenta. Antes que el morisco cuente su historia, se entran todos por una alameda desviada del camino real. Descansan, comen y sobre todo beben. Son siete hombres: cinco, jóvenes, y Ricote y Sancho, de cierta edad. Para los siete cuentan con seis buenas botas de vino. Beben con gusto, a grandes tragos y saboreando con placer. La duración de los tragos de estos bebedores es mucha: làs botas pudieron dar la vuelta sólo cuatro veces.

Cervantes nos obliga a detenernos en esta escena. Sujeta nuestra mirada a los comestibles, que más que de alimento sirven para incitar a beber: pan, sal, nueces, rajas de queso, huesos mondos de jamón, un manjar negro que se «llama cabial», aceitunas secas, sin adobo, pero sabrosas. Nos presenta en un primer plano el ritmo de la acción, el detalle significativo: «Comenzaron a comer con grandísimo *gusto y muy despacio, saboreándose* con cada bocado, *que le tomaban con la punta del cuchillo, muy poquito* de cada cosa, y luego al punto *todos a una* levantaron los brazos y las botas en el aire, puestas *las botas en su boca*, clavados *los ojos en el cielo*, no parecían sino que ponían en él la puntería; y desta manera *meneando las cabezas a un lado y a otro*, señales que acreditaban el gusto que recibían, se estuvieron un buen espacio.» Estos buenos bebedores, que beben con reposo y en cantidad, sienten nacer pronto la confianza; entonces alguno juntaba su mano derecha con la de Sancho, y le decía: «Español y tudesqui, tuto uno: bon compaño»; y Sancho respondía: «Bon compaño jura Di, y disparaba con una risa que le duraba una hora.» Es la gran hora, la hora en que el olvido ahuyenta los cuidados. Este apretón de manos restablece la confianza y permite que otra vez suene la risa; Sancho entonces nada recuerda de su poder. El vino termina, el coro de jóvenes silenos queda dormido; los dos hombres maduros, Ricote y Sancho, «se sentaron al pie de una haya, dejando a los peregrinos sepultados en dulce sueño». Ricote cuenta su historia en perfecto castellano.

Hemos visto cómo al ir a mediar la noche, en el cerrado aposento de Don Quijote, la fantasía de la condesa Trifaldi vivía en Doña Rodríguez, la segunda Dueña Dolorida; de la zona de la imaginación pasábamos a la de la realidad, siempre dentro del amor lascivo. Al aire libre, en una alameda, aislados del mundo por esa profunda muralla del sueño, en el que no se consigue la tranquilidad ni la serenidad, pero en el que se destruye al tiempo, olvidando, por la mañana, pasamos de la farsa política a la realidad político-social. Con los peregrinos también nos muestra una acción espiritual proyectada en lo social.

En ciertos pasajes de una novela podemos documentar las ideas estéticas del autor, en otros las ideas filosóficas o religiosas o sociales. Con la historia de Ricote tenemos un buen documento, que, junto a algunos otros pasajes, nos permitiría presentar la manera como Cervantes consideró la expulsión de los moriscos; aun teniendo en cuenta la elaboración artística, siempre podríamos obtener la actitud aproximada del novelista sobre uno de los acontecimientos político-sociales más importantes de su época en España. Y aunque para el hecho en sí lo que pensara Cervantes es de importancia nula, en cambio para la imagen que hemos de hacernos del poeta es muy valioso, y para la cultura española es un dato imprescindible.

Es claro que al leer la novela, la actitud de Cervantes hacia ese hecho político-social es de suma consideración, pero hemos de verlo en su función novelesca. La historia de Ricote es algo más que la expresión de una opinión y, sobre todo, es otra cosa. En la ínsula, Sancho ha sido el juez y por delante de él ha pasado la Humanidad: disputas, dudas, conflictos, engaños. La intervención de un árbitro resuelve la rencilla de un minuto. Dura un momento, podría durar toda la vida, siempre tendremos el constante conflicto social. Para ese roce perpetuo hace falta la sensatez de un hombre imparcial. Algunos de los casos son intrincados, otros no, pero el juicio es siempre agudo. Ricote ha tenido también su caso, y el juez ha sido el Rey. Del ámbito reducido, burlesco y creado por la imaginación pasamos a la realidad terrible y espantosa, que se dilata por el mundo todo: Africa, Europa; en el centro, España. Sólo la divinidad pudo inspirar a Su Majestad una resolución que Ricote califica de gallarda: expulsar de España a los hombres de pensamientos ruines y disparatados intentos. Todo español está acostumbrado a considerar al enemigo como al hombre de pensamientos ruines, y los católicos tienen razón, porque para ellos el enemigo es el Enemigo, el demonio; pero es lamentable e injustificable que en las zonas de cultura democrática y racionalista continúe considerándose al enemigo como a un hombre de pensamientos ruines. Como acontece siempre ante una sentencia justa, el condenado se siente más abrumado por lo justo de la sentencia que por el castigo. Este reconocimiento es lo que ennoblece el amargo lamento por las penalidades y padecimientos que hay que sufrir: abandonar a la patria, pasar de un dulce amor a un medio receloso y hostil, ser mal acogido y acogerse uno mal, perder los bienes. Ser desterrado quiere decir salirse del orden social, ser expulsado de la armonía; Ricote pide ayuda a Sancho, el cual le dará su piedad, pero no traicionará a su Rey. Por otra parte, como esta sentencia justa ha sido pronunciada contra una colectividad, tiene que haber muchas excepciones individuales.

Sería una frivolidad de «esteta» exigir que se leyera la historia de Ricote sin conceder atención a su contenido político. La Belleza, por el contrario, exige que nos adentremos en el contenido político, el cual es un elemento funcional de extraordinaria importancia en el segundo *Quijote*. Cervantes, con la dueña Doña Rodríguez y con Ricote (el cual es un personaje tan inventado como la dueña), nos sitúa en la realidad social. En el palacio de los Duques se concentra el sentido de la novela de 1615: la piedad hacia las faltas humanas, que el hombre espiritual defiende contra la crueldad social—Malambruno, Duque, lacayo—; la piedad hacia el individuo condenado por una sentencia justa. Los ideales no deben convertirnos en hipócritas mojigatos; antes bien, deben acercarnos a las flaquezas humanas; la justicia no excluye la misericordia, la impone. Que para Cervantes la resolución del Rey era justa, no cabe duda de ninguna clase. Como un dolor más del destierro, Ricote no puede ir a vivir a otra parte que a Alemania. En Francia ya le habían recibido bien, pero es en Alemania donde solamente encuentra un verdadero refugio, porque en Alemania hay libertad de conciencia. Así puede darse cuenta Ricote de toda su desgracia, tiene que resignarse a vivir en un país en que hay libertad de conciencia. El buen acogimiento de Francia es una censura a la indecisión; al destacar la libertad de conciencia se hace resaltar la inspiración divina de Su Majestad Católica. En Alemania, «sus habitadores no miran en muchas delicadezas; cada uno vive como quiere». Así viven los gitanos (Compárese: «la libre y ancha vida nuestra no está sujeta a melindres ni a muchas ceremonias», habla el gitano viejo; en *La ilustre fregona*, Carriazo también alaba la vida pícara, porque «allí campea la libertad»); esto es, el hombre natural, el hombre que vive según sus instintos, sin someterse a la razón que la Iglesia dirige y guía. Puesto que Cervantes escribió *La gitanilla*, me parece que está muy clara la interpretación de este vivir como se quiere. Sin *La gitanilla* también hubiéramos podido captar su sentido, y sobre todo nunca se nos hubiera ocurrido interpretarlo desde el siglo XIX: llenándolo de libertad política y social, pensando en el París de los impresionistas, lo que es un error total; quizá baste decir un anacronismo. Cervantes está presentando la belleza de la Autoridad, justa y piadosa; los protestantes serán los encargados de crear la belleza de la libertad de conciencia (que no hay que confundir con la belleza de la libertad individual y político-social del siglo XIX). Los que han creído que el hacer vivir a Ricote en Alemania suponía una alabanza a la libertad de conciencia han padecido una ofuscación. Los que no quieren situarse en el mundo católico no pueden sentir la belleza creada por Cervantes—la belleza del «alma que es libre y nació libre, y ha de ser libre en tanto que yo quisiere», (Preciosa)—, lo mismo que los que no pueden situarse en el mundo protestante no sentirán nunca la belleza creada por el protestantismo.

Cervantes nos ha presentado una Inglaterra protestante, vencedora de la Armada y entrando a saco en Cádiz; nos presenta a unos moriscos enemigos de España, nos presenta a unos gitanos. Y gitanos, moriscos, ingleses están tratados con un entrañable amor; el ser diferentes a ellos—superiores a ellos—no exige que se los escarnezca. Esta actitud espiritual de la España católica del siglo XVII tiene que ser subrayada, no sólo porque existió, sino porque formó el carácter español. La tolerancia política no se ha cultivado en España; de aquí que se haya presentado siempre de una manera intermitente y esporádica y en grupos de individuos más o menos aislados. La intransigencia política es característica de España; también es característica de España la tolerancia espiritual, la cual puede condenar a un hombre sin necesidad de privarle de su personalidad. Necesita su personalidad para condenarle, pero también para salvarle. Se puede, se debe discutir si la expulsión de los moriscos fue justa o no, como se pueden discutir todos los juicios de Sancho. Pero hay algo que acompaña a esta justicia política, discutible siempre y siempre discutida: la misericordia. En el episodio de Ricote vemos el terrible rigor de la ley, pero envuelto en una atmósfera de piedad. Por eso el diálogo termina, diciendo Sancho: «Dios lo haga», y Ricote: «Dios vaya contigo, Sancho hermano.»

LA CAIDA EN LA SIMA: CONOCIMIENTO DE SI MISMO

Para que Sancho le ayudara a recobrar su tesoro escondido, Ricote le promete dinero: «Yo lo hiciera, respondió Sancho; pero no soy nada codicioso, que a serlo, un oficio dejé yo esta mañana de las manos donde pudiera hacer las paredes de mi casa de oro.» Y como le pregunte qué oficio es éste y luego qué ha ganado en el gobierno, Sancho le contesta que lo que ha ganado es «el haber conocido que no soy bueno para gobernar... y que las riquezas que se ganan en tales gobiernos son a costa de perder el descanso y el sueño». Junto a la lección de desengaño, el conocerse a sí mismo. Su experiencia no se completa, sin embargo, hasta que cae en una sima (capítulo LV). Es otra bajada a los infiernos, pero el descenso de Sancho difiere por completo del de Don Quijote. El Caballero buscaba la Cueva de Montesinos y en ella hace realidad su experiencia histórico-moral—romancero, mitos, la necesidad—; el Escudero cae en una sima oscura. Sancho relaciona los dos abismos: «allí vio él visiones hermosas y apacibles, y yo veré aquí, a lo que creo, sapos y culebras». Cervantes está explicando el sentido del *descendimiento* de Don Quijote, está aclarándolo irónicamente, y utiliza esta ironía para dar forma a la caída de Sancho.

Me tenté la cabeza y los pechos, por certificarme si era yo mismo el que allí estaba, o alguna fantasma vana y contrahecha.

A la derecha mano, se hace una concavidad y espacio capaz de poder caber en ella un gran carro con sus mulas. Entrale una pequeña luz por unos resquicios o agujeros, que lejos le responden, abiertos en la superficie de la tierra.

Desperté dél (el sueño) y me hallé en la mitad del más bello, ameno y deleitoso prado que puede criar la Naturaleza ni imaginar la más discreta imaginación humana.

Tentóse todo el cuerpo, y recogió el aliento, por ver si estaba sano o agujereado por alguna parte.

En esto, descubrió a un lado de la sima un agujero, capaz de caber una persona, si se agobiaba y encogía (véase que si se relacionan las dimensiones surge una nueva ironía; es obligatorio relacionar la narración directa [sueño] con la indirecta [realidad], única manera de captar ambas en su plenitud singular)... vio que por de dentro era espacioso y largo; y púdolo ver porque por lo que se podía llamar techo entraba un rayo de sol que lo descubría todo.

Vio también que se dilataba y alargaba por otra concavidad espaciosa; viendo lo cual volvió a salir donde estaba el jumento, y con una piedra comenzó a desmoronar la tierra del agujero (Don Quijote por medio del sueño llega al prado; Sancho se abre camino con una piedra)...

¡Válame Dios Todopoderoso!—decía entre sí—. Esta que para mí es desventura, mejor fuera para aventura de mi amo Don Quijote. El sí que tuviera estas profundidades y mazmorras por jardines floridos y por palacios de Galiana, y esperara salir de esta oscuridad y estrecheza a algún florido prado; pero yo sin ventura, falto de consejo y menoscabado de ánimo, a cada paso pienso que debajo de los pies de improviso se ha de abrir otra sima más profunda que la otra que acabe de tragarme.

Don Quijote, con su creación poética, ha dado forma eterna al dolor moderno. Al hacer del dolor un mito lo ha conquistado. Dice Sancho, dirigiéndose a su rucio: «Perdóname y pide a la fortuna, en el mejor modo que supieres, que nos saque deste miserable trabajo en que estamos puestos los dos; que yo prometo de ponerte una corona de laurel en la cabeza, que no parezcas sino un laureado poeta, y de darte los piensos dobles.» La Cueva de Montesinos, como la sima, es un adentrarse en sí mismo. Pero lo que para el espíritu es un momento de reconcentración deseada, que ilumina al mundo, para lo social es el conocimiento desolador de lo inferior, que se consigue a la luz de «una confusa claridad». Conocimiento que en sí lleva su pena, aunque alcance el límite de la sabiduría: Vuestro gobernador Sancho Panza «ha granjeado, en sólo diez días que ha tenido el gobierno, conocer que no se le ha de dar nada por ser gobernador, no que de una ínsula, sino de todo el mundo», así les dice a los Duques. Ha conocido el desengaño, se ha conocido a sí mismo, vive el límite del poder.

Gracias a la caída en la sima puede purificarse de sus deseos de mando: «¿Quién dijera que *el que ayer se vio entronizado* gobernador... *hoy se había de ver sepultado* en una sima...? ¡Desdichado de mí, y en qué han parado mis locuras y fantasías!» Purgación necesaria y simbólica, sentido que inmediatamente descubre un estudiante cuando le ve salir de la cueva. El estudiante piensa que de la manera como sale Sancho debían salir de sus gobiernos todos los malos gobernadores. Valor simbólico de su caída que Sancho no puede comprender. El aceptaría el castigo si hubiera obrado mal, no comprende que en él se castiga la ambición necesaria, aunque ya lo ha afirmado Don Quijote: «traeré quien te saque desta sima, donde tus pecados te deben de haber puesto». Además la sociedad no puede llegar a la plenitud del contentamiento. Si un gobernador se enriquece en su gobierno, se le acusa de ladrón; si no hace dinero, se le considera inhábil. La aprobación de la conducta sólo puede venir de la propia conciencia.

Sancho ha tenido que vivir en soledad y se ha visto en el mayor desamparo, del cual le saca Don Quijote. Don Quijote, al oír a Sancho pedir socorro, imagina inmediatamente las torturas de esta alma en pena y acude en su auxilio, pues, a diferencia de su actuación anterior, en su tercera salida declara: yo soy «el que profeso socorrer y ayudar en sus necesidades a los vivos y a los muertos». Son dos experiencias paralelas y jerarquizadas. La ambición social creada por el Espíritu vive su realidad y vuelve al Espíritu. Paralelismo de Don Quijote y Sancho en 1615, jerarquización, separación y convivencia necesaria y dolorosa. La vida de Don Quijote y la de Sancho son dos vidas paralelas en 1615, pero hay que referir constantemente la una a la otra. La de Sancho cobra toda la plenitud de su sentido relacionándola con el mundo espiritual del Caballero, y la de Don Quijote cuando la vemos unida a la de Sancho. La separación en casa de los Duques acentúa esta relación hasta en su marcha paralela, y el encuentro muestra la jerarquía.

LA LIBERTAD

APARICION BARROCA DEL MUNDO MEDIEVAL.
LA BELLEZA Y EL AMOR. LA NUEVA PASTORIL.
PRIMERA AFRENTA

Con el capítulo LVIII comienza la tercera y última parte de la tercera salida del Caballero andante. Comienza alejándose físicamente del desenlace, pero orientando espiritualmente hacia él toda la acción: de la libertad al desengaño. Se dirigen a Zaragoza, viéndose, por fin, Don Quijote «libre y desembarazado de los requiebros de Altisidora». El encierro social queda reducido en forma esquemática al encadenamiento del amor lascivo. Cervantes hace vivir el tema antiguo, tan en boga en el Barroco, poniendo en boca de Don Quijote el canto a la libertad (recuérdese lo dicho por el Escudero al salir de la ínsula): «La libertad, Sancho, es uno de los más preciosos dones que a los hombres dieron los cielos; con ella no pueden igualarse los tesoros que encierra la tierra, ni el mar encubre: por la libertad, así como por la honra, se puede y debe aventurar la vida; y por el contrario, el cautiverio es el mayor mal que puede venir a los hombres.» Es la libertad metafísica lo que sostiene y da dignidad al hombre, y la cual no se pierde ni en la prisión, ya que el cautiverio al cual se refiere es el que el hombre sufre cuando está dominado por las pasiones o las obligaciones sociales. La imagen del hombre espiritual ha sido deformada bufonescamente por el medio social. Honores, regalo, comodidad, abundancia con que la sociedad trata de dar realidad al espíritu no son otra cosa que «estrechezas de la hambre» para quien vive en la otra orilla de lo material. Al reconocer al espíritu la sociedad le obliga y le encadena. Sólo puede ser feliz aquel que no está en obligación nada más que con el Cielo; Sancho, sin embargo, defiende el agradecimiento a los hombres: ha recibido de los Duques doscientos escudos de oro. Han salido de la corte, de los salones, de esa vida en que la inteligencia está profundamente arraigada en los sentidos y en la que los sentidos, gracias a la inteligencia, se depuran de su grosera apariencia. En medio del campo se encuentran con unos bultos, que Don Quijote, inmediata, pero cortésmente, manda descubrir. El Caballero presenta a los ojos atónitos de Sancho el sentido de la vida feudal convertido en imagen: San Jorge, San Martín, el Patrón de las Españas, San Pablo. Barrocamente aparece el mundo medieval. Surgen, deslumbradoras como «una ascua de oro» y con un movimiento fuertemente dramático, la lucha contra la impureza, la caridad, la nación, la conversión. *Carreta de la Muerta*, representación de las bodas de Camacho, retablo de Maese Pedro, representación de Merlín y de la Trifaldi, y ahora en medio del campo el Caballero mostrando a Sancho esa visión del Cielo que da sentido a la vida: «Ellos conquistaron el cielo a fuerza de brazos, porque el Cielo padece fuerza, y yo hasta agora no sé lo que conquisto a fuerza de mis trabajos; pero si mi Dulcinea del Toboso saliese de los que padece, mejorándose mi ventura y adobándoseme el juicio, podría ser que encaminase mis pasos por mejor camino del que llevo.» A Don Quijote ya le hemos oído exclamar: *¡yo no puedo más!;* después le hemos visto caer en el medio social y cándidamente reconocerse como caballero andante; ahora Don Quijote piensa en el valor de su vida. La estancia en la casa ducal ha sido sumamente perturbadora para su vida y su creación: realizar el bien en la tierra, conquistar el reino de la justicia y la pura belleza. Ha vencido al Caballero de los Espejos, ha subido en *Clavileño,* ha entrado en el palenque dispuesto a luchar con el lacayo, pero está completamente desorientado. Es la desorientación máxima que precede al momento de encontrar definitivamente la guía segura. Este hallarse perdido espiritualmente es lo que da lugar al alejamiento del desenlace, a su dramático aplazamiento.

Sancho queda sobrecogido y exclama: «Bendito sea Dios, que tal me ha dejado ver con mis propios ojos.» Añadiendo Don Qui-

346

jote (tema de los agüeros) que este encuentro con las imágenes ha sido un felicísimo acontecimiento. Esta visión celestial y barroca ilumina desde el capítulo LVIII la muerte serena de Don Quijote. Los rayos deslumbradores de estas imágenes llegan al aposento del Caballero a través de las numerosas nubes espesas de los episodios que los rompen y ocultan. El canto a la libertad con toda su sonoridad católica envuelve este retablo. Fuga e imagen del comienzo del capítulo, desarrolladas por Cervantes con una gran brillantez, que se resuelve en un final terminante: «Mudó Sancho plática», en cuanto ha cumplido su papel de concentrar el sentido de la segunda parte (casa del Duque) y llenar de luz las negruras de la parte que empieza. Sancho muda el escenario por completo, y otra vez los ojos quedan fijos en la superficie de la tierra.

La figura de Altisidora reaparece en el diálogo del Caballero y Escudero para fijar definitivamente su sentido. Concretando lo abstracto, dando realidad al mito (procedimiento con el cual el Barroco obtiene efectos cómicos, pero las más veces lo utiliza para dar vida a su significado), habla Sancho de la fuerza de Amor, rapaz que, aun siendo ciego, atraviesa con sus flechas cualquier corazón, por pequeño que sea; pero «he oído decir también que en la vergüenza y recato de las doncellas se despuntan y embotan las amorosas saetas». En la desenvuelta Altisidora, sin embargo, más parecen aguzarse que despuntarse. En breves líneas expone Cervantes su teoría sobre el amor honesto y el deshonesto, y, además, la actitud social. El amor deshonesto—lascivia, frivolidad, capricho—tiene que ser condenado; pero hay que tener en cuenta que su fuerza es tan grande, que lo primero que hace, cuando toma posesión de un alma, es «quitarle el temor y la vergüenza». La conducta de Altisidora no puede inspirar lástima, pero sí confusión. A la figura ideal del amor honesto se opone la igualmente ideal del amor deshonesto; la una eleva el alma, la otra la rebaja; entre los dos se encuentra esta representación social, censurable y censurada, para la cual Don Quijote tiene el mismo remedio que la Iglesia ha enseñado a Cervantes. La conducta de Altisidora da lugar a los aspavientos de la mojigatería; debe ser benévola, pero terminantemente censurada, como lo es por Don Quijote; cabe otra actitud, la de Sancho: «Yo de mí sé decir que me rindiera y avasallara la más mínima razón amorosa suya.»

Habla Sancho de la belleza, pues él no ve qué ha podido encontrar Altisidora en Don Quijote que la enamorara. La materia platónica, tras largo contacto con el cristianismo, da como resultado esta exposición del siglo XVII: «Hay dos maneras de hermosura: una del alma y otra del cuerpo; la del alma campea y se muestra en el entendimiento, en la honestidad, en el buen proceder, en la liberalidad y en la buena crianza; y todas estas partes caben y pueden estar en el hombre feo», siempre que no sea deforme. Esta reserva, que hace Don Quijote, aleja el ideal barroco del Romanticismo y del Realismo idealista; es todavía más importante decidirse a alejarlo por completo del mundo griego, del mundo medieval y del renacentista. Es claro que el platonismo y el cristianismo hacen posible esa concepción de la belleza que tiene el siglo XVII y que ha de pasar al siglo XVIII. Belleza que casi se podría calificar de interior. No es ni un alma corpórea, ni un vuelo hacia el infinito, ni tan siquiera el apasionamiento contorsionado y espiritualmente tenso del primer Barroco; es la belleza melancólicamente serena del alma que en un dinámico equilibrio tiene dominadas las pasiones. Es necesario darse cuenta de que la mirada, la voz, el gesto, los movimientos, el paso, la actitud, muestran el entendimiento, la honestidad y, al mismo tiempo, el buen proceder, la liberalidad y, sobre todo (hay que acentuarlo hoy día: era innecesario hacerlo en el siglo XVII), la buena crianza. En esa imagen que surge de los labios de Don Quijote, y que podría estar puesta en los de Don Diego de Miranda, hay un reposo virtuosamente social.

Dialogando sobre el amor y la belleza, llegan ambos personajes a una selva, y pronto se ven cogidos entre unas redes: las redes del amor. Las imágenes creadas por estas asociaciones son tan frecuentes en esta época en las obras en prosa como en las obras en verso; pero en la novela, como ocurre también en el teatro, las vemos incorporadas a la acción. En el primer *Quijote* ya vimos la pastoril barroca y su diferencia respecto a la renacentista: las gentes principales *se convierten* a la pastoril cuando se ven cogidas por el amor La Arcadia del segundo *Quijote* es una Arcadia fingida. No es la pasión del amor la que obliga a muchachos y muchachas a buscar el recogimiento de los prados y la soledad de las fuentes para dar forma—lirismo, reconcentración espiritual, monólogo y diálogo—a su sentimiento, sino la necesidad de desdoblarse, de encontrarse en la representación. Van a vivir la égloga, pero sólo al representarla; la *conversión*, que aún veíamos en 1605, se ha transformado en *ficción* en 1615. En la poesía de Garcilaso y de Camoens viven su propio sentimiento, encuentran la forma de su corazón. Poco a poco esta representación se transformará en puro juego, con escenarios permanentes, y ya estaremos en el siglo XVIII.

Don Quijote inmediatamente comprende y siente que estas redes son una trampa que le tiende Amor: «Que me maten si los encantadores que me persiguen no quieren enredarme en ellas y detener mi camino, como en venganza de la riguridad que con Altisidora he tenido.» La representación pastoril es una forma de arte mucho más noble que la que sedujo a la Infanta Antonomasia; no es, sin embargo, nada más que una manera de entretener el ocio, la cual sobrepasa el modo como Altisidora entretenía los suyos; pero no es por eso menos peligrosa. Las súplicas de las zagalas no interrumpen el camino del Caballero, quien, no obstante, quiere mostrarse agradecido a tanta belleza. Con el agradecimiento empezaba el capítulo. Don Quijote había dicho que sólo era feliz aquel que únicamente tenía que agradecer al Cielo. La belleza terrenal le deslumbra, y promete sustentar «que a todas las hermosuras y cortesías del mundo exceden las que se encierran en las ninfas habitadoras destos prados y bosques, dejando a un lado a la señora de mi alma: Dulcinea del Toboso». Apenas termina de hablar Don Quijote, cuando Sancho pone un final bufonesco a sus elevadas palabras (recuérdese la intervención de Sancho con las gentes del rebuzno y al ir a sentarse su amo a la mesa del Duque), llenándole de cólera: «Y con gran furia y muestras de enojo, se levantó de la silla»; irritación de Don Quijote, que le caracteriza en 1615 y que sólo pierde momentos antes de su muerte.

Los toros y cabestros pasaron sobre el cuerpo de Don Quijote y el de Sancho. Es el castigo, la humillación a su sometimiento a las seducciones de la Tierra; por eso se aleja, enojado y avergonzado, sin despedirse de nadie.

Para que se vea el papel del traje y la respuesta hacia la hermosura a comienzos del siglo XVII, conviene detenerse en el encuentro de Don Quijote con las zagalas. Estas van ricamente adornadas, con pellicos y sayas valiosísimos; sus cabellos rubios, sueltos por la espalda. Don Quijote está, pues, delante de dos jóvenes vestidas espléndidamente, que muestran su cabello, su cara, sus manos, quizá algo del escote y nada más. Don Quijote se dirige a una de ellas y le dice: «Por cierto, hermosísima señora, que no debió de quedar más suspenso ni admirado Anteón cuando vio al improviso bañarse en las aguas a Diana como yo he quedado atónito en ver vuestra belleza.» La belleza del mundo en el cuerpo desnudo entrega todo su goce en las telas, bordados y pedrerías. Don Quijote no desnuda mentalmente a la zagala; pero como Anteón se encontró de *improviso* con la belleza, así también Don Quijote. La belleza que asalta y sorprende al hombre para suspenderle y llenarle de admiración toma forma en el mundo antiguo en un cuerpo desnudo; en el Barroco, junto al cuerpo desnudo, la belleza se acogerá, tridentinamente, a un vestido que sostiene a un rostro y a unas manos.

Estos hidalgos, gente principal y rica que habían salido a solazarse con sus mujeres, hijos e hijas en los bosques para representar églogas, conocían la historia del Hidalgo, la cual era leída hasta de las muchachas de quince años. Se recordará que en la primera parte era Sansón Carrasco el que había leído el libro, y en la segunda, los Duques. Don Quijote ya no puede seguir su camino sin llevar consigo su propia imagen literaria, de la cual vive el mundo.

La alegría de la libertad tiene el desenlace del atropello de la vacada, la primera humillación. Don Quijote está apesadumbrado (capítulo LIX), sobre todo ahora que se ve impreso en historias, famoso, respetado de príncipes, solicitado de doncellas. «Al cabo, al cabo, cuando esperaba palmas, triunfos y coronas granjeadas y merecidas por mis valerosas hazañas, me he visto esta mañana pisado y acoceado, y molido de los pies de animales inmundos y soeces.» Su dolor se acentúa y piensa dejarse morir de hambre, incitándole Sancho a que viva: «No hay mayor locura que la que toca en querer desesperarse.» Cuando Don Quijote muera de verdad, Sancho, no acertando a captar la diferencia, le incitará en el mismo tono. Sancho, que ha podido sentir antes el dolor de Don Quijote por la transformación de Dulcinea, puede comprender ahora aún mejor—después de haber renunciado a la ínsula y de caer en la sima—el sufrimiento del Caballero por la humillación recibida. Sancho sabe que para su propio dolor no existe otro consuelo que el sueño; y así, aconseja a Don Quijote que duerma, consejo que acepta, permitiendo a Cervantes que se sirva de la lógica de su personaje y pueda repetir una de sus grandes escenas de humor. En seguida aparece la obra de Avellaneda.

Dos caballeros, Don Juan y Don Jerónimo, están hablando de la segunda parte de la historia en un aposento de una venta adonde llega Don Quijote. Como en el capítulo XLVIII, según se ve por el L, la Duquesa y Altisidora han estado oyendo a la Dueña, así ahora Don Quijote se pone a oír a través de un tabique. No se trata de oír la voz que llega a nosotros, sino intencionadamente y de propósito ponernos a escuchar. Don Quijote, personaje de libro y personaje de la realidad, se entera de que existe otro Don Quijote falso. El que ha leído uno de los libros no puede tener gusto en leer el otro. Nombre y presencia coinciden en el verdadero Don Quijote; el aragonés crea un Don Quijote falso. Cuando Cervantes pone como fondo al desenlace de su obra la segunda parte espuria, nos obliga a que entremos en el reducido círculo de la cuestión personal, lo cual puede hacerlo porque su irritación ante la ofensa y el proceder de un alma mezquina es la irritación que siente hacia la mezquindad social. Esta irritación siempre actuante pone más de relieve la función de la obra apócrifa: destacar sobre la falsedad lo verdadero; sobre el fondo de lo obsceno, la virtud ideal. Avellaneda no tiene ojos para lo noble y bello; su carácter le lleva a rebajar cuanto toca y ve. Degrada a Don Quijote y a Sancho, lo mismo que es incapaz de encontrar ningún valor en las canas o virtud en las heridas. Avellaneda sólo podía moverse en el nivel más bajo de su época; era ciego para la belleza, para lo noble y delicado. Su espíritu soez ni podía captar la belleza sensual y moral ni ninguna finura literaria del Barroco. Don Quijote siente repugnancia hacia ese autor que falsifica su mundo, que crea valores falsos; mejor, de ese no creador que quiere usurpar la función más alta y más noble. Todo el empeño de Don Quijote consistirá en exponerlo al mundo como un falsario, como un falsificador del espíritu de Cervantes y, por tanto, de la época barroca.

Para separar lo falso de lo verdadero—«tal era el deseo que tenía de sacar mentiroso aquel nuevo historiador, que tanto decían que le vituperaba» (cap. LX), Don Quijote decide ir a Barcelona sin pasar por Zaragoza. Sosteniendo el ritmo del desenlace, los días se suceden con una rapidez extraordinaria, y se nos lleva precipitadamente de la noche al día y del día a la noche. Hay un cambio de luces constante y, sobre todo, un desasosiego temporal, anhelo de llegar del novelista, que está en marcado contraste con el alejamiento de Don Quijote del lugar de partida. La historia apócrifa queda envuelta en un irónico desdén; en cambio, la vida interior de don Quijote se hace cada vez más atormentada. Su relación con Dulcinea ha cambiado. En la primera y en la segunda salida, el ideal que él mismo ha creado, cuyo nombre ha inventado, resplandece siempre deslumbrante ante sus ojos. Dulcinea es la estrella, el norte de sus pensamientos y acciones. Dulcinea le inspira y, por tanto, guía. El esfuerzo de Don Quijote es siempre un esfuerzo inspirado. El Bien, la Justicia, la Belleza son los rayos triunfantes que despide esa estrella y que, atravesando la realidad, inflaman el corazón del Caballero en un ardor heroico. Como el Guadiana se esconde, río perturbador que corre por las entrañas de la tierra, así Dulcinea ha desaparecido desde el comienzo de la tercera salida. No es un mundo refulgente y de oro y profundamente oscuro; es un mundo entreclaro, confuso, en que se anda a ciegas, en que se busca el ideal y se le encuentra deformado, transformado. La realidad y la imaginación coexisten, el mal enlazado al bien, apareciendo y desapareciendo, como el Guadiana, como esa muerte con rostro humano. La tensa y dramática polaridad de las dos primeras salidas se ha transformado en una unidad desconcertada y confusa. Don Quijote ya no vive movido por su ideal, sino para encontrarlo, para devolverle su ser prístino y primero. Don Quijote ha creado a Sancho, y ahora depende de él, tanto como Sancho de Don Quijote. Creador y creación están íntimamente tejidos y enlazados; unidad necesaria, en perpetua oposición y discordia: muerte con rostro humano. Las vigilias, los ensueños de Don Quijote habían sido siempre un elevarse flameante hacia la claridad cegadora de Dulcinea, del amor honesto; en la tercera salida hemos visto al caballero intranquilo, desvelado, padeciendo insomnio. «No podía pegar sus ojos», nos dice Cervantes de Don Quijote en su camino a Barcelona. No podía dormir porque «ya le parecía hallarse en la Cueva de Montesinos, ya brincar y subir sobre su pollina a la convertida en labradora Dulcinea, ya que le sonaban en los oídos las palabras del sabio Merlín, que le referían las condiciones y diligencias que se habían de hacer y tener en el desencanto de Dulcinea.» Don Quijote ya no puede proyectarse hacia afuera; en el interior de su espíritu está librándose continua e incesante batalla entre dos mundos, entre dos dimensiones: encanto-desencanto, como temporal-eterno, finito-infinito, abstracto-concreto, espíritu-realidad. Y él es el palenque de la lucha. En los labios de Don Quijote aparece ahora la imagen que da forma a esa unidad y el movimiento que crea: el nudo gordiano y el impulso de Alejandro que hacía coincidir cortar con desatar. Don Quijote se decide a azotar a Sancho; pero éste despierta, se pone en pie, arremete contra su amo y le echa una zancadilla, derribándolo y sujetándolo. Sancho le tiene en su poder, no le deja ni alentar. Don Quijote le decía: «¿Cómo, traidor? ¿Contra tu amo y señor natural te desmandas? ¿Con quien te da su pan te atreves?»

En el siglo XIX, esta lucha tendría sus raíces en un egoísmo materialista y le veríamos chorrear resentimiento por todos sus poros. En el siglo XVII se lucha por la quimera, una quimera que se hace realidad moral y belleza concreta a través de Sancho en el mundo de los Duques, de Camacho, de don Diego de Miranda y de Sansón Carrasco. Sancho pone en libertad a su amo cuando éste le promete no volver a azotarle. Sancho se levanta y aparta, para empezar en seguida a temblar de miedo. Sancho, al tenderse debajo de un árbol, siente que unos pies le tocan la cabeza. Pide socorro a Don Quijote, quien acude inmediatamente, y con la mayor naturalidad le explica que no hay por qué tener miedo: es la Justicia.

SENTIDO DEL PRIMER PLANO EN EL BARROCO

De la justicia trascendente e ideal de Don Quijote, Sancho bruscamente va a dar en la justicia política. Es de noche; de los árboles cuelgan bandoleros ahorcados, que se pueden tocar, sentir, pero no ver, y amanece para que Caballero y Escudero se vean rodeados de bandoleros vivos. De la oscuridad pasamos a la luz, de la muerte a la vida, con el gran cambio barroco de sorpresa. Sacudida de vaivén que obedece a la necesidad de agolpar en el mismo comienzo todo el sentido de la acción. A ese breve comienzo significativo le sigue el desarrollo de la acción, su temporalidad. El sentido de la vida se encuentra en la muerte; el sentido de la vida de los bandoleros se encuentra en esos cadáveres que cuelgan de los árboles. Ahorcado-bandolero es la unidad, la vida y su sentido.

Para gozar de la novela, para penetrar en el mundo barroco, es necesario captar este ritmo con todos sus atributos: dinamismo, sorpresa, dramatismo. Y así, se comprende también la función de los elementos que componen la acción barroca. Con el día, con la luz del amanecer, desaparece el telón de ahorcados (su función ya por completo terminada) y aparece la vida, aparecen los bandoleros: naturaleza elemental, buena de suyo y bienintencionada e inclinada al bien, pero dirigida por los deseos de venganza. Bandoleros, bandos, división, la unidad rota por los malos deseos; unidad que sólo queda restablecida en el amor y caridad de Don Quijote. Roque Guinart informa a un amigo que Don Quijote va a Barcelona, y le dice «que diese noticia desto a sus amigos los Niarros, para que con él se solazasen, que él (Roque) quisiera que carecieran deste gusto los Cadells, sus contrarios; pero que esto era imposible, a causa que las locuras y discreciones de Don Quijote y los donaires de su escudero, Sancho Panza, no podían dejar de dar gusto general a todo el mundo». En Don Quijote está la unidad esencial, que es el orden y la justicia del amor; enfrente de Don Quijote, los bandos, los bandoleros, que también necesitan de un orden y una justicia; es la forma de la justicia terrena en su aspecto más elemental, que descubre la necesidad de la violencia y la fuerza para que reine la justicia.

LA VIDA DE LAS PASIONES:
ENCADENAMIENTO DEL DOLOR

— Atropellado por toros, derribado por Sancho, prisionero de Roque Guinart, Don Quijote no se rebela: se resigna. El Capitán de ladrones le trata de la misma manera que le había tratado el cuadrillero en la venta de Palomeque la noche de Maritornes (capítulo XVII): «No estéis tan triste, buen hombre», y Don Quijote contesta cortésmente; en 1605, su indignación estalla, a pesar de los golpes recibidos anteriormente, y recibe una nueva tanda. No es que ahora Don Quijote tema, pero no puede moverse. Su acción se ha transformado en una pura contemplación del mundo, en una experiencia de lo social, la cual nos presenta reunidos los dos lejanos extremos de una misma línea: Roque Guinart-Don Quijote. En Roque Guinart—quien había oído hablar de Don Quijote—se refleja, deformada, la imagen del Caballero. En estos dos mundos—venganza-amor—se anuda la valentía, la justicia, la cortesía.

Los bandoleros, como la sociedad, reciben su orden, su sentido, su forma del Capitán. Cervantes, primero presenta a los bandoleros circundando al Caballero y al Escudero, y luego hace su entrada el protagonista.· Para darse cuenta de la composición barroca, se debe notar cómo Don Quijote amonesta a los salteadores; pero su plática no la oímos; en cambio, el lector se entera de la que le dirige a Roque para que cambie de vida, cambio en el cual hay que esperar. Don Quijote está seguro de que Dios tocará con su gracia al pecador, y el mismo Roque tiene esperanza: «Pero Dios es servido de que, aunque me veo en la mitad del laberinto de mis confusiones, no pierdo la esperanza de salir dél a puerto seguro.» Es la Historia, la vida del hombre según la concibe el catolicismo de la Contrarreforma: un laberinto, la esperanza, el puerto seguro. En medio de la noche, de la tempestad, del laberinto, del pecado, de la confusión, brillando siempre la esperanza, que lleva al puerto de paz. Toda acción barroca en un laberinto y una confusión, negruras que rodean un esplendor: el de la esperanza. Hay siempre en la acción, en el personaje barroco, esa luz interior que sale por los ojos y va al cielo. El hombre barroco mira al cielo, implorando, suplicando, agradeciendo: *Upwards thou dost weepe* (Richard Crashaw). Es esa mirada—fe—que une el corazón al cielo lo que salva al hombre barroco.

Don Quijote le invita a que cambie de vida y se haga caballero andante: la llamada del espíritu; pero antes Roque había declarado el valor de las desgracias y de la miseria (lo cual nos hace comprender la función del dolor, los obstáculos, etc., en el arte barroco español): «Valeroso caballero, no os despachéis ni tengáis a siniestra fortuna esta en que os halláis; que podía ser que en estos tropiezos vuestra torcida suerte se enderezase; que el Cielo, por extraños y nunca vistos rodeos, de los hombres no imaginados, suele levantar los caídos y enriquecer los pobres.»

El mundo de los bandoleros, el nivel más bajo del mundo político-social, tiene sus raíces en los malos deseos de venganza. Este mundo de bandoleros encuadra la historia de Claudia Jerónima, cuya trama ha sido tejida por «las fuerzas invencibles y rigurosas de los celos». Es una lamentable historia de bandos—los Fortes y los Torrellas—y de venganza; por eso confiada a Roque Guinart y no a Don Quijote; Claudia se había enamorado, a hurto de sus padres, de Don Vicente Torrellas; bajo promesa de ser su esposo, ella le dio palabra de ser suya. Habiendo oído que iba a casarse con otra, un día sale tras él y lo mata. Don Vicente puede vivir aún un momento para decirle que nunca había pensado dejarla por otra, y se desposa con ella. Claudia se retira a un convento, donde «pensaba acabar la vida de otro mejor esposo y más eterno acompañada». La vida, cuando está sometida a las pasiones, lleva al hombre de error en error. La vida que no está iluminada por el ideal de la virtud y de la justicia es un continuo encadenamiento de pecados y sufrimientos. Como Cervantes ha creado la vida con ideal, así también crea la vida dominada por las pasiones, que siente en esa forma bíblica de encadenamiento del dolor. Habla Roque Guinart: «Y como un abismo llama a otro y un pecado a otro pecado, hanse eslabonado las venganzas de manera que no sólo las mías, pero las ajenas tomo a mi cargo.» La forma de la novela es un eslabonamiento, porque la vida social es sólo un abismo que llama a otro abismo (recuérdese el temor de Sancho en la cueva: «A cada paso pienso que debajo de los pies de improviso se ha de abrir otra sima más profunda que la otra que acabe de tragarme»), es ir de una venganza a otra, de pecado en pecado. Esta cadena no terminaría nunca si el hombre encadenado por los sentidos no tuviera fe, si no creyera que Dios ha de venir en su socorro y le sacará de la honda sima en que ha caído.

EL HOMBRE PURO ANTE EL ESCARNIO SOCIAL

Los ahorcados nos daban el sentido de la vida apasionada, de la vida sin freno del hombre, y el capítulo LXI comienza con la recapitulación de esa vida: continuo tormento y desasosiego. Es una vida de constante temor: «Dormían en pie, interrumpiendo el sueño mudándose de un lugar a otro. Todo era poner espías, escuchar centinelas, soplar las cuerdas de los arcabuces...; vida, por cierto, miserable y enfadosa.» Sobre el fondo de inquietud temporal —días y noches que se suceden rápidamente sin cesar—, la inquietud del hombre. Don Quijote ha vivido también esta experiencia —«tres días y tres noches estuvo Don Quijote con Roque»—, la cual le conduce a Barcelona. Después de la casa de Don Diego de Miranda y de la de Basilio y la de los Duques, llega el Caballero andante a la ciudad. Apenas si el mar, con su inmensidad espacial —«parecióles espaciosísimo y largo»—, da a la estrechez de la inquietud humana una perspectiva de infinito. El movimiento, el color, la vibración de la luz, los disparos, las músicas, la correspondencia de mar y tierra, tejen una red de alegre algarabía y exultación en que queda prendido Don Quijote. La urbe, en competencia con la Naturaleza, tiene un palpitar desenfrenado: «El mar alegre, la tierra jocunda, el aire claro, sólo tal vez turbio del humo de la artillería, parece que iba infundiendo y engendrando gusto *súbito* en todas las gentes.» Cervantes capta en su frase esta vida cósmica que se transmite a los hombres, y el lector debe sentirse enredado en esas líneas que traza el movimiento rápido y, al mismo tiempo, ver cómo el humo se desparrama en el aire claro.

Cervantes expresa plásticamente estos sentimientos: «Los caballeros..., volviéndose y revolviéndose con los demás que los seguían, comenzaron a hacer un revuelto caracol al derredor de Don Quijote.» Sale del poder de Roque para entrar en este apasionador torbellino. Los caballeros saben que tienen al verdadero Don Quijote, «no el falso, no el ficticio, no el apócrifo, que falsas historias estos días nos han mostrado, sino el verdadero, el legal y el fiel, que nos describió Cide Hamete Benengeli, flor de los historiadores». El autor aragonés es un falsario. Y como al saludar a los Duques cayeron bufonamente Caballero y Escudero, al entrar en la ciudad, el malo dispone otra cómica *caída*. Los muchachos han puesto bajo las colas del rucio y de *Rocinante* sendos manojos de aliagas. Pasa el alboroto, vuelven los aplausos y la música y llegaron a la casa del caballero que los guiaba, la cual «era grande y principal, en fin, como de caballero rico».

El caballero ricó se llama Don Antonio Moreno (cap. LXII). La casa de este caballero («Sancho estaba contentísimo, por parecerle que se había hallado, sin saber cómo ni cómo no, otras bodas de Camacho, otra casa como la de Don Diego de Miranda y otro castillo como el del Duque») no está sita en el campo, sino en la urbe marítima. La ciudad aprisionará a Don Quijote aún más que la casa; las calles parecen dar más libertad que los pasillos, permitir una mayor soltura de movimientos; además, está el mar como pintura que decora el muro de esta prisión. Mar y paseos, al agrandar el circuito en que se encuentra el hombre, hacen más palpable la pequeñez de la Tierra.

Indice de la acción: balcón (presentación grotesca de Don Quijote) y sobremesa (Sancho apócrifo); primera aparición de la cabeza encantada; paseo de Don Quijote a caballo sin Sancho, sarao de damas; cabeza encantada; paseo de Don Quijote a pie con Sancho. Son siete pasos, siete estaciones. Un autor del siglo XIX hubiera calcado de la manera más fiel; por eso hubiera hecho una obra acartonada, seca, falsa, un calco. En el siglo XVII se imita en el sentido religioso; es decir, se vive. Estamos viviendo la befa y el sufrimiento de la Pasión.

El hombre puro ha entrado en la ciudad. «Lo primero que hizo (Don Antonio) fue hacer desarmar a Don Quijote y sacarle con aquel su estrecho y acamuzado vestido —como ya otras veces lo hemos descrito y pintado— a un balcón que salía a una calle de las principales de la ciudad, a vista de las gentes y de los muchachos, que como a mona le miraban.» Cervantes no quiere copiar la escena del *Ecce Homo* y sustituir a Cristo por Don Quijote; esto lo hace el siglo XIX tan bienintencionadamente, que ni siquiera se da cuenta de que es una profanación (lo más feo de esa espiritualidad decimonona: la ingenua sinceridad con que profana el espíritu, pues la única manera de ser espiritual, religioso, en el siglo pasado, era ser materialista). Cervantes penetra tan hondo en la pasión del hombre, que llega al límite del arte, de la creación poética: la impasibilidad. Para el materialismo aformal del siglo XIX, que en todas sus épocas, del Romanticismo hasta el Impresionismo, se desborda en sentimiento y no pretende ni necesita captar el sentido, la impasibilidad barroca —rigor de la belleza formal que aprehende el sentido del mundo—, era un signo de crueldad y de inferioridad. Esta es la razón del reproche que fatalmente tenía que llegar a hacerle el siglo XIX a Cervantes. El hombre del siglo XIX, al ver que Cervantes no estalla en sollozos o en broncos lamentos e imprecaciones, ha tenido necesariamente que creer que era inferior a su creación. El hombre del siglo XIX no quería que del plano de la vida se ascendiera al plano del arte; había que vivir arte y vida juntamente. No es un error, es una manera distinta de ser, y hay que poner un gran empeño en no trasladarnos de una manera a otra con una actitud espiritual inadecuada. No hemos de ir a una obra de Unamuno, de Galdós o de Espronceda como si fuera una obra de Gracián, de Cervantes o de Góngora, ni lo contrario.

Cervantes no copia la escena del *Ecce Homo;* pero el hombre puro expuesto a la sociedad es siempre un eccehomo y, además, una figura grotesca. El hombre, en cada pecado que comete, vuelve a vivir el pecado en toda su intensidad y profundidad abismal; pero el hombre puro—siempre un pecador—no puede vivir el sacrificio redentor nada más que en una parte mínima. Por otra parte, el sacrificio fue tan pleno y total, que es imposible una repetición. La pasión del hombre puro no es un calco de la pasión de Cristo, es un reflejo, un don amoroso gracias al cual el santo se halla más cerca del Señor, vive terrena y humanamente lo que Cristo vivió en su esencia divina.

Al seguir a Don Quijote en Barcelona no hemos de esperar encontrarnos con una semejanza formal de la Pasión de Cristo; pero si no leemos el capítulo LXII en forma de Pasión, creo que se nos escapa toda su esencia, sobre todo la calidad del escarnio y la mofa. Hay tal inconsciencia en Don Antonio Moreno, en el Virrey (no tanto en el Capitán general de las galeras, que recuerda más al Duque), en las damas, en la muchedumbre; una irritación tan mezquina en el castellano (el cual recuerda, incluso literalmente, al religioso de la casa ducal); una alegría tan convertida en movimiento externo, que cada vez vemos a Don Quijote más en soledad. Y Cervantes, impasible, aprehende al mismo tiempo la inconsciencia humana y la soledad del hombre.

En casa de los Duques, de sobremesa, se hablaba de Dulcinea; en la sobremesa de Don Antonio Moreno se habla del Sancho apócrifo: «Acá tenemos noticia, buen Sancho, que sois tan amigo de manjar blanco y de albondiguillas, que si os sobran, las guardáis en el seno para otro día.» «No, señor; no es así—respondió Sancho—, porque tengo más de limpio que de goloso.» De la figura de Sancho no se puede hacer un pícaro, pícaro que tampoco hubiera podido crear Avellaneda, el cual fatalmente tenía que hacer un remedo falso, pues si no era capaz de captar la levedad, la ligereza, lo espiritual de Don Quijote y de la novela de 1605, le era igualmente difícil penetrar en la complejidad de la naturaleza elemental de Sancho y en toda su densidad folklórica.

Sancho recuerda en la conversación la experiencia moral del gobierno de la ínsula: «Diez días la goberné a pedir de boca; en ellos *perdí el sosiego* y aprendí a despreciar todos los gobiernos del mundo; salí huyendo de ella y caí en una cueva, donde me tuve por muerto, de la cual salí vivo por milagro.»

Don Antonio, después, lleva a Don Quijote a ver la cabeza encantada; le da a conocer el prodigio, que consiste en responder a cuantas cosas le pregunten. Le hará la experiencia de esta virtud al día siguiente. Es claro que con la cabeza encantada se repite la escena del mono de Maese Pedro. Y llega el primer paseo de Don Quijote. Ni va armado ni en *Rocinante*. Con un balandrán de paño leonado y montado en un macho de paso llano, le sacan a pasear, separándole de Sancho, quien se queda en casa con los criados. A Don Quijote le ponen también un cartel: «Este es Don Quijote de la Mancha.» La burla comienza en seguida, haciendo brotar la inocencia del hombre puro. La escena creo que no se debe interpretar de otra manera, aunque quizá se deba también leer el cartel refiriéndolo al *Quijote* apócrifo. En este paseo se encuentra con el Castellano. Ya he apuntado su semejanza con el clérigo del capítulo XXXI. Es necesario añadir que el Castellano se encoleriza no tanto por la locura del Caballero como por lo comunicable de su locura. Es la manera de señalar el Castellano la presencia perturbadora del espíritu en la sociedad. Al mismo tiempo, si con el clérigo se indicaban las circunstancias necesarias a toda represión, con el Castellano se señalan aquellas que convienen al consejo.

Llega la noche, y Don Quijote se ve cercado por la tentación. Ya no es el ansia de juego de la lascivia, la sensualidad de Altisidora, que en la noche dormida quiere músicas y canciones de amor. En el sarao, las damas, honestas y pícaras, quieren atormentarle física y espiritualmente. «Le molieron no sólo el cuerpo, pero el ánima.»

Don Quijote se da cuenta de que el demonio le tienta y de la calidad de la tentación: «*Fugite, partes adversae!* Dejadme en mi sosiego, pensamientos mal venidos.» Estas damas del sarao no son como Altisodora, que amaba el juego peligroso por juego y por peligroso; quieren únicamente despertar malos pensamientos. La tentación le agota («se sentó en mitad de la sala, en el suelo, molido y quebrantado de tan bailador ejercicio»), pero su pureza vence una vez más, la cual nunca se vio sometida a estos repetidos ataques en 1605. En la primera novela, la realidad en contacto con la pureza de Don Quijote se eleva y ennoblece; en 1615, en cambio, la pureza es constantemente puesta a prueba; los poderes infernales, lejos de doblegarse a ella, quieren rendirla. La sociedad está degradando su pura ambición espiritual y su amor puro, ambición y amor con los cuales quería dar realidad a la virtud, a la belleza ideales; quería resucitar en el presente la edad de oro. Pero Don Quijote ya no está en el camino donde encuentra a mozas del partido y a Maritornes y arrieros o a parejas que viven el amor en toda su trascendencia trágica; ya no entra en la venta del mundo donde se vive intensamente el claro misterio del Destino. Don Quijote va de casa en casa, de salón en salón, en donde el *Caballero del Verde Gabán* le tienta con su vida honesta; donde los Duques le plantean problemas; donde Don Antonio Moreno, cristalización esta última de la ceguedad para lo espiritual inherente al hombre, le ofrece a la befa *urbi et orbi*.

Sin que haya la menor transición, pasamos a otro día y al episodio de la cabeza encantada. El medio es completamente diferente del escenario en que tenía lugar la actuación del mono de Maese Pedro, aunque los dos episodios sean esencialmente iguales. La manera y movilidad del primero, con la agrupación de los personajes y el orden de las preguntas, está en relación con el retablo, mientras que la disposición del episodio de la cabeza encantada está reglada con extraordinario rigor. Entre las dos preguntas de Don Antonio se repite lo mismo: la relación entre novelista y lector se transforma en relación entre la cabeza y los personajes. A la primera pregunta, la cabeza contesta que no juzga de pensamientos, y a la segunda, cita uno por uno a todos los presentes. El maestro de ceremonias, Don Antonio, vuelve a intervenir: «Esto me basta para darme a entender que no fui engañado del que te me vendió, cabeza sabia, cabeza habladora, cabeza respondona y admirable cabeza.» La dama pregunta qué hará para ser muy hermosa; le contestan: «Ser muy honesta.» A la segunda le dicen que juzgue del amor de su marido por sus obras; al caballero que pregunta quién es, le responden: «Tú lo sabes», y luego le dicen su nombre; al otro caballero que quiere saber los deseos de su heredero, le dicen que son los de enterrarle. Por fin, la mujer de Don Antonio pregunta si gozará mucho de su marido, y se contesta que su templanza en el vivir y su salud prometen larga vida. Los preguntantes se han dirigido a la cabeza, diciendo: «Querría saber, cabeza», «Dime, cabeza», etcétera; las preguntas han puesto a prueba el ingenio del preguntado. Con la excepción de la respuesta a la primera dama, que hay que leerla teniendo en cuenta la obra de Cervantes, las otras respuestas se mantienen dentro del carácter genérico impuesto por la tradición literaria y preparan así la actuación esperada del Caballero y el Escudero. El tono retórico de Don Quijote—«Dime tú el que respondes»—, aun aceptando la intención burlesca del novelista, da al juego social una ampulosidad de alto nivel. El mono sólo respondía a lo pasado y lo presente, arte diabólica, según Don Quijote, ya que sólo Dios puede conocer el porvenir. De la cabeza se afirma únicamente que responde a cuanto le pregunten, sin otra salvedad que la de no juzgar los pensamientos ni los deseos, aunque hace una excepción al contestar a un caballero. Don Quijote hace tres preguntas: una se refiere al pasado; las otras, a lo por venir. Don Quijote se muestra con el constante tormento de su tercera salida: la verdad de su descendimiento órfico, saber hasta qué punto ha soñado la verdad; esto es, aprehender el sentido de la verdad del arte: la verdad de lo fingido; el encanto de Dulcinea y la voluntad de Sancho para desencantarla. La cabeza sibilina le contesta como el mono («lo de la cueva de todo tiene») y habla del futuro: los azotes irán lentamente; Dulcinea será desencantada. Sancho no pregunta nada sobre el pasado; ya cuando encontró a Maese Pedro no podía comprender que alguien quisiera preguntar por su pasado. Sancho, que depende por completo del pasado, quiere romper con él; de aquí todas sus ansias por poseer la ínsula. Su experiencia moral es pasado; de nuevo está dispuesto a luchar por su futuro. Es la ínsula, el gobierno, lo que le atormenta; por eso son sus preguntas si volverá a tener un gobierno, si dejará de ser escudero, si verá de nuevo a su mujer y a sus hijos. La cabeza encantada no le responde, como a Don Quijote, con una latitud temporal, sino con exactitud genérica, que desespera a Sancho. Otra vez se irrita Don Quijote: «¡Bestia!—dijo Don Quijote—. ¿Qué quieres que te respondan? ¿No basta que las respuestas que esta cabeza ha dado correspondan a lo que se pregunta?» «Sí basta—respondió Sancho—; pero quisiera yo que se declarara más y me dijera más.» Por eso no le interesaba preguntar sobre el pasado; él quería conocer, saber, adueñarse de datos útiles, no de sentidos. Sancho no pretende conocer el sentido de la realidad, pero no le procupa desentrañarlo; lo que quiere es poder poseer esa realidad, que no comprende, y dominarla, precisamente lo que no interesa a Don Quijote; de aquí su irritación. A Don Quijote le basta con la certidumbre de que Dulcinea volverá un día a su prístino estado. Con el mono, adivino del pasado y del presente, estamos en una representación. Maese Pedro hace surgir la figura heroica de Don Quijote: «Estas piernas abrazo, bien así como si abrazara las dos columnas de Hércules, ¡oh resucitador insigne de la ya puesta en olvido andante caballería! ¡Oh no jamás como se debe alabado caballero Don Quijote de la Mancha, ánimo de los desmayados, arrimo de los que van a caer, brazo de los caídos, báculo y consuelo de todos los desdichados!» La figura del héroe cristiano queda plasmada en esa venta donde va a representarse inmediatamente *La libertad de Melisandra*, y, como es natural, ante esta obra de arte «quedó pasmado Don Quijote», y Sancho absorto, y el primo suspenso, y el paje atónito, y el del rebuzno abobado, y el ventero confuso, y todos espantados; pero Maese Pedro continúa, para presentar en contraste una escena de la vida común y diaria. Pone ante los ojos de Sancho y de todos a Teresa Panza rastrillando lino y entreteniendo su trabajo con un buen trago de vino de un jarro desbocado (uno de los famosos jarros desbocados de Cervantes), que está colocado a su izquierda. Esta representación no admira, pero merece la aprobación de la autoridad máxima: Sancho. El Santo Oficio—y nos llama la atención Don Quijote—no interviene para nada en las actividades de Maese Pedro; por el contrario, nos dice Cervantes por boca de Benengeli que la Inquisición mandó a Don Antonio que deshiciese la cabeza, «por que el vulgo ignorante no se escandalizase». El juego de las figuras sociales y el anhelo atormentador de Don Quijote y Sancho han querido interrogar al Destino, aproximándose perturbadoramente a la zona religiosa, en su forma más peligrosa: la hechicería. Lo que, sobre todo, es necesario notar es cómo con Maese Pedro estamos en el mundo del arte, que da una forma a la vida en su sentido de pasado y presente, mientras que con la cabeza encantada, el hombre, mágicamente, quiere penetrar en el misterio del futuro.

Rápidamente se pasa a otra escena. Don Quijote va a dar un paseo a pie por la ciudad, acompañado de Sancho y de dos criados. Es la famosa visita a la imprenta, uno de los pocos talleres que se encuentran en la literatura española del XVII. En lugar de los dos escrutinios del primer *Quijote,* en el segundo sentimos constantemente la presencia de la novela de 1605, y al llegar al desenlace, la irritación producida por el *Quijote* falso. En la imprenta estamos en medio del torbellino de la actividad: «Vio tirar en una parte, corregir en otra, componer en ésta, enmendar en aquélla y, finalmente, toda aquella máquina que en las imprentas grandes se muestra.» En este centro de producción se habla de la tarea de traducir: «¡Qué de habilidades hay perdidas por ahí!» Don Quijote hace la comparación de las traducciones con los tapices vistos por el revés, y, siempre ecuánime, no sólo alaba el traducir del griego y del latín, sino las buenas traducciones de las lenguas modernas. Luego discute el comercio de libros desde el punto de vista del autor, y si destaca un libro—*Luz del alma*—, es para arremeter una vez más contra la obra espuria. Su vida es Dulcinea—primera y segunda salida—; luego tiene que vivir sufriendo el gran tormento de saber que está encantada, de verla en manos de la Necesidad, y junto a este padecer, la pequeña irritación, el pequeño tormento de saberse él mismo falseado. Con este agudo dolor, cuya pequeñez y superficialidad no hacen sino aumentar el desasosiego, terminan los primeros días de la estancia del héroe en la ciudad. La compacta sucesión de acontecimientos se interrumpe al salir de la imprenta: «Ordenó Don Antonio de llevarle a ver las galeras..., y lo que sucedió en ellas se dirá en el siguiente capítulo (el LXIII).»

ESPECTACULO

En el muro sólido y espeso que rodea a Don Quijote pone Cervantes esta marina. La cabeza encantada, con sus vaticinios, ha llenado de esperanza el corazón de Don Quijote, y aun el de Sancho, que, «aunque aborrecía el ser gobernador, como queda dicho, todavía deseaba volver a mandar y a ser obedecido: *que esta mala ventura trae consigo el mando, aunque sea de burlas*». Diferencia entre la experiencia social (intelectual) y la experiencia espiritual (vital). El hombre espiritual no subraya la vanagloria de lo terrenal, sino la realidad de lo espiritual, a cuya luz todo lo mundanal es pura sombra; el hombre social, empero, aunque pronto hace la experiencia de lo social, no por eso cambia de manera de ser; de aquí que su mayor sabiduría no haga sino aumentar su amargura. No deriva del conocimiento del mundo la intuición del espíritu; son dos experiencias de índole totalmente diversa.

Con este irradiar interior llegan a las galeras, gran espectáculo para la curiosidad de Caballero y Escudero. Otra vez músicas, disparos, maniobras navales, realzándolo todo fuertes notas de color. Es la vida interior todavía no convertida en actividad, pero que se traduce en actividad. En la actividad, en el movimiento modernos, sentimos la actuación de la ley, lo útil de la eficiencia, el rigor de lo mecánico, el poder del cálculo; no debemos buscar el espíritu donde no se encuentra (por otra parte, donde no existe esta acción no por eso quiere decir que exista el espíritu; lo más posible es que en su lugar no haya nada, o, todavía peor, pretensiones de espíritu). El orden de este confuso movimiento, de esta actividad del siglo XVII, es de una gran exactitud, y, al mismo tiempo, aún está lleno de espíritu. Abaten tienda, arrojan el esquife al agua, la chusma saluda, el cómitre da con un pito la señal para que se haga fuera ropa, lo «que se hizo en un instante». Sancho expresa muy bien el contenido plástico de todo ese movimiento: «Le pareció que todos los diablos andaban allí trabajando.»

Don Quijote, cuando le recibieron los Duques, creyó por primera vez ser caballero andante verdadero; al ver cómo le acogía Don Antonio, de «hueco y pomposo no cabía en sí»; ante los alardes que hizo el General de las galeras, estaba «alegre sobremanera de verse tratar tan a lo señor». Pronto se indigna, sin embargo, cuando la chusma hace recorrer el barco a Sancho, volteándole de una punta a otra; pero las sorpresas se suceden tan vertiginosamente, que no dan lugar a que Sancho piense en lo que le sucede. El asombro llega a su colmo cuando ve al cómitre, látigo en mano, sacudir

365

a la gente del remo. «Estas sí son verdaderamente cosas encantadas, y no las que mi amo dice. ¿Qué han hecho esos desdichados que ansí los azotan? ¿Y cómo este hombre solo, que anda por aquí silbando, tiene atrevimiento para azotar a tanta gente?» La admiración de Sancho, ya sentida por Cervantes ante Roque Guinart, está alejada en absoluto de cualquier examen que pueda derrumbar la estructura social (recuérdese el cap. LIII: «Bien se está San Pedro en Roma.») Sancho, delante de un ejemplo concreto, tiene la intuición de una maravilla abstracta: la autoridad. Mientras el cómitre azota—y esto nos da idea de una forma del mundo cada vez más difícil de captar en la actualidad—, el General exclama: «¡Ea, hijos, no se nos vaya! Algún bergantín de corsarios de Argel debe de ser este que la atalaya nos señala.» Cómitre-General, azotes-hijos; admiremos la noble jerarquía y penetremos en la estructura de ese mundo. En 1605, Don Quijote no aceptaba la realidad de lo concreto (aventura de los galeotes); los signos son los puntos de partida para llegar a las esencias, para sustituir lo equívoco por lo cierto. Ahora, los azotes llegan hasta el corazón de Don Quijote, pero para invitar a Sancho a que tome parte en ellos. Cuando el ex gobernador medita sobre el mundo político, Don Quijote piensa exclusivamente en la realidad de los azotes, en esa realidad necesaria al desencanto de Dulcinea, del ideal supremo del cual todos los otros ideales derivan.

Cervantes pinta una bella escena naval. Las galeras se han puesto en caza, persiguen al bajel, lo alcanzan, se escapa, viran y vuelven a virar, lo cogen. Desde el principio se sabía que iban a hacerse con el corsario. La lucha es un juego, una carrera de velocidad; incluso se comete una falta: dos toraquis, «que es como decir dos turcos», matan inútilmente a dos soldados de la galera capitana. Incidente que convierte la limpieza veloz del juego en un movimiento dramático, necesario para que aparezca en toda su dolorosa angustia la belleza de Ana Félix y su lamentable historia. La muchacha, que, vestida de hombre, mandaba el bergantín corsario, era la hija de Ricote, y por el desmán de los toraquis ha sido condenada a muerte.

Ricote, inmediatamente después de la experiencia política de Sancho (cap. LIV), hace vivir al lector la expulsión de los moriscos: la severidad y necesidad de la Ley; el dolor del destierro; la vida del desterrado; las pérdidas económicas. Ana Félix completa artísticamente la historia del padre con un cuadro deslumbrante de hermosura, de aventura y de amor. Tanta belleza terrenal se eleva sobre el pedestal de la muerte. El General de las galeras suspende la sentencia para que Ana Félix pueda contar su vida atormentada. La belleza de la muchacha, lo maravilloso de su historia, hacen nacer en todos los corazones la clemencia. «El Virrey, tierno y compasivo, sin hablarle palabra, se llegó a ella y le quitó con sus manos el cordel que las hermosas de la mora ligaba.» Por su belleza, hasta los toraquis consiguen el perdón. En la misma galera se encuentra Ricote, que ha recobrado su tesoro, y así se reúnen padre e hija. La alegría sería completa si Don Gaspar Gregorio no quedara en Argel, vestido de mujer y entre mujeres. Se deciden todos los medios para libertarle, y pronto llega a Barcelona (cap. LXV). Con la llegada de Don Gregorio se disponen a hacer las diligencias necesarias para que Ricote y Ana Félix no tengan la desgracia de ir a vivir a un país en que hay libertad de conciencia. En seguida aparece la corte. «Don Antonio se ofreció a venir a la corte a negociarlo, donde había de venir forzosamente a otros negocios, dando a entender que en ella, por medio del favor y de las dádivas, muchas cosas dificultosas se acaban.» «No—dijo Ricote, que se halló presente a esta plática—; no hay que esperar en favores ni en dádivas, porque con el gran Don Bernardino de Velasco, Conde de Salazar, a quien dio Su Majestad cargo de nuestra expulsión, no valen ruegos, no promesas, no dádivas, no lástimas; porque aunque es verdad que él mezcla la misericordia con la justicia, como él ve que todo el cuerpo de nuestra nación está contaminado y podrido, usa con él antes del cauterio que abrasa que del ungüento que molifica...» «¡Heroica resolución del gran Filipo III e inaudita prudencia en haberla encargado al tal Don Bernardino de Velasco!» No es Cervantes el que habla por boca de Ricote; es Ricote el que se expresa por la pluma de Cervantes. Ricote es una noble figura que merecía vivir en España, donde reinaba la autoridad en toda su imponente majestad —justicia y misericordia—, y no se le podía degradar haciéndole ir a vivir allí en donde cada cual hacía lo que quería.

Es inútil referirse a los que desde un punto de vista actual se indignan por la solución dada a este problema político en el siglo XVII. Católicos, luteranos, calvinistas y la Sinagoga, todos concebían el mundo como autoridad y no como libertad. Considerado históricamente, es un error cronológico querer dar a las palabras de Ricote sobre Alemania un sentido «liberal»; pero—y esto es lo verdaderamente importante—la actitud histórica hay que verla en una novela, en una obra de arte, la cual puede concebirse únicamente dentro del catolicismo más estricto. Leer la frase de Ricote con un ritmo liberal político, a lo siglo XIX, hace que toda la composición se deshaga, es lo mismo que tocar una obra de Couperin como si fuera una obra de Schubert.

Ricote es una noble figura—habla perfectamente el castellano, es generoso con sus riquezas, tiene una hija bellísima y, como es natural, ferviente católica—; esta noble figura, acompañada de la belleza, hace que la justicia, sin rebajar en nada la severidad, pueda adornarse con su más preciado galardón, la misericordia. Sumamente curioso, Don Quijote no interviene para nada en el episodio, ni siquiera para libertar a Don Gregorio, pues se limita a decir «que el parecer que habían tomado en la libertad de Don Gregorio no era bueno, porque tenía más de peligroso que de conveniente, y que sería mejor que le pusiesen a él en Berbería con sus armas y caballo; que él le sacaría a pesar de toda la morisma, como había hecho Don Gaiferos a su esposa Melisendra». Sancho, por el contrario, sí que interviene para testimoniar de la realidad de esta posibilidad: «bien conozco a Ricote, y sé que es verdad lo que dice en cuanto a ser Ana Félix su hija; que en esotras zarandajas de ir y venir, tener buena o mala intención, no me entremeto»; no se entremete, porque como había dicho Don Quijote, al interrumpir la representación del retablo (cap. XXVI), «para sacar una verdad en limpio, menester son muchas pruebas y repruebas». ¿Cómo saber la intención de Ricote? ¿Cómo conocer la intención del hombre? Sancho, prudente, no juzga. Nótese cómo la prudencia de Sancho no tiene nada espiritual; es una prudencia que brota del sentido práctico de la vida. Sancho prudentemente no juzga, precisamente porque considera el caso desde un punto de vista judicial. Cervantes, aprobando a Felipe III, hace la excepción de Ricote, excepción típica, es claro, y, por tanto, generalizable; pero, sobre todo, al lado del hecho presenta el dolor: «De aquella nación más desdichada que prudente sobre quien ha llovido estos días un mar de desgracias, nací yo, de moriscos padres engendrada.» Cervantes encomienda a la Belleza la defensa de la causa de los moriscos.

No perdamos de vista la serie de casas y salones por los cuales va transcurriendo la novela y cómo en esta vida política y urbana se abre de repente el mirador que da al mar y cómo esta abertura se llena con una escena de una pareja en Argel. En 1605, casi al final de la novela, también colocaba Cervantes la historia del Capitán cautivo. Argel y cautiverio en 1605 y en 1615. En el primer *Quijote*, mientras el Caballero andante duerme, en una venta de la Mancha, Rui Pérez de Viedma cuenta su vida: heroísmo, belleza, catolicismo, tres notas que en maravilloso *crescendo* se mueven siempre en un plano trágico hasta llegar al doble desenlace feliz. El heroísmo grotesco de Don Quijote vive en Lepanto y en el cautiverio, cuyo oscuro dolor ilumina la belleza física y moral de la Dulcinea de este Capitán, Zoraida. Ana Félix también es católica y es hermosa, su vida ha estado llena de peligros. Ana Félix y Don Gregorio se han encontrado en situaciones difíciles, pero en realidad no cayeron en el cautiverio. Cervantes, aunque ni por un momento emplea la palabra cautiverio, no quiere aclarar demasiado la historia de estos dos jóvenes. Si el lector se deja llevar por la acción, tiene el sentimiento de que Ana y Don Gregorio fueron hechos cautivos; sin embargo, de lo único que se han visto rodeados ha sido de la baja sensualidad del rey de Argel, codicia y lascivia. «Todo esto le dije temerosa de que no le cegase mi hermosura, sino su codicia», explica Ana Félix, quien logra apagar con sus tesoros la lujuria del rey, de la cual, no obstante, teme no poder salvar la belleza masculina de Don Gregorio, vistiéndole por eso de mujer. Si Don Gregorio se libra de un peligro es para caer en otro, porque en vestido de mujer queda entre mujeres, advirtiéndolo Ana Félix, al incitar a que vayan a buscarle. Cuando vuelve, Don Gregorio cuenta «los peligros y aprietos en que se había visto con las mujeres con quien se había quedado». Codicia y lujuria en todas sus formas. Para el ritmo de estas figuras que cambian su forma—Ana Félix se viste de hombre en el barco—hay que recordar a la pareja, tan joven como llena de anhelo por conocer el mundo, que encuentra Sancho rondando la ínsula, y por último, incitados por las palabras de Don Quijote, debemos dirigirnos a los menudos muñecos—esto es, sumamente lejanos, colocados a gran distancia, situados por la perspectiva barroca en último y remoto plano—del Retablo: figuras medievales que viven en el cautiverio, iluminando desde su fondo histórico a esta pareja barroca, cercada, en un medio moro, doblemente por la lujuria.

Téngase en cuenta también cómo aparece la Corte con sus dádivas y favores. Ana Félix, en otra época, hubiera podido ser una Zoraida; ahora tiene que contentarse con sufrir las desgracias que le causa un decreto político. Su padre, a diferencia del de Zoraida, llegará a ser un buen católico y está dispuesto a todo con tal de poder permanecer en España y no tener que ir a vivir a un país donde hay libertad de conciencia. El tono de cada una de las historias se concentra en las figuras de Don Juan de Austria y Don Bernardino de Velasco, especie de jefe de Policía o todo lo más ministro del Interior. Don Juan de Austria, en el reinado de Felipe III, en lugar de pelear con los moriscos y con los turcos, quizá hubiera tenido que hacerse cargo de la expulsión; lo cierto es que no se le puede confundir con Don Bernardino de Velasco, y de la misma manera, en medio de toda la belleza, religiosidad y peligros de la historia de Ana Félix, hay que captar inmediatamente su calidad propia, que tanto le aleja de la historia del Capitán cautivo.

SEGUNDA INTERVENCION DEL BACHILLÈR

El episodio de Ana Félix se divide en dos partes (caps. LXIII y LXV) para encuadrar «la aventura que más pesadumbre dio a Don Quijote» (cap. LXIV). Don Quijote se queda solo: «y una mañana, saliendo Don Quijote a pasearse por la playa, armado de todas sus armas...» Se queda solo para encontrar al *Caballero de la Blanca Luna,* quien tiene la audacia de quererle hacer confesar que su dama «es sin comparación más hermosa que tu Dulcinea del Toboso». Don Quijote no se encoleriza, responde «con reposo y ademán severo». La derrota de Don Quijote en la ciudad va a tener testigos. La playa se llena de caballeros cortesanos: el Visorrey, Don Antonio Moreno y otros muchos caballeros. Sancho también acude, aunque no sabemos si a tiempo para presenciar el desafío o sólo para estar en la derrota. Los caballeros cortesanos, que no están seguros de si se trata de una broma más (aunque Don Antonio Moreno no ha podido inventar aventuras y lo único que ha hecho ha sido exponer a Don Quijote a la befa de los hombres, como los Duques—Doña Rodríguez, Tosilos—se encuentra con que algo no dispuesto por él interviene en su relación con el Caballero), permiten el desafío. Al caer, Don Quijote no quiere la vida: «con voz debilitada y enferma, dijo: Dulcinea del Toboso es la más hermosa mujer del mundo, y yo el más desdichado caballero de la tierra, y no es bien que mi flaqueza defraude esta verdad: aprieta, caballero, la lanza, y quítame la vida, pues me has quitado la honra». «Sancho, todo triste, todo apesarado, no sabía qué decirse ni qué hacerse.» Ahora, por fin, cree en los encantos. En un momento ha visto derrumbarse el mundo; es una época, un estilo, una ilusión que se acaba, cuando todavía no se sabe cómo será el mundo del *Caballero de los Espejos* y de la *Blanca Luna*. Los caballeros cortesanos se dan cuenta también de que han sido testigos del final de una época y saben que con Don Quijote han perdido a Sancho Panza. Va a empezar a reinar la cordura. Todo lo que no sea límite y medida—en el sentido de mensurable—va a tener que desaparecer. El desvarío, el sueño de ideal va a ser sustituido por la razón; pero, observa Don Antonio, «¿no veis, señor, que no podrá llegar el provecho que cause la cordura de Don Quijote a lo que llega el gusto que da con sus desvaríos?». El *Caballero de la Blanca Luna*, después de vencido Don Quijote, se retira perseguido por los muchachos, «hasta que le *cerraron* en una *sala baja*» con Don Antonio, a quien se da a conocer. El bachiller Sansón Carrasco ha actuado como ha creído de su deber hacerlo. Ya es casi un filántropo; fracasó la primera vez; pero, como acontece a los filántropos verdaderos, el primer fracaso sólo sirvió para afirmarle en su decisión, convertida en una cuestión personal. Este deber de Sansón Carrasco cae bajo la sombra del encanto de Dulcinea. Don Quijote en realidad ya estaba vencido; si ahora se confiesa el caballero más desdichado de la Tierra, mucho antes había dicho que ya no podía más y que no sabía lo que conquistaba. Cervantes, después de haber creado el Don Quijote con ideal, creaba el Don Quijote con el ideal encantado. En 1605, Dulcinea cobija todos los amores; de Marcela a Leandra, hace que triunfe el bien, la belleza y la virtud; en 1615, Dulcinea es deformada por el mundo. La audacia de Sansón es una pálida consecuencia de la audacia de Sancho; el uno le quería hacer confesar que Dulcinea no era la más bella, el otro no temió en poner la fealdad ante los ojos del Caballero andante y llamarla con el nombre del ideal. Y los dos tenían razón. Sancho se vio obligado a acudir al engaño, en vista de la insistencia de Don Quijote en querer ver al ideal en la sociedad; el Bachiller, sinceramente, no cree que Dulcinea sea la más bella. Cuando el Visorrey pregunta la causa del desafío, el Bachiller le responde «que era precedencia de hermosura». Sansón lucha por otra hermosura. Lucha por la hermosura de Ana Félix, por la gracia de las damas del sarao y por Altisidora, para que Quiteria sea feliz en su matrimonio, para que las jóvenes representen églogas, para que el mundo moral de Don Diego de Miranda florezca en toda su tranquilidad y calma.

EL DESENLACE:
VERDADERO SENTIDO DE LA VIDA

EL HOMBRE ES UN SER LIBRE

L A vuelta al lugar comienza en el capítulo LXVI con una actitud literaria: «Al salir de Barcelona, volvió Don Quijote a mirar el sitio donde había caído...» Sancho filosofa sobre la manera de conllevar las desgracias—ya tuvo que hacerlo después del encanto de Dulcinea: «Señor, las tristezas no se hicieron para las bestias, sino para los hombres; pero si los hombres las sienten demasiado, se vuelven bestias» (cap. XI)—, se pone por ejemplo: si estaba alegre cuando era gobernador, de escudero de a pie no está triste; habla de la fortuna, presentando con tres palabras una figura de poderosa sugestión: «Mujer borracha y antojadiza, y sobre todo ciega.» Don Quijote, a pesar de su tristeza, acepta el diálogo. Después de observar la discreción de Sancho («Muy filósofo estás, muy a lo discreto hablas; no sé quién te lo enseña»), rechaza esta dependencia de la fortuna, es decir, del azar, de una fuerza ciega que rija al hombre. En los altibajos de la vida y en los cambios que da, el hombre es siempre «el artífice de su ventura», porque las cosas que suceden en el mundo, las buenas y las malas, no «vienen acaso, sino por particular providencia de los cielos». La teoría de Don Quijote es la del catolicismo, y si nos atenemos a ella, comprenderemos siempre la humanidad del teatro y la novela durante el siglo XVII en España. La vida tiene un sentido moral sólo porque el hombre es un ser libre, libertad de la voluntad para el bien o para el mal, en perfecta armonía con el querer de la Providencia.

Don Quijote vencido reconoce su derrota y hace surgir no sólo un mundo nuevo, sino la división del mundo en dos zonas: la de las armas y la de las letras. Pero, primero, no las llama de esta manera y, segundo, las refiere a la vida práctica. Antes, nos dice, «con mis manos acreditaba mis hechos, agora... acreditaré mis palabras, cumpliendo la que di de mi promesa». Del mundo de la acción pasa al de la conducta; al mismo tiempo nos dirige hacia la vida pastoril, hacia el mundo de palabras, en contraposición al de la caballería andante, que es el mundo de los hechos.

Cervantes hace que los días se sucedan unos a otros; pero, ahora, sin premura. Llena el espacio de días para que tenga realidad el camino de vuelta. Llegan a un lugar donde les piden que diriman una duda, que Sancho resuelve, porque Don Quijote dice: «Yo no estoy para dar migas a un gato.» Los labradores quedan asombrados de la sabiduría del escudero, y juzgando por ella deducen la del señor. Ni uno ni otro es joven; por tanto, hay ironía en los labradores al decir que si van a estudiar a Salamanca pronto se verán hechos unos alcaldes; lo cierto es que la imagen de Don Quijote ya no crea sorpresa y que de la acción se pasa a la sabiduría: «estudiar y más estudiar, y tener favor y ventura, y cuando menos se piensa el hombre se halla con una vara en la mano o con una mitra en la cabeza». No aceptan la invitación de ir a beber, y al continuar su camino se encuentran con Tosilos, quien llega para exponer el desenlace de la historia de la segunda Dueña Dolorida. Tosilos recibió cien palos por desobedecer al Duque, la hija de Doña Rodríguez entró en un convento (es un castigo a su liviandad) y Doña Rodríguez se volvió a Castilla. La presencia de Tosilos plantea de nuevo el problema de los encantos, y este problema de nuevo hace pensar en la locura de Don Quijote. Caballero y Escudero se separan otra vez, pero por breve rato, ya que Sancho se queda con Tosilos para beber y comer: «Dijo Tosilos a Sancho: Sin duda, este tu amo, Sancho amigo, debe de ser un loco. ¿Cómo debe?—respondió Sancho—. No debe nada a nadie, que todo lo paga, y más cuando la moneda es locura. Bien lo veo yo, y bien se lo digo a él; pero ¿qué aprovecha? Y más agora, que va rematado, porque va vencido del *Caballero de la Blanca Luna.*» Le ruega Tosilos que le cuente lo que le había sucedido, pero Sancho no tiene muchas ganas de contar historias y le parece descortesía dejar solo por más tiempo

374

a don Quijote, que le estaba esperando sentado a la sombra de un árbol. El desenlace de la historia de la Dueña era el que teníamos que esperar del sistema del mundo cervantino; al final del capítulo presenta una vez más un rasgo de Sancho lleno de gracia, pero lo importante es el juicio que pronuncia Sancho: «agora va rematado, porque va vencido»; además aparece la locura en su verdadera luz: como una manera de concebir el mundo, por eso Caballero y Escudero en 1615 dialogan, porque confrontan constantemente dos concepciones del mundo y dos conductas. El vencimiento cierra y completa la concepción del mundo de Don Quijote en 1615, le lleva al punto máximo de su locura.

EL MUNDO DE DON QUIJOTE HA TERMINADO. PROYECTOS DE VIDA NUEVA: EL PASTOR QUIJOTIZ

A la derrota de Don Quijote se le pone el marco de la belleza de Ana Félix, de su mundo político-social. La salida de Barcelona, la tristeza no se disuelve en lirismo, en ahogado sentimiento; se la concentra fuertemente, aprisionándola en dos actitudes: la contemplación del lugar de la derrota y el reposo a la sombra del árbol, en esta última actitud se entra en el capítulo LXVI, donde se cuenta cómo Don Quijote decidió hacerse pastor. Acostumbrados al análisis psicológico del siglo XIX, nos cuesta un trabajo extraordinario el poder penetrar en la expresión del mundo formal del siglo XVII. Lo mismo acontece, es claro, en la pintura o en la música o en la escultura. Don Quijote está viviendo una segunda «crisis» espiritual: ha sido derrotado, una verdadera derrota. *Su mundo no se ha derrumbado, pero ha terminado.* A la sombra del árbol, Don Quijote medita: «allí como moscas a la miel le acudían y picaban pensamientos». De su vida anterior queda sólo Dulcinea encantada. El desencanto de Dulcinea continuará siendo uno de los polos de su vida futura, el otro punto de atracción tiene que inventarlo. A la sombra del árbol, Don Quijote piensa en el desencanto de Dulcinea y en «la vida que había de hacer en su forzosa retirada». Son las dos líneas principales que sigue su pensamiento, el cual se permite aquí y allí un inciso, el detenerse un momento en alguno de los incidentes de su vida. Tosilos viene de la casa de los Duques—tan lejana y tan próxima—, ha dado noticias, numerosas e interesantes. Mientras Tosilos hablaba, Don Quijote pensaba quizá en la noche en que fue a visitarle Doña Rodríguez, o en el momento en que arrojó el guante que recogió el Duque, o en el día en que entró en el palenque para defender la ofensa hecha a una huérfana. Al hilo de las noticias que iba oyendo, podía, en medio de su derrota, ver surgir la gloria pasada; pero Don Quijote no presta la menor atención al lacayo; inútilmente le ponen los encantadores esta visión delante de los ojos. Doña Rodríguez, su hija, el burlador es un mundo puesto en orden por la acción del Caballero andante y que la realidad ya no puede desordenar. La presencia de Tosilos con sus noticias le hace pensar, sí, en la casa de los Duques, le hace pensar en Altisidora. ¿Le ha preguntado Sancho a Tosilos por Altisidora? No, Sancho no está para preguntar boberías: «¡Cuerpo de mí!, señor, ¿está vuesa merced ahora en términos de inquirir pensamientos ajenos, especialmente amorosos?»

Sobre todo no hay que crear una atmósfera impresionista. Nada de evocaciones. Lo que hay que hacer es darse cuenta de que el nombre de Altisidora aparece para conducirnos a esa deslumbrante escena de color del episodio final; y además debemos captar bien la actitud meditabunda de Don Quijote: desencanto de Dulcinea, qué hacer para el futuro, y como una digresión del pensamiento la figura de Altisidora: vivaracha, maliciosa, gentil. Esto es demasiado para Sancho, es demasiado para la gente seria, siempre seriamente frívolos, nunca alegres, internamente serios. El mal humor de Sancho se comprende porque está abrumado con la derrota de Don Quijote: todas sus esperanzas se han venido abajo. Pensaba en poder volver a gobernar, en llegar a ser conde. No quería que Don Quijote se muriera de tristeza, pero le quería serio, que se diera cuenta de los daños que le había causado a él, a Sancho. Y Don Quijote, en lugar de pensar en eso, pensaba en Altisidora. La indignación de Sancho da lugar a que Don Quijote, lleno de reposo, suavemente, con esa tranquila claridad de lo madurado íntimamente, exponga su proyecto de vida: «Mira, Sancho, dijo Don Quijote, mucha diferencia hay de las obras que se hacen por amor a las que se hacen por agradecimiento. Bien puede ser que un caballero sea desamorado; pero no puede ser, *hablando en todo rigor*, que sea desagradecido.» En las palabras de Don Quijote va a florecer todo el sentimiento que la frivolidad encierra: «Quísome bien, al parecer, Altisidora; diome los tres tocadores que sabes, lloró en mi partida, maldíjome, vituperóme, quejóse a despecho de la vergüenza públicamente: señales todas de que me adoraba.» Don Quijote sólo pudo responder a tantas muestras de amor con el desdén, porque ni podía darle esperanzas, ni ofrecerle tesoros, estando su alma en posesión de Dulcinea. Con el nombre, aparece inmediatamente la tortura de su dama, que únicamente Sancho tiene virtud para hacerla terminar. «Señor, respondió Sancho, si va a decir verdad, yo no me puedo persuadir que los azotes de mis posaderas tengan que ver con los desencantos de los encantados...; pero por sí o por no, yo me los daré cuando tenga gana, y el tiempo me dé comodidad para castigarme.» «Dios lo haga, respondió Don Quijote, y los cielos te den gracia para que caigas en la cuenta y en la obligación que te corre de ayudar a mi señora, que es la tuya, pues tú eres mío.»

Mientras hablaban, iban caminando, llegando, nos dice Cervantes, al mismo sitio en que los atropellaron los toros. El sitio lo recuerda también Don Quijote, pero no por haber sido atropellado de los toros, sino por haberse encontrado con las muchachas y muchachos, «que en él querían renovar e imitar a la pastoral Arcadia, pensamiento tan nuevo como discreto, a cuya imitación [imitación, por tanto, de los que representan], si es que a ti te parece bien, querría, ¡oh Sancho!, que nos convirtiésemos en pastores». El sueño comienza. Se descorren los telones, se disponen los elementos necesarios para la escena, aparecen los nombres, se traza la acción. En los prados, por entre los montes y las selvas, conduciendo el ganado irán a beber a las fuentes cristalinas, se sentarán en los troncos durísimos de los alcornoques, comerán del fruto abundantísimo y dulcísimo de las encinas. Los arroyuelos limpios, los ríos caudalosos completarán el paisaje con el olor de las rosas y las alfombras matizadas de mil colores «de los extendidos prados». El aire claro y puro les dará su alimento, la luna y las estrellas su luz; Apolo les dará versos y conceptos el amor, «con que podremos hacernos eternos y famosos, no sólo en los presentes, sino en los venideros siglos». Don Quijote no quiere recordar la edad de oro, no puede. Imposible tratar de hacer resucitar la inocencia, por lo menos por ahora, tan reciente aún su derrota. El fracaso en la acción le lleva a la pastoril; quiere vivir aún noblemente, y en la representación de las muchachas y muchachos encuentra un sentido a la vida. Antes, de su nombre había derivado el de Quijote; ahora, de éste deriva Quijotiz, y de Panza, Pancino. Sancho inmediatamente se da cuenta de la claridad de esta vida, de su suave deslizarse. La belleza de la pastoril en una de sus formas también puede penetrar en el alma de Sancho, vida sin trabajos ni dolores, sin preocupaciones, llena de alegría y de ocio. Colabora en seguida y piensa en todos los amigos del lugar, que Don Quijote rápidamente hace desfilar: Sansonino o Carrascón, el barbero Nicolás será Niculoso, y el Cura, Curiambro; también las pastoras, Dulcinea es siempre Dulcinea, pero Teresa se convierte en Teresona. ¡Placer de los nombres, amor a la palabra! Don Quijote se anima, y al tener que dar una explicación de las cosas, no puede por menos de entrar en disquisiciones filológicas: los nombres que comienzan en *al*, los que terminan en *i*. «*Alhelí, alfaquí*, tanto por el *al* primero como por el *i* en que acaban, son conocidos por arábigos.» Don Quijote se eleva hasta el origen de las palabras, y el mundo se puebla de poetas. Sancho, completamente fascinado, se deja arrastrar: él hará cucharas «polidas», migas, natas, guirnaldas y otra gran cantidad de «zarandajas pastoriles».

FORMA EN ACCION. EL BIEN. CREACION DEL HOMBRE

El género pastoril renacentista, para lograr la idealización de su mundo, tenía que reducir la vida sexual a pura materia sensual que con su belleza formal recubría el mundo de las ideas. La belleza era el puente que llevaba a los sentidos del mundo de la realidad al mundo de las ideas. El hombre barroco sentía horror ante esta paganización del alma cristiana. Un cuerpo bello, por perfecta que sea su belleza, por arquetípica y general que sea, no es nada más que un cuerpo bello. Por seleccionada, depurada y perfeccionada que apareciera la vida de los sentidos en la novela pastoril, no por eso dejaba de estar siempre presente, peligrosamente presente, ya que se la ennoblecía y ocultaba bajo otra apariencia. Para el Barroco, la vida de los sentidos no había que ocultarla, era necesario tenerla bien al descubierto para poder darle la batalla. No había que ennoblecerla, se la tenía que vencer. Con todo valor se debía presentar su aspecto repugnante—Maritornes, Argüello—y así descubrir la belleza del alma, la belleza de la virtud, la belleza esencial. La belleza del alma no es la belleza del cuerpo purificado, es otra cosa, como la virtud nunca puede ser un vicio purificado. No hay unos instintos en la ciudad y otros en el campo, aquí la inocencia y allí el pecado. En la ciudad y el campo se ha de luchar contra los instintos para que pueda reinar la virtud.

Es siempre lo mismo: en el Renacimiento se es, en el Barroco se llega a ser; en el Renacimiento se es una forma dada, en el Barroco se es una forma en acción. El mundo renacentista tiene sus raíces en la inteligencia y lo que quiere es comprender; el Barroco se basa en la voluntad y lo que quiere es sentir. Cervantes está diciendo continuamente lo mismo, no depende de la naturaleza el hablar bien o el tirar bien a la espada o el ser virtuoso; depende del arte, del ejercicio de la voluntad. «Sanchica, mi hija, nos llevará la comida al hato. Pero, ¡guarda!, que es de buen parecer, y hay pastores más maliciosos que simples, y no querría que fuese por lana y volviese trasquilada; y también suelen andar los amores [plural] y los no buenos deseos por los campos, como por las ciudades, y por las pastorales chozas, como por los reales palacios, y quitada la causa se quita el pecado, y ojos que no ven corazón que no quiebra; y más vale salto de mata que ruego de hombres buenos.» Esta torrentera de refranes da lugar a que intervenga Don Quijote con su represión de siempre, recordando, sin embargo, «que los refranes son sentencias breves, sacadas de la experiencia y especulación de nuestros antiguos sabios». Contra la inocencia y la pureza del Renacimiento. Sancho ha lanzado la triple descarga de la sabiduría humana. Ni por nacer en Toledo se habla bien ni por nacer en el campo se es virtuoso. También en el Renacimiento el campo y la ciudad eran representaciones. No es que el hombre renacentista no hiciera la diferencia entre un toledano con letras y uno ignorante, o que fuera incapaz de observar los vicios y defectos de la gente que vivía en el campo. La imagen tradicional le servía para dar forma a la inocencia y bondad de la Naturaleza, en oposición a la artificiosidad del producto humano, de la civilización; para distinguir al hombre del ágora (se expresa bien, siente mal) del hombre de los campos (se expresa mal, siente bien). El Barroco, Cervantes lo dice claramente por boca de Sancho, cree que el mal está en todas par-

379

tes. Lo que no se encuentra en todas partes es el bien, creación del hombre con la ayuda de Dios. En el Barroco, es claro, el tema de la ciudad y el campo, como otros tantos temas de la tradición literaria, continúa siendo utilizado de manera retórica y, por tanto, en su sentido tradicional, o en su forma tradicional, pero con el nuevo sentido.

SEGUNDA AFRENTA

Bajo los árboles se disponen a pasar la noche, después de haber cenado mal, «bien contra la voluntad de Sancho, a quien se le representaban las estrechezas de la andante caballería, usadas en las selvas y en los montes, si bien tal vez la abundancia se mostraba en los castillos y casas, así de Don Diego de Miranda como en las bodas del rico Camacho y de Don Antonio Moreno».

La noche es «algo oscura», aunque había luna (cap. LXVIII). Tras un sueño breve, despierta Don Quijote, quien contempla a Sancho dormido, y entre Caballero y Escudero tratan el tema de «el sueño». Como se ha dicho tantas veces, el tema renacentista aparece vitalizado; en lugar de un punto de retórica, es una meditación y una discusión, encomendándosele a Sancho el cargarlo con el peso de la realidad, el cual se expresa, sin embargo, de una manera elevada: «Nunca te he oído hablar, Sancho, dijo Don Quijote, tan elegantemente como ahora, por donde vengo a conocer ser verdad el refrán que tú algunas veces sueles decir: *no con quien naces,* sino con quien paces». Sancho teme las vigilias de su amo, quien le despierta para no volver a dejarle cerrar los ojos. Son momentos en que puede proponerle todo, y lo que más le gusta es la transición con que pasa de un proyecto a otro: de los azotes a la música. Pero esta vez no todo se va en palabras; antes de poder coger el sueño de nuevo son atropellados por los cerdos. La indignación de Don Quijote es nula, pero se irrita Sancho, quien pregunta airado, disponiéndose decididamente a volver a dormir: «¿Qué tienen que ver los Panzas con los Quijotes?» Muchas veces le hemos oído decir que él como escudero no debía tener parte en las desgracias de su señor, pero ahora aparece la irritación de los Panzas por verse siempre unidos a los Quijotes. Dos linajes opuestos y necesariamente unidos; los

380

Panzas ven, sienten la unión, pero no pueden captar su necesidad: un linaje sigue a rastras al otro y forcejeando.

Toros y cerdos, y en el mismo sitio el atropello de los toros y el de los cerdos, el sitio de la representación pastoril (cap. LVIII), que da lugar al sueño de la vida pastoril (cap. LXVIII). Tenemos un contraste, el cual no quiere mostrar la índole diversa del mundo de la realidad y el mundo poético (los cabreros de un lado, y de otro Marcela y sus pastores, 1605), sino la llamada del mundo social ante la representación y la vida soñada. El ideal barroco se crea en oposición a la realidad social y humana; no trata, el hombre barroco, de perfeccionar la realidad o eliminarla, sino de oponerse a ella, de dominarla y someterla. Cuando Don Quijote se ofrecía como mantenedor de la belleza se vio «pisado y acoceado y molido de los pies de animales inmundos y soeces [los toros]»; después de haber soñado una vida idealizada, «los animales inmundos» [los cerdos] le atropellaron. Se eleva hasta la suma belleza humana, hasta una noble vida, sólo para ser atropellado por animales inmundos (se aplica el mismo calificativo a toros y a cerdos). Es la realidad inmunda de lo social lo que pasa en tropel por encima de su actitud y de sus sueños. En el mundo barroco se fustiga sin piedad a la sociedad, pero Cervantes supera la indignación, situado como está en ese nivel en el cual la vida se contempla íntegramente y sin sentimentalismo de ninguna clase. El naturalista del positivismo podía creer confirmada su visión del mundo: el hombre que sueña y sus sueños son pisoteados por los cerdos. Pero es precisamente la serenidad impasible de Cervantes la que nos muestra toda la diferencia entre el Barroco y el Naturalismo positivista: Sancho cae en una sima, Sancho y Don Quijote son atropellados por los toros y los cerdos. La vida, sin embargo, en el siglo XVII no es sólo eso, es eso y algo más. Algo más, que católica y denodadamente Cervantes crea. La negrura del mundo naturalista se debe a haberse quedado con los toros y los cerdos como un final. Para Cervantes es un desenlace temporal; es una referencia irónica al Renacimiento, época que quería sólo soñar belleza; el Barroco cree necesario incorporar a la belleza la fealdad del mundo, pero, precisamente, para hacer resaltar la belleza verdadera. Los animales inmundos irrumpen en el puente de la belleza y en la noche de los sueños, porque son blancos que no atraen la mirada barroca. No basta con inventar una vida idealizada, selecta; hay que soñar una vida perfecta, la única digna del hombre. Ni resurrecciones, ni idealizaciones que los cerdos fácilmente pisotean; todavía menos, dejarse dominar por lo inmundo. Quijotescamente—lo único digno de Cervantes—elevar el blanco, ponerlo a tal altura que nunca lleguen los cerdos. La fuerza creadora de Cervantes, el núcleo barrocamente vital de su obra es no perder nunca la esperanza. Precisamente porque ha escrito el *Coloquio de los perros* y porque está escribiendo el *Quijote* de 1615 es por lo que necesita fatalmente crear el *Persiles*. No es una última obra desconcertante; es todo lo contrario, el final barroco de una vida y una obra, el triunfo deslumbrante de la pureza. Es el amor puro que con la ayuda de Dios sale victorioso de todos los peligros y las adversidades, que de la oscuridad y el hielo nórdicos, después de mil rodeos, llega a la luz de Roma.

> Amor, cuando yo pienso
> en el mal que me das, terrible y fuerte,
> voy corriendo a la muerte,
> pensando así acabar mi mal inmenso;
> mas en llegando al paso,
> que es puerto en este mar de mi tormento,
> tanta alegría siento,
> que la vida se esfuerza, y no le paso.

Don Quijote canta, mientras Sancho, indignado de ver la vida de los Panzas unida a la de los Quijotes, duerme. Caballero y Escudero dialogan, disputan, se admiran el uno al otro y se asombran el uno del otro; la vida ya les ha separado más de una vez, y, además, el sueño o el silencio los deja en libertad. Cervantes, por medio de la coexistencia barroca, da un gran volumen a la acción de los personajes. Antes he llamado la atención sobre estos personajes que quedan aislados en su soledad (la sirvienta del cuento del rebuzno), o el diálogo entre Sancho y Teresa, del cual nos enteramos cuando aquél reclama un salario, o el gesto del Ama al salir de su casa para ir en busca del Bachiller, o bien (cap. XXIX), el diálogo entre amo y criado, mientras éste va atando las bestias a un árbol. Hemos visto a Don Quijote pasar toda una tarde componiendo un romance (el que le dedica a Altisidora); ahora nos da a conocer otra de sus creaciones: «Duerme tú, Sancho—respondió Don Quijote—, que naciste para dormir, que yo, que nací para velar, en el tiempo que falta de aquí al día daré rienda a mis pensamientos, y los desfogaré en un madrigalete, que, sin que tú lo sepas, anoche compuse en la memoria.» En esos momento de silencio, Don Quijote, siempre una vida de plenitud, va componiendo (no indica que es una traducción, pues hay traductores [cap. LII] que en sus obras «felizmente ponen en duda cuál es la traducción o cuál el original»); Sancho sólo puede pensar en su vida, menos feliz que su amo, ya que, como él mismo dice: «A mí me parece—respondió Sancho— que los pensamientos que dan lugar a hacer coplas no deben de ser muchos.» Sancho, el escudero, no sale de su experiencia vital; Don Quijote, por el contrario, encuentra momentos de reposo que permiten la creación literaria. En 1615, junto a la inacción de Don Quijote, tenemos su creación. Se comprenderá mejor la teoría de Sancho si se lee *El amante liberal.*

DESENLACE DEL AMOR DE LA FRIVOLA.
«LA CORTE ENCANTADORA»

El capítulo LXVIII termina siendo hechos prisioneros por unos hombres que, sin decirles ni una palabra, los conducen de nuevo a la presencia de los Duques. Dice Cervantes: «Llegaron, en esto, una hora casi de la noche, a un *castillo,* que bien conoció Don Quijote que era el del Duque, donde hacía poco que habían estado.» Pero Don Quijote no lo llama castillo: «¡Válame Dios!—dijo así como conoció la estancia—, y ¿qué será esto? Sí que en esta *casa* todo es cortesía y buen comedimiento; pero para los vencidos el bien se vuelve en mal, y el mal, en peor.»

Al ir Tosilos a Barcelona nos enteramos del desenlace de la historia de la Dueña; en los capítulos LXIX y LXX tiene lugar el desenlace del amor desgraciado de Altisidora. La historia de la dueña Doña Rodríguez era una historia verdadera, cuyo sentido lo descubre la historia de la Trifaldi. La frivolidad de Altisidora es una historia verdadera también, pero fingida. Los Duques han traído a la fuerza a Don Quijote y a Sancho para que Altisidora represente el final de su papel. Es otra vez un gran espectáculo: el aparato funeral en el Barroco (recuérdese el orgullo de Cervantes por haber escrito el soneto al túmulo de Felipe II). En el centro del patio ducal se eleva el túmulo con cuatro notas de color: negro de terciopelo, blanco de cera, plata y amarillo de palma; además, una guirnalda de flores y una almohada de brocado, todo alumbrado con luz de hachas y velas. Sobre el túmulo yace Altisidora, tan hermosa «que hacía parecer con su hermosura hermosa a la misma muerte». Y en seguida se dispone una escena de Inquisición, un auto de fe, en la cual Sancho es el penitente. Le visten las ropas de los condenados, pero nada se le daba de llamas y diablos mientras fueran pintados. Estas ropas todavía desempeñarán una importante función. El espectáculo es uno de tantos como Cervantes ha creado en 1615; sin embargo, el parecido con las escenas del Santo Oficio, aunque paródico, le da una gran realidad social. Se canta la muerte de Altisidora:

> En tanto que en sí vuelve Altisidora,
> muerta por la crueldad de Don Quijote,
> y en tanto que en *la corte encantadora*
> se vistieren las damas de picote...

E inmediatamente se ve Sancho sentenciado de nuevo. Don Quijote no puede menos de admirar la virtud que tiene Sancho, y ante sus desesperadas protestas, le incita a que dé gracias al Cielo por poder con su sacrificio resucitar a los muertos y desencantar a encantados. Altisidora resucita, después de haber estado en el otro mundo, a su parecer, «más de mil años»; le da las gracias a Sancho y le promete unas camisas. Es claro que Don Quijote, al ver el poder de Sancho, cuando ya ha sido pellizcado y aporreado, le dice que es el momento oportuno para darse los azotes y desencantar a Dulcinea.

LOS DIABLOS JUEGAN AL JUEGO FAVORITO DE CERVANTES

Sancho tuvo que dormir en el mismo cuarto de Don Quijote, «cosa que él quisiera excusarla, si pudiera; porque bien sabía que su amo no le había de dejar dormir *a preguntas y a respuestas*... Salióle su temor tan verdadero y su sospecha tan cierta, que, apenas hubo entrado su señor en el lecho, cuando dijo: ¿Qué te parece, Sancho, del suceso de esta noche?...» Don Quijote está admirado del efecto del desamor. Sancho, después de decir que Altisidora es una doncella «más antojadiza que discreta», por lo único que se preocupa es por esa relación, que él no comprende, entre el mundo de los Quijotes y el martirio de los Panzas. Ahora empieza a creer en los encantos, en la complejidad de lo real, y no desea otra cosa que poder olvidar en el sueño; quiere dormir, dormir para aliviar su dolor físico y espiritual. Ambos personajes duermen, y Cervantes explica cómo los Duques se informaron por Sansón Carrasco de las andanzas de Caballero y Escudero. El Duque, a su vez, le contó «la burla que Sancho había hecho a su amo, dándole a entender que Dulcinea estaba encantada y transformada en labradora, y cómo la Duquesa, su mujer, había dado a entender a Sancho que él era el que se engañaba, porque verdaderamente estaba encantada Dulcinea». Preguntas y respuestas, junto a esta forma de diálogo, el encadenamiento angustioso y sin fin: Sancho engaña a Don Quijote, la Duquesa a Sancho, y la corte encantadora aparece con todo su mágico prestigio: encanta, socialmente, al ideal.

Al despertar, reciben la visita de Altisidora, «coronada con la misma guirnalda que en el túmulo tenía, y vestida una tunicela de tafetán blanco, sembrada de flores de oro, y sueltos los cabellos por las espaldas, arrimada a un báculo de negro y finísimo ébano». La escena es una variación de la de Doña Ramírez; Altisidora también se sienta en una silla junto a la cabecera de la cama de Don Quijote. Todavía continúa su historia: enamorada y honesta. Sancho la invita a que cuente algo de su estancia en el otro mundo. «¿Qué hay en el infierno?» Es otra bajada a los infiernos, pero no como la de Don Quijote, pues ahora, siempre dentro del estilo de Cervantes, es una visita quevedesca. Altisidora, en la puerta del infierno, se encuentra a los diablos jugando al juego favorito de Cervantes: el escrutinio de la biblioteca. Libros vienen y libros van, cruzando el aire con toda rapidez. Los libros, viejos y nuevos, sirven de pelota a los demonios. Entre tanto libro, sólo un título, el del *Quijote* falso, que ni de pelota sirve y se va rodando a los abismos. Ahora es cuando dice Don Quijote la frase que, interpretada de una manera impresionista, tanto conmovía a Unamuno: «No hay otro yo en el mundo.»

Altisidora sale del infierno literario para encontrarse con el desdén de la realidad. Tanto desdén también la irrita, y para salvarse quiere hacer figurar que todo ha sido fingido. Pero no ha fingido; «Eso creo yo muy bien—dijo Sancho—, que esto del morirse los enamorados es cosa de risa: bien lo pueden ellos decir; pero hacer, créalo Judas.» Al decir que ha fingido, nos muestra que la muerte de amor es un tema literario. Tema celestinesco, con el cual, según la Trifaldi, se seduce a las damiselas:

> Ven, muerte, tan escondida,
> que no te sienta venir,
> porque el placer de morir
> no me torne a dar la vida.

Que es el tema sobre el que ha compuesto Don Quijote cuando soñaba la vida pastoril:

> Así el vivir me mata,
> que la muerte me torna a dar la vida.
> ¡Oh condición no oída
> la que conmigo muerte y vida trata!

Estas muertes son muertes de la voluntad, incapaz de resistir los embates de los sentidos. Altisidora cree—siempre frívola—que todo ha sido ficción; pero Don Quijote ha tomado muy en serio esta ficción, y por eso, cuando le pregunta la Duquesa si Altisidora ha vuelto a su gracia, le responde: «Señora mía, sepa vuestra señoría que todo el mal desta doncella nace de ociosidad, cuyo remedio es la ocupación honesta y continua.» Le aconseja que trabaje, pues mientras se trabaja, la imaginación no se ocupa de pensamientos lascivos: «Y ésta es la verdad, éste mi parecer y éste es mi consejo.» «Y el mío—añadió Sancho—, pues no he visto todavía randera que por amor se haya muerto; que las doncellas ocupadas más ponen sus pensamientos en acabar sus tareas que en pensar en sus amores.» Al gran amor de 1605 le sigue esta frivolidad que nace del ocio; para ella no cabe ninguna acción, sino los consejos que formen el carácter. Ya le aconsejó Don Quijote, en verso, cuando Altisidora estaba representando; al terminar su papel, el Caballero se lo dice directamente, y Cervantes ataca otro tema literario. La comedia de Altisidora—lo mismo sucederá con cierta comedia del Barroco, y aún más con la del Rococó—tiene como verdadero desenlace una lección para la vida práctica.

Don Quijote vivió el retablo, y también ha vivido la representación de Altisidora. Cuando le ofrece sus respetos el mozo que hizo de trujumán en la escena del túmulo, Don Quijote le plantea problemas literarios, y en seguida continúan su camino de regreso al lugar.

SANCHO ENGAÑA DE NUEVO
(DESENCANTO DE DULCINEA)

Sancho ha devuelto la vida a la frivolidad para que pueda oír el consejo de Don Quijote. La virtud del Escudero mitiga en cierto modo la tristeza del vencimiento, pues el desencanto de Dulcinea parece asegurado. El desencanto ha transformado la relación entre Caballero y Escudero. En 1605, Sancho estaba pendiente de la ínsula, de los sueños de Don Quijote; en 1615, éste depende de la voluntad de Sancho: implora, exige, amenaza. Es el mismo Sancho el que da lugar a que Don Quijote encuentre la solución (cap. LXXI). Sancho es más desgraciado que los médicos; éstos matan y cobran; Sancho resucita a los muertos y no recibe las camisas prometidas. «Pues yo les voto a tal que si me traen a las manos otro algún enfermo, que antes que le cure me han de untar las mías, que el abad, de donde canta yanta, y no quiero creer que me haya dado el Cielo la virtud que tengo para que yo la comunique con otros de bóbilis, bóbilis.» «Tú tienes razón, Sancho amigo», respondió Don Quijote, y se aviene a pagarle. Sancho ve que en su cuerpo tiene una especie de mina, una ínsula verdadera. Ya recibió un presente de los Duques, otro de Roque Guinart; ahora, casi, a la entrada del pueblo, cerca de sus hijos y de su mujer, de su familia, de su casa, se le presenta la ocasión del gran negocio, que en seguida acepta, para modificar las condiciones después de los primeros azotes y acabar por engañar a quien le paga, golpeando los árboles en lugar de darse en las espaldas.

Dos ambiciones, dos codicias están en juego. Son las dos medidas—tiempo y espacio—que hemos visto contrastadas durante toda la novela. Es lo que le hacía decir a Don Quijote, refiriéndose al eclesiástico de los Duques (cap. XXXII): «¿...Y habiéndose criado algunos en la estrechez de algún pupilaje, sin haber visto más mundo que el que puede contenerse en veinte o treinta leguas de distrito, meterse de rondón a dar leyes a la caballería y a juzgar de los caballeros andantes?» No es una oposición entre lo temporal y lo eterno, es el encuentro en el mundo de un círculo mínimo y un círculo máximo, el conflicto que nace de su relación. Cervantes está fundando la esencia de la vida futura: la experiencia de lo reducido queriendo abarcar y dirigir lo amplio e inmenso. No es que exista, por ejemplo, de un lado, el egoísmo, y de otro, la generosidad, sino que de lo que se trata es de la fricción constante de estos dos mundos coexistentes y de cómo el egoísmo quiere imponer sus propias leyes a la generosidad, mientras ésta depende de aquél y en él interviene. La calidad es completamente distinta; pero en los ojos de Caballero y Escudero brilla idéntica luz: ¡Todo por Dulcinea! ¡Todo por la casa! Don Quijote quiere que Sancho se cuide, que continúe viviendo para que Dulcinea llegue a ser desencantada. Hasta piensa que su vida ha de servir para sustentar a su mujer y a sus hijos; hasta se resigna a esperar. ¿Qué relación puede existir entre el desencanto de Dulcinea y la sangre y el dolor de Sancho? La relación del propio pecado. El hombre que se ha atrevido a presentar el ideal en la Tierra, que ha profanado el ideal, es el que tiene que sufrir y padecer. Entonces vemos otra transformación rara y extraña: la sangre convirtiéndose en dinero, y luego todavía otra transformación: el dinero convirtiéndose en engaño. Es una cadena sin fin, un abismo llamando a otro abismo.

EL SENTIDO DE LA OBRA DE ARTE. LA CREACION DE AVELLANEDA TESTIMONIA DE SU PROPIA FALSEDAD

Sancho engaña de nuevo (no es necesario llamar la atención sobre el paralelismo encanto-desencanto. Paralelismo antitético y siempre el cómico engaño), y Don Quijote queda de nuevo engañado; pero los dos están contentos; así, llegan a una venta, donde los dos se sienten los héroes del mundo moderno y ponen a sus vidas el fondo de las figuras del mundo antiguo, diciéndonos Don Quijote en qué consiste la diferencia entre el arte verdadero y el falso. El falso creador es el que no tiene nada que decir, puede sólo remedar; el arte falso es un arte vacío, y por eso no tiene sentido. Cuenta la anécdota de Orbaneja y la aplica inmediatamente al autor de la novela apócrifa. El juicio de Don Quijote es exacto: Avellaneda escribió lo que salía. Una obra de arte verdadero es siempre una obra articulada y con sentido. La aprehensión de este sentido, como no se declara lógicamente, es siempre una experiencia espiritual. «Tienes razón, Sancho—dijo Don Quijote—, porque este pintor es como Orbaneja, un pintor que estaba en Ubeda, que cuando le preguntaban qué pintaba, respondía: 'Lo que saliere'; y si por ventura pintaba un gallo, escribía debajo: 'Este es gallo', por que no pensasen que era zorra. Desta manera me parece a mí, Sancho, que debe de ser el pintor o escritor, que todo es uno, que sacó a la luz la historia deste nuevo Quijote que ha salido, que pintó o escribió lo que saliere.» Don Quijote nos está indicando la única actitud posible hacia el arte: hemos de formarnos espiritualmente—y quizá nuestra experiencia servirá a otros—para captar la vida espiritual. En las humanidades no cabe otra actitud que la de la formación espiritual, la cual se diferencia inmediatamente de la no formación o de la falsa formación. Si para asegurarse se quiere transformar el esfuerzo en un resultado visible, no se consigue nada más que engañarse. No sólo se *pinta* y se *escribe* lo que salga, es claro; también se *hacen* cosas sin sentido.

En la venta deciden pasar el día, esperando la noche para que Sancho continuara sus azotes (cap. LXXII). A esa misma venta llega un personaje de Avellaneda: Don Alvaro Tarfe. Es la propia creación de Avellaneda la encargada de denunciar al mundo la existencia de un Don Quijote usurpador, malo y falso. Dentro del mundo de lo social, Don Quijote insiste en que se le dé una declaración judicial en la cual constase que él no era el falso. «La declaración se hizo con todas las fuerzas que en tales casos debían hacerse, con lo que quedaron Don Quijote y Sancho muy alegres, como si les importara mucho semejante declaración, y no mostraran claro la diferencia de los dos Don Quijotes y la de los dos Sanchos *sus obras y sus palabras*.» Palabras y obras que son plenamente suficientes en el mundo del espíritu; pero en el mundo social son necesarios los documentos legalizados por la autoridad correspondiente.

389

Salen de la venta, se despiden de su nuevo amigo, termina Sancho de azotarse, y ya Don Quijote no podía encontrarse con una mujer sin ir a ver si era Dulcinea del Toboso, «teniendo por infalible no poder mentir las promesas de Merlín». Don Quijote ya no se encuentra con una zafia labradora a quien se le obliga a representar el papel de Dulcinea: cree poder encontrar a su ideal en cualquier momento. El siglo XVIII destruirá la fe en Merlín, y el XIX se desesperará al no poder reconocer el ideal en la Tierra. Al descubrir la aldea, Sancho nos da el sentido, como ha hecho tantas veces, de la tercera salida: «Vuelve a ti Santo Panza, tu hijo, si no muy rico, muy bien azotado. Abre los brazos y recibe también tu hijo Don Quijote, que si viene vencido de los brazos ajenos, viene vencedor de sí mismo.» Dinero, dinero v dinero es el mundo futuro de los Panzas; a costa de azotes fingidos o verdaderos, allegan alguna riqueza (Cervantes no podía prever la época de Fausto con el papel moneda y la industria). El hombre espiritual, no en el sentido senequista, sino en el sentido barroco moderno, vivirá en lucha consigo mismo para salir vencedor de sí mismo. «Déjate desas sandeces», dice Don Quijote. También se había sonreído ante la admiración de Sancho por la vida del *Caballero del Verde Gabán*.

Dinero, vencerse a sí mismo, entre estas dos grandes perspectivas—económica, moral, ambas de índole práctica—, todavía cabe una tercera: la poética; la vida puramente ornamental con que decorará el Rococó todas sus actividades, la nueva pastoril. «Déjate desas sandeces—dice Don Quijote—y vamos con pie derecho a entrar en nuestro lugar, donde daremos vado a nuestras imaginaciones y la traza que en la pastoral vida pensamos ejercitar.»

LA INTUITIVA CAPTACION DEL SENTIDO.
EL GRUPO DE DON QUIJOTE Y SANCHO

Las cartas de Teresa, la presencia de Ricote, habían dado al pueblo de Don Quijote una realidad social; cuando llegan al lugar, éste aumenta su realidad topográfica. El pueblo se encuentra al pie de una cuesta; según se viene de El Toboso, a la entrada, están las eras, y más allá un pradecillo, donde el Cura y el Bachiller solían rezar (cap. LXXIII). Bajo felices auspicios comenzó la tercera salida, la cual termina entre agüeros adversos. Los signos primeros que reciben a Don Quijote—niños jugando en las eras, cazadores— son interpretados por el Caballero como señal de que no volverá a ver a Dulcinea. El Cura les había enseñado que ni cristianos ni discretos creían en agüeros. Sancho recuerda que de la misma opinión era Don Quijote. Y Don Quijote no creía en agüeros ni era supersticioso; pero en los momentos en que vivía intensamente, convergían hacia un sentimiento todos los aspectos del mundo circundante. Una frase: «No te canses, Periquillo, que no la has de ver en todos los días de tu vida»; una liebre perseguida por galgos y cazadores, éstas han sido las señales, que al penetrar en el mundo del caballero andante adquieren un especial significado. Sancho explica el sentido literal del texto, y no por falta de inteligencia, pues inmediatamente se acoge a la interpretación de Don Quijote para deshacerla. Le entrega la liebre, compra la jaula de grillos. Pero a la visión del sentimiento, ni se la puede deshacer de una manera racionalista y mecánica ni se la puede completar. Cuando se ha captado intuitivamente un sentido, éste no puede ser transformado o deformado. Lo importante no es la frase o la liebre, sino la intención, como dice Don Quijote: «Aplicando aquella palabra a mi intención.» Sancho compra la jaula y le entrega la liebre, pero no cambia su intención, que sería lo único que podría hacer surgir una nueva interpretación del mundo. Del mundo de las pasiones, que empezó con ladridos en la noche y la figura del león y termina con una liebre y unos grillos.

LA LLEGADA AL LUGAR DESPUES DE LA SEGUNDA SALIDA Y DE LA TERCERA

Don Quijote, al ser vencido, se despojó de sus armas; así hizo el camino de vuelta; así ha llegado a su pueblo, y ahí se encuentra con una jaula de grillos y una liebre perseguida, que Sancho compra y Sancho coge. No es necesario ver dos símbolos, pero sí es necesario ver el grupo: Don Quijote de vuelta y sin armas, mien-

tras Sancho le entrega la jaula y la liebre; no lejos, el rucio adornado con la túnica y la coroza que sirvieron a su amo. Parece que
todo el espacioso ámbito de lo femenino queda reducido a la liebre,
y la jaula que guardaba la locura en 1605 se ha convertido en la jaula de grillos. Es imposible afirmar que ésta era la intención de Cervantes; imposible saberlo; por eso no se afirma; lo único que se
hace es observar que en 1605 teníamos la paloma de la profecía y
la jaula inmensa, y en 1615, la liebre y la jaulita de grillos. En cambio, había una intención indudable al imaginar esas dos diferentes
escenas, grotesca la una y expuesta a toda la comunidad un domingo al mediodía: «A cabo de seis días llegaron a la aldea de Don
Quijote, adonde entraron en la mitad del día, que acertó a ser domingo, y la gente estaba en la plaza, *por mitad de la cual* atravesó
el carro de Don Quijote. Acudieron todos a ver lo que en el carro
venía, y cuando conocieron a su compatrioto, quedaron maravillados, y un muchacho acudió corriendo a dar las nuevas a su ama y
a su sobrina.» Tiene un gran movimiento heroico: el carro de bueyes abriéndose paso por entre la multitud, la unidad monumental
que crea esa maravilla y el zigzagueo del muchacho haciéndola vibrar. Sancho alegra la gravedad de esta marcha con el paisaje
espléndido de la aventura: «Es cosa linda esperar los sucesos atravesando montes, escudriñando selvas, pisando peñas, visitando castillos, alojando en ventas a toda discreción, sin pagar ofrecido sea
al diablo el maravedí.» (No se olvide que la segunda salida es el desarrollo de la primera.)

En 1615, la llegada es así: «Fueron luego conocidos los dos del
Cura y del Bachiller, que se vinieron a ellos con los brazos abiertos.
Apeóse Don Quijote y abrazólos estrechamente; y los mochachos,
que son linces no excusados, divisaron la coroza del jumento y acudieron a verlo, y decían unos y otros: «Venid, mochachos, y veréis
al asno de Sancho Panza más galán que Mingo, y la bestia de Don
Quijote más flaca hoy que el primer día. Finalmente, rodeados de
mochachos, y acompañados del Cura y el Bachiller, entraron en el
pueblo y se fueron a casa de Don Quijote.» Teresa siente una gran
desilusión al ver a su marido; pero éste la consuela pronto, asegurándole que traía dineros; Sanchica también acude, y en seguida
pregunta qué es lo que trae. Formando grupo—la una le lleva de la
mano, la otra le tira del cinto—llegan a casa.

Estos grupos, que con su jolgorio rodean a los viajeros que vuelven y los acompañan a sus respectivas casas, se oponen a la muchedumbre maravillada. Todo el aire de grotesca y trágica grandeza ha desaparecido; en su lugar tenemos a Don Quijote y a Sancho a pie y el alborozo que producen en la chiquillería los adornos del asno. De la misma manera, al mundo de la caballería andante le desplaza el de la vida pastoril, cuyo telón corre inmediatamente Don Quijote, haciendo partícipes al Cura y al Bachiller de sus proyectos. Ya no más acción para hacer que reinen en el mundo la justicia y la virtud, sino amorosos pensamientos. Cervantes, siempre alerta, confía al Bachiller las características del género: «Si mi dama, o, por mejor decir, mi pastora, por ventura se llamare Ana, la celebraré debajo del nombre de Anarda.» La sensualidad se señala irónicamente: «El pastoral y virtuoso ejercicio», «Honesta y honrada resolución»; y por boca del Ama, la idealización de ese mundo: «Este es ejercicio y oficio de hombres robustos, curtidos y criados para tal ministerio casi desde las fajas y mantillas. Aun, mal por mal, mejor es ser caballero andante que pastor.»

EL DESENLACE. LA MUERTE A FINALES DEL GOTICO Y EN LA PLENITUD DEL BARROCO

La llegada al pueblo era el desenlace de la primera novela, para terminar el cual se disponía rápidamente de una tercera salida y de la muerte del protagonista, que quedaba situada en un ambiente novelesco paradójico, muy rico de calidad—caja de plomo, cimientos derribados de una antigua ermita que se renovaba, pergaminos escritos con letras góticas—, y adornada con unos epitafios de gran valor grotesco en juego con el comienzo de la novela. En 1615, la llegada al pueblo precede al desenlace. El último capítulo (cap. LXXIV), cuyo epígrafe es: «De cómo Don Quijote cayó malo, y del testamento que hizo, y su muerte», empieza con un gran acorde narrativo, que desde el primer momento nos indica que hemos llegado al final de la historia: «Como las cosas humanas no sean eternas, yendo siempre en declinación de sus principios hasta llegar a su último fin, especialmente la vida de los hombres...» En este gran sentido de final que encierra la frase no hay que hacer resaltar negativamente su carácter, haciendo notar su tono antiheroico, que es lo que acontece con el comienzo de 1605, sino la clara serenidad con que se presenta el último punto del desarrollo de una vida. Don Quijote está en la cama enfermo; van a visitarle el Cura, el Bachiller, el Barbero, y Sancho le acompaña siempre. Nos encontramos exactamente en la misma situación del comienzo; también entonces Don Quijote estaba en la cama, y el Cura y el Barbero iban a visitarle. Antes querían sondear su locura; ahora quieren alegrarle y darle ánimos. La irritación, la agresividad, la inseguridad se han resuelto en calma; también ha desaparecido lo burlesco de la figura del protagonista. El cuarto de Don Quijote no es el cuarto de un moribundo; no se huele a medicinas; no hay esa atmósfera irrespirable de vigilancia y cansancio que caracteriza al mundo materialista en presencia de lo desconocido. Es el cuarto donde un hombre abandona la Tierra.

Veamos la diferencia entre el siglo xv y el xvii, entre finales del Gótico y la plenitud del Barroco. Las *Coplas* de Jorge Manrique nos servirán para situar en el siglo xv la escena de un caballero que muere en su cama. A los tres *después* en que se resume la vida de Don Rodrigo Manrique—vida al servicio de su ley y de su rey, vida llena de hazañas—, le sigue la llamada de la Muerte, en una visión concreta de la realidad:

> En la *su villa* de Ocaña
> vino la Muerte a *llamar*
> a *su puerta.*

Vemos la villa amurallada y apiñada y a un personaje llamando a la puerta. La Muerte se dirige al Caballero, diciéndole que no tema, siempre dentro del mundo gótico: *corazón de acero, batalla temerosa;* de un lado, los buenos religiosos; de otro, los caballeros; junto a la metáfora y a la estructura social, el ritmo trimembre característico del Gótico: vida corporal, vida de la fama, vida de ultratumba. El Caballero contesta con gran decisión, despreciando la vida—vida mezquina—, insistiendo en el ritmo trimembre, que ahora, en lugar de un tono discursivo de silogismo, presenta una lim-

pieza, sencillez e ingenuidad de línea; todo dirección, verticalidad;
tono cristalino que se eleva:

> Y consiento en mi morir
> con voluntad *placentera,*
> *clara y pura.*

El ritmo trimembre pasa a la oración imploratoria—*Tú que... Tú
que... Tú que...—,* y el Caballero muere:

> Así, con tal entender,
> todos sentidos humanos
> conservados,
> cercado de su mujer,
> y de sus hijos, y hermanos,
> y criados,
> dio el alma a quien se la dio,
> el cual la ponga en el cielo
> y en su gloria,
> y aunque la vida murió
> nos dejó harto consuelo
> su memoria.

El Caballero muere conservando todos sus sentidos y cercado por
su mujer y tres grupos; el verso séptimo nos ofrece en su equilibrio
perfecto todo el sentido de la vida y la muerte en la Edad Media:
el alma se tiene en feudo; repetición encuadradora del verbo *dar*
en el mismo tiempo, que dibuja con toda claridad y precisión el ciclo de la vida completamente unida a la muerte, a la otra vida. La
muerte es otra vida, y vivir es recibir un alma que hay que devol-
ver, rindiendo cuentas. El hombre medieval, para sentir el espacio,
necesita llenarlo de cosas; en cambio, el hombre barroco necesita
vaciarlo; el uno quiere lo concreto para sentir la realidad del mundo suprasensible; el otro se hunde en la realidad para esencializar-
la, desconcretizándola, para sentir sólo esencias.

La Muerte viene a llamar al Caballero a la puerta de su villa, y
el Caballero muere cercado. Además de la acción y de los posesivos
con tanta fuerza de lo concreto, el morir cercado. No es que sintamos el espacio, es que sentimos el sólido amurallamiento del mundo después de haber visto al hombre y la Muerte frente a frente.

O bien por verse vencido, o bien por disposición del Cielo, o bien por no ver el desencanto de Dulcinea, a Don Quijote le entró una calentura. Los amigos van y vienen a su alrededor, ayudándole, animándole, incitándole a que haga un esfuerzo para continuar viviendo. Al ver que no mejora, se llama al médico; éste avisa del peligro—hay que confesarse—; Don Quijote lo oye con sosiego, pero en seguida comienza el círculo de lágrimas: el Ama, la Sobrina, el Escudero, comienzan a llorar tiernamente. El médico diagnostica: se muere de melancolías y desabrimientos; y Don Quijote ruega que le dejen solo. Hay todo un trajín, un movimiento, alrededor de este hecho corriente e insólito; una necesidad de encontrar causas, de poner un rótulo—se muere de tal y tal cosa—, que nadie entiende, pero que a todo el mundo le tranquiliza como si hubiera entendido. Primero, el aviso de que el hecho corriente e insólito puede tener lugar de un momento a otro; después, esa tranquilizadora rotulación del misterio. La Muerte no está. Lo que tenemos son unos espectadores y el protagonista, éste lleno de sosiego y necesitando la soledad, que se haga el vacío a su alrededor para estar consigo mismo.

LA SUBITA ILUMINACION DEL HOMBRE: PROXIMIDAD DE LA MUERTE. LOCURA DE LA VIDA. EL SACRAMENTO DE LA PENITENCIA: FORMA DE LA VIDA

«Rogó Don Quijote que le dejasen solo, porque quería dormir un poco.» Es el gran momento del Barroco, el momento de la conversión, de la revelación. Toda la dirección de la vida virando bruscamente para emprender una dirección opuesta. Vivir loco y morir cuerdo. Las dos medidas: un largo período de tiempo confrontado con un breve instante, revelador minuto que da sentido a la vida. Del silencio del sueño sale Don Quijote dando una gran voz: «Bendito sea el poderoso Dios, que tanto bien me ha hecho.» La enormidad de los pecados del hombre subraya la infinita misericordia divina. Don Quijote da cuenta a su sobrina de haber recobrado la razón, y, *como la ha recobrado*, anuncia su muerte próxima, cercana. Recobrar la razón es sentirse a punto de morir; colocados en ese instante, se ve la locura que es la vida. Con calma, pero sin pausa, hay que cuidar de las dos líneas divergentes: el alma y la sociedad, confesarse y hacer testamento. El Cura, el Bachiller, el Barbero, aparecen en seguida. Son el coro que representa a la Humanidad; son los testigos de la transformación de Don Quijote de la Mancha en Alonso Quijano, el *Bueno*. Alonso Quijano es el hombre que, gracias a la misericordia del Cielo, ha podido escarmentar en cabeza propia. La Humanidad se rebela; el primero, naturalmente, Sansón, el que tuvo como propósito en su vida sanar a Don Quijote, pero no hasta tal punto, y que ahora quiere que enloquezca de nuevo para que siga viviendo. Don Quijote está en ese instante decisivo en que la vida toda va a cobrar su sentido: «Calle, por su vida; vuelva en sí y déjese de cuentos.» «Los de hasta aquí—replicó Don Quijote—, que han sido verdaderos en mi daño, los ha de volver mi muerte, con ayuda del Cielo, en mi provecho.» El Cura y el Bachiller se resignan; el uno le confiesa, el otro va a buscar al escribano. Otra vez se cierra el aposento de Don Quijote, pero no para hundirse en el sueño, sino, más despierto que nunca, para darle a su vida una forma: la vida hecha memoria va destacando las líneas de su locura, hasta que el recuerdo se anega en las lágrimas del arrepentimiento y se sale purificado del sacramento. Separados por la puerta dos murmullos, la confesión de Alonso Quijano y los lloros del Ama, la Sobrina y Sancho, que al saber el estado en que se encuentra su señor ha vuelto a la casa. Acabada la confesión, se abren las puertas, «y salió el Cura, diciendo: Verdaderamente se muere, y verdaderamente está cuerdo Alonso Quijano, el *Bueno;* bien podemos entrar para que haga su testamento…» Más lloros de Sancho, la Sobrina y el Ama; pero esta vez sin contención ninguna; lágrimas y suspiros despiden los ojos y salen del pecho. La confesión en secreto, el testamento en público; es la vida en su doble vertiente. Al testar, aparece la forma de la novela en toda su claridad: ítem, ítem, ítem, ítem.

Con el primer ítem tenemos el último diálogo entre Don Quijote y Sancho. Se trata de dinero; se trata de la ínsula, que ahora que está cuerdo quisiera convertir en reino; se trata de haber sido la causa de la locura de Sancho. «Perdóname, amigo, de la ocasión que te he dado de parecer loco como yo, haciéndote caer en el error en que yo he caído de que hubo y hay caballeros andantes en el mundo.» Es el primer diálogo entre Alonso Quijano y Sancho; éste quiere continuar dirigiéndole: «No se muera vuesa merced, señor mío, sino tome mi consejo y viva muchos años, porque la mayor locura que puede hacer un hombre en esta vida es dejarse morir sin más ni más, sin que nadie le mate ni otras manos le acaben que las de la melancolía.» Quiere engañarle, pero ya es imposible; Don Quijote dice su famosa frase: «En los nidos de antaño no hay pájaros hogaño.» Las casas—el nido—se han quedado sin pájaros. Es el triunfo de Don Diego de Miranda; es el triunfo del límite, cuya plenitud espiritual está aún llena de sentido religioso, el cual se irá transformando poco a poco en filosofía y ciencia.

Deja su hacienda a su Sobrina, con la obligación de pagar el salario al Ama y con la condición de que sólo se pueda casar con un hombre que no sepa lo que son libros de caballerías.

El testamento termina pidiendo perdón al autor del falso *Quijote* por haber escrito tanto disparate, pues dice: «Parto desta vida con escrúpulo de haberle dado motivo para escribirlos.»

Apenas terminó, le dio un desmayo; desmayos que se sucedieron cada vez con más frecuencia durante los tres días siguientes. «Alborotáronse todos», «andaba la casa alborotada». Es el alboroto de las últimas largas horas; «pero, con todo, comía la Sobrina, brindaba el Ama y se regocijaba Sancho Panza; que esto del heredar algo borra o templa en el heredero la memoria de la pena que es razón que deje el muerto». Recibió los sacramentos, y «entre compasiones y lágrimas de los que allí se hallaron, dio su espíritu; quiero decir que se murió».

En la Edad Media, el hecho espiritual de la muerte es tratado de una manera muy concreta y real: personificación de la muerte, narración esquematizada de la vida, morir como luchar; pero la escena se concibe de un modo abstracto, incluso al llegar el momento final, en que se rodea al moribundo de una agrupación jerarquizada y, por tanto, ordenada de una manera reconocible. Si no hay nada fisiológico, tampoco vemos una preocupación social; el alma ocupa todo el primer plano. En la Tierra queda la memoria del muerto como consuelo de los hombres.

En la danza macabra tenemos a la Humanidad desfilando hacia la muerte, toda la vida dirigida hacia ese momento. En las otras advertencias morales del siglo xv, en las mismas *Coplas* de Jorge Manrique, se le apremia al hombre a que despierte para que contemple la brevedad de la vida y el venir de la muerte, ante la cual todos los hombres muestran la igualdad de su naturaleza: *Omnes namque homines natura aequales sumus* (San Gregorio Magno). Toda la variedad del mundo desaparece cuando la muerte personificada llama a la puerta, y el hombre, cercado por los pecados, por las tentaciones postreras, por la familia, vence en la lucha y llega triunfante hasta Dios. El hombre no debe pensar con horror en sus últimos momentos; la Muerte, con su dedo creador, eterniza en la unidad la realidad varia de lo temporal.

En el Barroco tridentino, el moribundo está con su conciencia, con la continua presencia de su vida; la muerte personificada como tal ha desaparecido; en su lugar tenemos al cura, la confesión, todos los sacramentos. La vida acelera su ritmo—alboroto, ir y venir, lágrimas y sollozos—; el médico y el escribano cuidan del cuerpo y de la persona social. La vida impone al hombre una extraña y excitada alegría para afirmarse ante la muerte. No es una lucha entre la vida y la muerte, que termina con el triunfo de la muerte; es decir, de la vida verdadera. La vida del moribundo está rodeada de la vida de los que continúan viviendo. El hecho ordinario y general —la muerte—se está transformando en un hecho extraordinario y particular—la muerte individual—, gran espectáculo que todos los vivos contemplan. Hay una coexistencia de lo general y lo individual, de la vida y de la muerte, del sosiego y el alboroto, de lo referente al alma y de las cosas sociales: junto a los desmayos, de una manera muy tridentina, los sacramentos. Vemos, pues, cómo en el siglo XVII se presenta el morir como un fenómeno espiritual y, al mismo tiempo, *fisiológico y social;* es claro también que el testamento es el final del epílogo, cuya forma surge de la ironía de toda la novela, siendo igualmente irónica su función epilogal.

La escena no tiene nada de esquemático; está concebida en la realidad. Así como en el Gótico el Caballero muere cercado de su mujer, y de sus hijos, y de sus hermanos, y de sus criados, con un esquematismo abstracto que da una gran fuerza a lo concreto, en el Barroco se muere «entre compasiones y lágrimas». El grupo se hace impersonal y pierde el rigor de la clasificación ordenadora —«los que allí se hallaron»—, destacándose a unos individuos; además, se introduce una nota sentimental, pero todavía general, pues de ese grupo impersonal habla un personaje—el escribano—para afirmar que en los libros de caballerías no han muerto nunca así los caballeros andantes, y luego el Cura se dirige al Escribano para pedirle que dé testimonio de cómo Don Quijote había muerto de muerte natural, de modo que nadie se atreviera a resucitarle falsamente.

Cervantes, que pintará en el *Persiles* la muerte de quien entreví el cielo—la buena muerte—, no nos presenta el espectáculo, igualmente barroco, de las postrimerías, de las cenizas, de esa nada gris y agusanada en que queda convertida la vida. Pero el «dio su espíritu; quiero decir que se murió» con que Cervantes pone fin a la maravilla de la vida, no apunta con menos fuerza hacia la nada del vivir. Así se termina: un melancólico vacío circundado de sensibilidad: «compasiones y lágrimas». La frase aclaratoria quiere subrayar el lugar común—«dio su espíritu»—; mas no por eso deja de sonar como un final demasiado final. Al morir se abandonan las coronas, los bienes, los honores, toda esa pompa de una vida heroica; también se abandonan los grandes o pequeños proyectos, las grandes o pequeñas ilusiones; se abandona lo más personal, lo más íntimo. Por más próximo que parezca estar del materialismo, es claro que aún no hay nada materialista, ni tan siquiera racionalista: es el consejo de los consejos; es la última lección cristiana. Don Quijote muere desengañado; su muerte debe desengañar al hombre. Toda una corriente ascética puede derivar de esta enseñanza; pero también se come, se brinda, se regocija, porque la pena que deja «el muerto», así, individualmente, se «borra o templa» en el hombre. Cervantes armoniza el ir entrando en la muerte, en la vida del más allá, con el bullicio de la vida que continúa en la Tierra.

LA PLUMA DE CERVANTES

Para esta nueva muerte se escriben nuevos epitafios, uno de ellos por Sansón Carrasco. El final retórico de 1605—*Forsi altro cantera con miglior plettro*—se convierte en 1615 en una exigencia interior suscitada incidentalmente por el autor del falso *Quijote*. «Para mí sola [pluma] nació Don Quijote, y yo para él; él supo obrar, y yo, escribir; solos los dos somos para en uno.» Don Quijote había dicho: «La pluma es lengua del alma: cuales fueren los conceptos que en ella se engendraren, tales serán sus escritos» (capítulo XVI). La intervención «del escritor fingido» le obliga a declarar terminantemente (Don Alvaro Tarfe, Escribano) lo que es evidente desde el comienzo de la novela: cómo Cervantes vive del propio mundo por él creado y vive para ese mundo. Su obra ha triunfado sobre el pasado, lo cual lo declara también Cervantes: «Yo quedaré satisfecho y ufano de haber sido el primero que gozó el fruto de sus escritos enteramente...» Su deseo era terminar con los libros de caballerías, necesidad de superar ese género literario, que se impone como una exigencia de su concepción del mundo. Pero éste era el deseo de 1605. La cita continúa: «Que por las de mi verdadero Don Quijote van ya tropezando, y han de caer del todo, sin duda alguna.» Verdadero opuesto a falso, seguridad de haber triunfado y completa fe en el futuro.

FIN